중등 3-2

구성과 특징

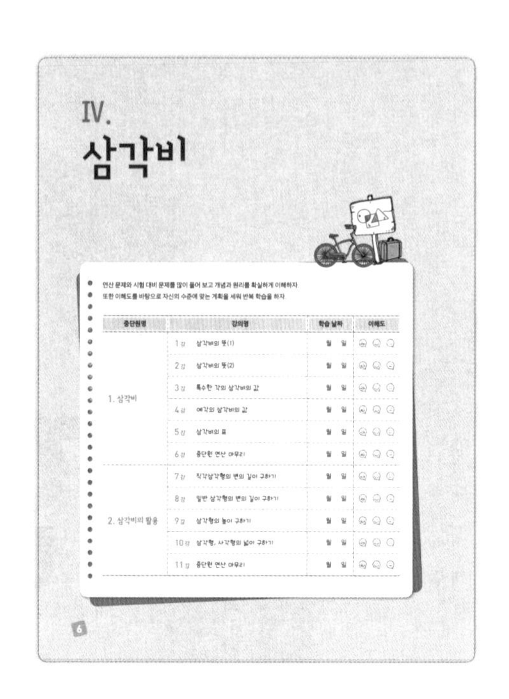
IV.

삼각비

대단원 도입

대단원별 학습 계획을 세워 자기주도학습을 할 수 있도록 하였습니다.

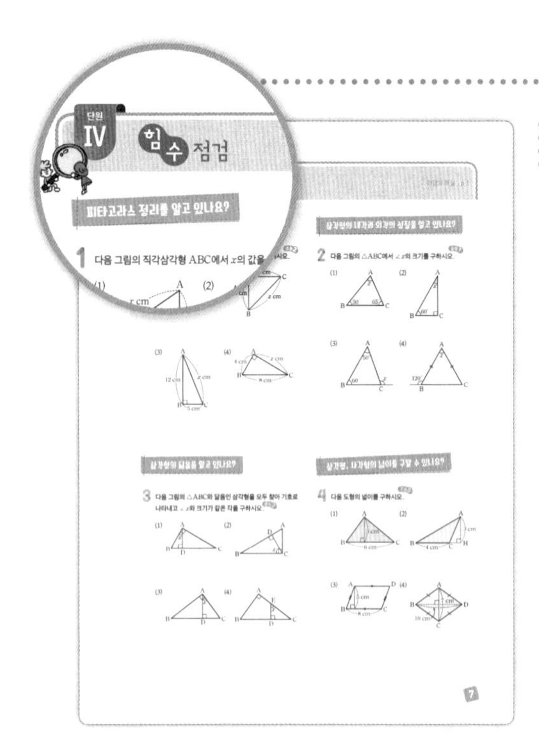
단원 IV 힘수 점검

힘수 점검

연산을 다시 풀어보기

이전에 배운 내용 중에서 본 학습과 연계된 연산 문제를 제공함으로써 본 학습 내용을 쉽게 이해하고 수학의 흐름을 한눈에 볼 수 있도록 하였습니다.

교과서 핵심 개념 이해

각 단원에서 교과서 핵심을 세분화하여 정리하였고 그 개념을 도식화, 도표화하여 보다 쉽게 개념을 이해할 수 있도록 하였습니다.

힘이 붙는 수학은

✚ 교과서 개념에서 나올 수 있는 연산 관련된 개념을 세분화해서 정리하여 공부할 수 있도록 하였습니다.

✚ 각 강마다 연산 문제를 3~4쪽씩 제공하여 많이 풀 수 있도록 하였고, 중단원마다 그 연산 문제를 반복할 수 있도록 하였습니다.

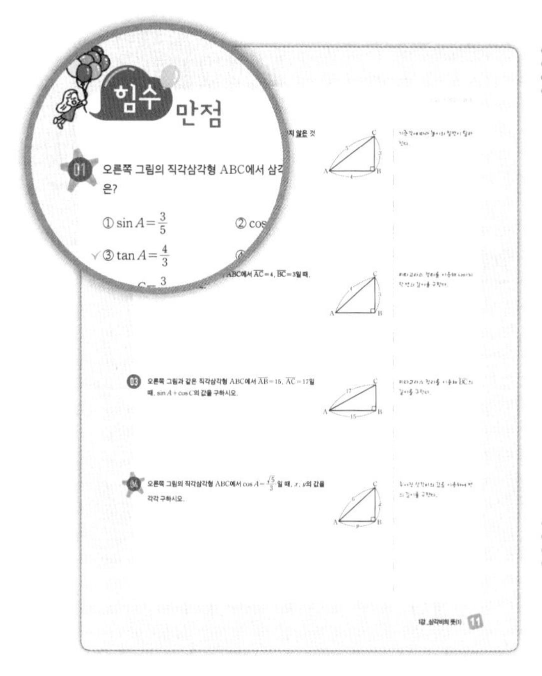

힘수 만점

연산을 적용한 문제 풀기

앞에서 배운 연산 문제를 이용하여 풀 수 있는 문제들로 구성하여 개념을 쉽게 익힐 수 있도록 하였습니다.

중단원 연산 마무리

중단원마다 앞에서 나왔던 연산 문제보다 난이도가 있는 문제들로 구성하여 내신 대비를 할 수 있도록 하였습니다.

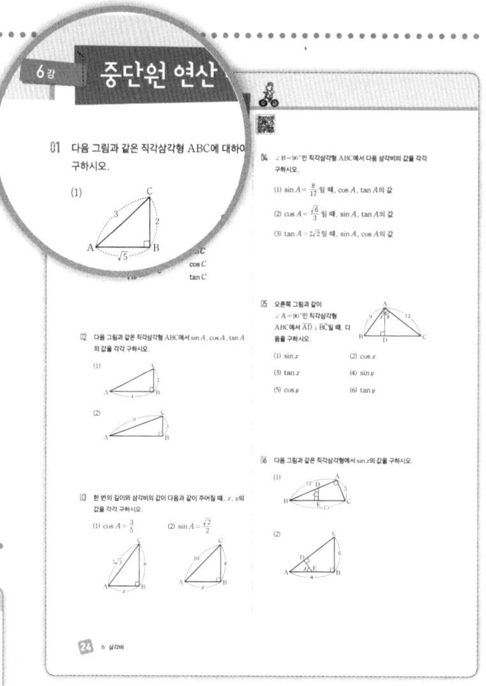

정답과 해설

혼자서도 쉽게 이해할 수 있도록 자세하고 친절한 풀이를 제시하였습니다.

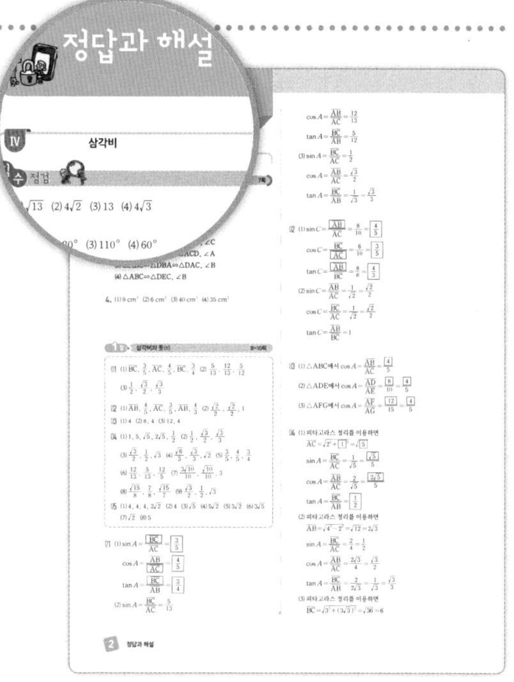

이 책의 차례

IV 삼각비

1 삼각비

2 삼각비의 활용

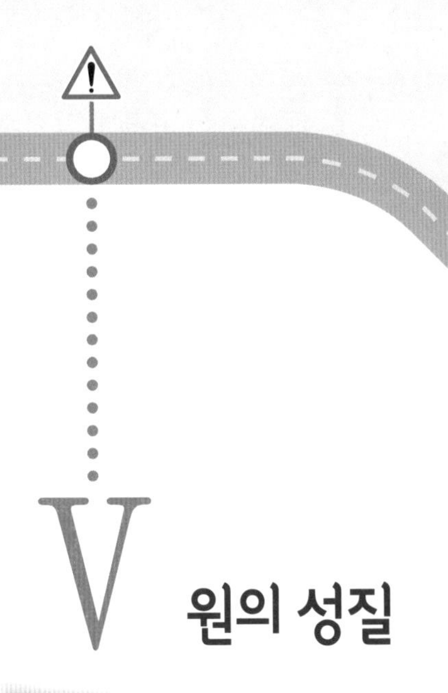

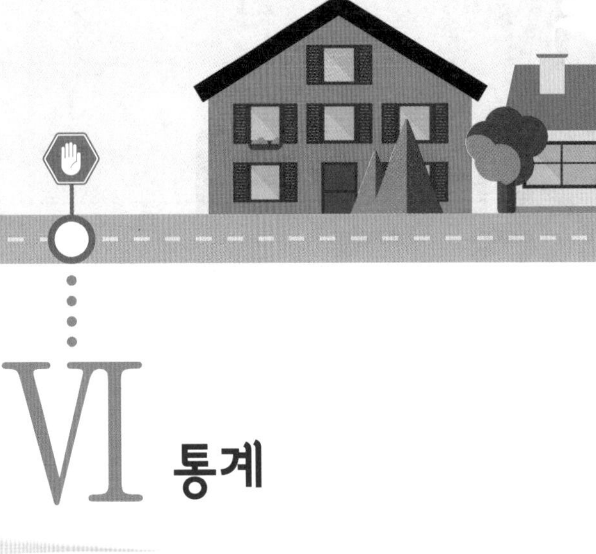

V 원의 성질

1 원과 직선

2 원주각

VI 통계

1 통계

Ⅳ. 삼각비

연산 문제와 시험 대비 문제를 많이 풀어 보고 개념과 원리를 확실하게 이해하자.
또한 이해도를 바탕으로 자신의 수준에 맞는 계획을 세워 반복 학습을 하자.

중단원명	강의명	학습 날짜	이해도
1. 삼각비	1강 삼각비의 뜻(1)	월 일	
	2강 삼각비의 뜻(2)	월 일	
	3강 특수한 각의 삼각비의 값	월 일	
	4강 예각의 삼각비의 값	월 일	
	5강 삼각비의 표	월 일	
	6강 중단원 연산 마무리	월 일	
2. 삼각비의 활용	7강 직각삼각형의 변의 길이 구하기	월 일	
	8강 일반 삼각형의 변의 길이 구하기	월 일	
	9강 삼각형의 높이 구하기	월 일	
	10강 삼각형, 사각형의 넓이 구하기	월 일	
	11강 중단원 연산 마무리	월 일	

정답과 해설 _ p.2

피타고라스 정리를 알고 있나요?

1 다음 그림의 직각삼각형 ABC에서 x의 값을 구하시오. 중등2

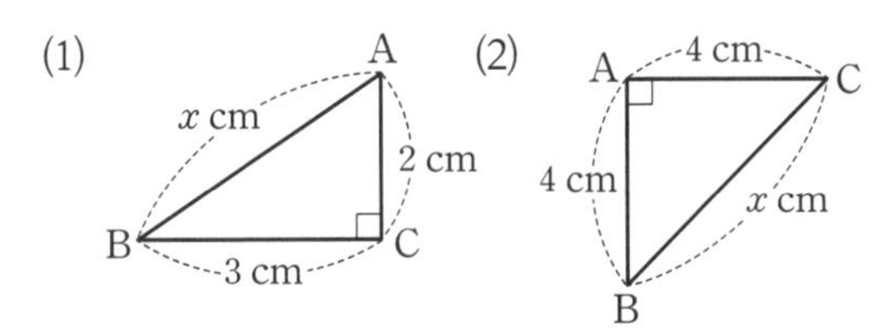

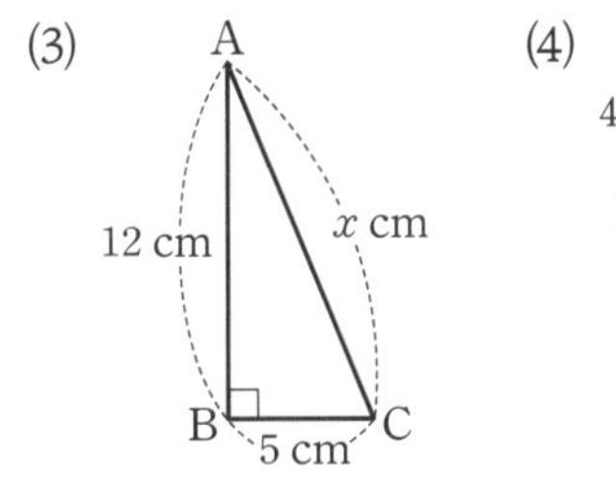

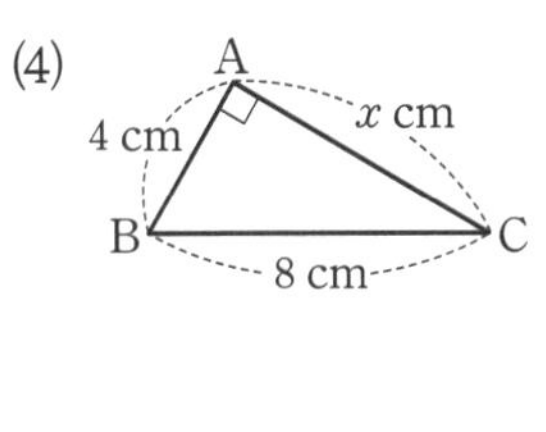

삼각형의 내각과 외각의 성질을 알고 있나요?

2 다음 그림의 △ABC에서 ∠x의 크기를 구하시오. 중등1

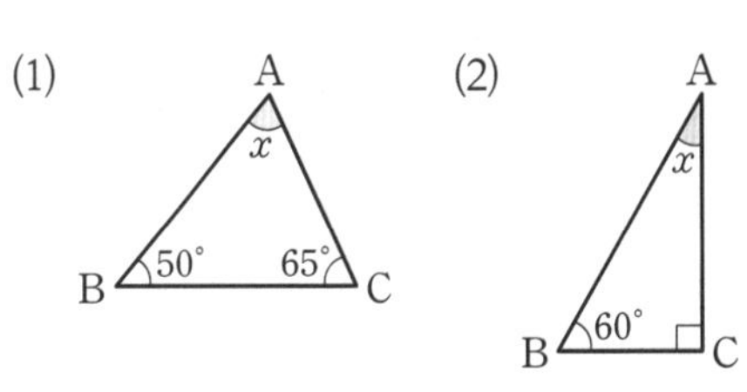

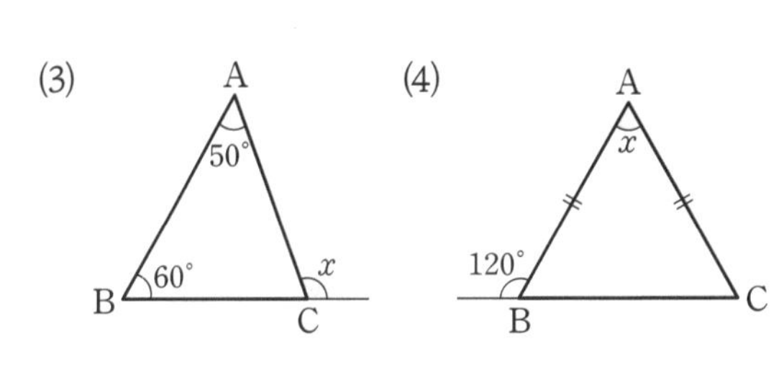

삼각형의 닮음을 알고 있나요?

3 다음 그림의 △ABC와 닮음인 삼각형을 모두 찾아 기호로 나타내고 ∠x와 크기가 같은 각을 구하시오. 중등2

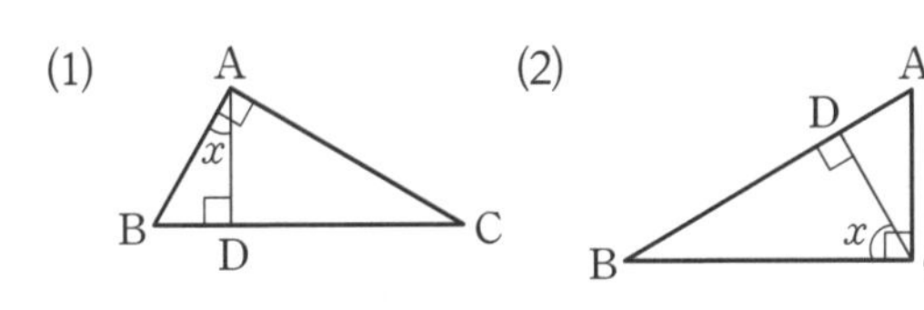

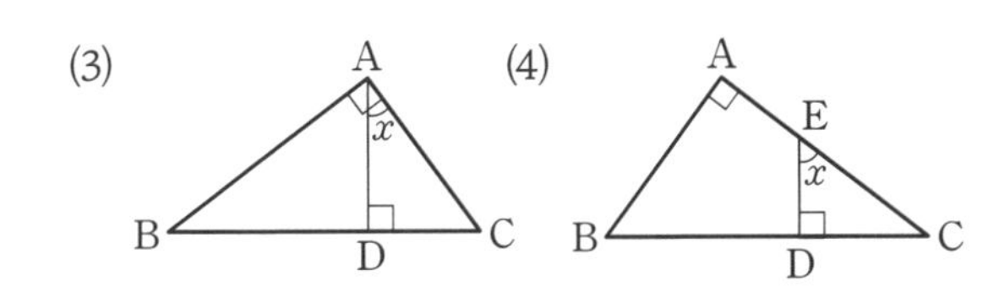

삼각형, 사각형의 넓이를 구할 수 있나요?

4 다음 도형의 넓이를 구하시오. 초등5

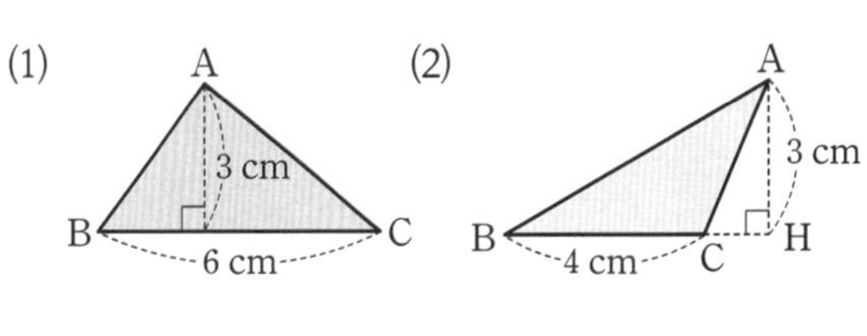

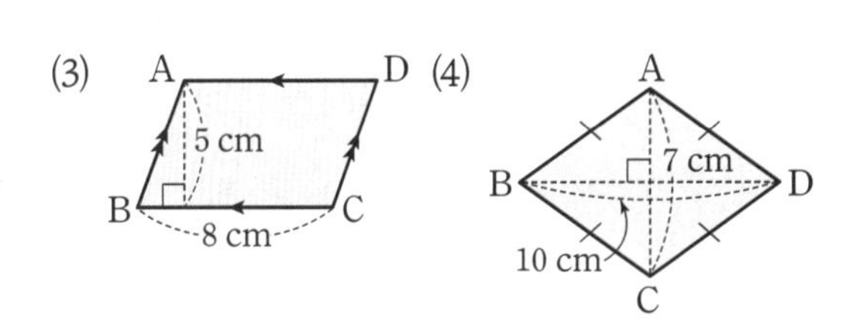

1. 삼각비의 뜻 up+

(1) 삼각비: 직각삼각형에서 두 변의 길이의 비

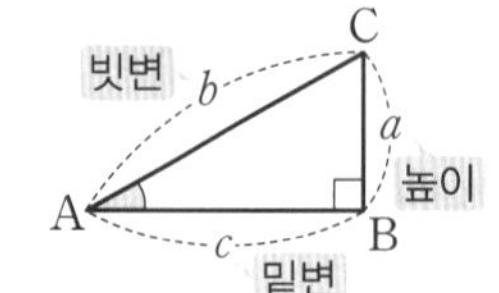

(2) $\angle B=90°$인 직각삼각형 ABC에서 $\angle A$, $\angle B$, $\angle C$의 대변의 길이를 각각 a, b, c라고 하면

∠A의 대변을 높이로 생각한다.

$\sin A=\dfrac{(\text{높이})}{(\text{빗변의 길이})}=\dfrac{\overline{BC}}{\overline{AC}}=\dfrac{a}{b}$

$\cos A=\dfrac{(\text{밑변의 길이})}{(\text{빗변의 길이})}=\dfrac{\overline{AB}}{\overline{AC}}=\dfrac{c}{b}$

$\tan A=\dfrac{(\text{높이})}{(\text{밑변의 길이})}=\dfrac{\overline{BC}}{\overline{AB}}=\dfrac{a}{c}$

$\sin A$, $\cos A$, $\tan A$를 통틀어 $\angle A$의 삼각비라 한다.

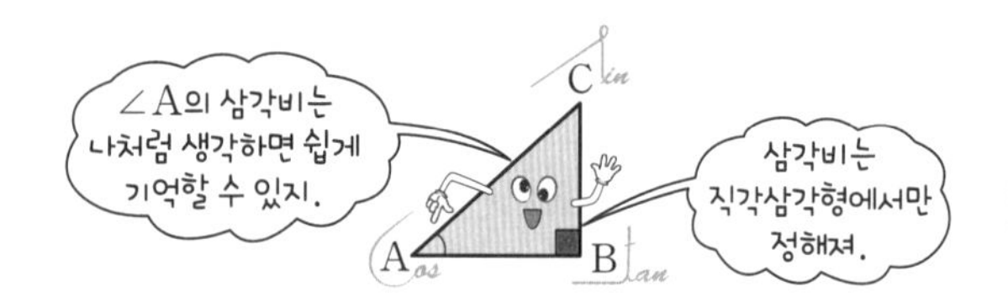

주의 한 직각삼각형에서도 기준각에 따라 높이와 밑변이 바뀐다. 이때 삼각비를 구하려는 각의 대변이 높이가 된다.

참고 $\sin A$, $\cos A$, $\tan A$에서 A는 $\angle A$의 크기를 나타낸다.

01 다음 그림과 같은 직각삼각형 ABC에 대하여 삼각비의 값을 구하시오.

(1)

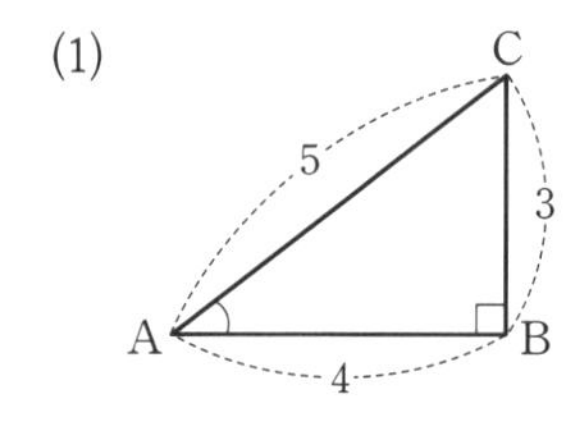

$\sin A=\dfrac{\square}{\overline{AC}}=\square$

$\cos A=\dfrac{\overline{AB}}{\square}=\square$

$\tan A=\dfrac{\square}{\overline{AB}}=\square$

(2)

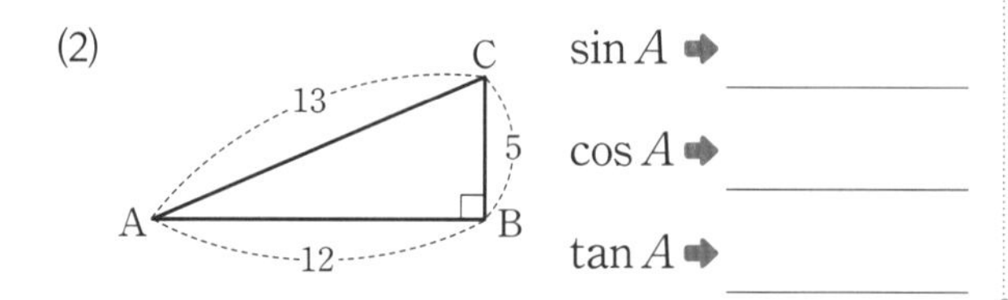

$\sin A$ ➡ ______

$\cos A$ ➡ ______

$\tan A$ ➡ ______

(3)

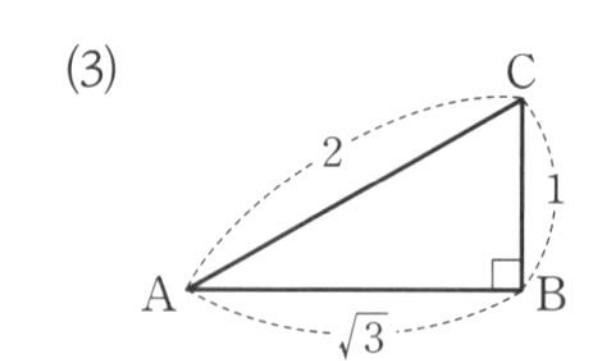

$\sin A$ ➡ ______

$\cos A$ ➡ ______

$\tan A$ ➡ ______

쌤 Tip 답은 분모를 유리화해서 나타내도록 해.

02 다음 그림과 같은 직각삼각형 ABC에 대하여 삼각비의 값을 구하시오.

(1)

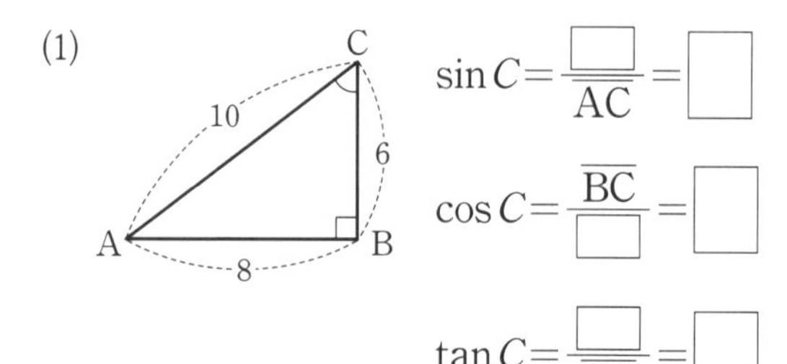

$\sin C=\dfrac{\square}{\overline{AC}}=\square$

$\cos C=\dfrac{\overline{BC}}{\square}=\square$

$\tan C=\dfrac{\square}{\overline{BC}}=\square$

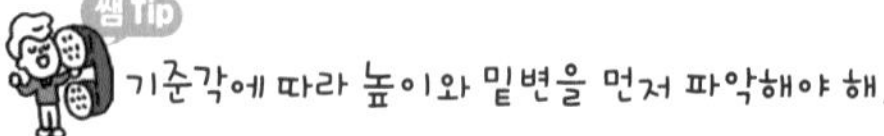

(2)

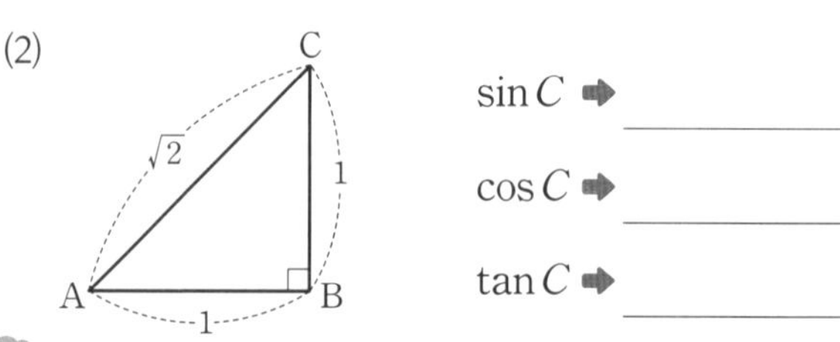

$\sin C$ ➡ ______

$\cos C$ ➡ ______

$\tan C$ ➡ ______

쌤 Tip 답은 분모를 유리화해서 나타내도록 해.

03 오른쪽 그림과 같은 직각삼각형에서 다음을 구하시오.

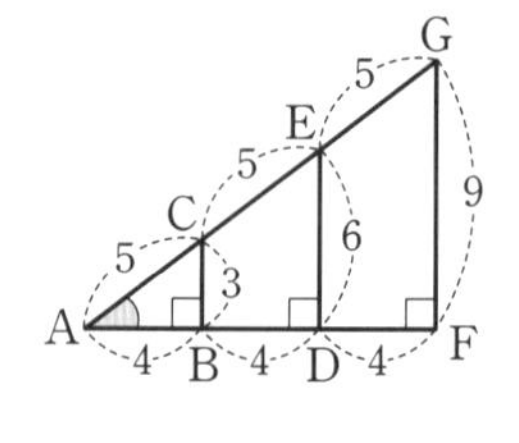

(1) △ABC에서

$\cos A=\dfrac{\square}{5}$

(2) △ADE에서 $\cos A=\dfrac{\square}{10}=\dfrac{\square}{5}$

(3) △AFG에서 $\cos A=\dfrac{\square}{15}=\dfrac{\square}{5}$

04 다음 그림과 같은 직각삼각형 ABC에 대하여 삼각비의 값을 구하시오.

(1)

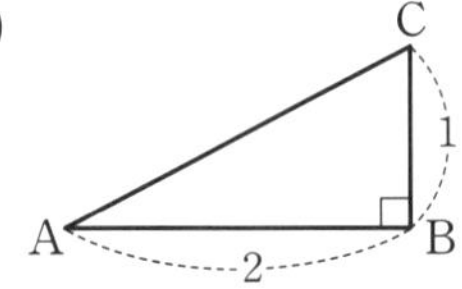

➡ $\overline{AC}=\sqrt{2^2+\square^2}=\sqrt{\square}$

$\sin A=\dfrac{\overline{BC}}{\overline{AC}}=\dfrac{\square}{5}$

$\cos A=\dfrac{\overline{AB}}{\overline{AC}}=\dfrac{\square}{5}$

$\tan A=\dfrac{\overline{BC}}{\overline{AB}}=\square$

쌤 Tip 피타고라스 정리를 이용해서 직각삼각형의 나머지 한 변의 길이를 구해 봐. 답은 분모를 유리화해서 나타내도록 해.

(2)

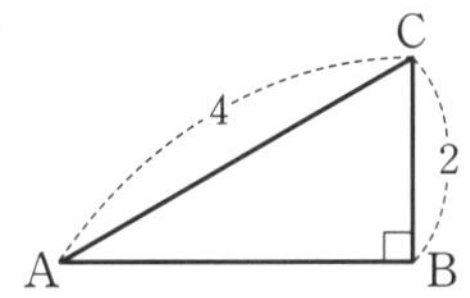

$\sin A$ ➡ ______

$\cos A$ ➡ ______

$\tan A$ ➡ ______

(3)

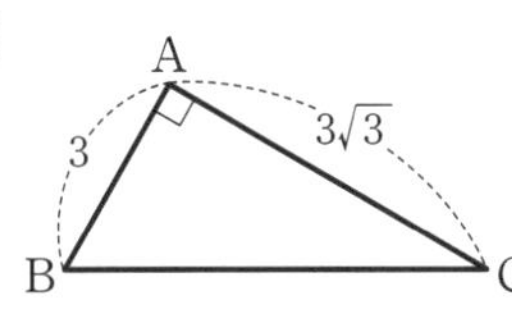

$\sin B$ ➡ ______

$\cos B$ ➡ ______

$\tan B$ ➡ ______

(4)

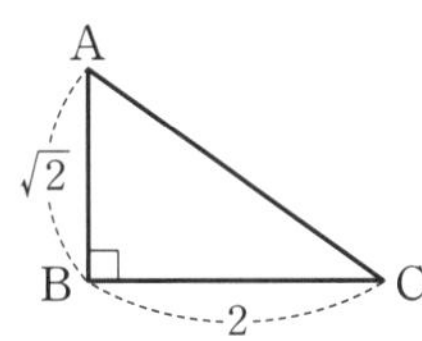

$\sin A$ ➡ ______

$\cos A$ ➡ ______

$\tan A$ ➡ ______

(5)

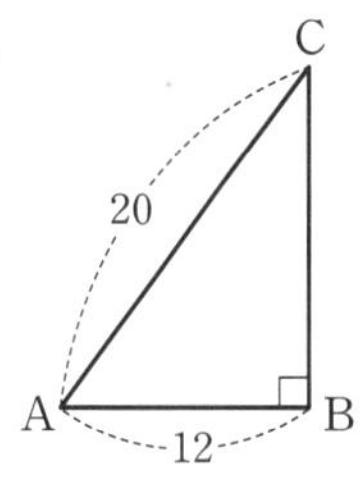

$\sin C$ ➡ ______

$\cos C$ ➡ ______

$\tan C$ ➡ ______

(6)

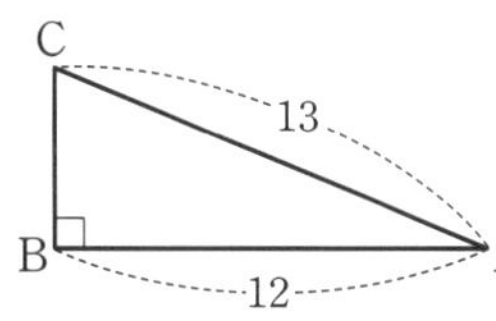

$\sin C$ ➡ ______

$\cos C$ ➡ ______

$\tan C$ ➡ ______

(7)

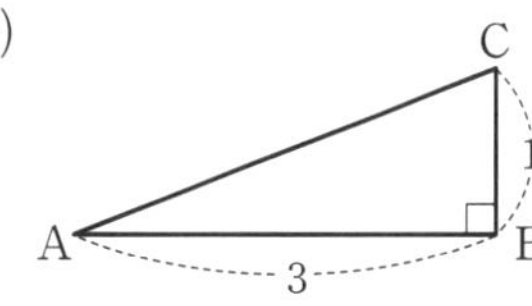

$\sin C$ ➡ ______

$\cos C$ ➡ ______

$\tan C$ ➡ ______

(8)

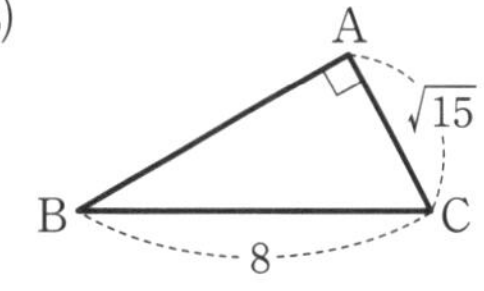

$\sin B$ ➡ ______

$\cos B$ ➡ ______

$\tan B$ ➡ ______

(9)

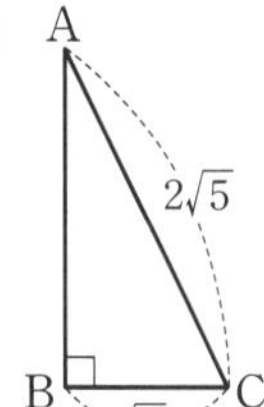

$\sin C$ ➡ ______

$\cos C$ ➡ ______

$\tan C$ ➡ ______

2. 삼각비를 이용하여 변의 길이 구하기 up+

① 주어진 삼각비의 값을 이용하여 변의 길이를 구한다.

② 피타고라스 정리를 이용하여 나머지 한 변의 길이를 구한다.

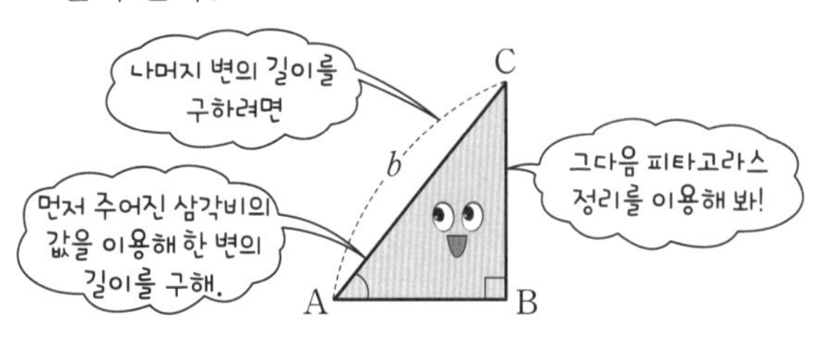

05 다음 그림과 같이 한 변의 길이가 주어진 직각삼각형 ABC에서 주어진 삼각비의 값을 이용하여 x의 값을 구하시오.

(1) $\sin A=\frac{\sqrt{2}}{2}$

➡ $\sin A=\frac{x}{\square}$이므로 $\frac{x}{\square}=\frac{\sqrt{2}}{2}$

$\therefore x=\frac{\sqrt{2}}{2}\times\square=\square$

(2) $\cos A=\frac{2}{3}$

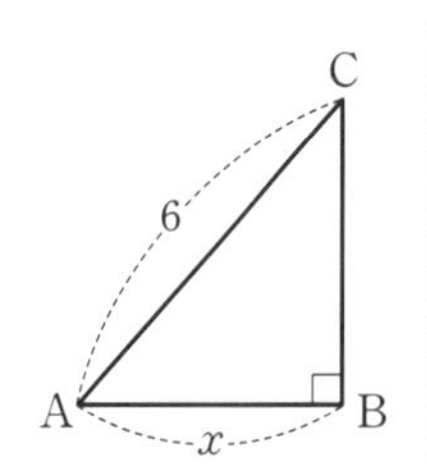

(3) $\tan A=\frac{\sqrt{5}}{5}$

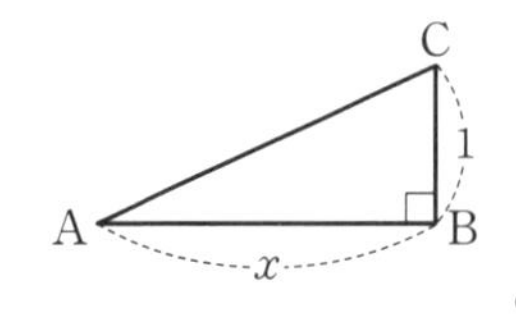

(4) $\sin A=\frac{3}{5}$

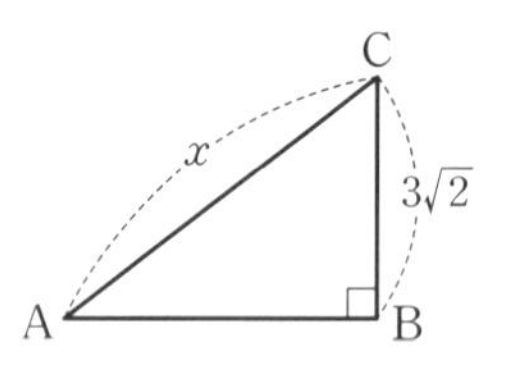

➡ ______

(5) $\cos A=\frac{\sqrt{2}}{2}$

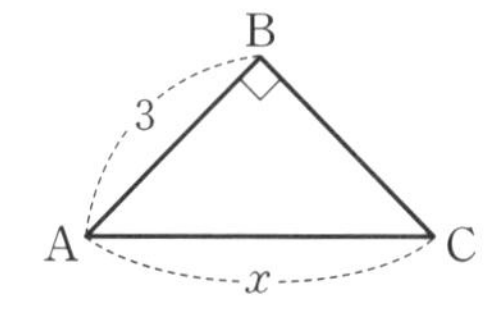

➡ ______

(6) $\cos A=\frac{2}{3}$

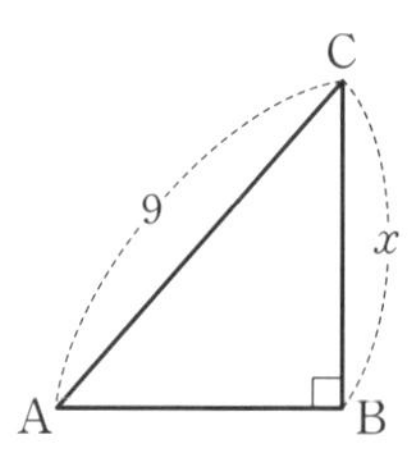

➡ ______

(7) $\sin A=\frac{\sqrt{6}}{3}$

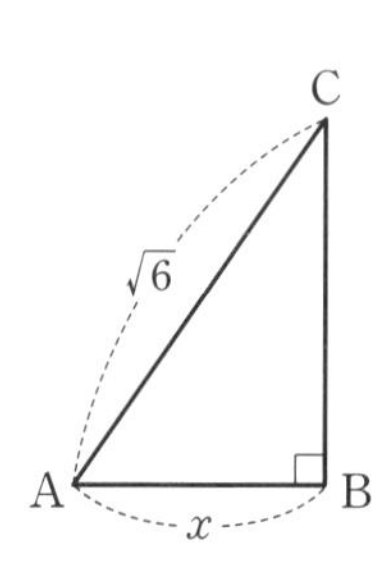

➡ ______

(8) $\sin A=\frac{\sqrt{3}}{2}$

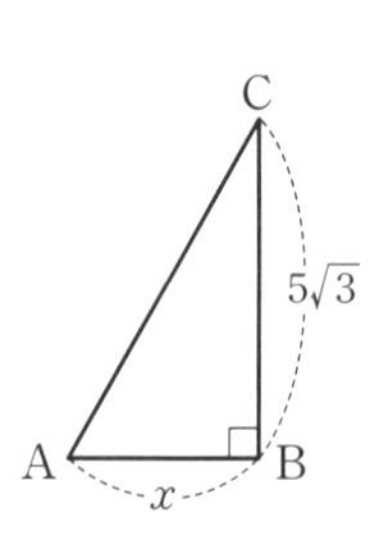

➡ ______

정답과 해설 _ p.3

오른쪽 그림의 직각삼각형 ABC에서 삼각비의 값이 옳지 않은 것은?

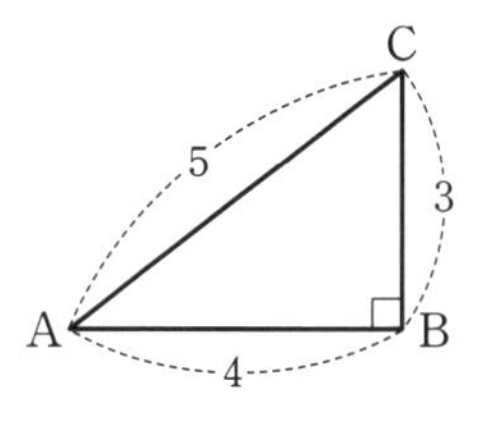

① $\sin A=\frac{3}{5}$　② $\cos A=\frac{4}{5}$

③ $\tan A=\frac{4}{3}$　④ $\sin C=\frac{4}{5}$

⑤ $\cos C=\frac{3}{5}$

기준각에 따라 높이와 밑변이 달라진다.

오른쪽 그림과 같은 직각삼각형 ABC에서 $\overline{AC}=4$, $\overline{BC}=3$일 때, $\sin C$의 값을 구하시오.

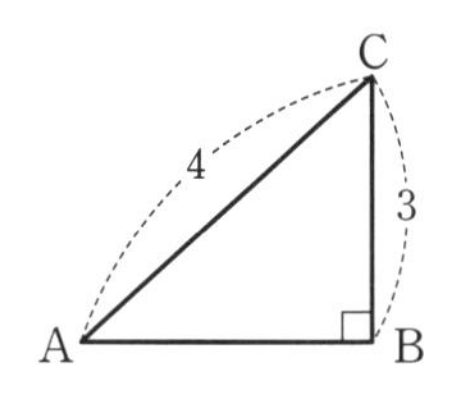

피타고라스 정리를 이용해 나머지 한 변의 길이를 구한다.

오른쪽 그림과 같은 직각삼각형 ABC에서 $\overline{AB}=15$, $\overline{AC}=17$일 때, $\sin A+\cos C$의 값을 구하시오.

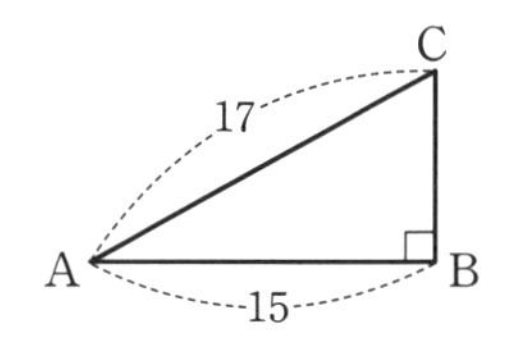

피타고라스 정리를 이용해 $\overline{BC}$의 길이를 구한다.

오른쪽 그림의 직각삼각형 ABC에서 $\cos A=\frac{\sqrt{5}}{3}$일 때, x, y의 값을 각각 구하시오.

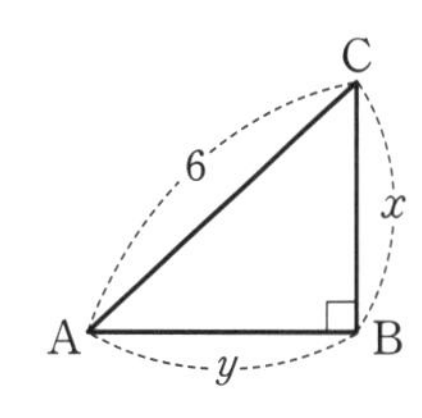

주어진 삼각비의 값을 이용하여 변의 길이를 구한다.

2강 ••• 삼각비의 뜻(2)

1. 한 삼각비의 값을 알 때, 다른 삼각비의 값 구하기 up+

sin, cos, tan 중 한 삼각비의 값을 알 때

① 주어진 삼각비의 값을 갖는 직각삼각형을 그린다.
② 피타고라스 정리를 이용하여 나머지 변의 길이를 구한다.
③ 다른 삼각비의 값을 구한다.

01 $\angle B=90°$인 직각삼각형 ABC에서 다음 삼각비의 값을 각각 구하시오.

(1) $\sin A=\frac{4}{5}$일 때, $\cos A$, $\tan A$의 값

➡ $\sin A=\frac{4}{5}$이므로 $\overline{AC}=5$, $\overline{BC}=4$인 직각삼각형 ABC를 그리면
$\overline{AB}=\sqrt{5^2-4^2}=\square$
따라서 이 직각삼각형에서
$\cos A=\square$, $\tan A=\square$

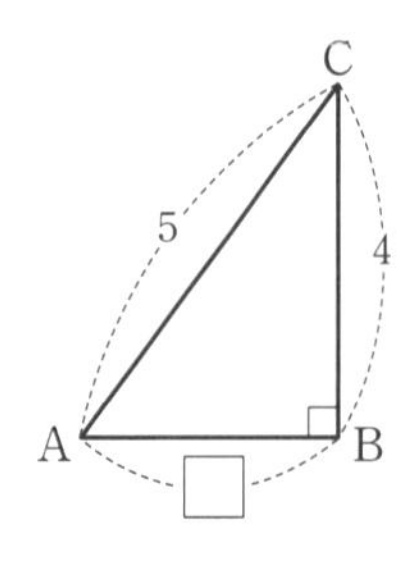

(2) $\cos A=\frac{3}{4}$일 때, $\sin A$, $\tan A$의 값

$\sin A=\square$, $\tan A=\square$

(3) $\tan A=\frac{8}{15}$일 때, $\sin A$, $\cos A$의 값

$\sin A=\square$, $\cos A=\square$

(4) $\sin A=\frac{1}{2}$일 때, $\cos A$, $\tan A$의 값

$\cos A=\square$, $\tan A=\square$

(5) $\sin C=\frac{1}{\sqrt{2}}$일 때, $\cos C$, $\tan C$의 값

$\cos C=\square$, $\tan C=\square$

(6) $\cos C=\frac{\sqrt{3}}{2}$일 때, $\sin C$, $\tan C$의 값

$\sin C=\square$, $\tan C=\square$

(7) $\tan C=\frac{1}{2}$일 때, $\sin C$, $\cos C$의 값

$\sin C=\square$, $\cos C=\square$

(8) $\tan A=\frac{2\sqrt{3}}{4}$일 때, $\sin C$, $\cos C$의 값

$\sin C=\square$, $\cos C=\square$

2. 직각삼각형의 닮음과 삼각비 up+

(1) 직각삼각형의 닮음을 이용하여 삼각비의 값을 구할 때는 다음과 같은 순서로 구한다.

① 닮은 직각삼각형을 찾는다.
➡ $\triangle ABC \backsim \triangle DBA \backsim \triangle DAC$

② 크기가 같은 대응각을 찾는다.
➡ $\angle ABC = \angle DAC$, $\angle BCA = \angle BAD$

③ 삼각비의 값을 구한다.

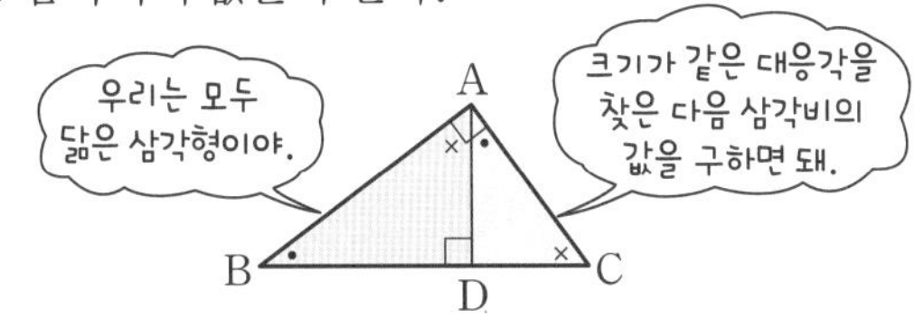

(2) 닮은 직각삼각형에서 크기가 같은 각에 대한 삼각비의 값은 모두 같다.

02 오른쪽 그림과 같이 $\angle A=90°$인 직각삼각형 ABC에서 $\overline{AD} \perp \overline{BC}$일 때, 다음을 구하시오.

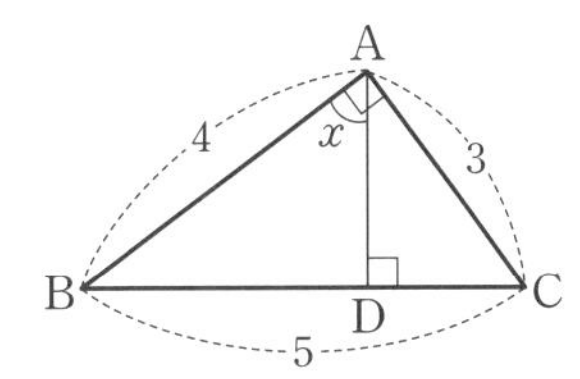

(1) $\triangle ABC$와 닮은 삼각형

➡ ____________

(2) $\triangle ABC$에서 $\angle BAD$와 크기가 같은 각

➡ ____________

(3) $\sin x$, $\cos x$, $\tan x$의 값

➡ $\sin x = \sin C =$ ☐, $\cos x = \cos C =$ ☐

$\tan x = \tan C =$ ☐

03 아래 그림과 같은 직각삼각형 ABC에서 $\overline{AB} \perp \overline{CD}$일 때, 다음 삼각비의 값을 구하시오.

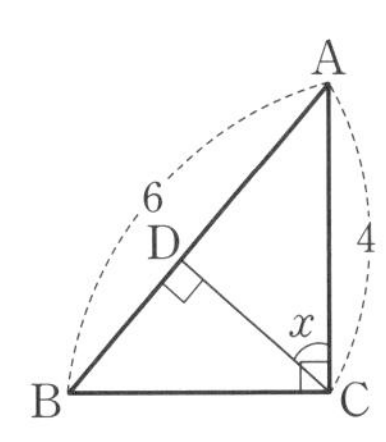

$\sin x$ ➡ ____________

$\cos x$ ➡ ____________

$\tan x$ ➡ ____________

04 오른쪽 그림과 같은 직각삼각형 ABC에서 $\overline{DE} \perp \overline{AB}$일 때, 다음을 구하시오.

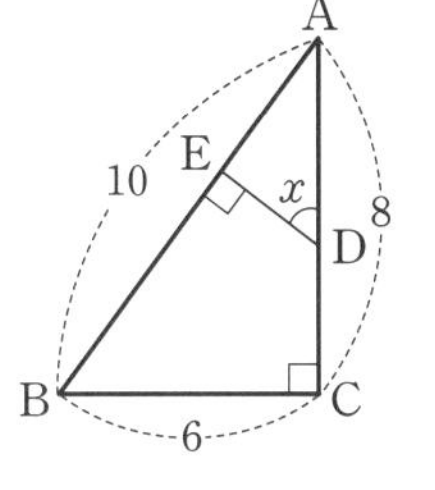

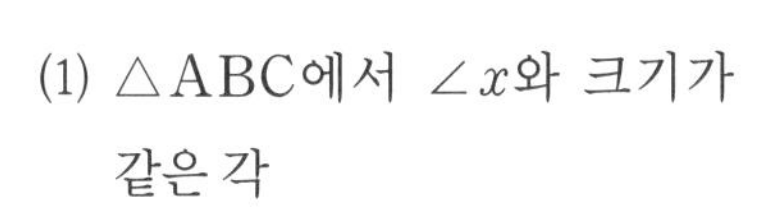

(1) $\triangle ABC$에서 $\angle x$와 크기가 같은 각

➡ ____________

(2) $\sin x$, $\cos x$, $\tan x$의 값

➡ ____________

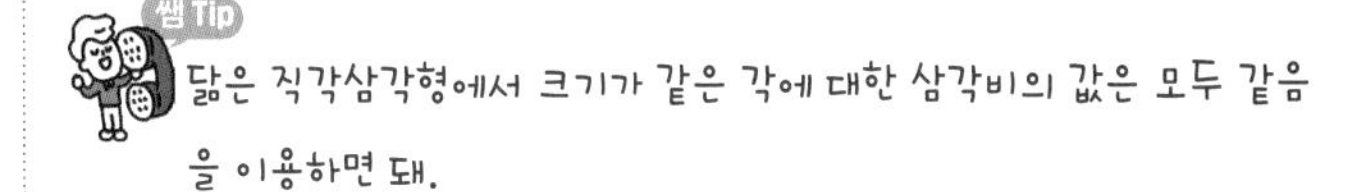

05 아래 그림과 같은 직각삼각형에서 다음 삼각비의 값을 구하시오.

(1)

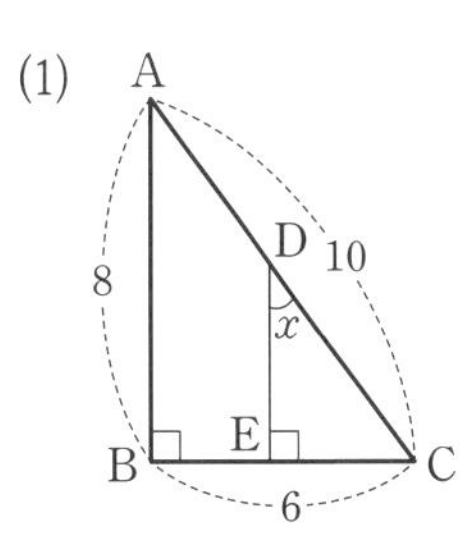

$\sin x$ ➡ ____________

$\cos x$ ➡ ____________

$\tan x$ ➡ ____________

(2) (A, B, C, D, E, $2\sqrt{2}$, 2, x)

$\sin x$ ➡ ____________

$\cos x$ ➡ ____________

$\tan x$ ➡ ____________

(3) (A, B, C, D, E, 3, 6, x)

$\sin x$ ➡ ____________

$\cos x$ ➡ ____________

$\tan x$ ➡ ____________

$\angle B=90°$인 직각삼각형 ABC에서 다음을 구하시오. (단, $0°<A<90°$)

(1) $\sin A=\frac{5}{13}$일 때, $\cos A$의 값

(2) $\cos A=\frac{2}{3}$일 때, $\sin A$의 값

(3) $\tan A=2$일 때, $\sin A$, $\cos A$의 값

주어진 삼각비의 값을 갖는 가장 간단한 직각삼각형을 그려 본다.

02 $\angle B=90°$인 직각삼각형 ABC에서 $3\tan A-4=0$일 때, $\frac{\sin A+\cos A}{\sin A-\cos A}$의 값을 구하시오. (단, $0°<A<90°$)

먼저 $\tan A$의 값을 구한다.

오른쪽 그림과 같은 직각삼각형 ABC에서 다음 삼각비의 값을 구하시오.

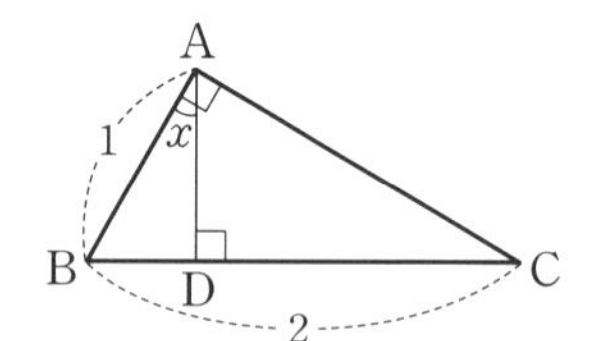

(1) $\sin x$

(2) $\cos x$

(3) $\tan x$

닮은 직각삼각형을 찾은 다음 $\angle x$와 크기가 같은 대응각을 찾는다.

04 오른쪽 그림과 같은 직각삼각형 ABC에서 $\cos x$의 값을 구하시오.

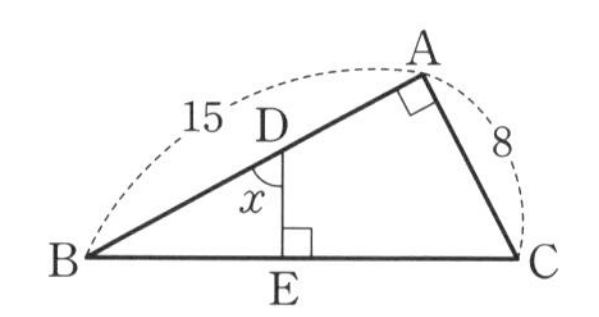

닮은 직각삼각형에서 크기가 같은 각에 대한 삼각비의 값은 모두 같음을 이용한다.

1. 특수한 각의 삼각비 up+

삼각비 \ A	$30°$	$45°$	$60°$	
$\sin A$	$\frac{1}{2}$	$\frac{\sqrt{2}}{2}$	$\frac{\sqrt{3}}{2}$	증가
$\cos A$	$\frac{\sqrt{3}}{2}$	$\frac{\sqrt{2}}{2}$	$\frac{1}{2}$	감소
$\tan A$	$\frac{\sqrt{3}}{3}$	1	$\sqrt{3}$	증가

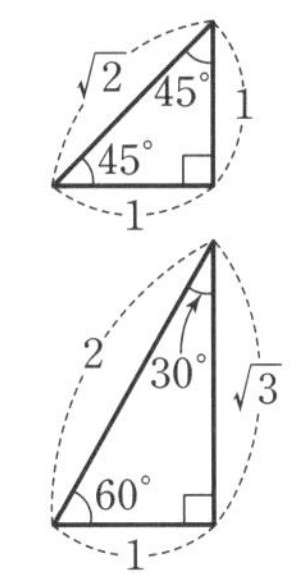

직각삼각형의 한 예각의 크기가 $30°$, $45°$, $60°$일 때, 한 변의 길이가 주어지면 위의 표의 삼각비의 값을 이용하여 나머지 두 변의 길이를 구할 수 있다.

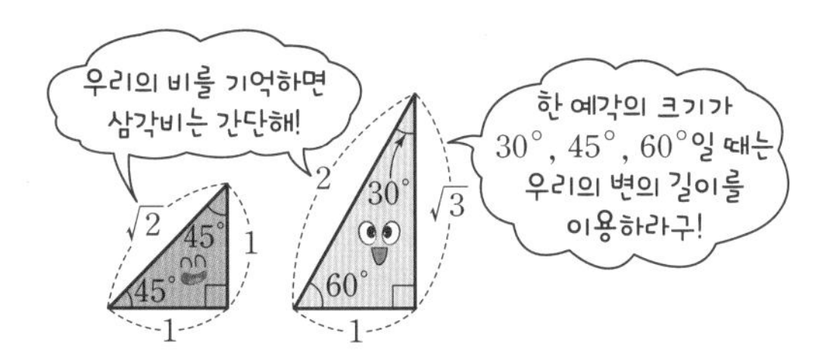

참고 $(\sin A)^2$, $(\cos A)^2$, $(\tan A)^2$을 각각 $\sin^2 A$, $\cos^2 A$, $\tan^2 A$로 나타낸다.

01 다음을 계산하시오.

(1) $\sin 30° + \cos 30°$

(2) $\cos 60° - \tan 45°$

(3) $\sin 30° + \cos 60°$

(4) $\cos 30° \times \tan 60°$

(5) $\tan 60° \div \cos 60°$

(6) $\tan 30° \times \cos 60° \div \sin 60°$

(7) $\sin 45° \times \cos 45° + \cos 60° \times \sin 30°$

(8) $\sin^2 30° + \cos^2 30°$

02 $0° < A < 90°$일 때, 다음을 만족시키는 A의 크기를 구하시오.

(1) $\sin A = \frac{1}{2}$ ➡ ____________

(2) $\cos A = \frac{\sqrt{2}}{2}$ ➡ ____________

(3) $\tan A = 1$ ➡ ____________

(4) $\sin A = \frac{\sqrt{3}}{2}$ ➡ ____________

(5) $\cos A = \frac{1}{2}$ ➡ ____________

(6) $\tan A = \sqrt{3}$ ➡ ____________

2. 특수한 각의 삼각비를 이용하여 변의 길이 구하기

(1) 빗변의 길이를 알 때 높이 구하기
➡ sin을 이용

(2) 빗변의 길이를 알 때 밑변의 길이 구하기
➡ cos을 이용

(3) 밑변의 길이를 알 때 높이 구하기
➡ tan를 이용

03 다음 그림과 같은 직각삼각형 ABC에서 삼각비의 값을 이용하여 x의 값을 구하시오.

(1)

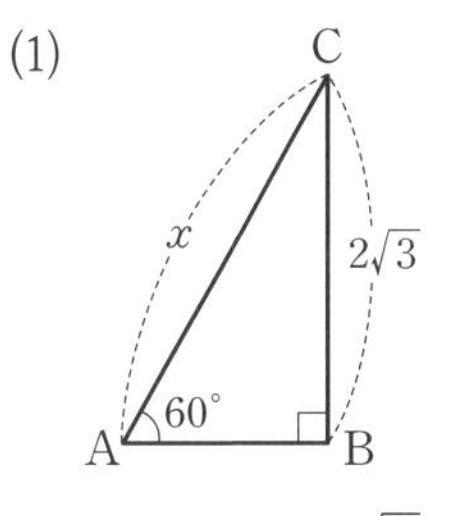

➡ $\sin 60° = \frac{\sqrt{3}}{2}$이므로 $\frac{\square}{x} = \frac{\sqrt{3}}{2}$

$\therefore x = \square \times \frac{2}{\sqrt{3}} = \square$

(2)

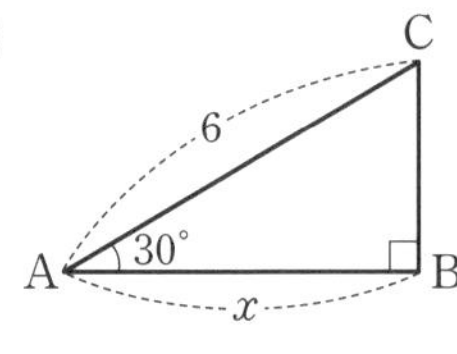

➡ ______________________

샘 Tip 빗변의 길이를 알고 밑변의 길이를 구할 때는 cos을 이용하는 거야.

(3)

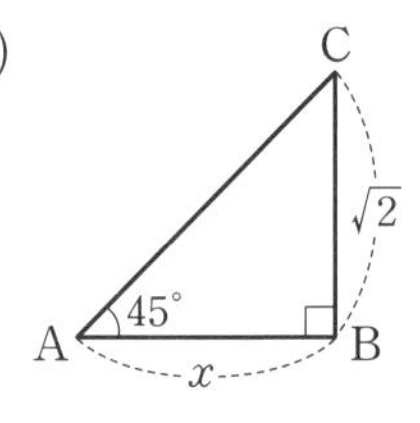

➡ ______________________

(4)

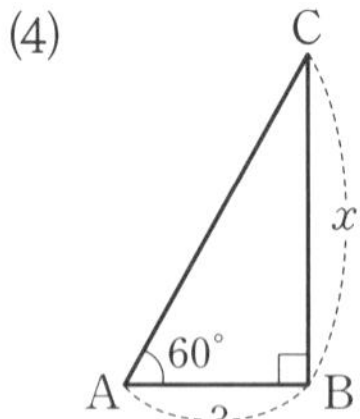

➡ ______________________

04 다음 그림과 같은 도형에서 삼각비의 값을 이용하여 x의 값을 구하시오.

(1)

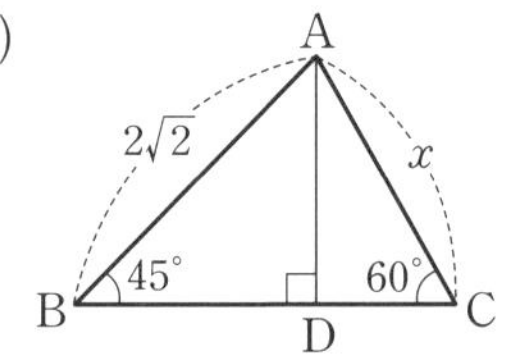

➡ 직각삼각형 ABD에서 $\sin 45° = \frac{\sqrt{2}}{2}$이므로

$\frac{\overline{AD}}{\square} = \frac{\sqrt{2}}{2}$ $\quad\therefore \overline{AD} = \square$

직각삼각형 ADC에서 $\sin 60° = \frac{\sqrt{3}}{2}$이므로

$\frac{\square}{x} = \frac{\sqrt{3}}{2}$ $\quad\therefore x = \square$

(2)

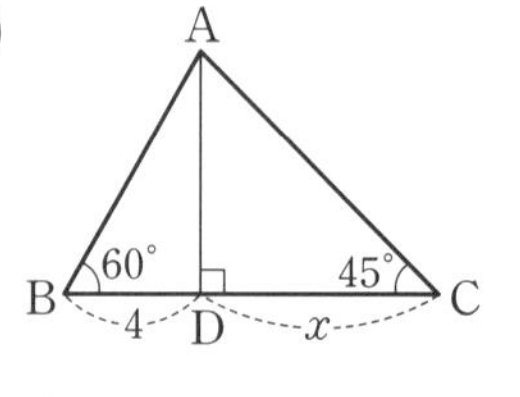

➡ ______________________

(3)

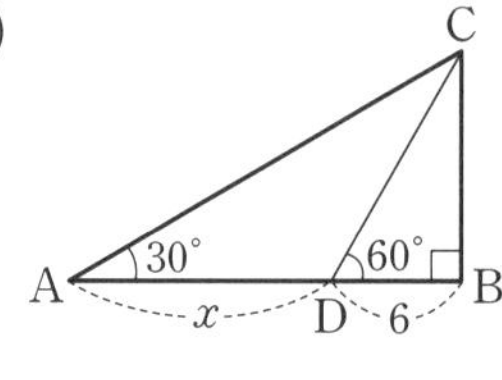

➡ ______________________

(4)

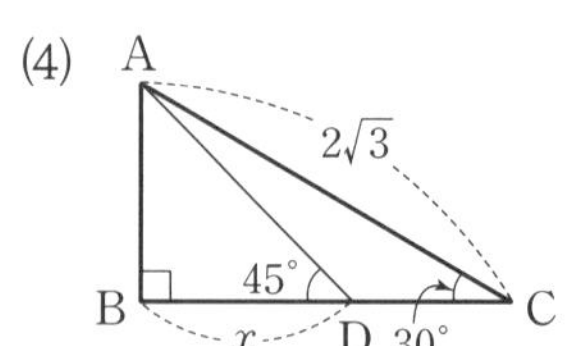

➡ ______________________

(5)

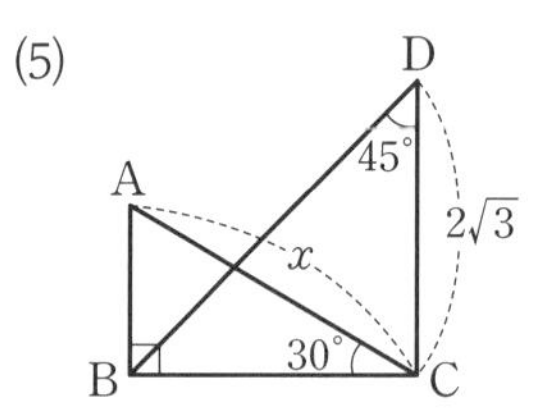

➡ ______________________

(6)

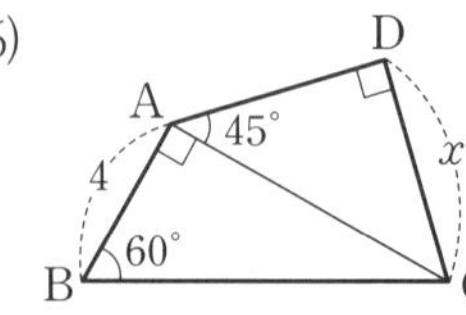

➡ ______________________

정답과 해설 _ p.7

01 다음 보기 중 옳은 것을 모두 고르시오.

| 보기 |

ㄱ. $\sin 30° = \cos 30° \times \tan 30°$　　ㄴ. $\sin 30° + \sin 60° = 1$

ㄷ. $\tan 30° \times \tan 60° = 1$　　ㄹ. $\sin 45° = \cos 45°$

삼각비 \ A	30°	45°	60°
$\sin A$	$\frac{1}{2}$	$\frac{\sqrt{2}}{2}$	$\frac{\sqrt{3}}{2}$
$\cos A$	$\frac{\sqrt{3}}{2}$	$\frac{\sqrt{2}}{2}$	$\frac{1}{2}$
$\tan A$	$\frac{\sqrt{3}}{3}$	1	$\sqrt{3}$

02 $\sin(2x+10°) = \frac{\sqrt{3}}{2}$을 만족시키는 $\angle x$의 크기를 구하시오. (단, $0° < 2x+10° < 90$)

$\sin 60° = \frac{\sqrt{3}}{2}$

03 오른쪽 그림과 같은 직각삼각형 ABC에서 x, y의 값을 각각 구하시오.

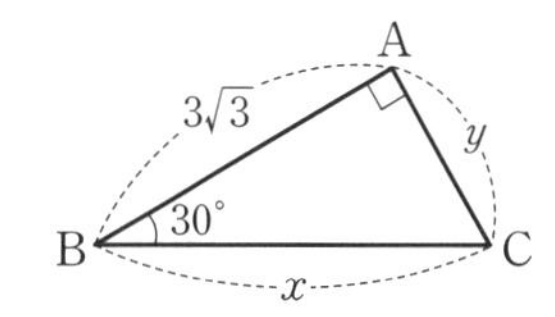

04 오른쪽 그림과 같이 두 직각삼각형이 겹쳐져 있고 $\overline{CD} = 8$일 때, $\overline{AB}$의 길이는?

① 6　　② $3\sqrt{6}$

③ $4\sqrt{6}$　　④ $6\sqrt{6}$

⑤ $8\sqrt{3}$

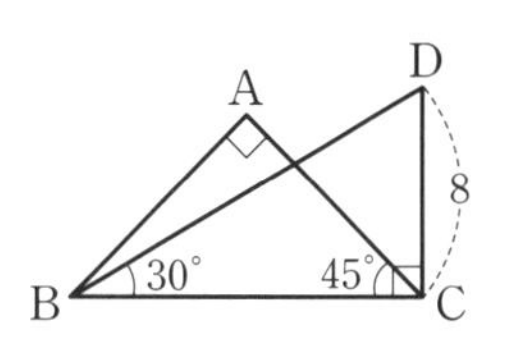

$\overline{BC}$의 길이를 먼저 구한다.

05 오른쪽 그림과 같이 $\angle C = 90°$인 직각삼각형 ABC에서 $\overline{AB} = 4$ cm, $\angle B = 30°$일 때, $\triangle ABC$의 넓이를 구하시오.

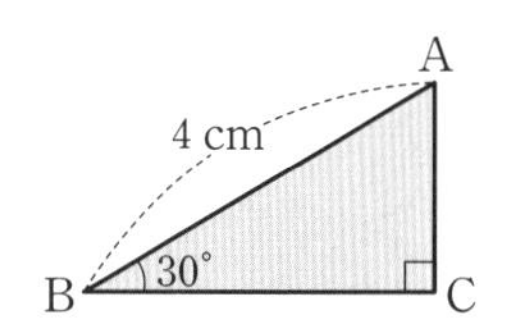

$\triangle ABC = \frac{1}{2} \times \overline{BC} \times \overline{CA}$

4강 ••• 예각의 삼각비의 값

1. 예각의 삼각비의 값 up+

반지름의 길이가 1인 사분원에서 임의의 예각 x에 대하여

(1) $\sin x=\dfrac{\overline{AB}}{\overline{OA}}=\dfrac{\overline{AB}}{1}=\overline{AB}$

(2) $\cos x=\dfrac{\overline{OB}}{\overline{OA}}=\dfrac{\overline{OB}}{1}=\overline{OB}$

(3) $\tan x=\dfrac{\overline{CD}}{\overline{OD}}=\dfrac{\overline{CD}}{1}=\overline{CD}$

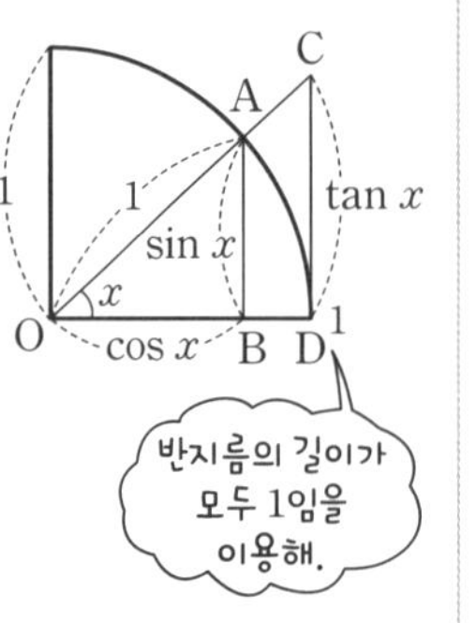

참고 반지름의 길이가 1인 사분원에서 예각의 삼각비의 값은 분모인 변의 길이가 1인 직각삼각형을 찾아서 구한다.

01 오른쪽 그림과 같이 반지름의 길이가 1인 사분원에서 옳은 것은 ○표, 옳지 않은 것은 ×표를 하시오.

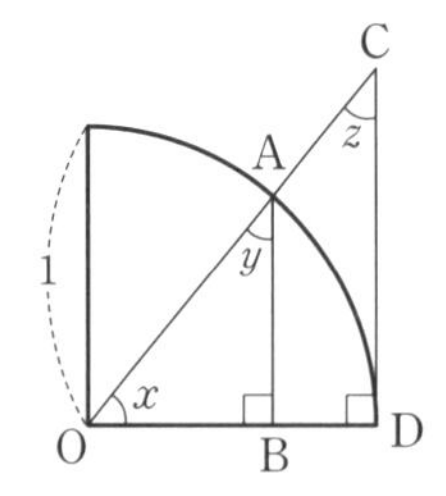

(1) $\sin x=\overline{AB}$ ( )

➡ $\sin x=\dfrac{\overline{AB}}{\overline{OA}}=\dfrac{\overline{AB}}{\square}=\square$

(2) $\cos x=\overline{OB}$ ( )

(3) $\tan x=\overline{AB}$ ( )

(4) $\sin y=\overline{OD}$ ( )

(5) $\cos y=\overline{AB}$ ( )

(6) $\sin z=\overline{OB}$ ( )

➡ $\overline{AB}\,/\!/\,\overline{CD}$이므로 $z=\square$

$\therefore \sin z=\sin\square=\dfrac{\square}{\overline{OA}}=\square$

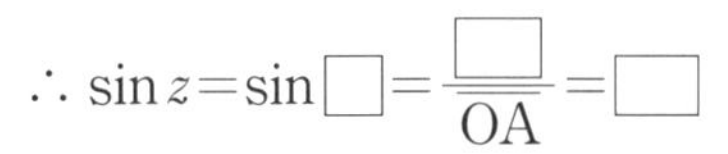

02 오른쪽 그림과 같이 좌표평면 위의 원점 O를 중심으로 하고 반지름의 길이가 1인 사분원에서 다음 삼각비의 값을 구하시오.

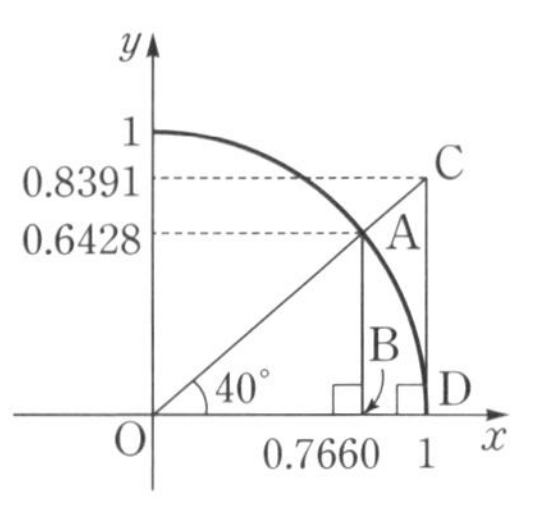

(1) $\sin 40°$ ➡ ____________

(2) $\cos 40°$ ➡ ____________

(3) $\tan 40°$ ➡ ____________

(4) $\sin 50°$ ➡ ____________

(5) $\cos 50°$ ➡ ____________

직각삼각형 AOB에서 크기가 50°인 각을 찾아봐.

03 오른쪽 그림과 같이 좌표평면 위의 원점 O를 중심으로 하고 반지름의 길이가 1인 사분원에서 다음 삼각비의 값을 구하시오.

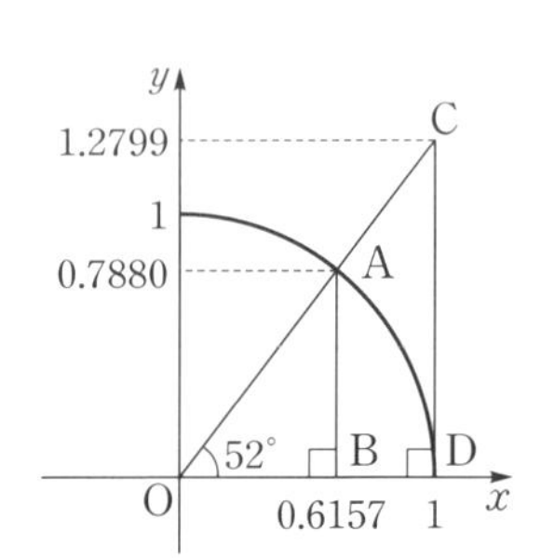

(1) $\sin 52°$ ➡ ____________

(2) $\cos 52°$ ➡ ____________

(3) $\tan 52°$ ➡ ____________

(4) $\sin 38°$ ➡ ____________

(5) $\cos 38°$ ➡ ____________

2. $0°$, $90°$의 삼각비의 값 up+

(1) $\angle x$의 크기가 $0°$에 가까워지면

$\sin 0° = 0$

$\cos 0° = 1$

$\tan 0° = 0$

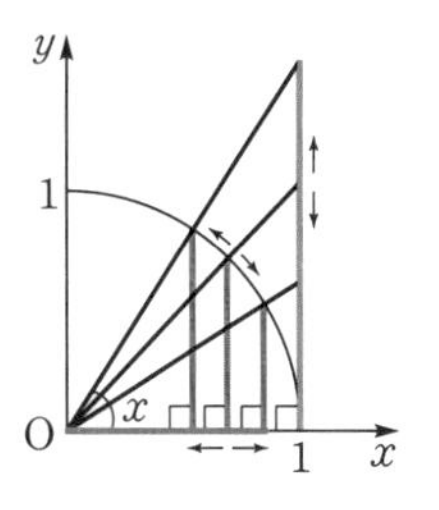

(2) $\angle x$의 크기가 $90°$에 가까워지면

$\sin 90° = 1$

$\cos 90° = 0$

$\tan 90°$는 정할 수 없다.

참고 $\angle x$의 크기가 $0°$에 가까워지면 $\sin x \to 0$, $\cos x \to 1$, $\tan x \to 0$에 가까워지고, $\angle x$의 크기가 $90°$에 가까워지면 $\sin x \to 1$, $\cos x \to 0$에 가까워진다. 그러나 $\tan x$의 값은 무한히 커진다.

04 다음 삼각비의 값을 구하시오.

(1) $\sin 0°$ ➡ ______

(2) $\cos 0°$ ➡ ______

(3) $\tan 0°$ ➡ ______

(4) $\sin 90°$ ➡ ______

(5) $\cos 90°$ ➡ ______

05 다음 표를 완성하시오.

삼각비 \ A	$0°$	$30°$	$45°$	$60°$	$90°$
$\sin A$					
$\cos A$					
$\tan A$					정할 수 없다.

06 다음을 계산하시오.

(1) $\sin 0° + \cos 0°$

(2) $\cos 90° \times \tan 30°$

(3) $\tan 45° \times \cos 0°$

(4) $\sin 0° + \cos 90° - \tan 45°$

(5) $\sin 30° - \cos 90° \times \sin 90° + \tan 45°$

(6) $\sin^2 90° + \cos^2 90°$

개념 Tip $a \times \sin x$는 $a \sin x$로 나타내고, $(\sin x)^2 = \sin^2 x$로 나타낸다.

07 다음 ○ 안에 부등호 $>$ 또는 $<$를 알맞게 써넣으시오.

(1) $\sin 30°$ ◯ $\sin 60°$

(2) $\cos 30°$ ◯ $\cos 60°$

(3) $\sin 0°$ ◯ $\sin 90°$

(4) $\cos 0°$ ◯ $\cos 90°$

(5) $\tan 0°$ ◯ $\tan 45°$

(6) $\sin 0°$ ◯ $\cos 0°$

08 다음 삼각비의 값을 작은 것부터 차례로 나열하시오.

$\cos 45°$, $\sin 30°$, $\sin 90°$,
$\cos 30°$, $\tan 0°$, $\tan 60°$

쌤 Tip sin 값은 0에서 1까지 증가하고, cos 값은 1에서 0까지 감소, tan 값은 0에서 한없이 증가해.

정답과 해설 _ p.9

01 오른쪽 그림은 반지름의 길이가 1인 사분원이다. 다음 삼각비의 값을 변의 길이로 나타낸 것 중 옳은 것을 모두 고르면? (정답 2개)

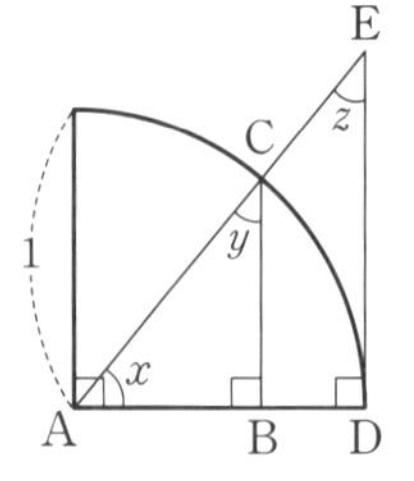

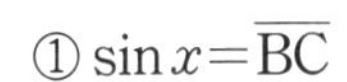

① $\sin x=\overline{BC}$　② $\cos y=\overline{AB}$

③ $\cos x=\overline{AD}$　④ $\sin z=\overline{AD}$

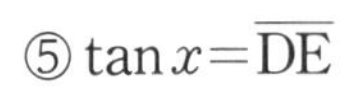

⑤ $\tan x=\overline{DE}$

$\overline{BC}\,/\!/\,\overline{DE}$이므로 $\angle y=\angle z$이다.

02 다음 중 옳지 않은 것은?

① $\sin 90°+\cos 90°=1$　② $\sin 30°+\tan 45°=\frac{3}{2}$

③ $\sin 90°-\tan 45°+\cos 0°=2$　④ $\sin 30°\times\cos 90°=0$

⑤ $\sin 60°\times\tan 30°=\frac{1}{2}$

03 다음 표에서 빈칸에 들어갈 삼각비의 값으로 옳지 않은 것은?

삼각비 \ A	$0°$	$30°$	$45°$	$60°$	$90°$
$\sin A$	0	$\frac{1}{2}$	①	$\frac{\sqrt{3}}{2}$	②
$\cos A$	③	$\frac{\sqrt{3}}{2}$	$\frac{\sqrt{2}}{2}$	④	0
$\tan A$	0	$\frac{\sqrt{3}}{3}$	⑤	$\sqrt{3}$	정할 수 없다.

① $\frac{\sqrt{2}}{2}$　② 1　③ 1

④ $\frac{1}{2}$　⑤ 0

04 다음 삼각비의 값 중 가장 큰 것은?

① $\sin 0°$　② $\sin 30°$　③ $\tan 45°$

④ $\tan 60°$　⑤ $\cos 90°$

$45°$를 기준으로 생각한다.

5강 ••• 삼각비의 표

정답과 해설 _ p.9

1. 삼각비의 표 up+

(1) 삼각비의 표

삼각비의 값을 반올림하여 소수점 아래 넷째 자리까지 나타낸 표

(2) 삼각비의 표 읽는 방법

삼각비의 표에서 가로줄과 세로줄이 만나는 곳에 있는 수를 읽는다.

각도	사인(sin)	코사인(cos)	탄젠트(tan)
12°	0.2079	0.9781	0.2126
13°	0.2250	0.9744	0.2309
14°	0.2419	0.9703	0.2493

여기에 있는 수 0.9744가 cos 13°의 값이야.

참고 삼각비의 표에 있는 값은 반올림한 값이지만 등호 '='를 사용하여 나타내기로 한다.

01 아래 삼각비의 표를 이용하여 다음 삼각비의 값을 구하시오.

각도	사인(sin)	코사인(cos)	탄젠트(tan)
21°	0.3584	0.9336	0.3839
22°	0.3746	0.9272	0.4040
23°	0.3907	0.9205	0.4245
24°	0.4067	0.9135	0.4452
25°	0.4226	0.9063	0.4663

(1) $\sin 25°$ ➡ ______

(2) $\cos 22°$ ➡ ______

(3) $\tan 24°$ ➡ ______

(4) $\sin 23°$ ➡ ______

(5) $\cos 21°$ ➡ ______

(6) $\tan 23°$ ➡ ______

02 아래 삼각비의 표를 이용하여 다음 식을 만족시키는 x의 크기를 구하시오.

각도	사인(sin)	코사인(cos)	탄젠트(tan)
16°	0.2756	0.9613	0.2867
17°	0.2924	0.9563	0.3057
18°	0.3090	0.9511	0.3249
19°	0.3256	0.9455	0.3443
20°	0.3420	0.9397	0.3640

(1) $\sin x=0.3090$ ➡ ______

(2) $\cos x=0.9613$ ➡ ______

(3) $\tan x=0.3640$ ➡ ______

(4) $\cos x=0.9455$ ➡ ______

(5) $\tan x=0.3057$ ➡ ______

(6) $\sin x=0.3420$ ➡ ______

(7) $10\cos x=9.511$ ➡ ______

(8) $100\sin x=27.56$ ➡ ______

(9) $10\tan x=3.443$ ➡ ______

03 아래 삼각비의 표를 이용하여 다음 직각삼각형 ABC에서 x의 값을 구하시오.

각도	사인(sin)	코사인(cos)	탄젠트(tan)
39°	0.6293	0.7771	0.8098
40°	0.6428	0.7660	0.8391
41°	0.6561	0.7547	0.8693
42°	0.6691	0.7431	0.9004
43°	0.6820	0.7314	0.9325

(1)

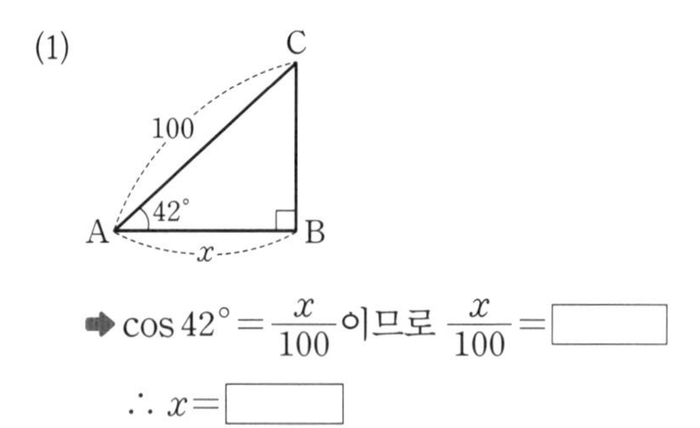

➡ $\cos 42° = \frac{x}{100}$이므로 $\frac{x}{100} =$ ☐

$\therefore x =$ ☐

(2)

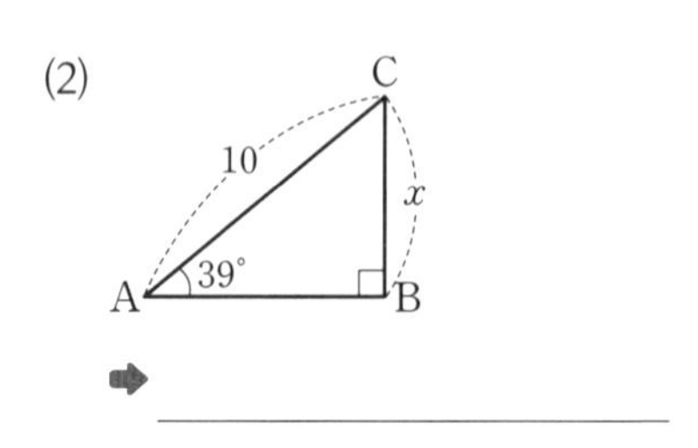

➡ ______________

(3)

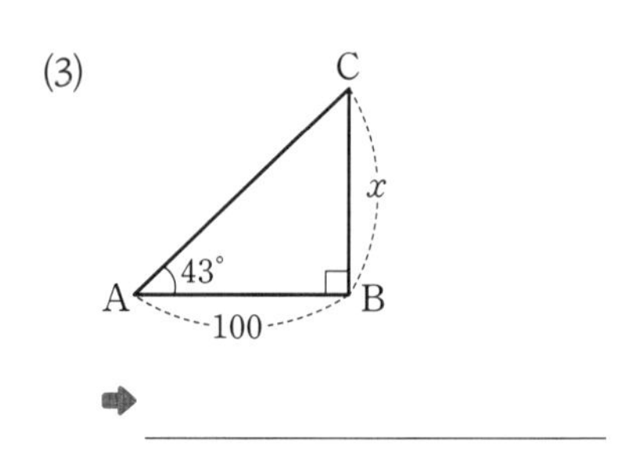

➡ ______________

(4)

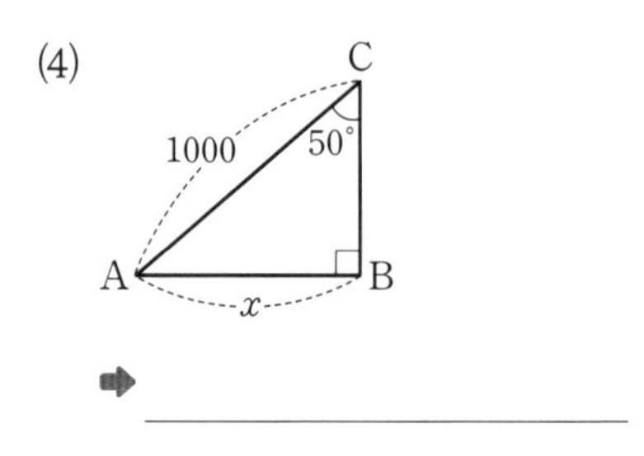

➡ ______________

04 아래 삼각비의 표를 이용하여 다음 직각삼각형 ABC에서 x의 크기를 구하시오.

각도	사인(sin)	코사인(cos)	탄젠트(tan)
32°	0.5299	0.8480	0.6249
33°	0.5446	0.8387	0.6494
34°	0.5592	0.8290	0.6745
35°	0.5736	0.8192	0.7002
36°	0.5878	0.8090	0.7265

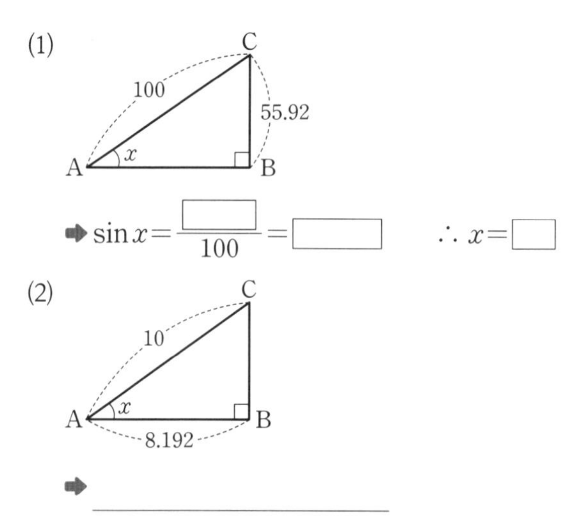

(1) ➡ $\sin x = \frac{☐}{100} =$ ☐ $\therefore x =$ ☐

(2) ➡ ______________

05 04의 삼각비의 표를 이용하여 다음 직각삼각형 ABC에서 x의 값을 구하시오.

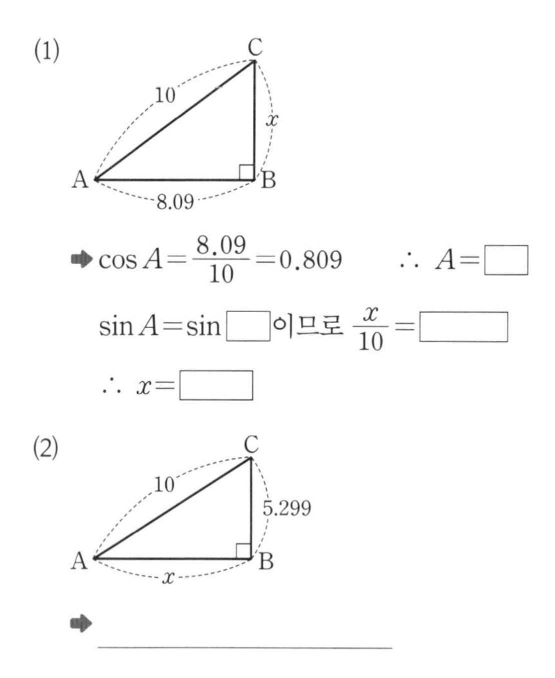

(1) ➡ $\cos A = \frac{8.09}{10} = 0.809$ $\therefore A =$ ☐

$\sin A = \sin$ ☐이므로 $\frac{x}{10} =$ ☐

$\therefore x =$ ☐

(2) ➡ ______________

정답과 해설 _ p.9

01 오른쪽 삼각비의 표를 이용하여 x의 크기를 구하시오.

(1) $\sin x = 0.9511$

(2) $\cos x = 0.342$

(3) $\tan x = 2.9042$

각도	사인(sin)	코사인(cos)	탄젠트(tan)
70°	0.9397	0.3420	2.7475
71°	0.9455	0.3256	2.9042
72°	0.9511	0.3090	3.0777
73°	0.9563	0.2924	3.2709

02 오른쪽 삼각비의 표를 이용하여 다음 그림과 같은 직각삼각형 ABC에서 x의 값을 구하시오.

각도	사인(sin)	코사인(cos)	탄젠트(tan)
25°	0.4226	0.9063	0.4663
26°	0.4384	0.8988	0.4877
57°	0.8387	0.5446	1.5399
58°	0.8480	0.5299	1.6003

(1)

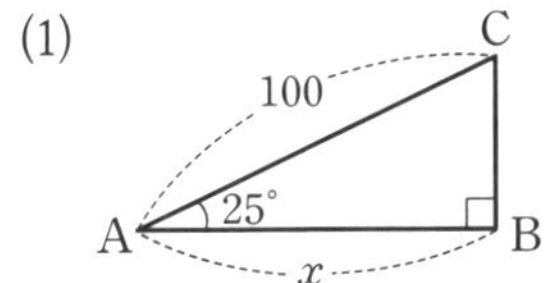

(2)

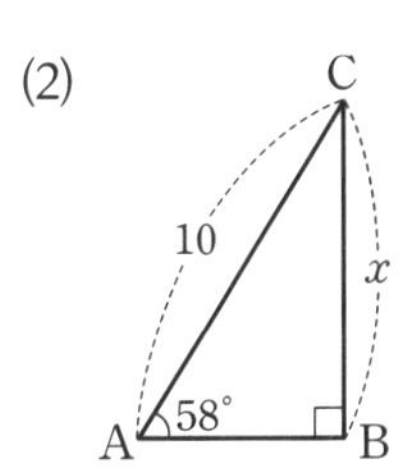

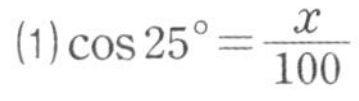
(1) $\cos 25° = \frac{x}{100}$

(2) $\sin 58° = \frac{x}{10}$

03 오른쪽 삼각비의 표를 이용하여 $x+y$의 크기를 구하면?

$10\sin x = 7.88$

$\tan y = 1.1918$

각도	사인(sin)	코사인(cos)	탄젠트(tan)
50°	0.7660	0.6428	1.1918
51°	0.7771	0.6293	1.2349
52°	0.7880	0.6157	1.2799

① 100° ② 101° ③ 102°
④ 103° ⑤ 104°

$10\sin x = 7.88$

→ $\sin x = \frac{7.88}{10}$

6강 중단원 연산 마무리

01 다음 그림과 같은 직각삼각형 ABC에 대하여 삼각비의 값을 구하시오.

(1)

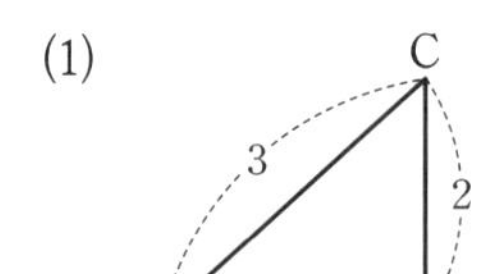

$\sin A$

$\cos A$

$\tan A$

(2)

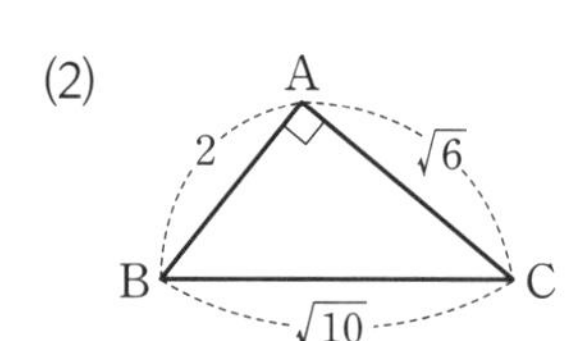

$\sin C$

$\cos C$

$\tan C$

02 다음 그림과 같은 직각삼각형 ABC에서 $\sin A$, $\cos A$, $\tan A$의 값을 각각 구하시오.

(1)

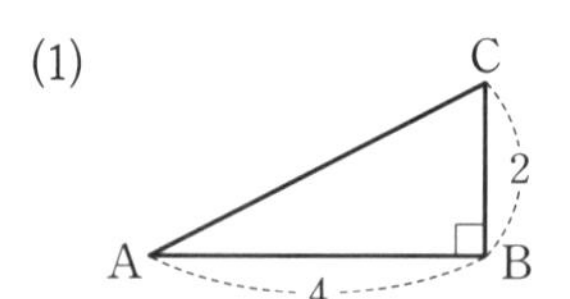

(2)

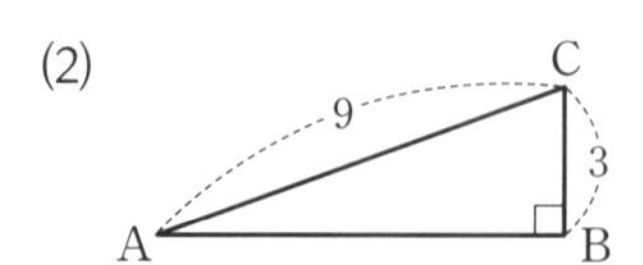

03 한 변의 길이와 삼각비의 값이 다음과 같이 주어질 때, x, y의 값을 각각 구하시오.

(1) $\cos A=\frac{3}{5}$

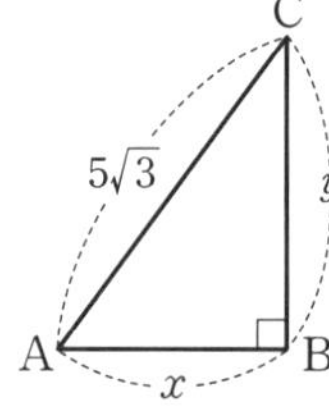

(2) $\sin A=\frac{\sqrt{2}}{2}$

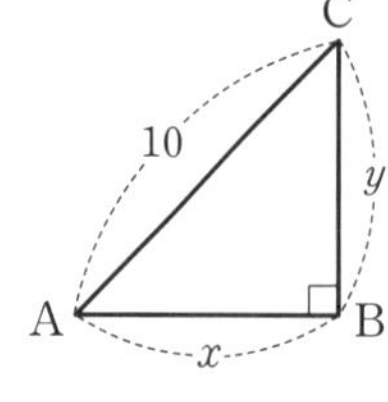

04 $\angle B=90°$인 직각삼각형 ABC에서 다음 삼각비의 값을 각각 구하시오.

(1) $\sin A=\frac{8}{17}$일 때, $\cos A$, $\tan A$의 값

(2) $\cos A=\frac{\sqrt{6}}{3}$일 때, $\sin A$, $\tan A$의 값

(3) $\tan A=2\sqrt{2}$일 때, $\sin A$, $\cos A$의 값

05 오른쪽 그림과 같이 $\angle A=90°$인 직각삼각형 ABC에서 $\overline{AD}\perp\overline{BC}$일 때, 다음을 구하시오.

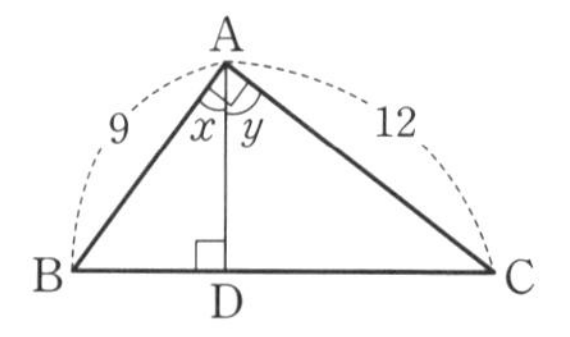

(1) $\sin x$

(2) $\cos x$

(3) $\tan x$

(4) $\sin y$

(5) $\cos y$

(6) $\tan y$

06 다음 그림과 같은 직각삼각형에서 $\sin x$의 값을 구하시오.

(1)

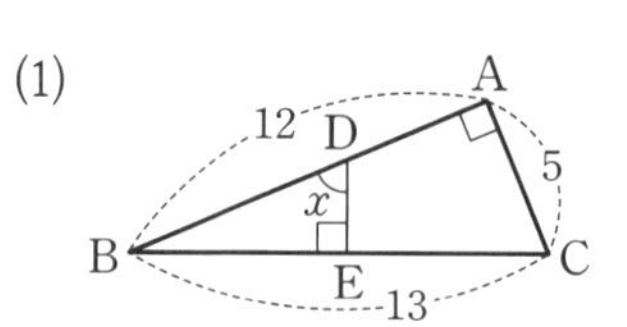

(2)

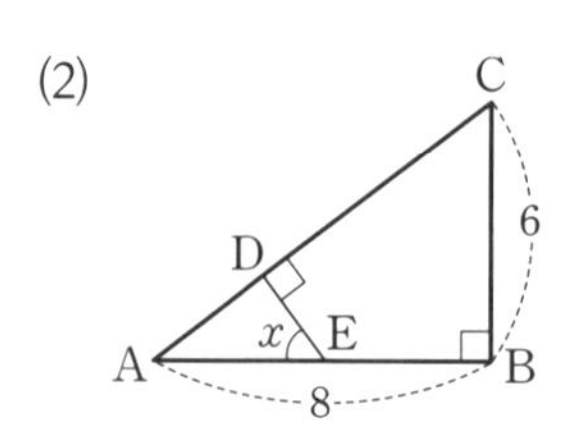

07 다음을 계산하시오.

(1) $\sin 30° - \sqrt{3}\tan 30° + \cos 60°$

(2) $\sin 30° + \cos 60° \times \tan 30° - \cos 30°$

(3) $2\cos 60° - \sqrt{3}\tan 30° + 2\sin 30°$

(4) $\sin^2 45° + \cos^2 45°$

08 다음 삼각비의 값을 만족시키는 A의 크기를 구하시오. (단, $0° < A < 90°$)

(1) $\sin A = \frac{\sqrt{2}}{2}$

(2) $\cos A = \frac{\sqrt{3}}{2}$

(3) $\tan A = 1$

(4) $\cos A = \frac{1}{2}$

09 다음 그림과 같은 도형에서 삼각비의 값을 이용하여 x의 값을 구하시오.

(1)

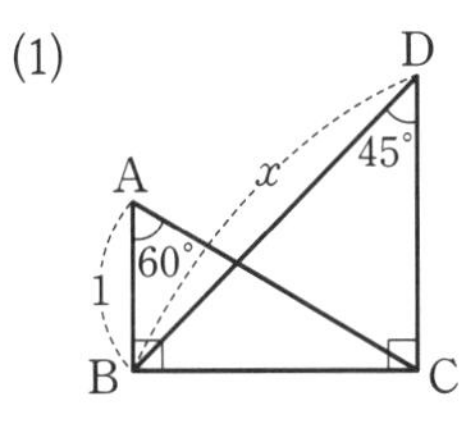

(2)

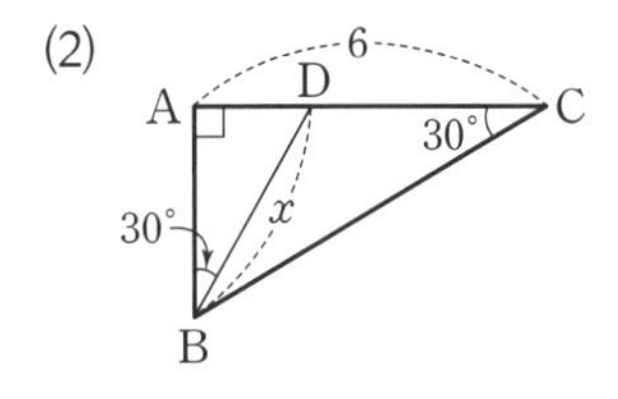

10 다음을 계산하시오.

(1) $\sin 90° \times \cos 0° + \cos 60° \times \tan 0°$

(2) $\tan 45° \times \cos 0° + \sin 45° \times \cos 90°$

(3) $2\cos 0° + \sqrt{3}\tan 30°$

(4) $(1 - \sin 0°)(1 + \cos 0°)$

11 다음 빈칸에 알맞은 것을 써넣으시오.

삼각비 \ A	$0°$	$30°$	$45°$	$60°$	$90°$
$\sin A$	0		$\frac{\sqrt{2}}{2}$	$\frac{\sqrt{3}}{2}$	
$\cos A$		$\frac{\sqrt{3}}{2}$			
$\tan A$	0	$\frac{\sqrt{3}}{3}$			정할 수 없다.

12 오른쪽 그림과 같이 반지름의 길이가 1인 사분원에서 삼각비의 값과 길이가 같은 선분을 보기에서 찾아 쓰시오.

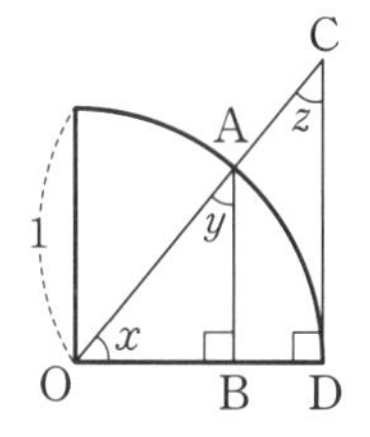

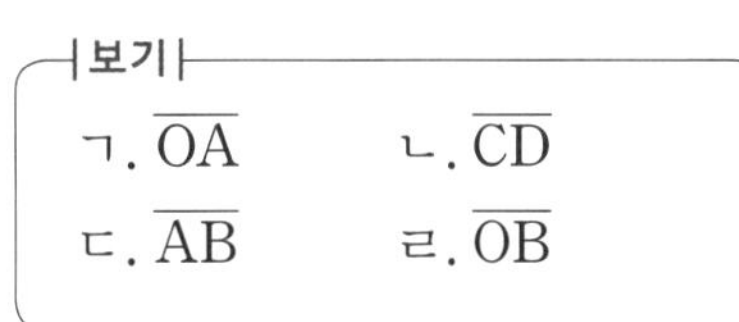

보기
ㄱ. $\overline{OA}$ ㄴ. $\overline{CD}$
ㄷ. $\overline{AB}$ ㄹ. $\overline{OB}$

(1) $\sin x$

(2) $\cos x$

(3) $\tan x$

(4) $\sin y$

(5) $\cos z$

정답과 해설 _ p.10

도전 100점

(13~14) 아래 삼각비의 표를 보고 다음을 구하시오.

각도	사인(sin)	코사인(cos)	탄젠트(tan)
25°	0.4226	0.9063	0.4663
26°	0.4384	0.8988	0.4877
27°	0.4540	0.8910	0.5095
28°	0.4695	0.8829	0.5317
29°	0.4848	0.8746	0.5543

13 다음 삼각비를 만족하는 x의 크기를 구하시오.

(1) $\sin x=0.4695$

(2) $\cos x=0.8988$

(3) $10\tan x=4.663$

14 위의 삼각비의 표를 이용하여 x의 값을 구하시오.

(1)

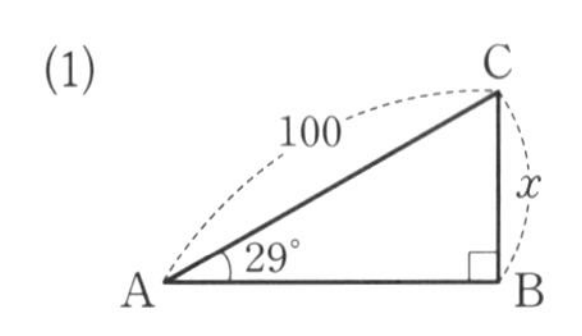

(2)

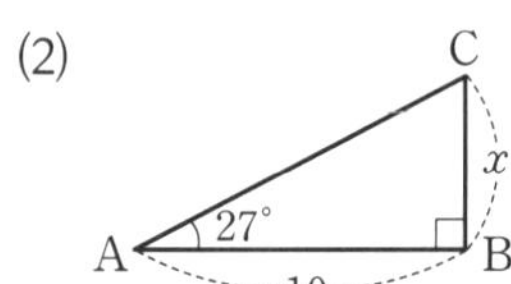
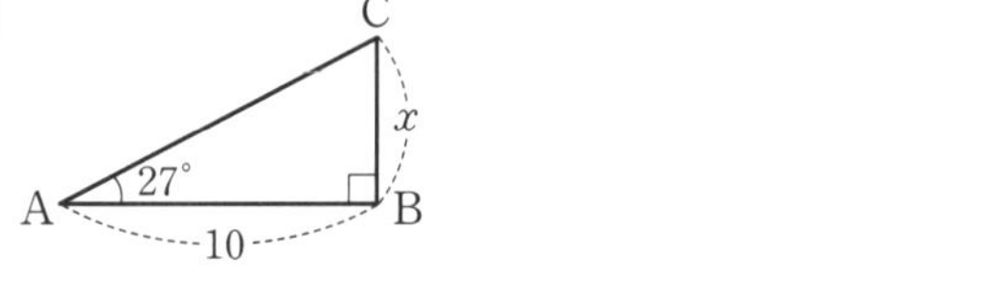

15 $\sqrt{3}\tan 60°+\dfrac{4\sin 90°-2\tan 45°}{\sqrt{3}\tan 30°+2\sin 30°}$의 값을 구하시오.

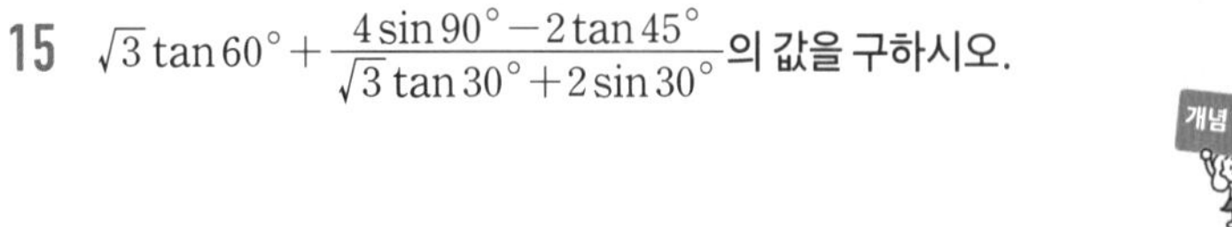

16 오른쪽 그림의 직각삼각형 ABC에서 $\overline{AD}\perp\overline{BC}$일 때, $15\tan x+8\tan y$의 값을 구하시오.

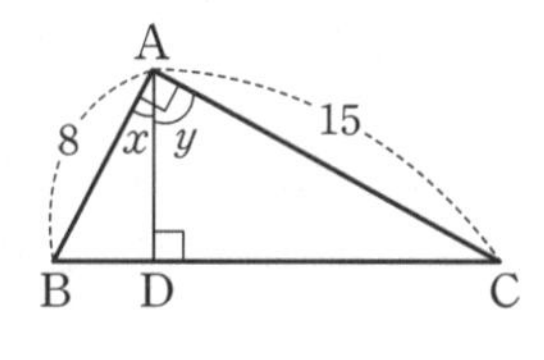

17 오른쪽 그림은 반지름의 길이가 1인 사분원을 좌표평면 위에 나타낸 것이다. 다음 중 점 A의 좌표를 나타낸 것을 모두 고르면? (정답 2개)

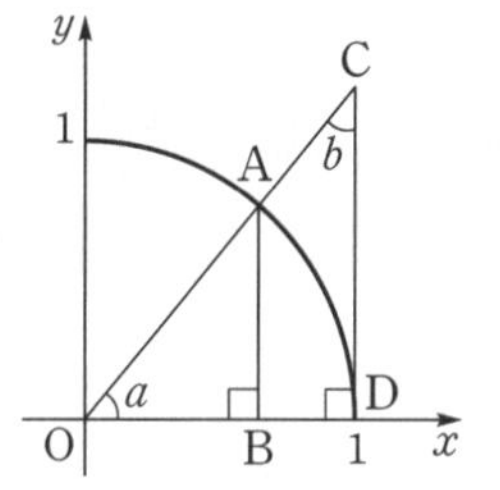

① $(\sin a, \cos a)$
② $(\sin b, \cos b)$
③ $(\sin b, \sin b)$
④ $(\cos a, \sin a)$
⑤ $(\cos b, \sin b)$

18 $\cos(2x+40°)=\dfrac{1}{2}$일 때, $\tan 6x$의 값을 구하시오.

(단, $0°<2x+40°<90°$)

19 오른쪽 그림과 같이 일차함수 $y=ax+b$의 그래프가 x축의 양의 방향과 이루는 각의 크기가 $60°$일 때, ab의 값은? (단, a, b는 상수)

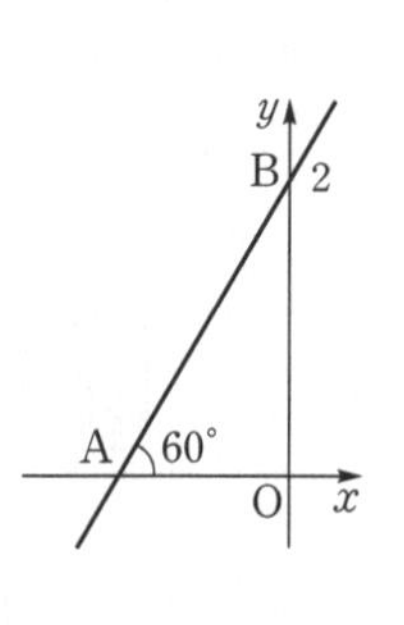

① $\sqrt{3}$　② $2\sqrt{3}$
③ $3\sqrt{3}$　④ $4\sqrt{3}$
⑤ $6\sqrt{3}$

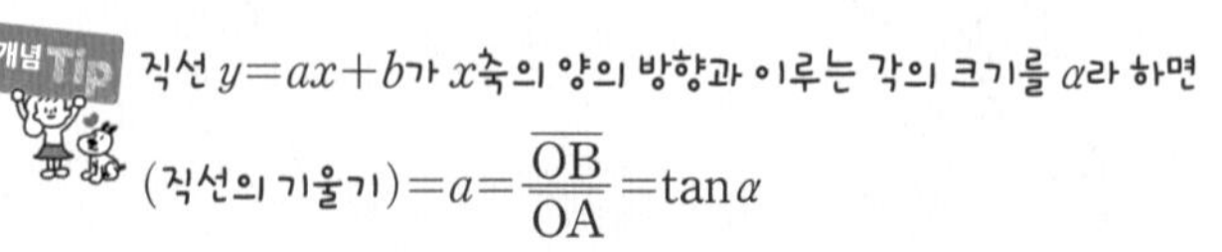

개념 Tip 직선 $y=ax+b$가 x축의 양의 방향과 이루는 각의 크기를 α라 하면

(직선의 기울기)$=a=\dfrac{\overline{OB}}{\overline{OA}}=\tan\alpha$

정답과 해설 _ p.12

1. 직각삼각형에서 변의 길이 구하기

$\angle B=90°$인 직각삼각형 ABC에서

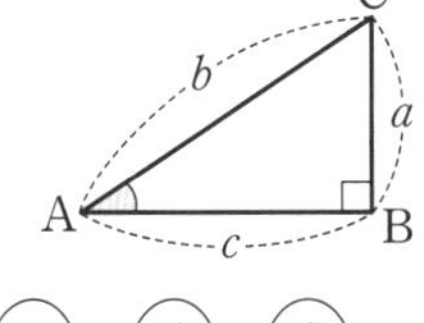

(1) $\angle A$의 크기와 빗변의 길이 b를 알 때

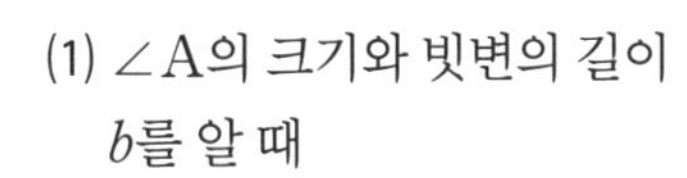

➡ $a=b\sin A$, $c=b\cos A$

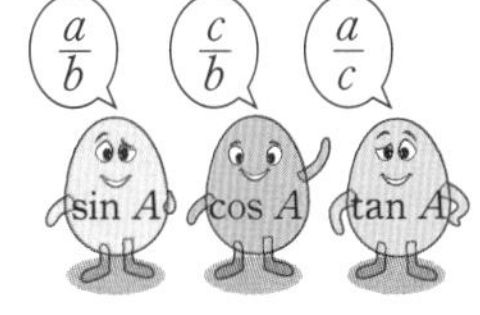

(2) $\angle A$의 크기와 밑변의 길이 c를 알 때

➡ $a=c\tan A$, $b=\dfrac{c}{\cos A}$

(3) $\angle A$의 크기와 높이 a를 알 때

➡ $b=\dfrac{a}{\sin A}$, $c=\dfrac{a}{\tan A}$

참고 직각삼각형에서 한 예각의 크기와 한 변의 길이를 알면, 삼각비를 이용하여 나머지 두 변의 길이를 구할 수 있다.

01 다음 그림의 직각삼각형 ABC에서 x의 값을 구하시오. (단, $\sin 50°=0.77$, $\cos 50°=0.64$, $\tan 50°=1.19$로 계산한다.)

(1)

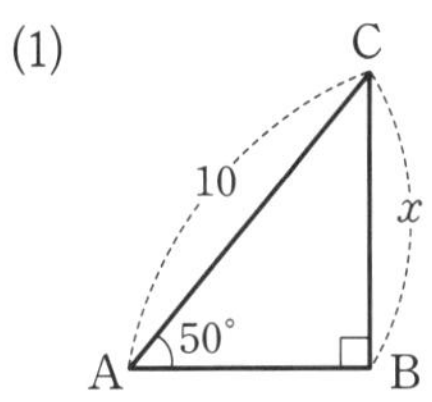
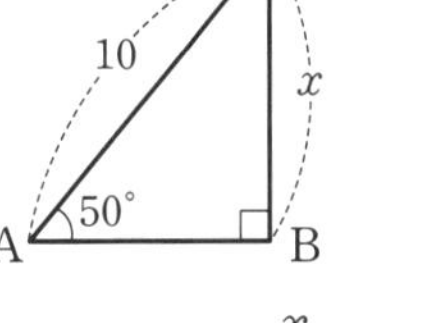

➡ $\sin 50°=\dfrac{x}{10}$이므로

$x=10\sin 50°=10\times$ □ $=$ □

(2)

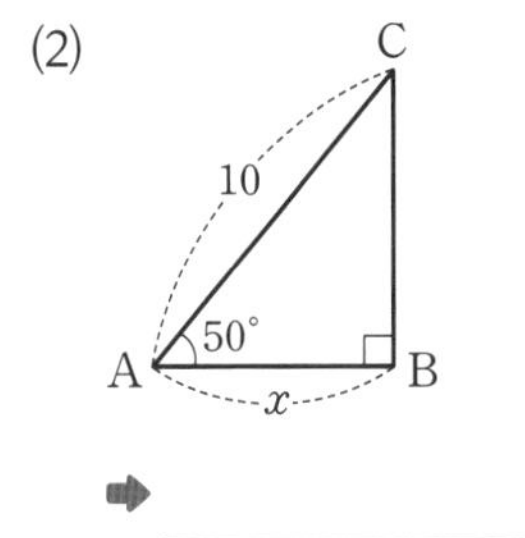

➡ ______________

(3) (A: 50°, AB = 10, BC = x)

➡ ______________

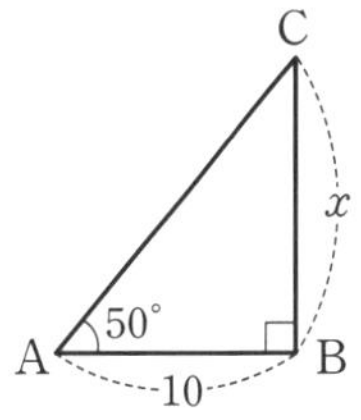

02 다음 그림의 직각삼각형 ABC에서 주어진 삼각비의 값을 이용하여 x의 값을 구하시오.

(1) $\cos 65°=0.4$

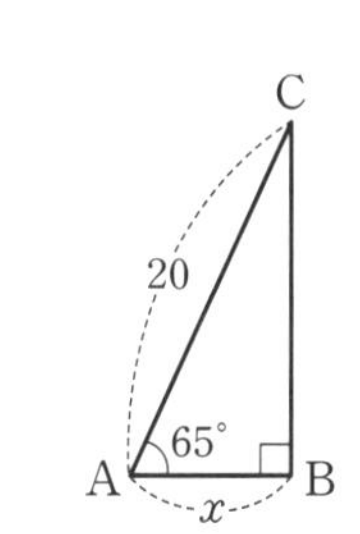

➡ $\cos 65°=\dfrac{x}{20}$이므로

$x=$ □ $\cos 65°=$ □

(2) $\sin 23°=0.39$

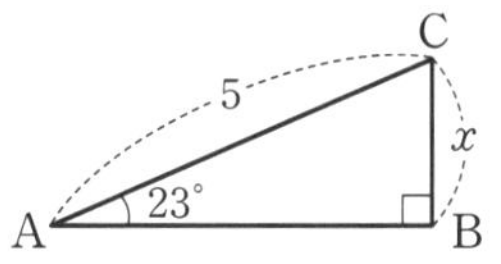

➡ ______________

(3) $\tan 27°=0.5$

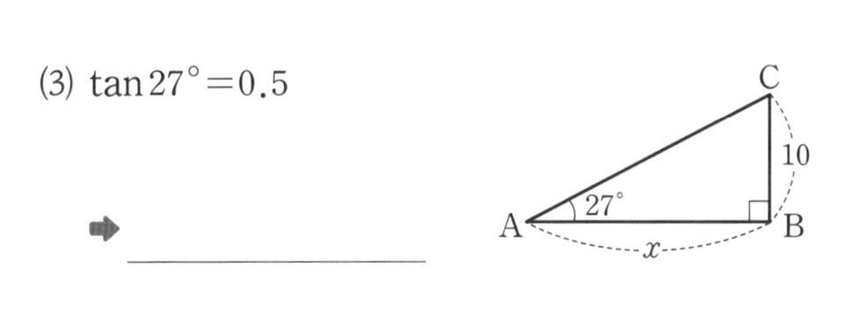

➡ ______________

(4) $\cos 53°=0.6$

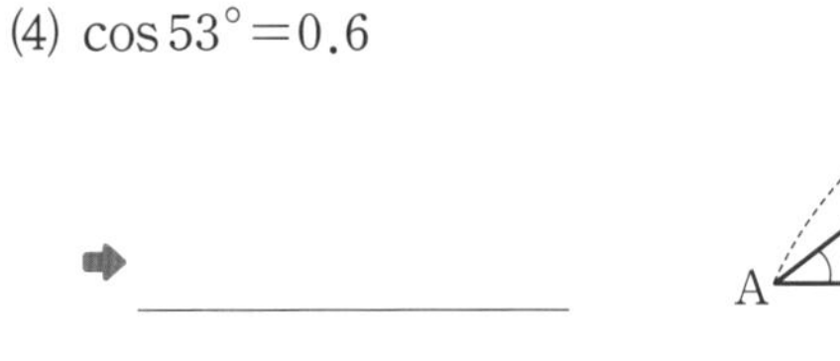

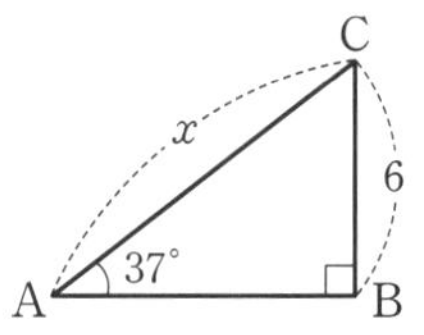

➡ ______________

03 다음 그림에서 주어진 삼각비의 값을 이용하여 건물의 높이를 구하시오.

(1)

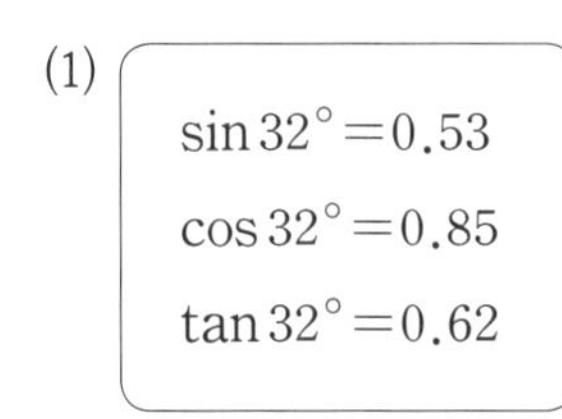

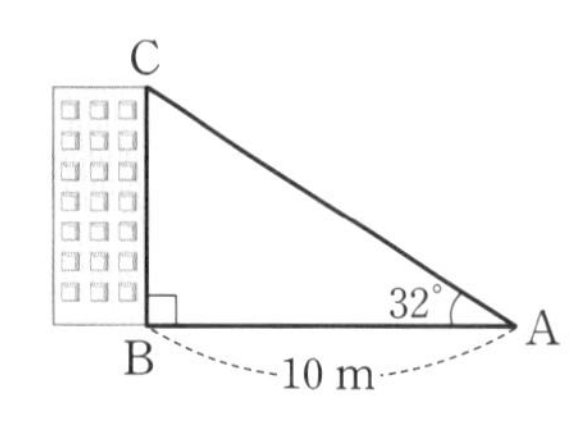

➡ $\tan 32° = \dfrac{\overline{BC}}{10}$ 이므로

$\overline{BC} = 10\tan 32° = 10 \times \square = \square$ (m)

(2)

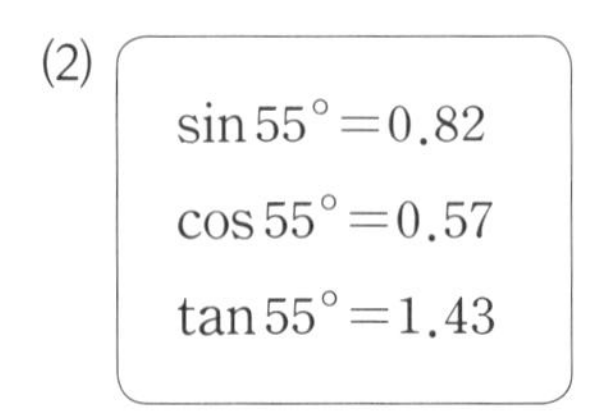

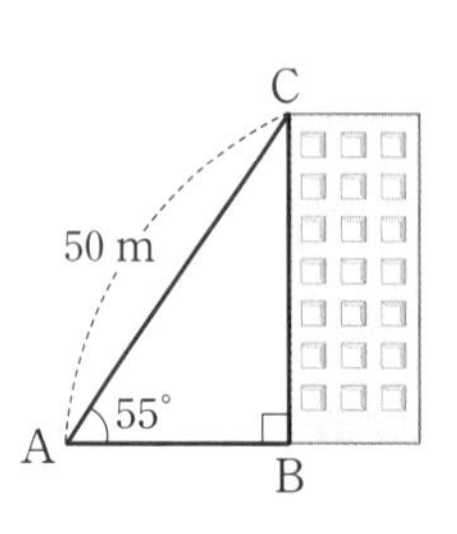

➡ ______________

쌤 Tip ∠A의 크기와 빗변의 길이가 주어질 때 높이는 sin을 이용해.

(3)

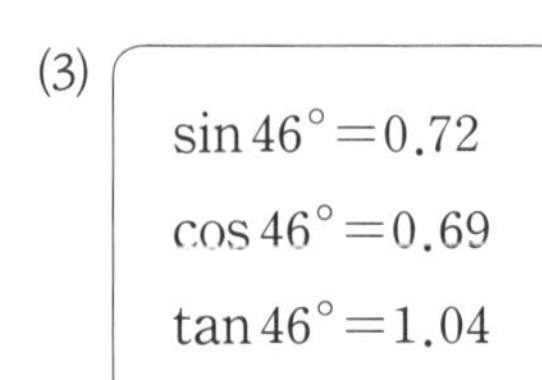

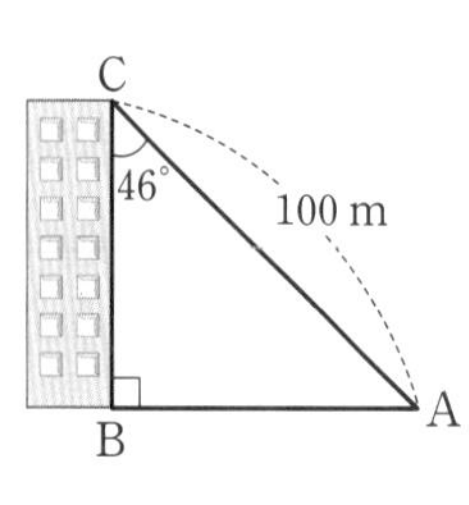

➡ ______________

(4)

sin 63° = 0.89
cos 63° = 0.45
tan 63° = 1.96

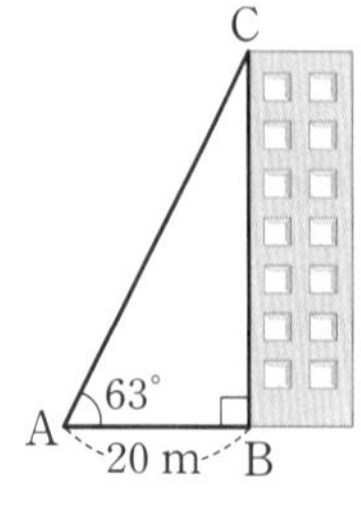

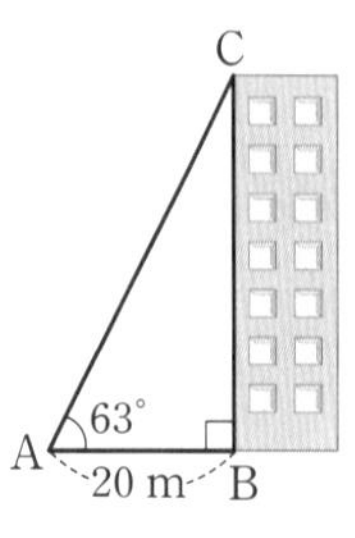

➡ ______________

04 삼각비의 값을 이용하여 나무의 높이를 구하시오.

(단, $\tan 40° = 0.84$로 계산한다.)

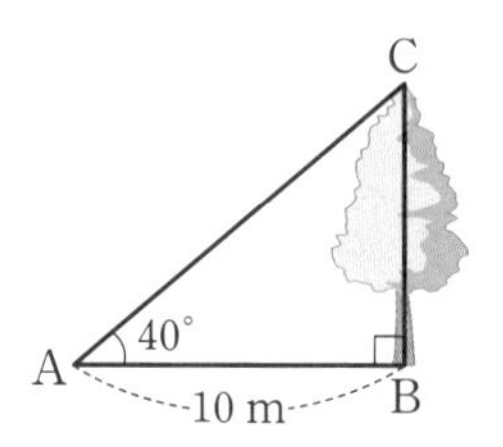

05 다음 그림과 같이 동현이가 어떤 건물로부터 20 m 떨어진 지점에서 그 건물을 올려다본 각의 크기가 60°이었다. 동현이의 눈높이가 1.7 m일 때, 건물의 높이를 구하시오.

(단, $\tan 60° = 1.7$로 계산한다.)

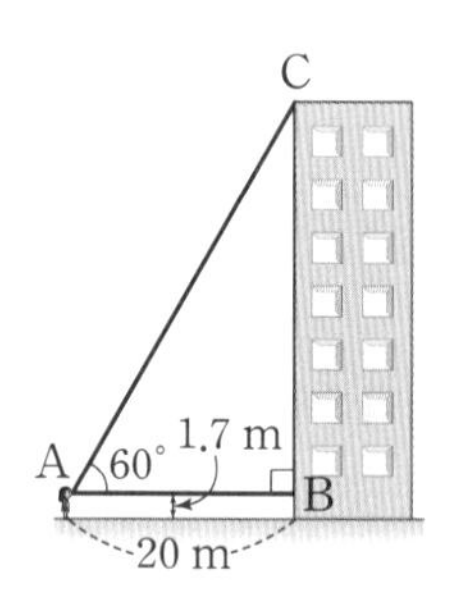

쌤 Tip 건물의 전체 높이는 사람의 눈높이도 생각해야 해.

06 오른쪽 그림과 같이 10 m 떨어진 두 건물 가, 나가 있다. 가 건물 옥상에서 나 건물을 올려다본 각의 크기가 30°이고 내려다본 각의 크기가 45°일 때, 다음을 구하시오.

(단, $\tan 30° = 0.58$로 계산한다.)

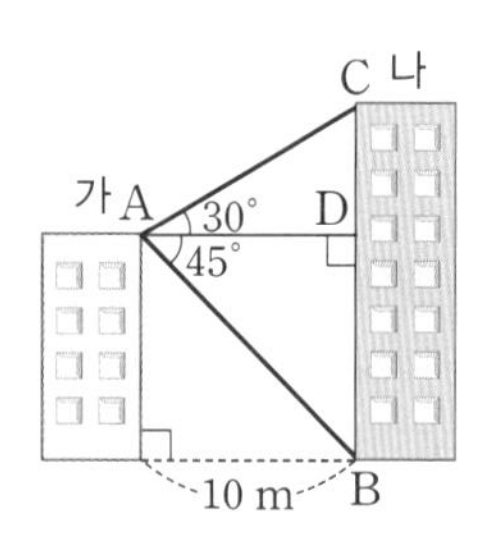

(1) $\overline{CD}$의 길이

(2) $\overline{BD}$의 길이

(3) 나 건물의 높이

정답과 해설 _ p.13

01 오른쪽 그림과 같은 직각삼각형 ABC에서 x, y의 값을 각각 구하시오. (단, $\sin 37° = 0.6$, $\cos 37° = 0.8$로 계산한다.)

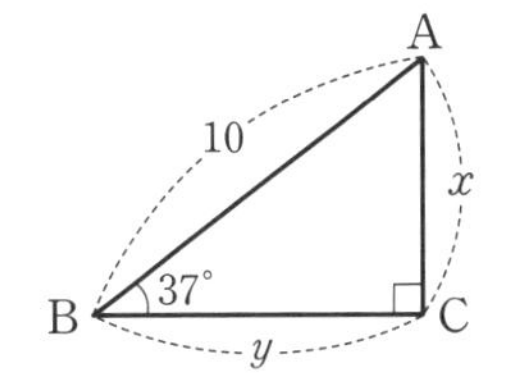

주어진 각에 대하여 주어진 변과 구하는 변이
(i) 빗변과 높이이면 sin,
(ii) 빗변과 밑변이면 cos,
(iii) 밑변과 높이이면 tan
를 이용한다.

02 오른쪽 그림과 같이 $\angle C = 90°$인 직각삼각형 ABC에서 다음 중 $\overline{AB}$의 길이를 나타내는 것을 모두 고르면? (정답 2개)

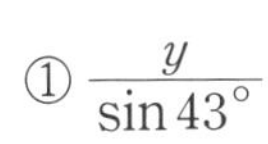
① $\dfrac{y}{\sin 43°}$

② $\dfrac{x}{\cos 43°}$

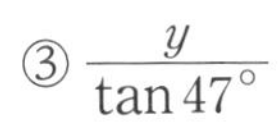
③ $\dfrac{y}{\tan 47°}$

④ $y \sin 43°$

⑤ $x \cos 43°$

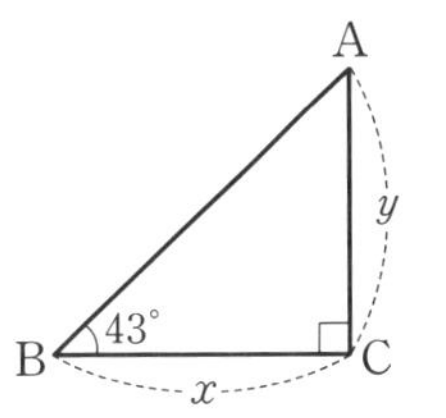

$\overline{AB}$의 길이는 두 가지로 나타낼 수 있다.

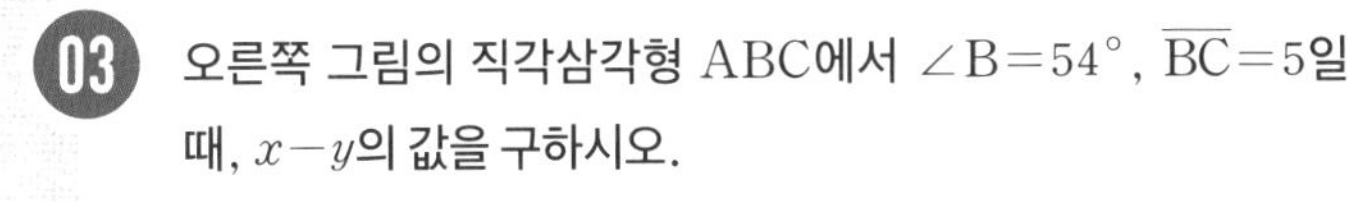
03 오른쪽 그림의 직각삼각형 ABC에서 $\angle B = 54°$, $\overline{BC} = 5$일 때, $x - y$의 값을 구하시오.

(단, $\sin 54° = 0.8$, $\cos 54° = 0.6$으로 계산한다.)

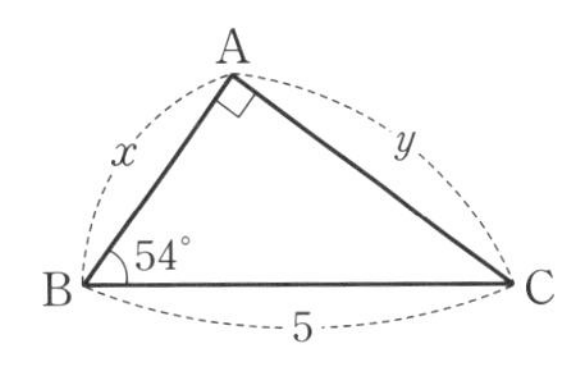

04 오른쪽 그림과 같이 현민이가 나무로부터 10 m 떨어진 A지점에서 나무의 꼭대기 C를 올려다본 각의 크기가 50°이다. 현민이의 눈높이가 1.6 m일 때, 나무의 높이를 구하시오.

(단, $\tan 50° = 1.19$로 계산한다.)

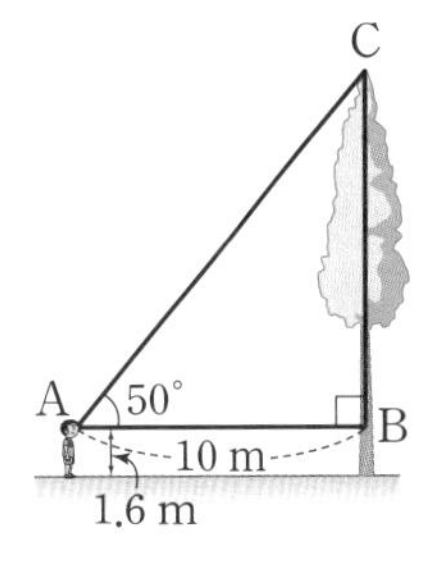

(나무의 높이)
$= (\overline{BC}$의 길이$) + ($눈높이$)$

정답과 해설 _ p.13

1. 일반 삼각형의 변의 길이 구하기 - 두 변의 길이와 끼인각의 크기를 알 때

삼각형의 두 변의 길이와 그 끼인각의 크기를 알 때, 다른 한 변의 길이는 다음과 같은 순서로 구한다.

① 수선 긋기 ← 수선 AH를 긋는다.

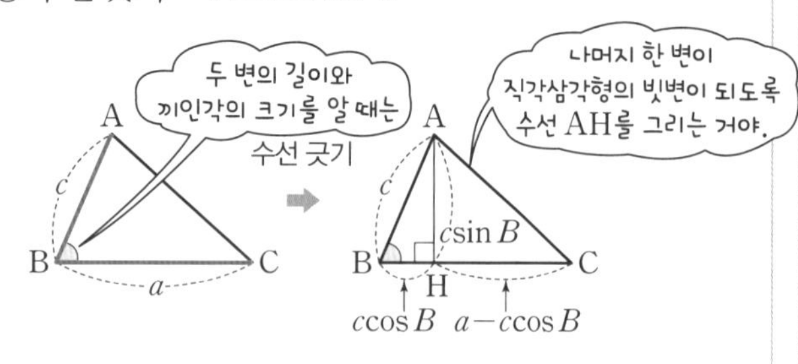

② △ABH에서 $\overline{\mathrm{AH}}=c\sin B$ ← $\sin B=\frac{\overline{\mathrm{AH}}}{c}$

③ $\overline{\mathrm{CH}}=a-c\cos B$ ← $\cos B=\frac{\overline{\mathrm{BH}}}{c}$에서 $\overline{\mathrm{BH}}=c\cos B$

④ $\overline{\mathrm{AC}}=\sqrt{\overline{\mathrm{AH}}^2+\overline{\mathrm{CH}}^2}$
$=\sqrt{(c\sin B)^2+(a-c\cos B)^2}$

참고 꼭짓점 B에서 $\overline{\mathrm{AC}}$에 수선의 발 H를 내린 후 같은 방법으로 $\overline{\mathrm{AB}}$의 길이를 구할 수 있다.

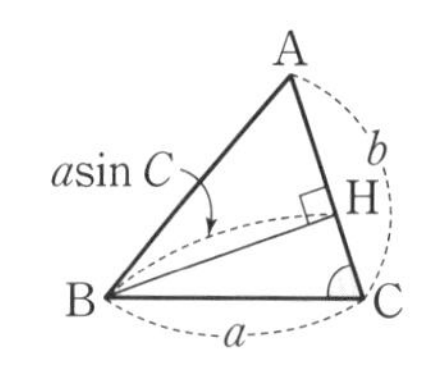

01 다음 삼각형 ABC의 꼭짓점 A에서 $\overline{\mathrm{BC}}$에 내린 수선의 발을 H라 할 때, 다음을 구하시오.

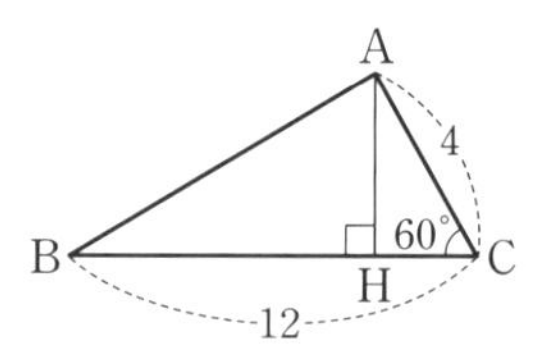

(1) $\overline{\mathrm{AH}}$의 길이 ➡ ____________

(2) $\overline{\mathrm{CH}}$의 길이 ➡ ____________

(3) $\overline{\mathrm{BH}}$의 길이 ➡ ____________

(4) $\overline{\mathrm{AB}}$의 길이 ➡ ____________

02 다음 그림의 삼각형 ABC에서 x의 값을 구하시오.

(1)

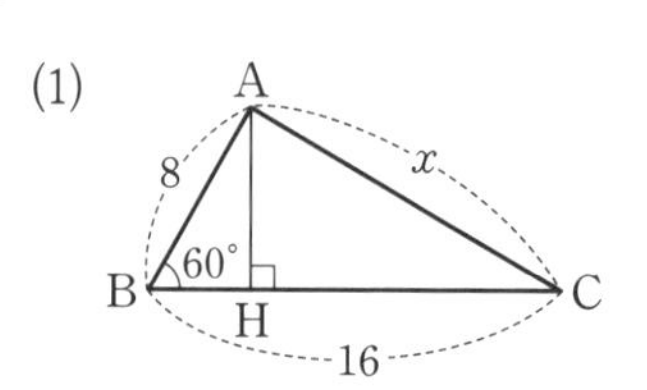

➡ 점 A에서 변 BC에 내린 수선의 발을 H라 하면
$\overline{\mathrm{AH}}=\square\sin 60°=\square$
$\overline{\mathrm{BH}}=\square\cos 60°=\square$
$\overline{\mathrm{CH}}=\overline{\mathrm{BC}}-\overline{\mathrm{BH}}=\square$
$\therefore x=\sqrt{\square^2+(4\sqrt{3})^2}=\square$

(2)

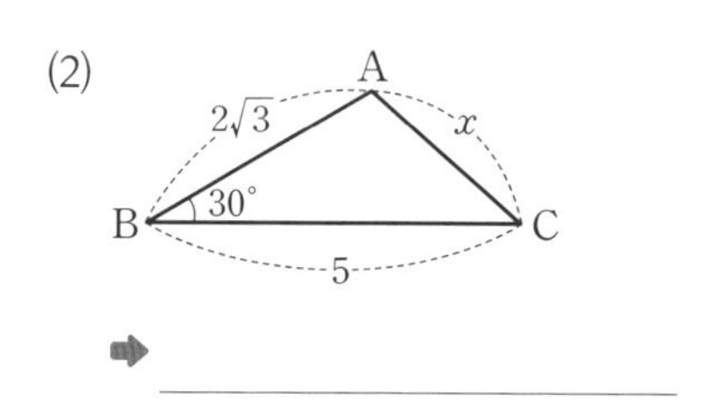

➡ ____________

(3)

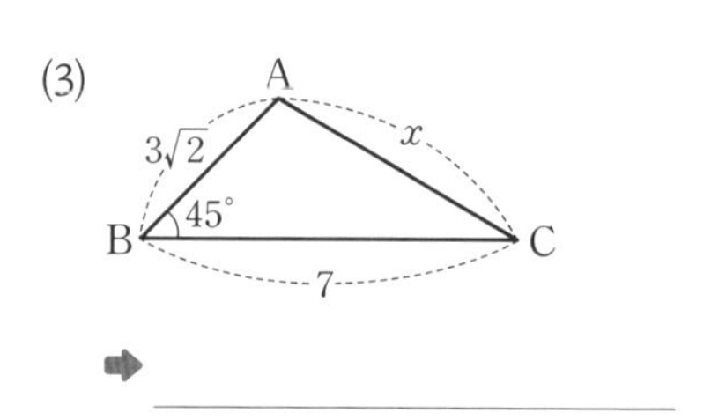

➡ ____________

(4)

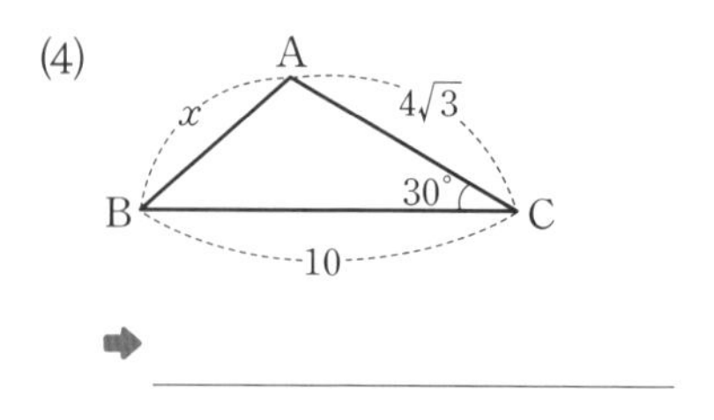

➡ ____________

2. 일반 삼각형에서 변의 길이 구하기 - 한 변의 길이와 그 양 끝 각의 크기를 알 때 up+

한 변의 길이와 그 양 끝 각의 크기를 알 때, 나머지 두 변의 길이는 다음과 같은 순서로 구한다.

① 수선 긋기 ← 수선 CH를 긋는다.

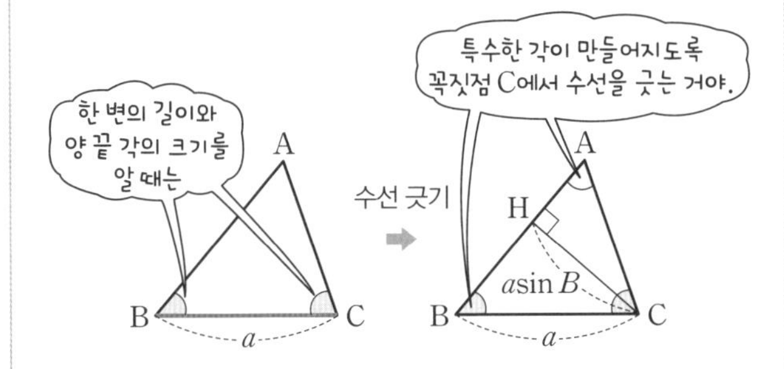

② △BCH에서 $\overline{\mathrm{CH}}=a\sin B$ ← $\sin B=\frac{\overline{\mathrm{CH}}}{a}$

③ △ACH에서 ∠A=180°−(∠B+∠C)이므로

$\overline{\mathrm{AC}}=\frac{\overline{\mathrm{CH}}}{\sin A}=\frac{a\sin B}{\sin A}$ ← $\sin A=\frac{\overline{\mathrm{CH}}}{\overline{\mathrm{AC}}}$

03 삼각형 ABC에서 다음을 구하시오.

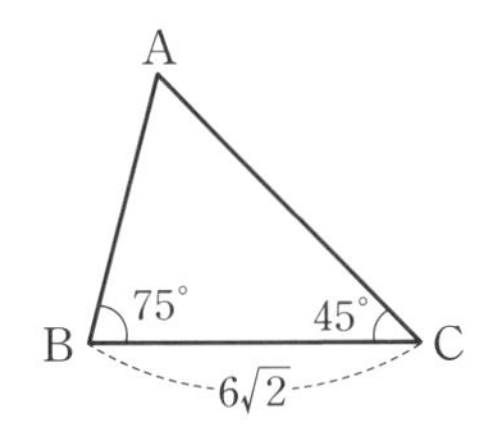

(1) 위 그림의 △ABC에 꼭짓점 B에서 변 AC에 수선을 그어 두 직각삼각형 ABH와 CBH를 만드시오.

(2) ∠A의 크기 ➡ ____________

(3) $\overline{\mathrm{BH}}$의 길이 ➡ ____________

(4) $\overline{\mathrm{CH}}$의 길이 ➡ ____________

(5) $\overline{\mathrm{AB}}$의 길이 ➡ ____________

04 다음 그림의 삼각형 ABC에서 x의 값을 구하시오.

(1)

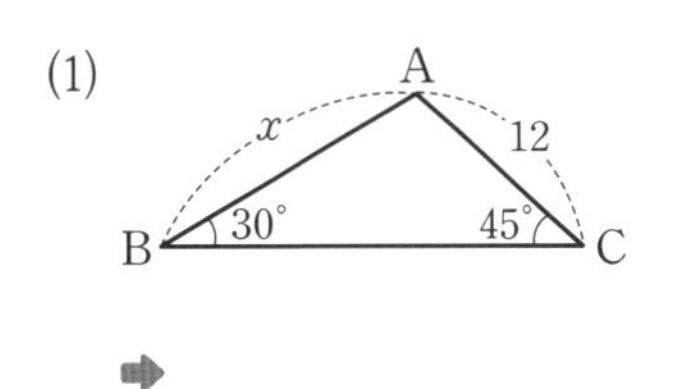

➡ ____________

(2)

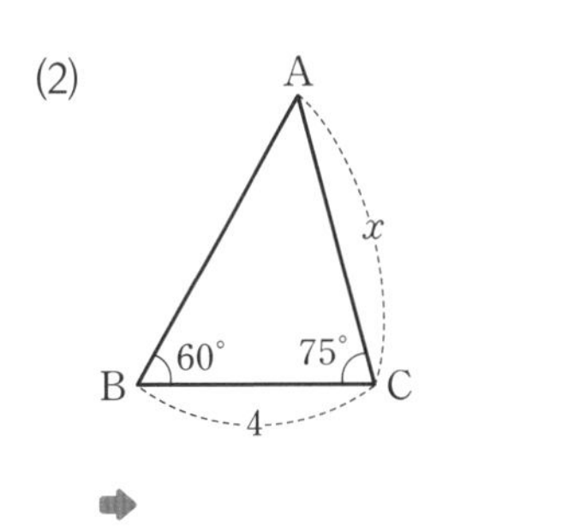

➡ ____________

쌤 Tip 특수한 각이 만들어지도록 한 꼭짓점에서 수선을 그어봐.

(3)

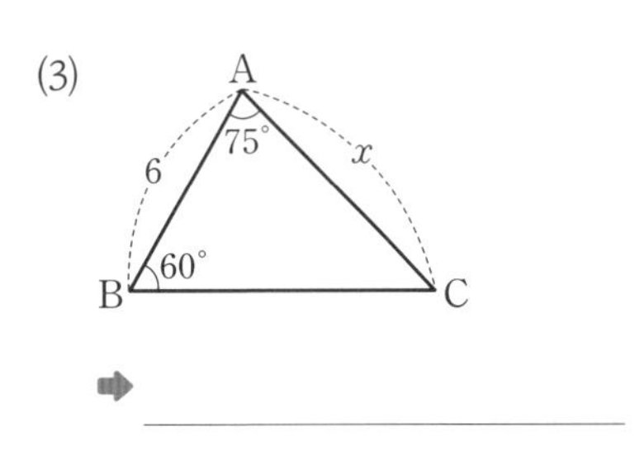

➡ ____________

(4)

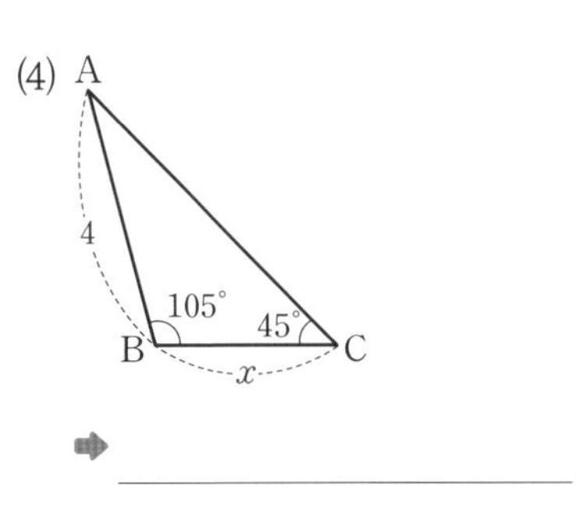

➡ ____________

(5)

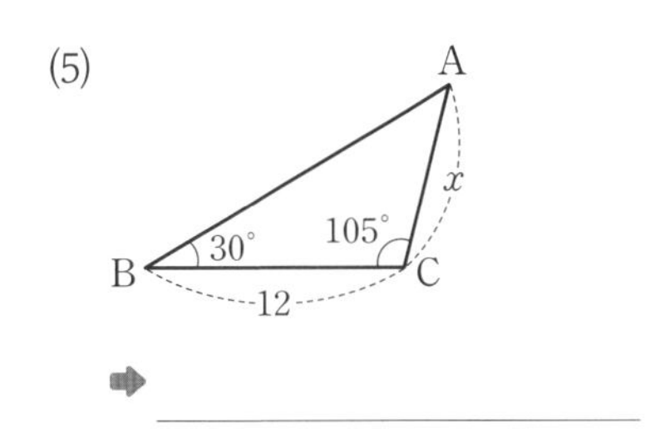

➡ ____________

정답과 해설 _ p.15

01 오른쪽 그림과 같은 △ABC에서 $\overline{BC}=9$, $\overline{AC}=4\sqrt{2}$, $\angle C=45°$일 때, $\overline{AB}$의 길이를 구하시오.

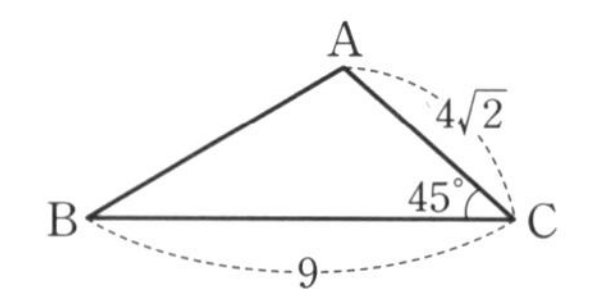

특수한 각이 포함되도록 꼭짓점 A에서 수선을 그어 본다.

02 오른쪽 그림과 같은 △ABC에서 $\overline{BC}=4\sqrt{6}$, $\angle B=75°$, $\angle C=45°$일 때, $\overline{AB}$의 길이를 구하시오.

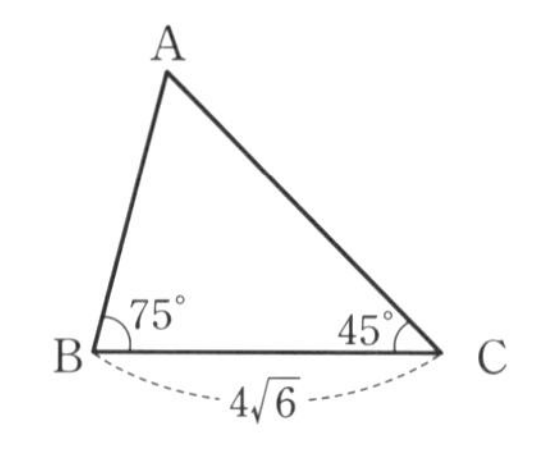

∠A의 크기를 구한 다음 특수한 각이 포함되도록 꼭짓점 B에서 수선을 그어 본다.

03 오른쪽 그림과 같이 △ABC의 꼭짓점 A에서 $\overline{BC}$에 내린 수선의 발을 D라 한다. $\angle B=45°$, $\angle CAD=60°$이고 $\overline{AB}=8$일 때, $\overline{DC}$의 길이를 구하시오.

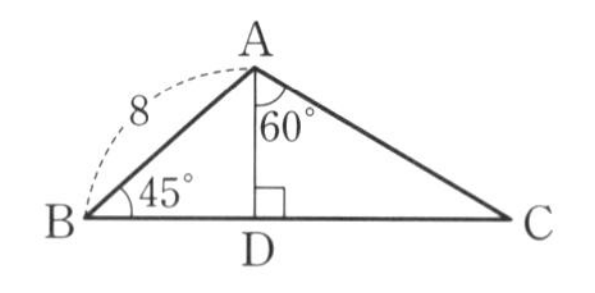

$\overline{AD}$의 길이를 먼저 구한다.

04 오른쪽 그림의 △ABC에서 $\angle C=120°$이고 $\overline{BC}=4$, $\overline{CA}=8$일 때, $\overline{AB}$의 길이는?

① 4　　② $4\sqrt{2}$
③ 6　　④ $4\sqrt{3}$
⑤ $4\sqrt{7}$

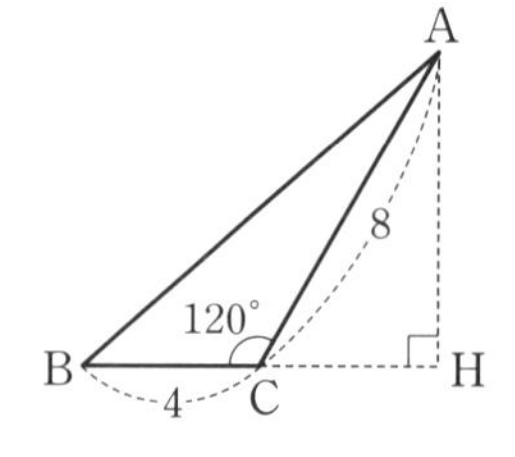

$\angle ACH=60°$임을 이용하여 $\overline{CH}$, $\overline{AH}$의 길이를 각각 구한다.

9강 ••• 삼각형의 높이 구하기

정답과 해설 _ p.15

1. 예각삼각형의 높이 up+

예각삼각형 ABC에서 한 변의 길이 a와 그 양 끝 각 $\angle B$, $\angle C$의 크기를 알 때, 높이 h는

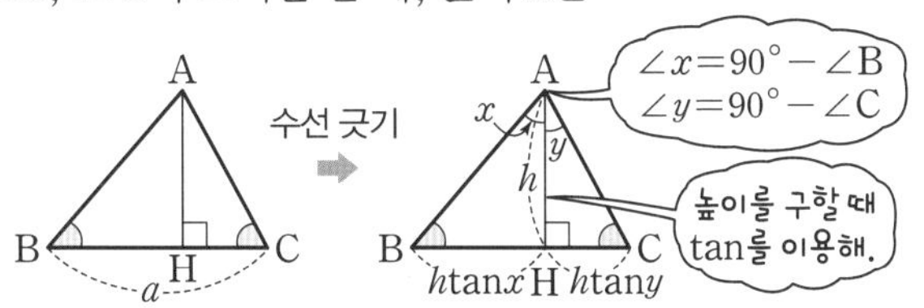

$\overline{BH}=h\tan x$, $\overline{CH}=h\tan y$

$$\overline{AH}=h=\frac{a}{\tan x+\tan y}$$

← $\overline{BC}=\overline{BH}+\overline{CH}$에서 $a=h\tan x+h\tan y$ $=h(\tan x+\tan y)$

참고 일반적으로 삼각형에서 높이를 구할 때에는 한 꼭짓점에서 그 대변에 수선의 발을 내려 직각삼각형을 그린 후 탄젠트를 이용한다.

01 다음 그림의 $\triangle ABC$에 대하여 물음에 답하시오.

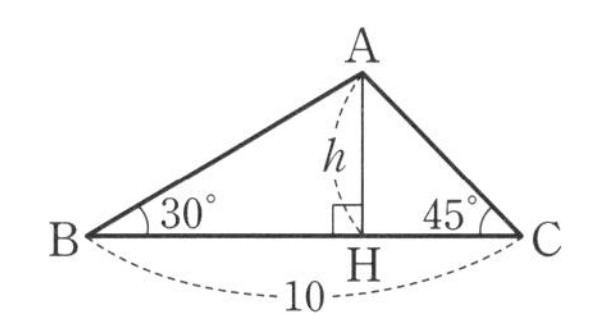

(1) $\overline{BH}$의 길이를 h에 대한 식으로 나타내시오.

➡ 직각삼각형 ABH에서 $\angle BAH=$ ☐ 이므로
$\overline{BH}=h\tan$ ☐ $=h\times$ ☐ $=$ ☐

(2) $\overline{CH}$의 길이를 h에 대한 식으로 나타내시오.

➡ ________________

(3) $\overline{BC}=10$임을 이용하여 h의 값을 구하시오.

➡ ________________

02 다음 그림의 삼각형 ABC에서 h의 값을 구하시오.

(1)

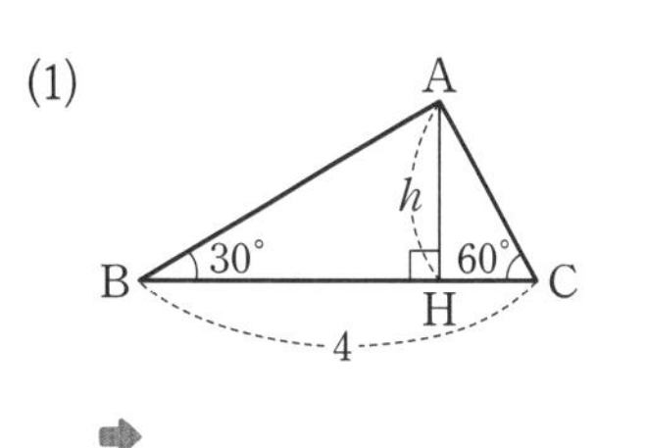

➡ ________________

(2)

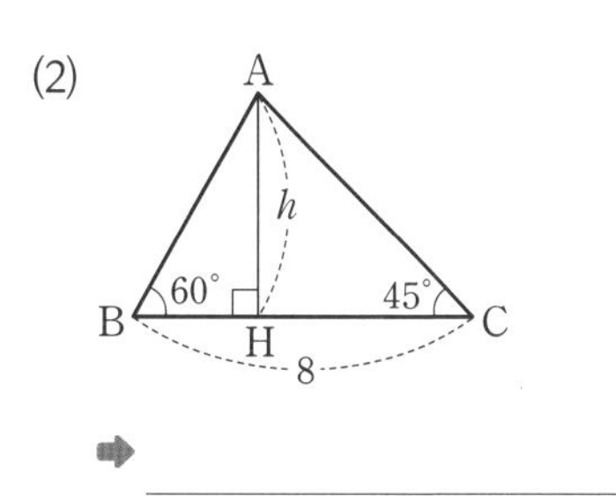

➡ ________________

(3)

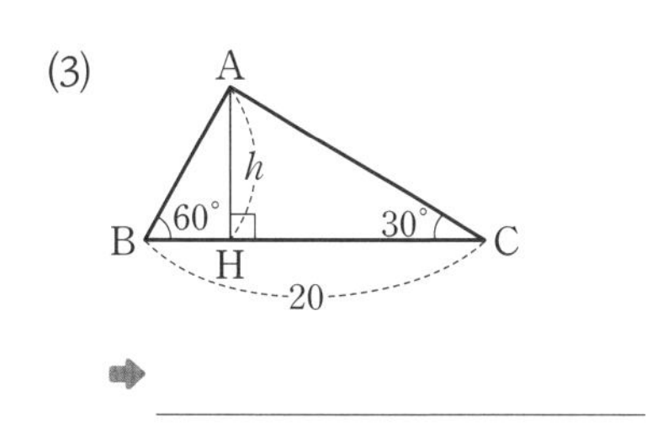

➡ ________________

(4)

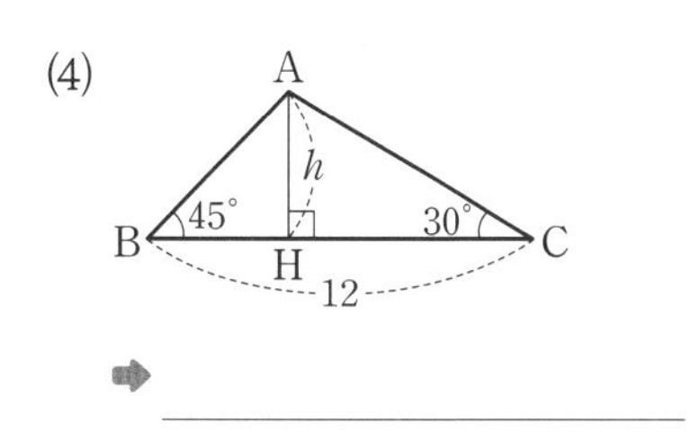

➡ ________________

2. 둔각삼각형의 높이 up+

둔각삼각형 ABC에서 한 변의 길이 a와 그 양 끝 각 $\angle B$, $\angle C$의 크기를 알 때, 높이 h는

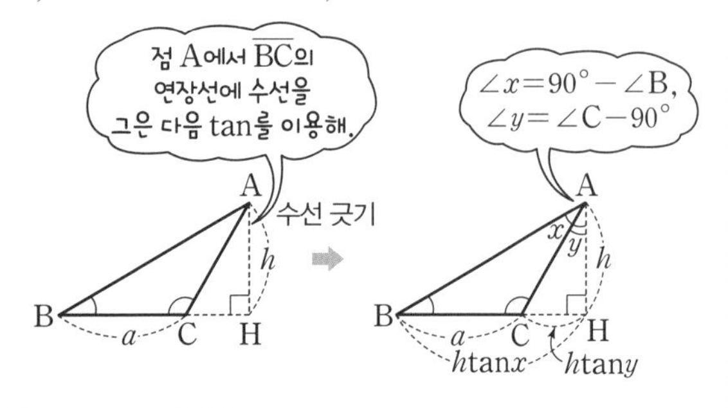

$\overline{BH}=h\tan x$, $\overline{CH}=h\tan y$

$\overline{AH}=h=\dfrac{a}{\tan x-\tan y}$ ← $\overline{BC}=\overline{BH}-\overline{CH}$에서 $a=h\tan x-h\tan y$ $=h(\tan x-\tan y)$

03 다음 그림의 $\triangle ABC$에 대하여 물음에 답하시오.

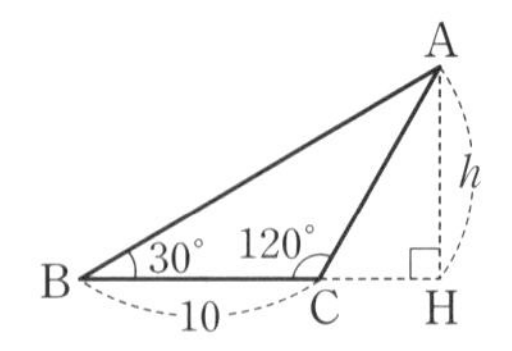

(1) $\angle BAH$의 크기를 구하시오.

➡ __________

(2) $\overline{BH}$의 길이를 h에 대한 식으로 나타내시오.

➡ __________

(3) $\angle CAH$의 크기를 구하시오.

➡ __________

(4) $\overline{CH}$의 길이를 h에 대한 식으로 나타내시오.

➡ __________

(5) $\overline{BC}=10$임을 이용하여 h의 값을 구하시오.

➡ __________

04 다음 그림의 삼각형 ABC에서 h의 값을 구하시오.

(1)

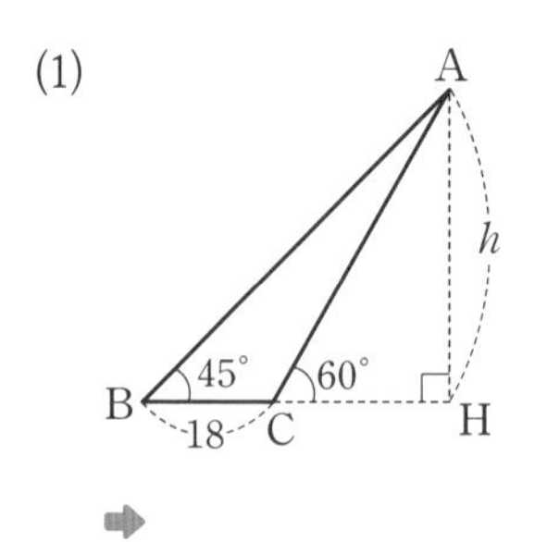

➡ __________

(2)

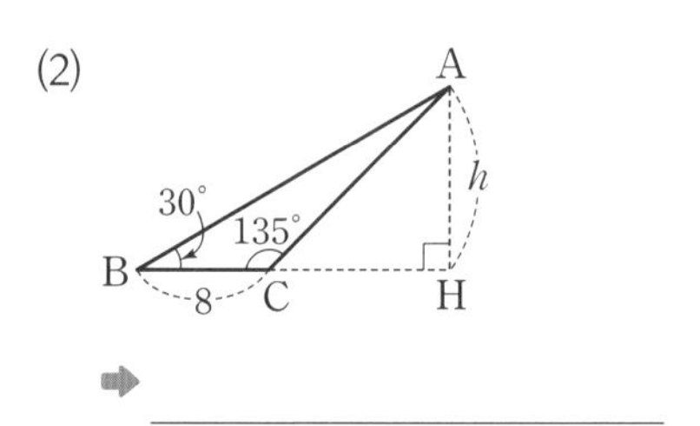

➡ __________

(3)

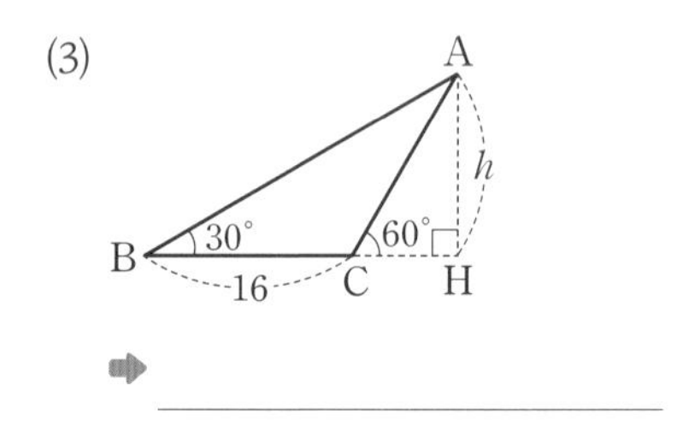

➡ __________

(4)

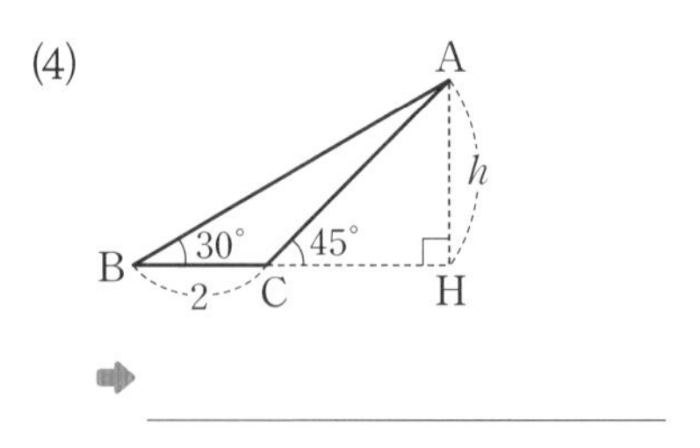

➡ __________

정답과 해설 _ p.16

01 오른쪽 그림의 $\triangle ABC$에서 $\overline{AH}\perp\overline{BC}$이고 $\angle B=45^\circ$, $\angle C=60^\circ$, $\overline{BC}=4$일 때, $\overline{AH}$의 길이를 구하시오.

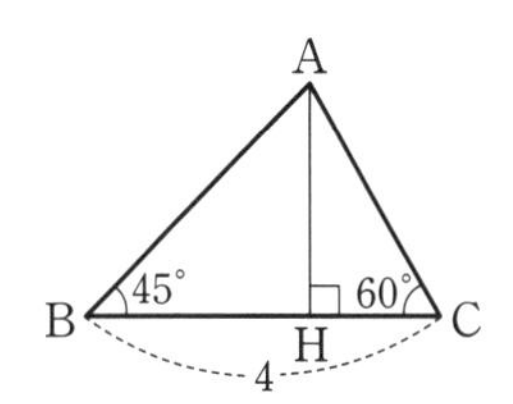

$\angle BAH=45^\circ$, $\angle CAH=30^\circ$이므로 $\overline{BH}$와 $\overline{CH}$를 $\overline{AH}$의 길이로 나타내어본다.

02 오른쪽 그림과 같이 $\triangle ABC$의 꼭짓점 A에서 $\overline{BC}$의 연장선에 내린 수선의 발을 H라고 할 때, $\overline{AH}$의 길이를 구하시오.

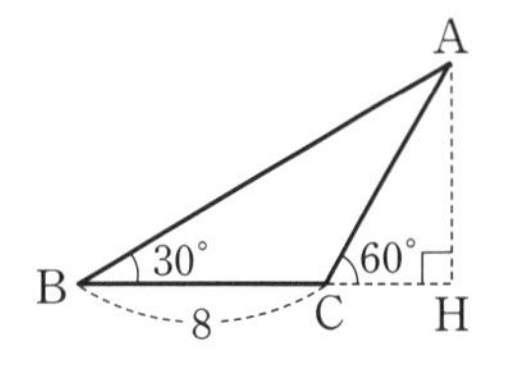

03 오른쪽 그림과 같이 60 m 떨어진 두 지점 B, C에서 송신탑 꼭대기 A를 올려다본 각의 크기가 각각 45°, 30°일 때, 이 송신탑의 높이는 몇 m인가?

① 30 m ② $30\sqrt{3}$ m
③ $30(\sqrt{3}-1)$ m ④ $30(\sqrt{3}+1)$ m
⑤ $60(\sqrt{3}+1)$ m

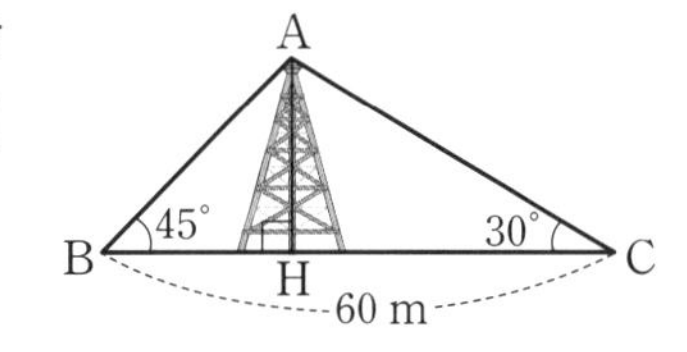

$\overline{BC}=\overline{BH}+\overline{CH}$

04 오른쪽 그림은 어느 등대의 높이를 알아보기 위해 측정한 결과이다. 이 등대의 높이는 몇 m인가?

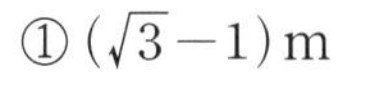
① $(\sqrt{3}-1)$ m ② $6(\sqrt{3}-1)$ m
③ $3(\sqrt{3}-1)$ m ④ $3(\sqrt{3}+1)$ m
⑤ $6(\sqrt{3}+1)$ m

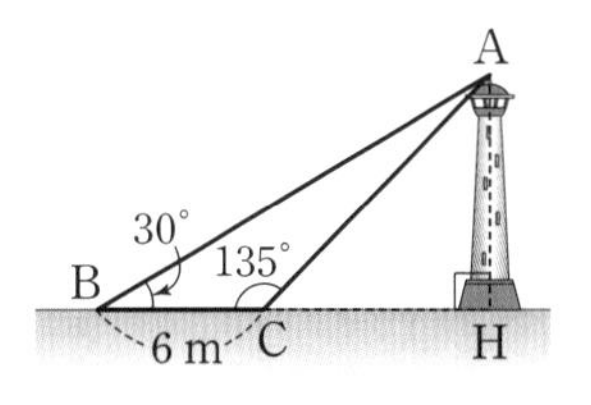

$\overline{BC}=\overline{BH}-\overline{CH}$

10강 ••• 삼각형, 사각형의 넓이 구하기

정답과 해설 _ p.17

1. 삼각형의 넓이 up+

삼각형에서 두 변의 길이와 그 끼인각의 크기를 알 때, 삼각형의 넓이를 S라고 하면

(1) ∠B가 예각일 때

$\overline{AH}=c\sin B$이므로

$$S=\frac{1}{2}ac\sin B$$

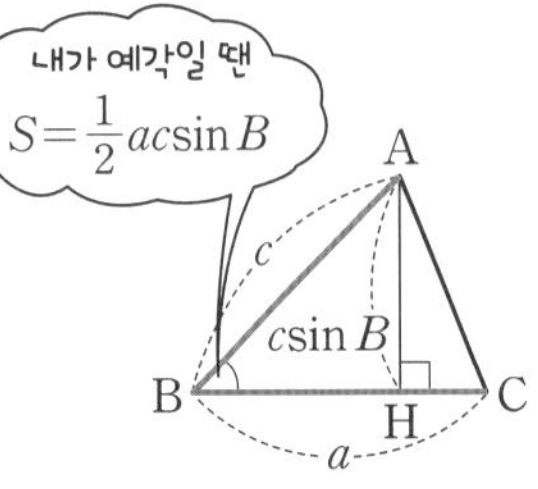

(2) ∠B가 둔각일 때

$\overline{AH}=c\sin(180^\circ-B)$이므로

$$S=\frac{1}{2}ac\sin(180^\circ-B)$$

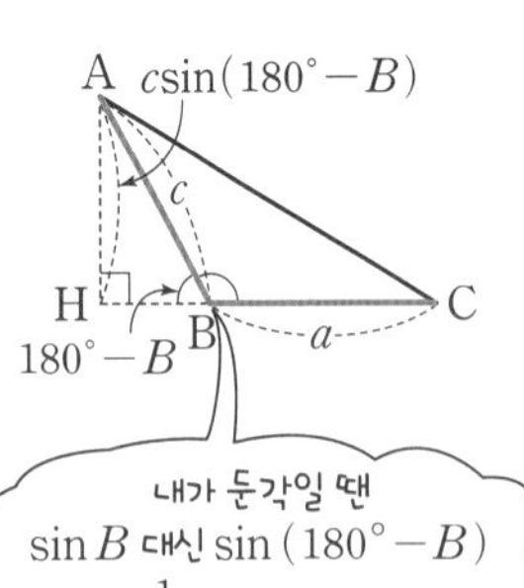

참고 ∠B=90°인 경우는 $\sin B=1$이므로 △ABC의 넓이 S는 $S=\frac{1}{2}ac$

01 다음 그림과 같은 △ABC의 넓이를 구하시오.

(1)

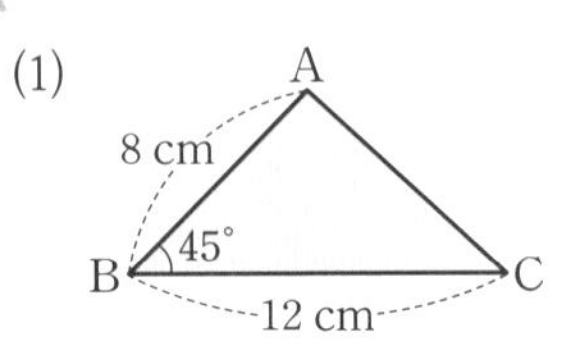

➡ $\triangle ABC=\frac{1}{2}\times 12\times\square\times\sin 45^\circ$

$=\frac{1}{2}\times 12\times\square\times\square=\square(\text{cm}^2)$

(2)

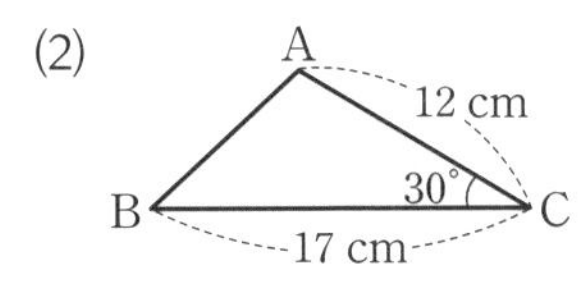

➡ ____________________

(3)

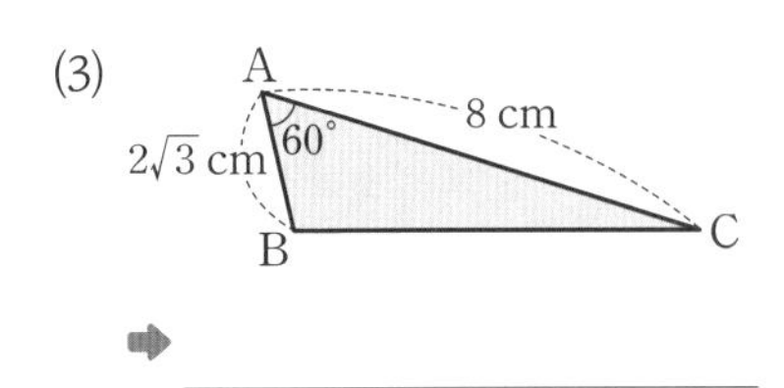

➡ ____________________

02 다음 그림과 같은 △ABC의 넓이를 구하시오.

(1)

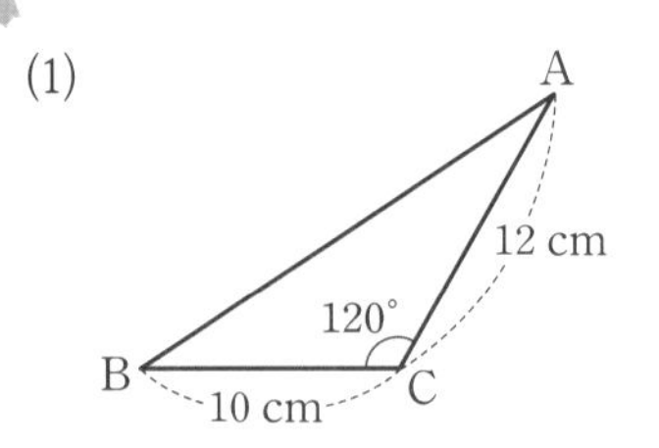

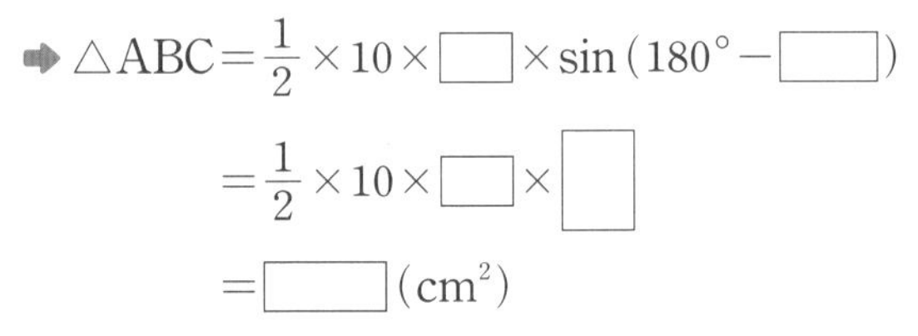

➡ $\triangle ABC=\frac{1}{2}\times 10\times\square\times\sin(180^\circ-\square)$

$=\frac{1}{2}\times 10\times\square\times\square$

$=\square(\text{cm}^2)$

(2)

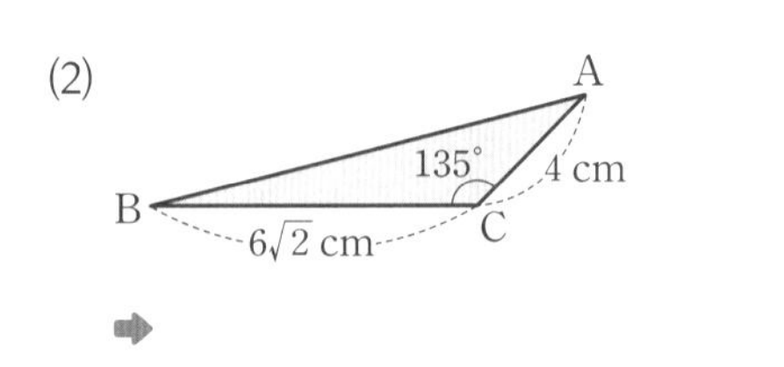

➡ ____________________

(3)

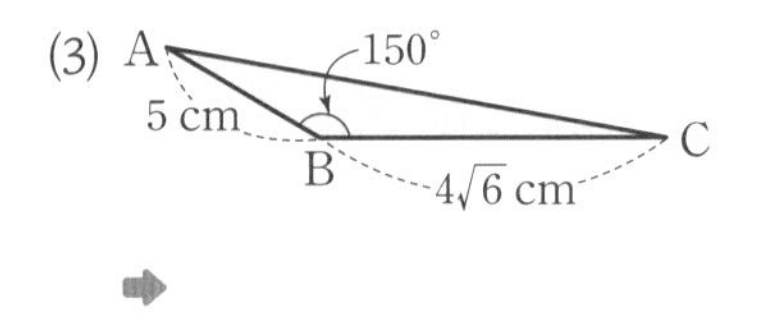

➡ ____________________

03 다음 그림과 같은 △ABC의 넓이를 구하시오.

(1)

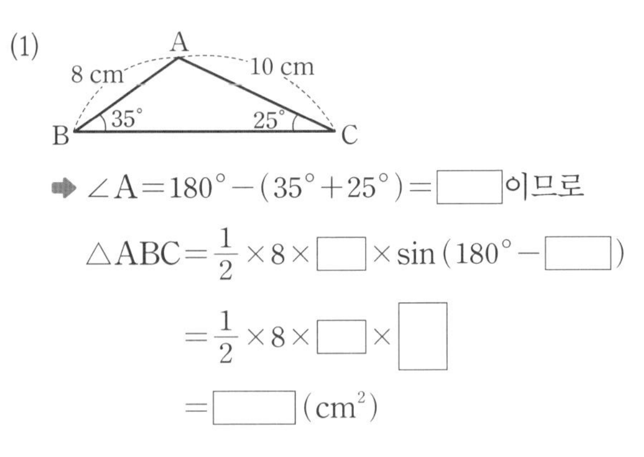

➡ $\angle A=180^\circ-(35^\circ+25^\circ)=\square$이므로

$\triangle ABC=\frac{1}{2}\times 8\times\square\times\sin(180^\circ-\square)$

$=\frac{1}{2}\times 8\times\square\times\square$

$=\square(\text{cm}^2)$

(2)

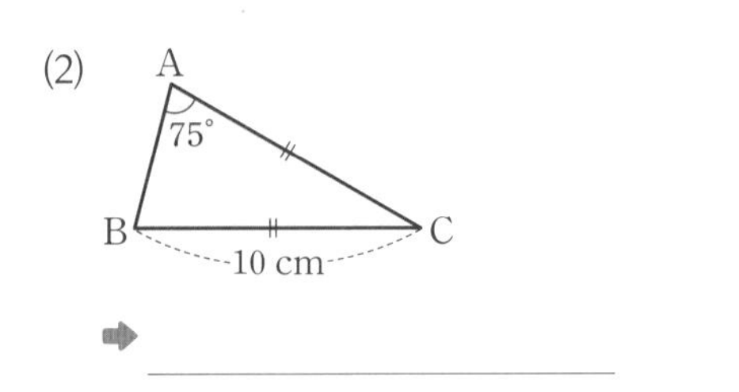

➡ ____________________

(3)

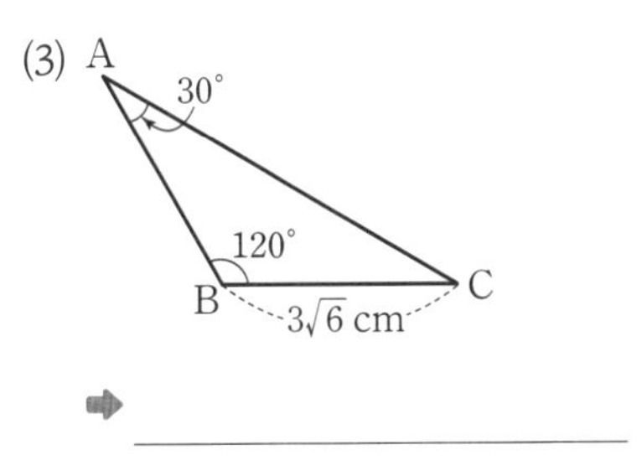

➡ ______________________

04 다음 그림과 같은 □ABCD의 넓이를 구하시오.

(1)

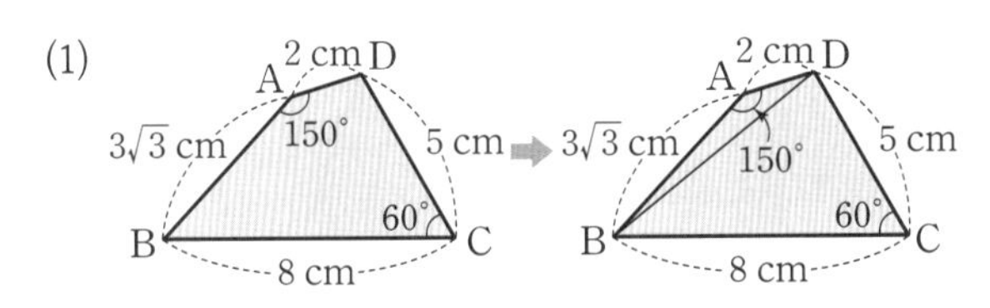

➡ $\overline{\mathrm{BD}}$를 그으면

$\triangle \mathrm{ABD}=\frac{1}{2}\times 2\times 3\sqrt{3}\times\square=\square(\mathrm{cm}^2)$

$\triangle \mathrm{BCD}=\frac{1}{2}\times 8\times 5\times\square=\square(\mathrm{cm}^2)$

$\therefore$ □ABCD=△ABD+△BCD

$=\square(\mathrm{cm}^2)$

다각형의 넓이를 구할 때는 보조선을 그어 여러 개의 삼각형으로 나누어 구한다.

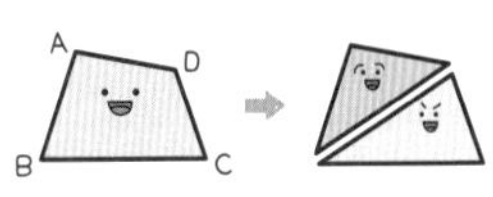

(2)

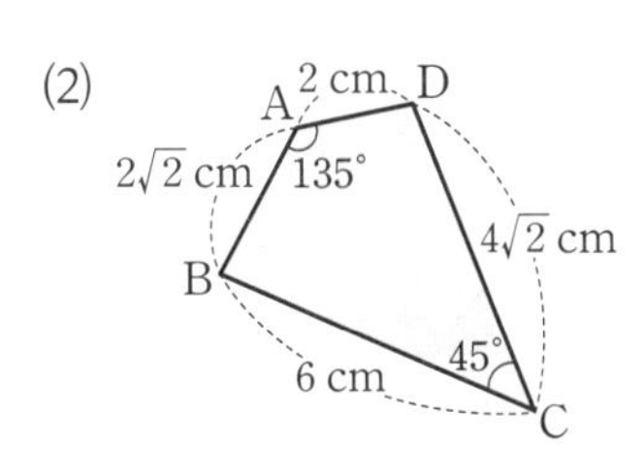

➡ ______________________

(3)

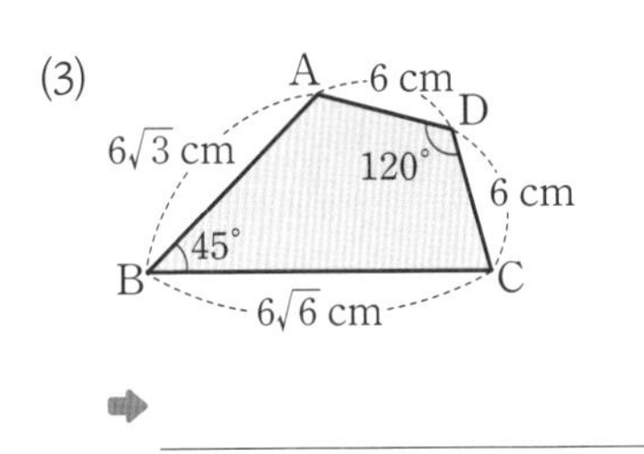

➡ ______________________

2. 평행사변형의 넓이 up+

평행사변형에서 이웃하는 두 변의 길이와 그 끼인각의 크기를 알 때, 평행사변형의 넓이를 S라고 하면

(1) $\angle x$가 예각일 때

$S=ab\sin x$

(2) $\angle x$가 둔각일 때

$S=ab\sin(180°-x)$

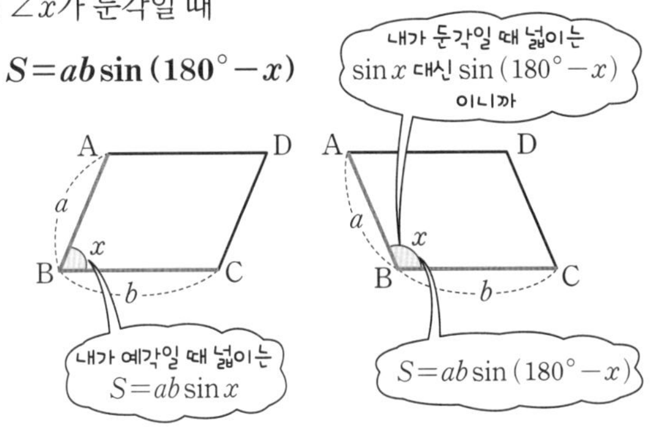

05 다음 그림과 같은 평행사변형 ABCD의 넓이를 구하시오.

(1)

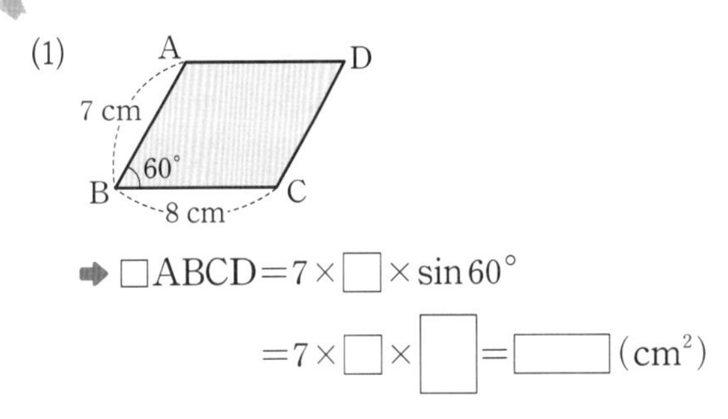

➡ □ABCD$=7\times\square\times\sin 60°$

$=7\times\square\times\square=\square(\mathrm{cm}^2)$

(2)

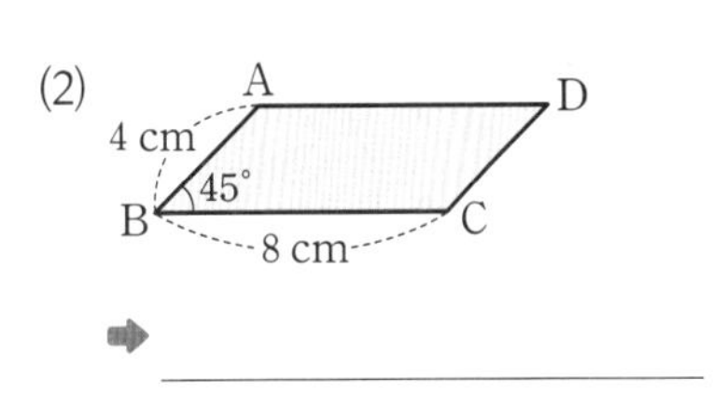

➡ ______________________

(3)

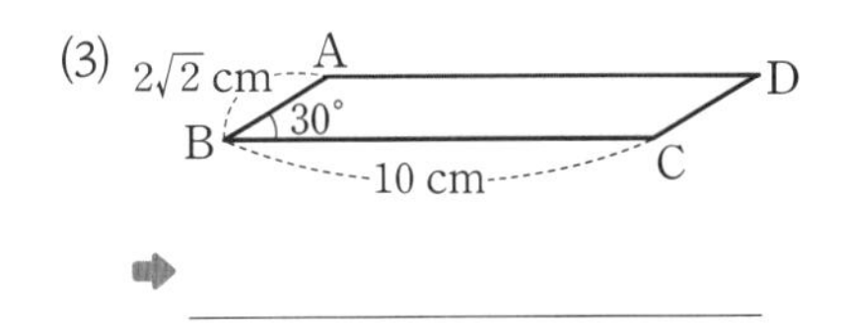

➡ ______________________

(4)

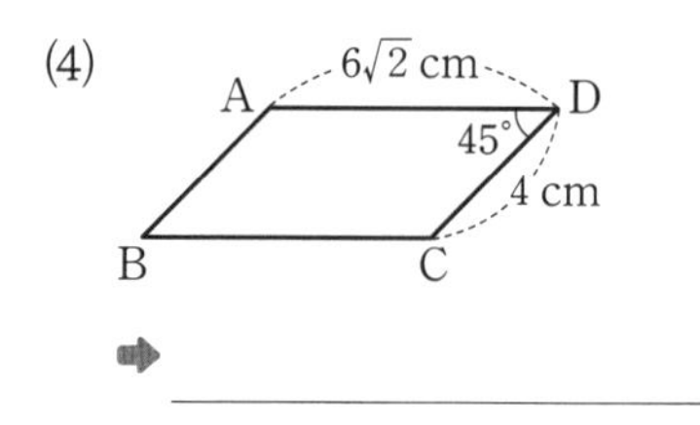

➡ ______________________

06 다음 그림과 같은 평행사변형 ABCD의 넓이를 구하시오.

(1)

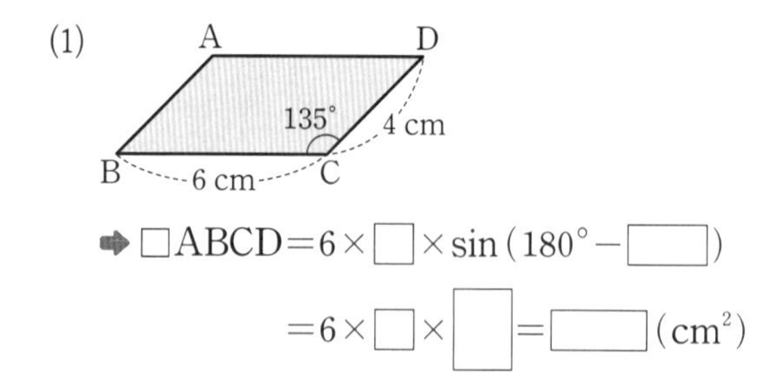

➡ □ABCD$=6\times\square\times\sin(180°-\square)$

$=6\times\square\times\square=\square(\text{cm}^2)$

(2)

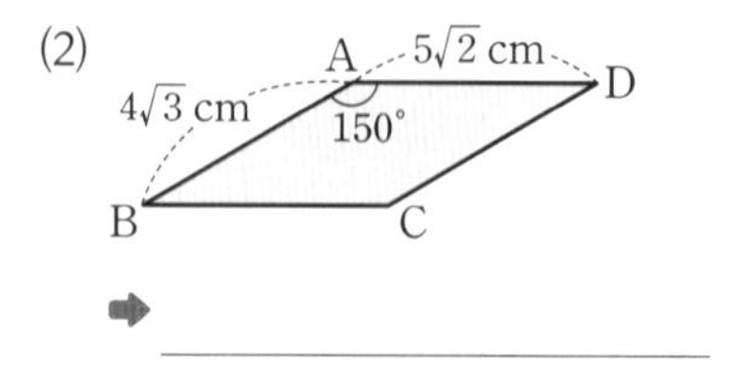

➡ ______________________

(3)

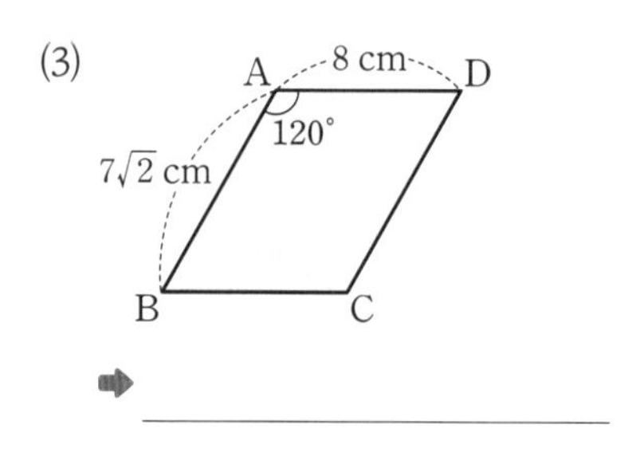

➡ ______________________

(4)

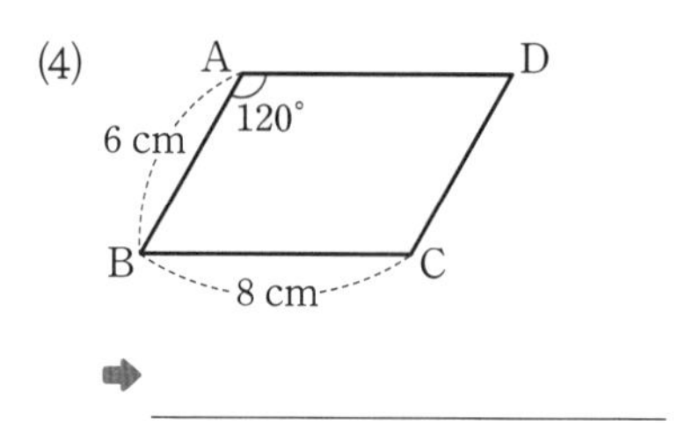

➡ ______________________

3. 사각형의 넓이 up+

사각형에서 두 대각선의 길이와 두 대각선이 이루는 각의 크기를 알 때, 사각형의 넓이를 S라고 하면

(1) $\angle x$가 예각일 때

$$S=\frac{1}{2}ab\sin x$$

(2) $\angle y$가 둔각일 때

$$S=\frac{1}{2}ab\sin(180°-y)$$

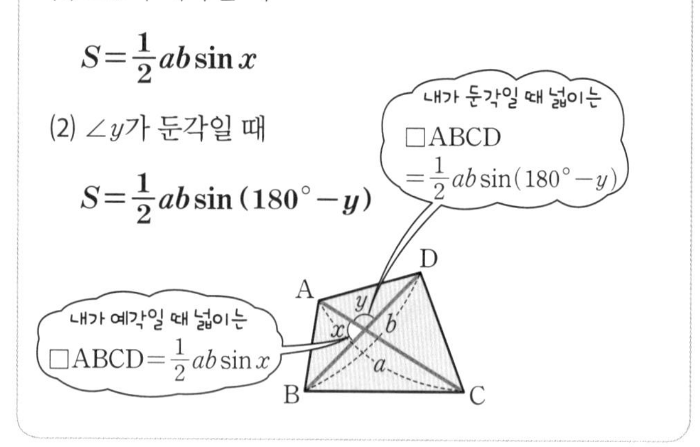

07 다음 그림과 같은 사각형 ABCD의 넓이를 구하시오.

(1)

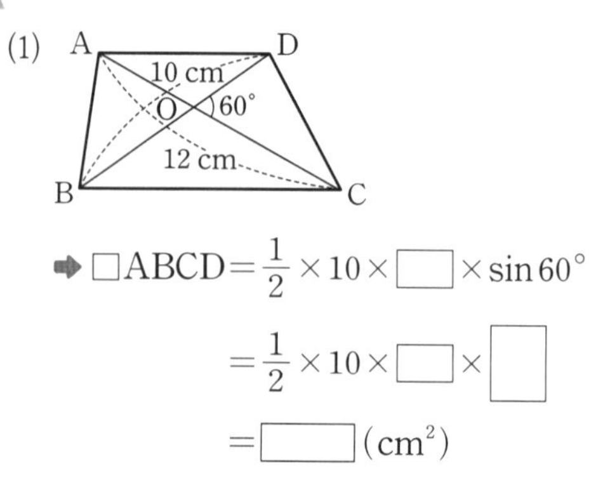

➡ □ABCD$=\frac{1}{2}\times10\times\square\times\sin60°$

$=\frac{1}{2}\times10\times\square\times\square$

$=\square(\text{cm}^2)$

(2)

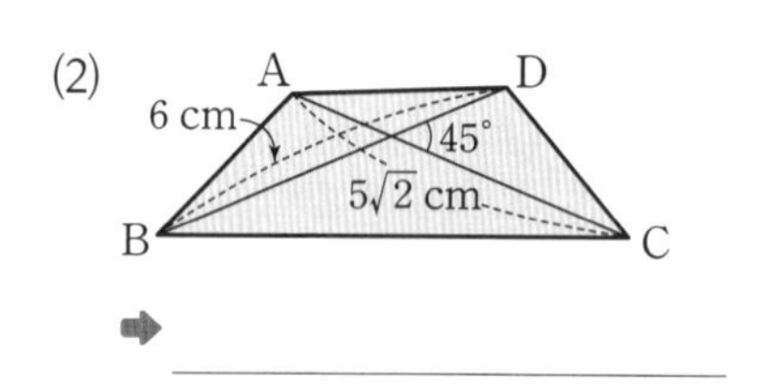

➡ ______________________

(3)

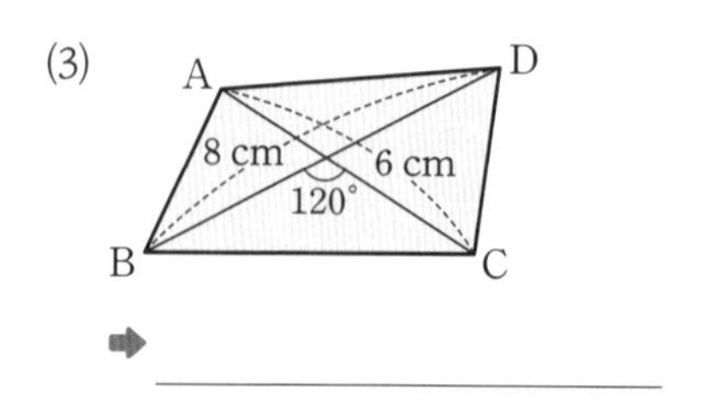

➡ ______________________

정답과 해설 _ p.19

01 오른쪽 그림의 $\triangle ABC$는 $\overline{AB}=\overline{AC}$인 이등변삼각형이고 $\angle C=30°$일 때, $\triangle ABC$의 넓이를 구하시오.

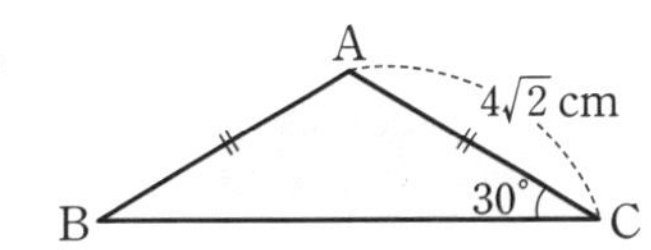

끼인각이 $\angle A$이므로
$\triangle ABC=\frac{1}{2}ac\sin A$

02 오른쪽 그림과 같은 $\triangle ABC$의 넓이가 $5\sqrt{2}\ \text{cm}^2$일 때, $\angle B$의 크기를 구하시오.

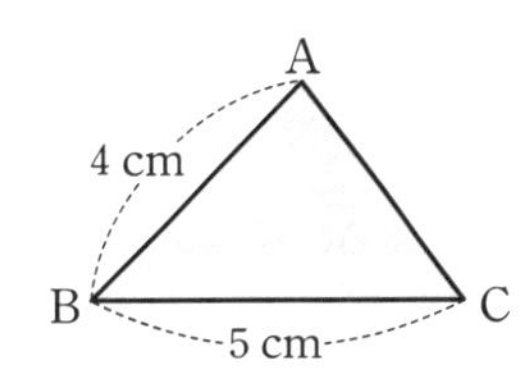

끼인각이 $\angle B$이므로
$\triangle ABC=\frac{1}{2}ac\sin B$

03 오른쪽 그림과 같은 마름모 ABCD의 넓이를 구하시오.

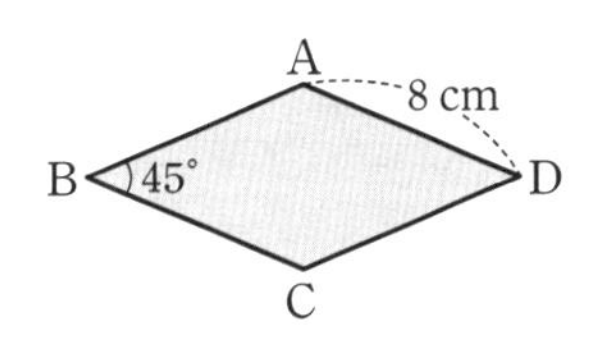

마름모의 네 변의 길이는 같다.

04 오른쪽 그림에서 $\angle B=90°$, $\overline{AB}=6$ cm, $\overline{BC}=8$ cm, $\overline{BD}=16$ cm, $\angle AOD=120°$일 때, $\square ABCD$의 넓이를 구하시오. (단, 점 O는 두 대각선의 교점이다.)

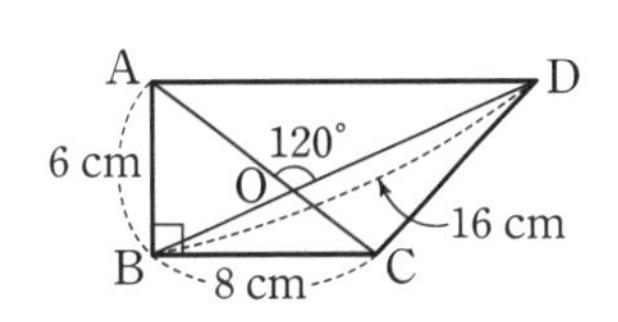

직각삼각형 ABC에서 피타고라스 정리를 이용하여 $\overline{AC}$의 길이를 구한다.

05 오른쪽 그림과 같은 등변사다리꼴 ABCD의 넓이를 구하시오.

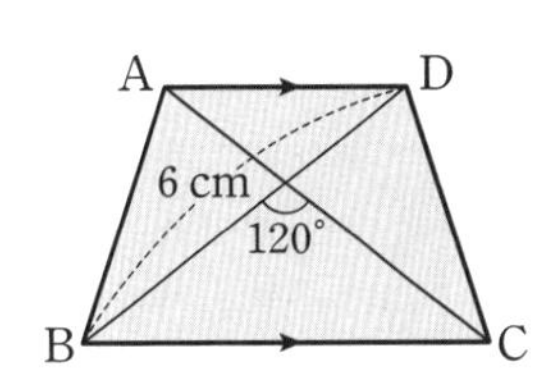

등변사다리꼴의 두 대각선의 길이는 같다.

중단원 연산 마무리

01 다음 그림의 직각삼각형 ABC에서 주어진 삼각비의 값을 이용하여 x, y의 값을 각각 구하시오.

(1)

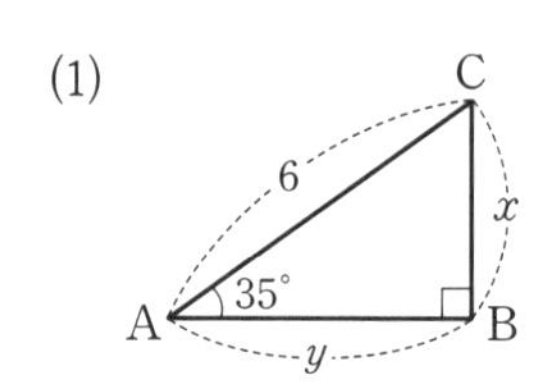

$\sin 35° = 0.57$
$\cos 35° = 0.82$
$\tan 35° = 0.7$

(2)

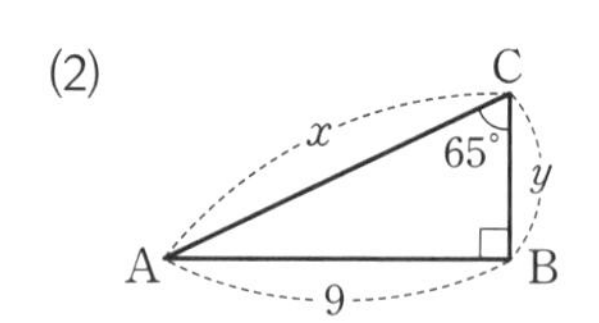

$\sin 25° = 0.42$
$\cos 25° = 0.9$
$\tan 25° = 0.47$

02 오른쪽 그림과 같이 석탑의 높이를 구하기 위하여 8 m 떨어진 지점에서 탑의 꼭대기를 올려다본 각의 크기가 53°일 때 탑의 높이를 구하시오.
(단, $\tan 53° = 1.3$으로 계산한다.)

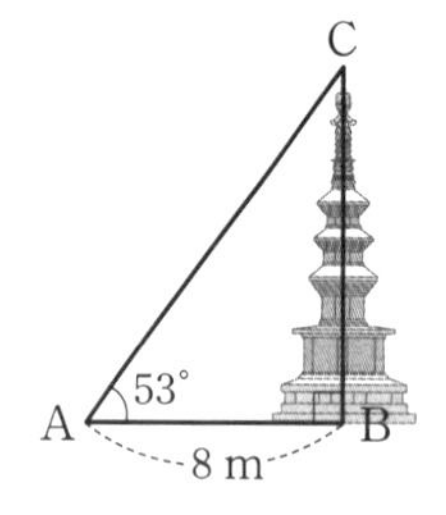

03 다음 그림과 같이 동규가 나무에서 10 m 떨어진 지점에서 나무를 올려다본 각의 크기가 40°이었다. 동규의 눈높이가 1.7 m일 때, 나무의 전체 높이를 구하시오.
(단, $\tan 40° = 0.84$로 계산한다.)

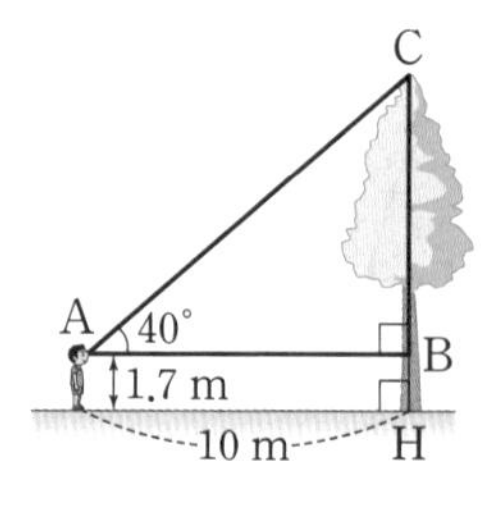

04 다음 그림의 △ABC에서 x의 값을 구하시오.

(1)

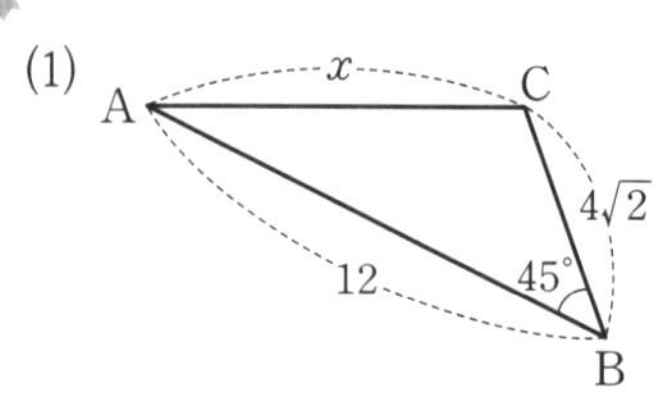

(2)

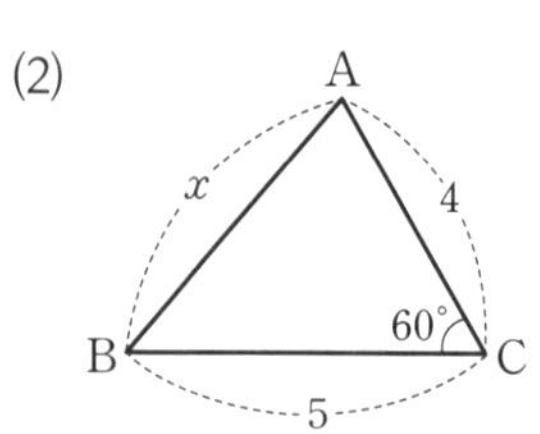

05 다음 그림의 △ABC에서 x의 값을 구하시오.

(1)

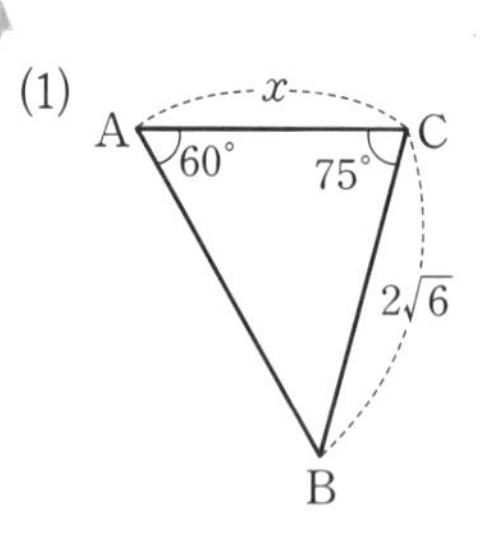

(2)

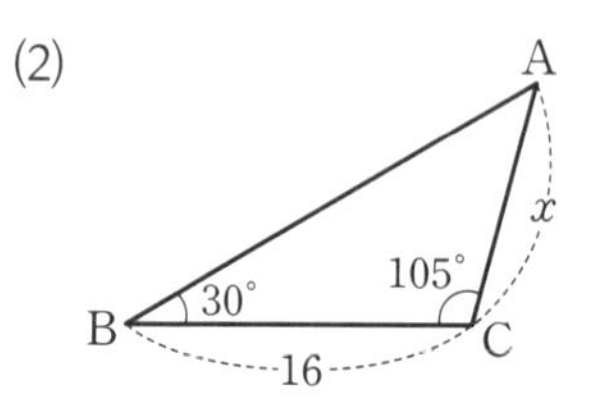

06 오른쪽 그림과 같이 ∠B=90°인 직각삼각형 ABC에서 ∠DAB=60°, $\overline{AB}=1$이고 $\overline{AD}=\overline{CD}$일 때, $\tan 75°$의 값을 구하시오.

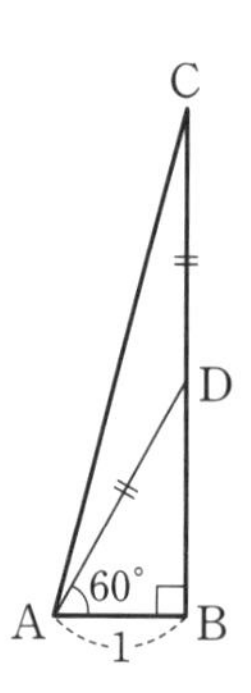

07 다음 그림의 $\triangle ABC$에서 $\overline{AH}$의 길이를 구하시오.

(1)

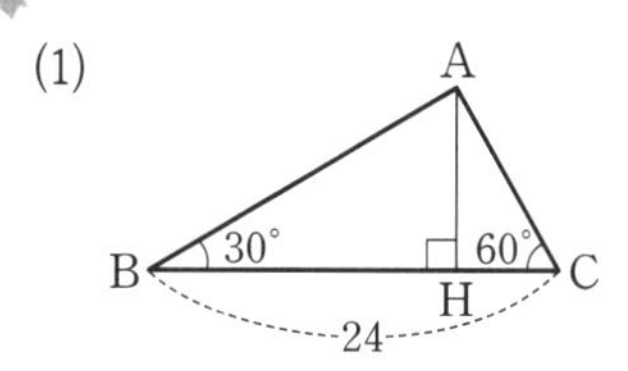

(2)

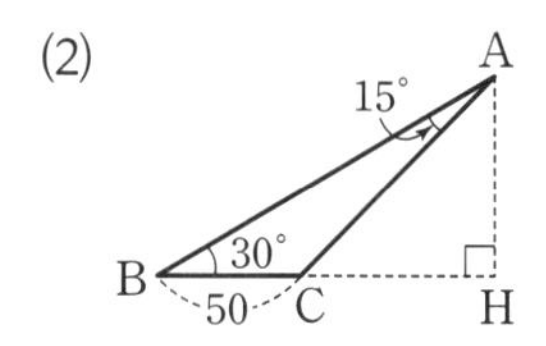

08 다음 그림과 같이 200 m 떨어져 있는 지면 위의 두 지점 A, B에서 기구를 올려다본 각의 크기가 각각 $45°$, $30°$였다. 지면으로부터 기구까지의 높이를 구하시오.

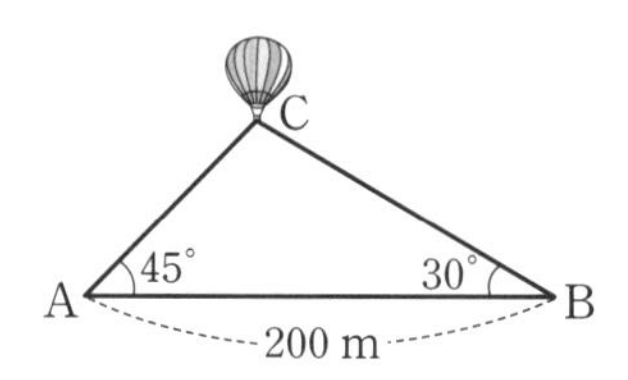

09 다음 그림과 같이 A지점에서 산꼭대기 C지점을 올려다본 각의 크기가 $30°$이고, 다시 그 방향으로 똑바로 200 m 간 지점 B에서 C를 올려다본 각의 크기가 $45°$이다. 이 산의 높이를 구하시오.

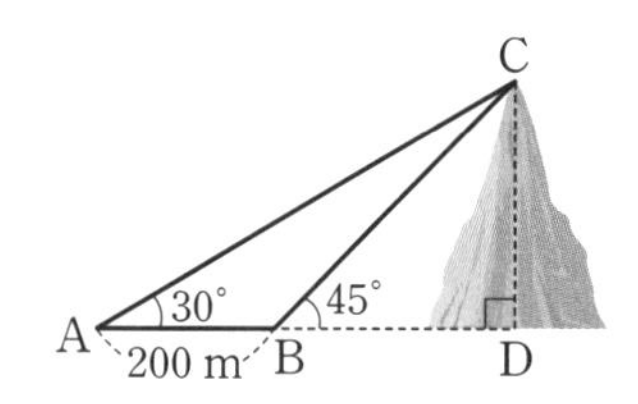

10 다음 그림과 같은 $\triangle ABC$의 넓이를 구하시오.

(1)

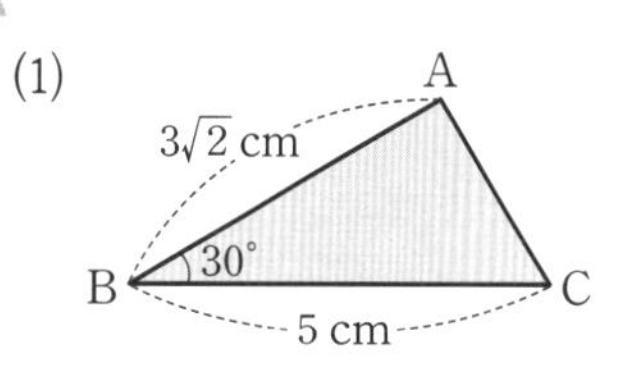

(2)

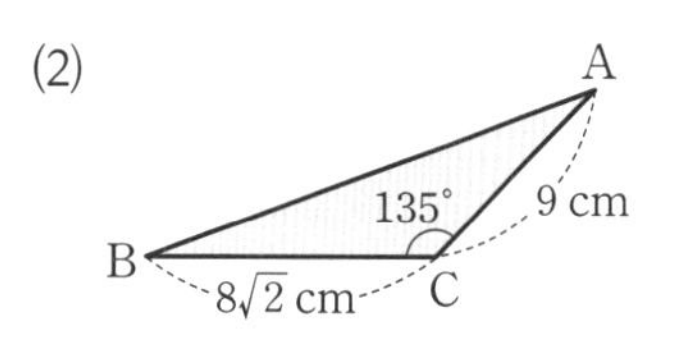

(3)

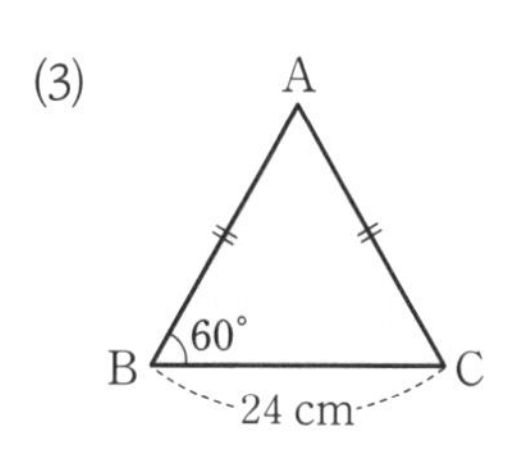

11 오른쪽 그림과 같은 $\triangle ABC$에서 $\angle ABC=30°$, $\angle ACH=60°$이고 $\overline{BC}=4\text{ cm}$일 때, $\triangle ACH$의 넓이를 구하시오.

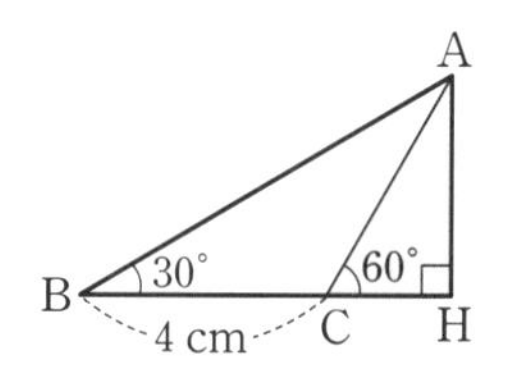

12 다음 그림과 같은 $\square ABCD$의 넓이를 구하시오.

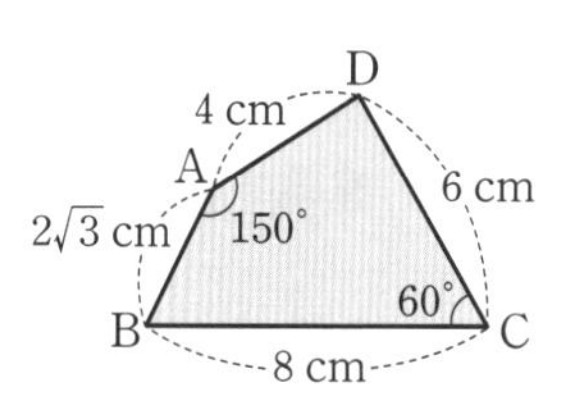

정답과 해설 _ p.19

도전 100점

13 다음 그림과 같은 평행사변형 ABCD의 넓이를 구하시오.

(1)

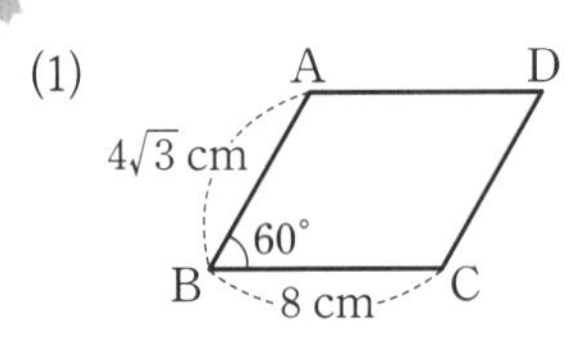

(2)

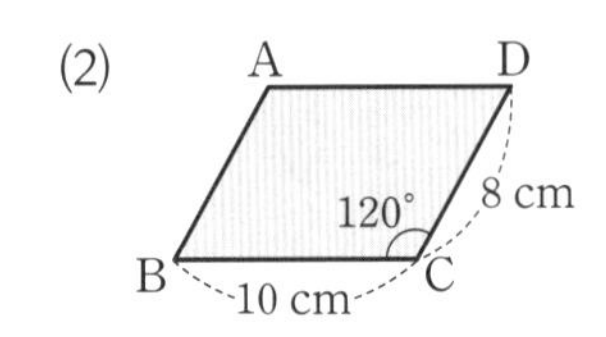

14 다음 그림과 같은 사각형 ABCD의 넓이를 구하시오.

(1)

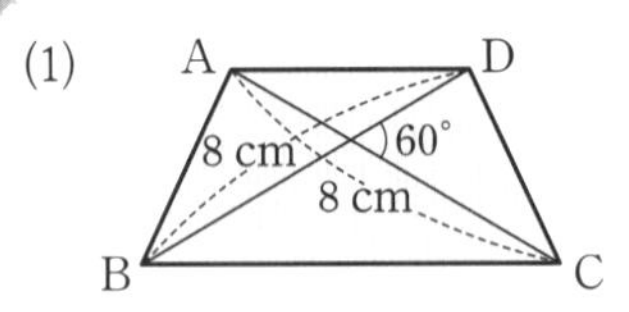

(2)

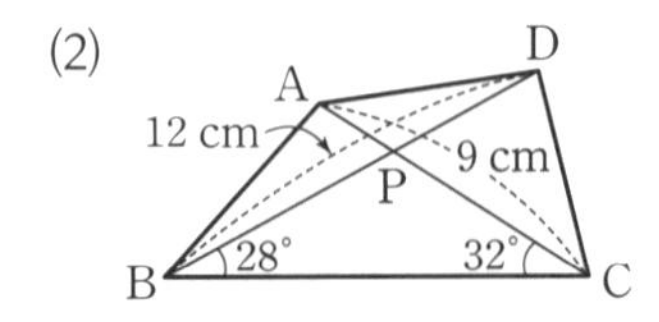

15 오른쪽 그림과 같은 마름모 ABCD의 넓이가 $18\sqrt{2}\ \text{cm}^2$일 때, 이 마름모의 둘레의 길이를 구하시오.

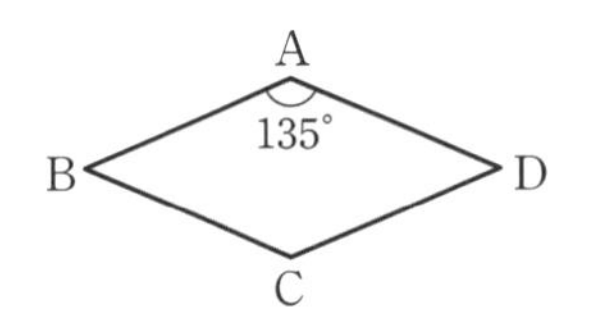

16 지면에 수직으로 서 있던 나무가 오른쪽 그림과 같이 부러져 나무의 꼭대기 부분이 지면에 닿아 있다. $\overline{BC}=2\text{ m}$, $\angle CAB=24°$일 때, 부러지기 전의 나무의 높이를 구하시오. (단, $\sin 24°=0.4$, $\cos 24°=0.9$, $\tan 24°=0.4$로 계산한다.)

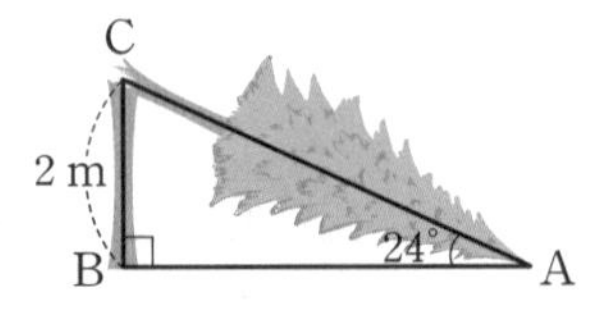

17 오른쪽 그림과 같이 높이가 10 m 인 건물의 꼭대기 A 지점에서 타워의 꼭대기 C 지점을 올려다본 각의 크기가 60°이고, 타워의 아랫부분 B 지점을 내려다본 각의 크기가 30°이다. 이 타워의 높이를 구하시오.

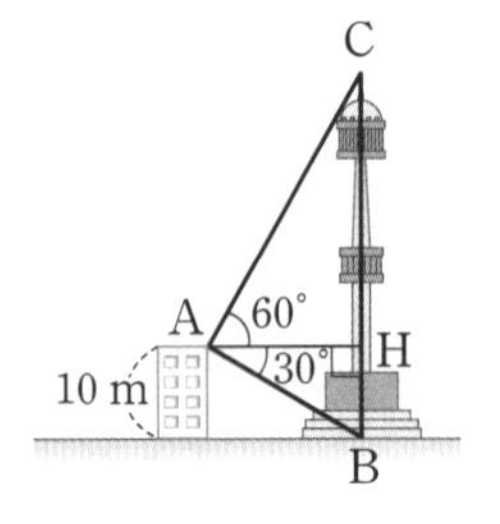

18 오른쪽 그림의 △ABC에서 $2x-y$의 값을 구하시오.

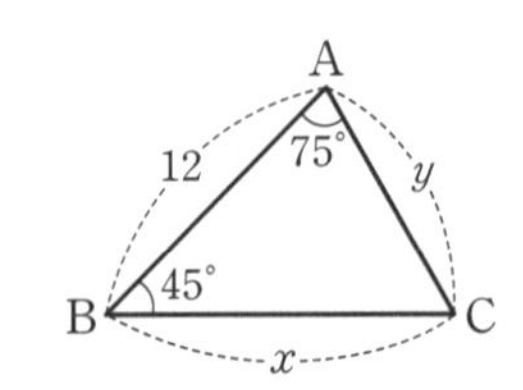

19 오른쪽 그림과 같이 $\angle B=90°$인 □ABCD에서 $\overline{AB}=2\sqrt{3}$ cm, $\overline{DC}=4\sqrt{2}$ cm이고, $\angle BAC=60°$, $\angle ACD=45°$일 때, □ABCD의 넓이를 구하시오.

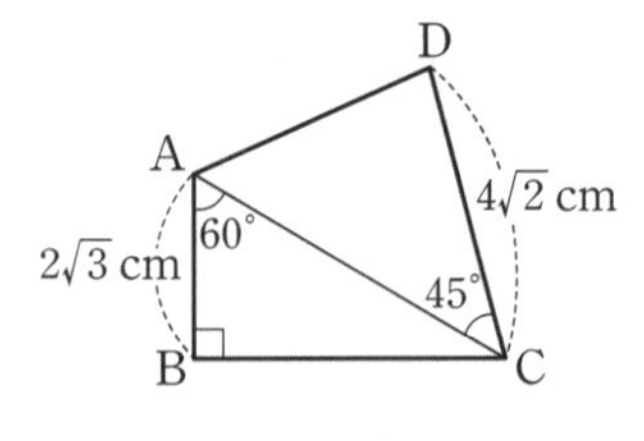

나만의 비법 노트

V. 원의 성질

연산 문제와 시험 대비 문제를 많이 풀어 보고 개념과 원리를 확실하게 이해하자.
또한 이해도를 바탕으로 자신의 수준에 맞는 계획을 세워 반복 학습을 하자.

중단원명	강의명	학습 날짜	이해도
1. 원과 직선	12강 원의 중심과 현의 수직이등분선	월 일	
	13강 현의 길이	월 일	
	14강 원의 접선의 길이	월 일	
	15강 삼각형의 내접원, 원에 내접하는 사각형	월 일	
	16강 중단원 연산 마무리	월 일	
2. 원주각	17강 원주각과 중심각의 크기	월 일	
	18강 원주각의 성질	월 일	
	19강 원주각의 크기와 호의 길이	월 일	
	20강 원주각의 활용(1)	월 일	
	21강 원주각의 활용(2)	월 일	
	22강 중단원 연산 마무리	월 일	

단원 V

힘수 점검

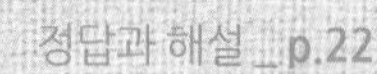

원을 알고 있나요?

1 오른쪽 그림을 보고 옳은 것은 ○표, 옳지 않은 것은 × 표를 ( ) 안에 써넣으시오. 중등1

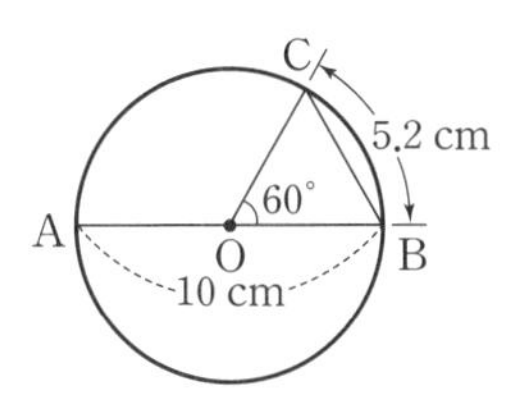

(1) 반지름의 길이는 10 cm이다. ( )

(2) 현 BC의 길이는 5 cm이다. ( )

(3) 호 BC에 대한 중심각의 크기는 60°이다. ( )

(4) 선분 OC의 길이는 5 cm이다. ( )

부채꼴의 성질을 알고 있나요?

2 다음 그림의 원 O에서 x의 값을 구하시오. 중등1

(1)

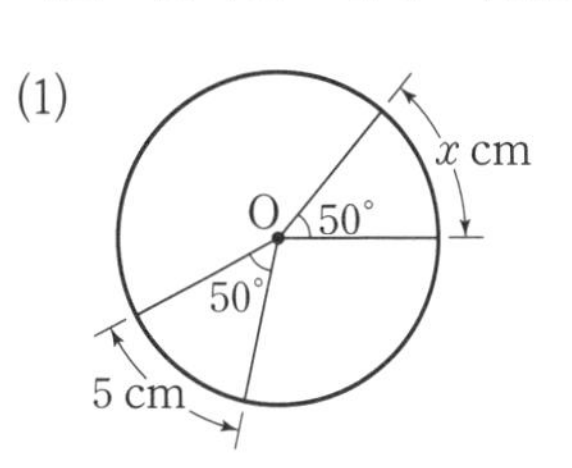

(2)

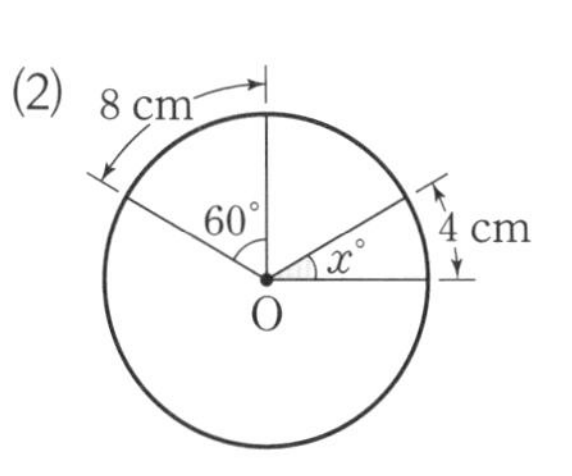

(3)

(4)

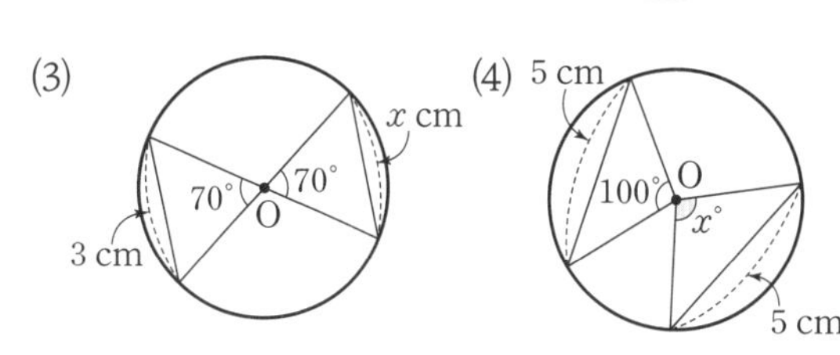

삼각형의 내각과 외각을 알고 있나요?

3 삼각형 ABC에서 $\angle x$의 크기를 구하시오. 중등1

(1)

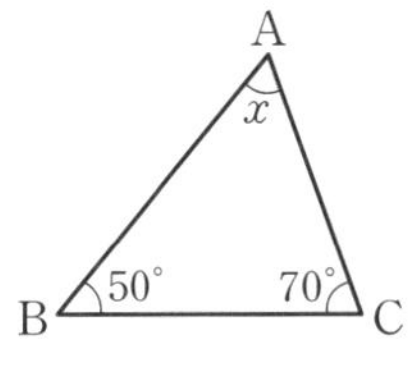

(2)

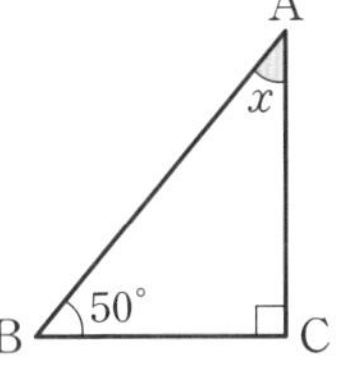

(3)

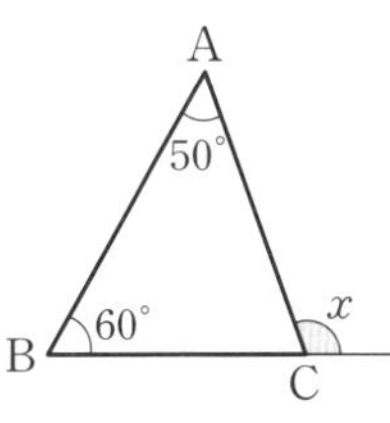

(4)

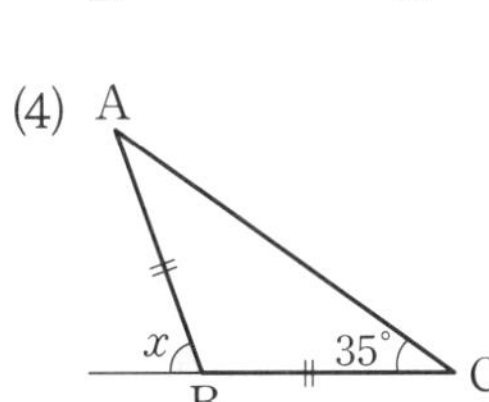

피타고라스 정리를 알고 있나요?

4 피타고라스 정리를 이용하여 x의 값을 구하시오. 중등2

(1)

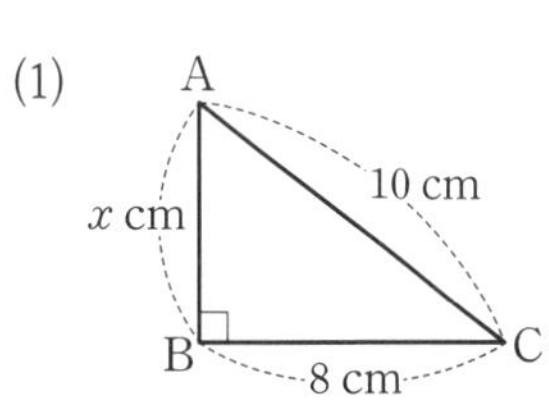

(2)

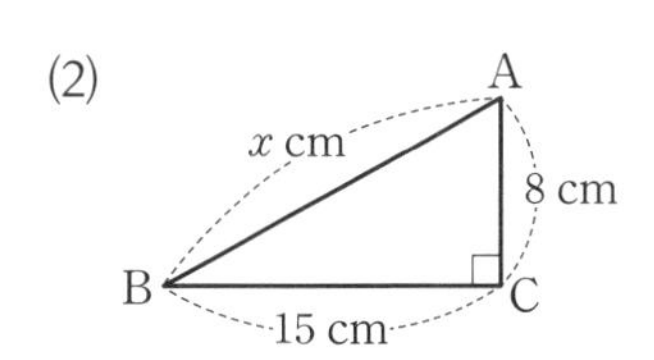

(3)

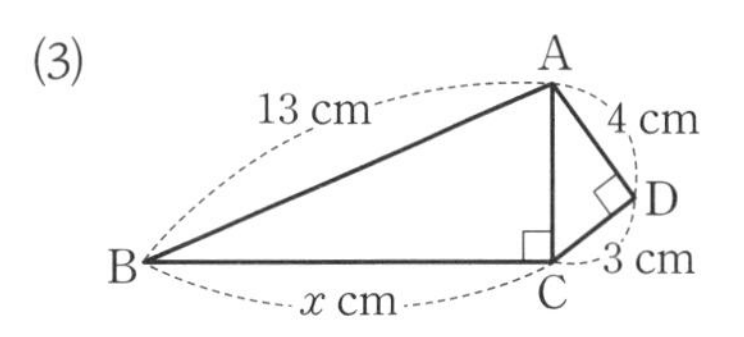

1. 중심각의 크기와 현의 길이 up+

(1) 원의 중심에서 현에 내린 수선은 그 현을 이등분한다.

➡ $\overline{OM}\perp\overline{AB}$이면 $\overline{AM}=\overline{BM}$

(2) 원에서 현의 수직이등분선은 그 원의 중심을 지난다.

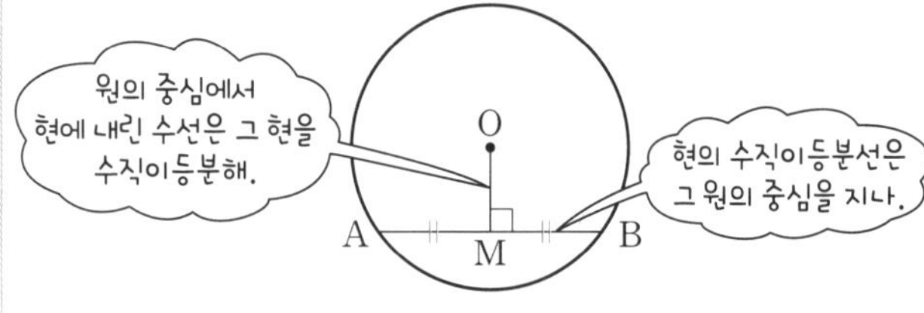

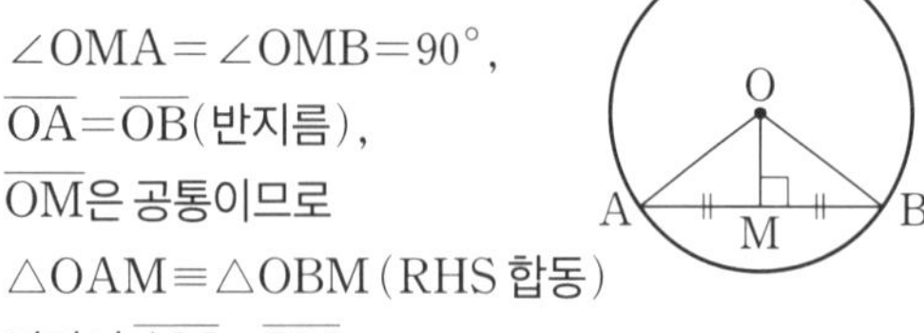

참고 두 삼각형 OAM과 OBM에서

$\angle OMA=\angle OMB=90^\circ$,

$\overline{OA}=\overline{OB}$(반지름),

$\overline{OM}$은 공통이므로

$\triangle OAM\equiv\triangle OBM$ (RHS 합동)

따라서 $\overline{AM}=\overline{BM}$

01 다음 그림과 같은 원 O에서 x의 값을 구하시오.

(1)

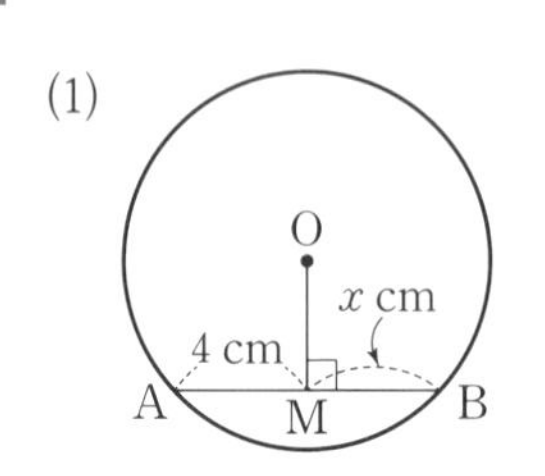

(2)

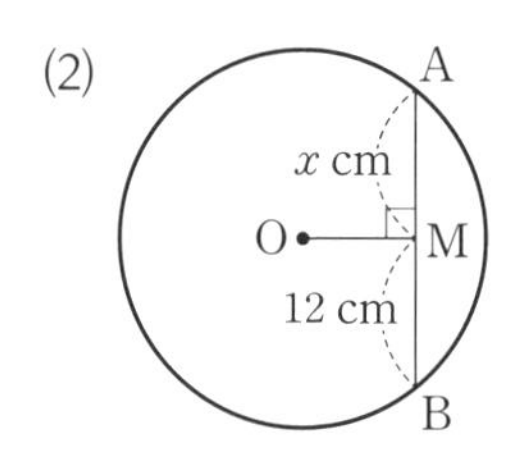

(3)

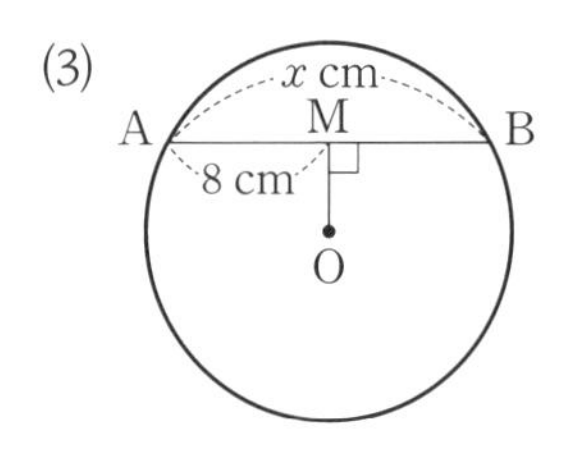

➡ ______

02 다음 그림과 같은 원 O에서 x의 값을 구하시오.

(1)

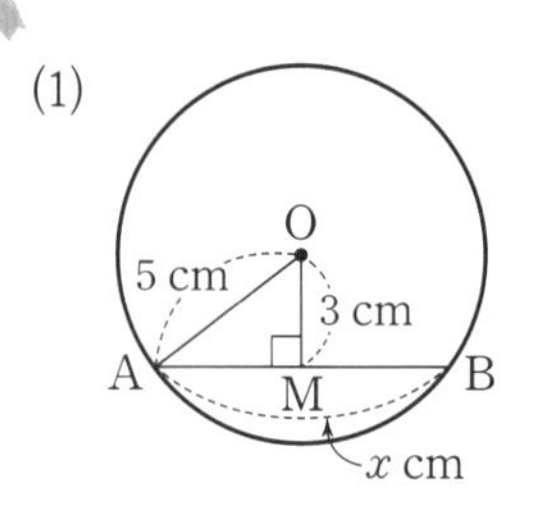

➡ 직각삼각형 OAM에서

$\overline{AM}=\sqrt{5^2-3^2}=\square$(cm)

$\therefore x=2\times\square=\square$

(2)

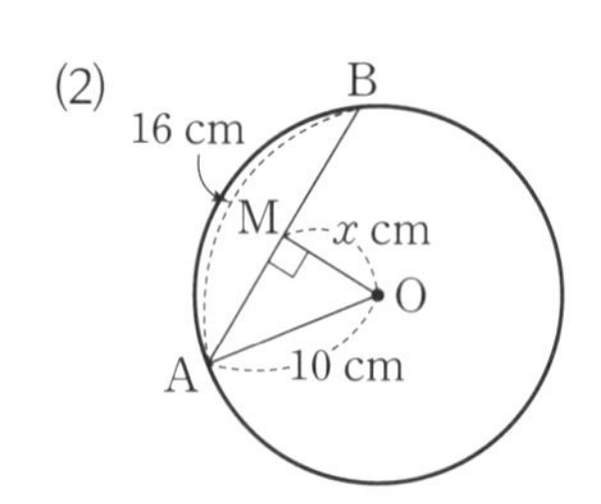

➡ ______

(3)

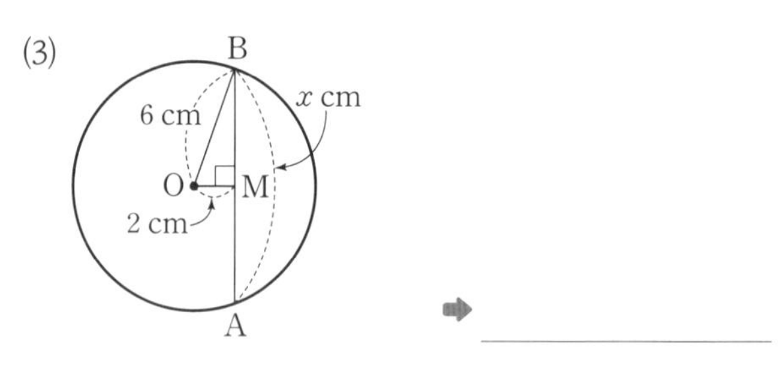

➡ ______

(4)

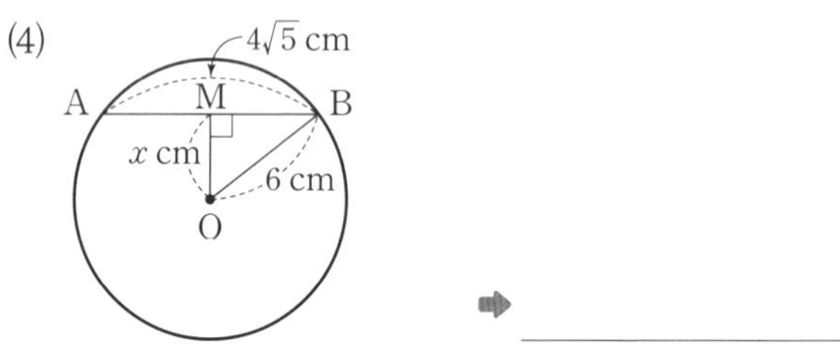

➡ ______

03 다음 그림과 같은 원 O에서 x의 값을 구하시오.

(1)

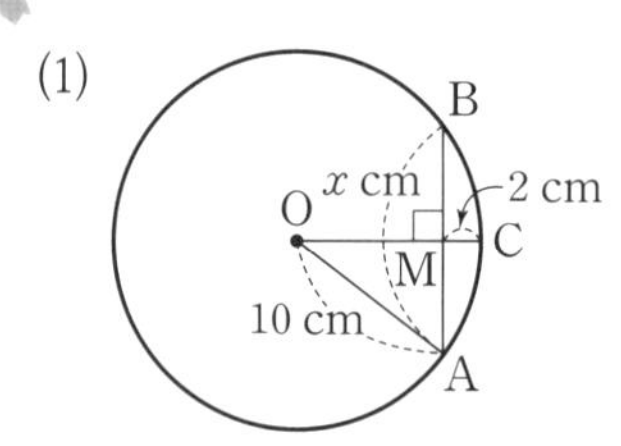

➡ $\overline{OM}=10-\square=\square$(cm)

직각삼각형 OAM에서

$\overline{AM}=\sqrt{10^2-\square^2}=\square$(cm)

$\therefore x=2\times\square=\square$

(2)

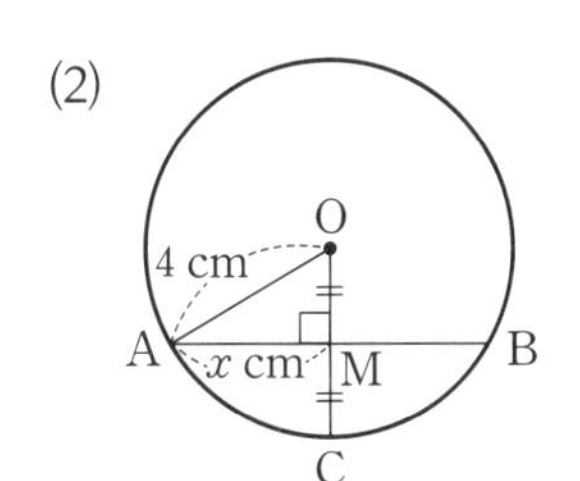

➡ ____________

(3)

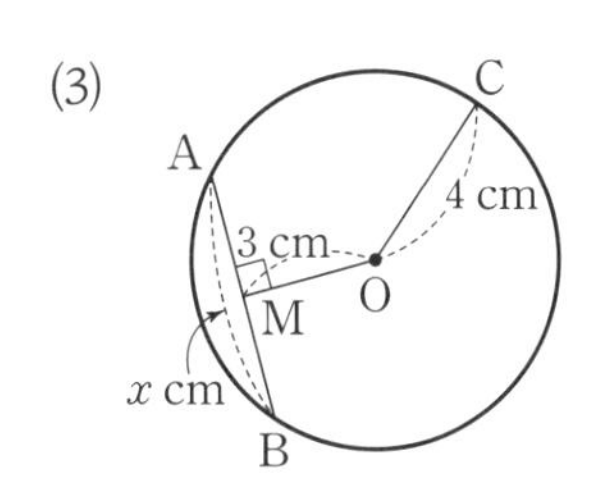

➡ ____________

(4)

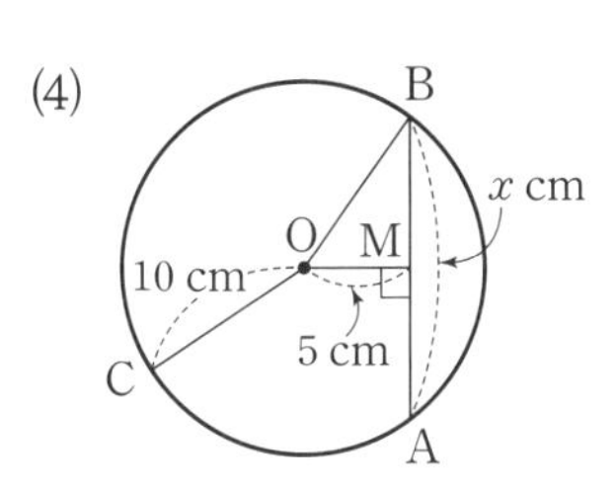

➡ ____________

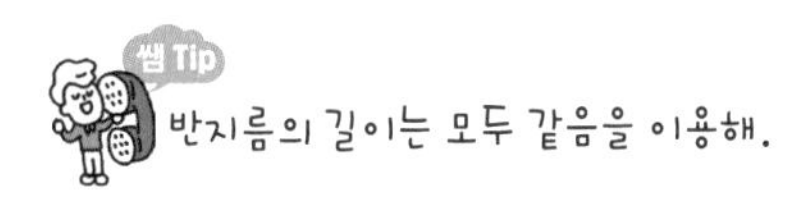

04 다음 그림과 같은 원 O의 반지름의 길이를 구하시오.

(1)

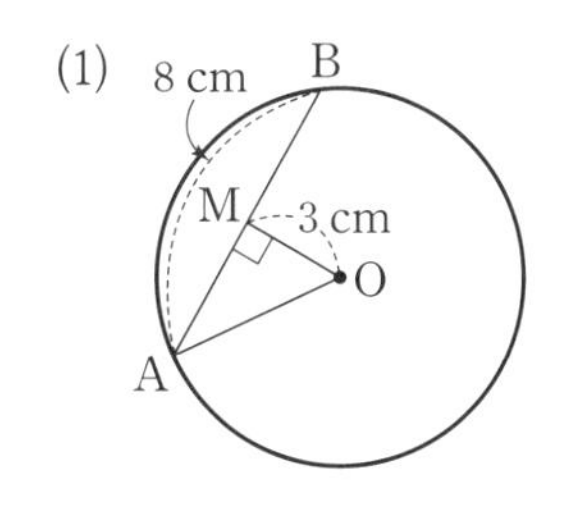

➡ ____________ cm

(2)

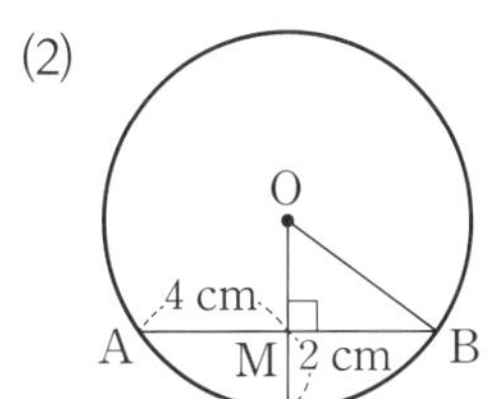

➡ 원 O의 반지름의 길이를 r cm라 하면

$\overline{OM}=r-\square$(cm)

직각삼각형 OBM에서

$r^2=(r-\square)^2+4^2$ $\therefore r=\square$

쌤 Tip 원 O의 반지름의 길이를 r cm라 하고 식을 세워봐.

(3)

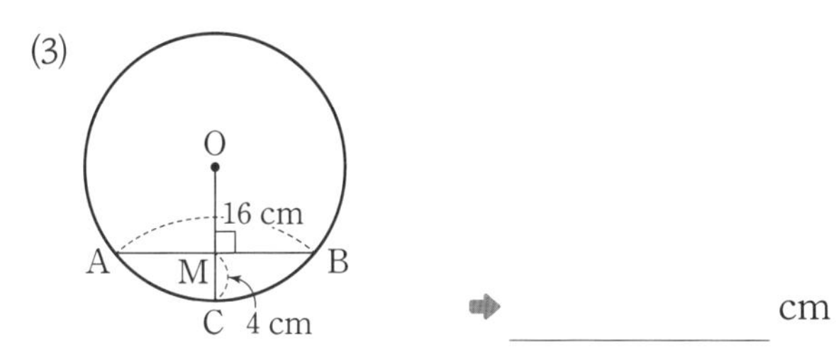

➡ ____________ cm

(4)

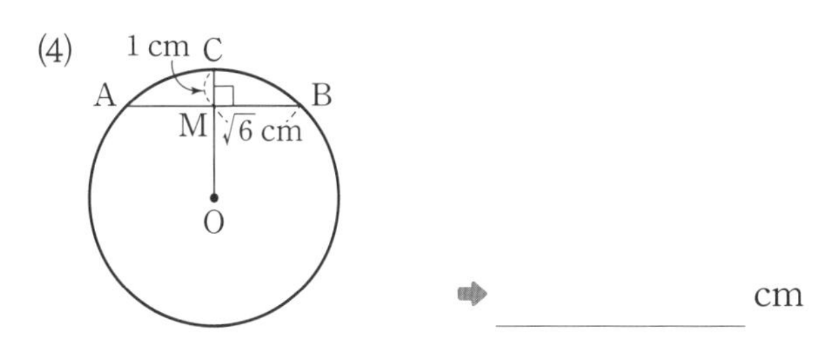

➡ ____________ cm

쌤 Tip 반지름을 그어 직각삼각형을 만들어 봐.

05 $\overset{\frown}{AB}$는 원 O의 일부이고 $\overline{CM}$은 $\overline{AB}$의 수직이등분선일 때, 원 O의 반지름의 길이를 구하시오.

(1)

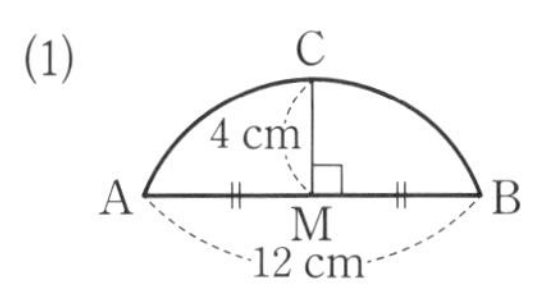

$\overline{CM}$의 연장선은 원의 중심 O를 지난다.
원 O의 반지름의 길이를 r cm라 하면

$\overline{OM}=(r-\square)$ cm, $\overline{AM}=\square$ cm

이므로 직각삼각형 AOM에서

$r^2=(r-\square)^2+6^2$, $8r=52$ $\therefore r=\square$

따라서 원 O의 반지름의 길이는 $\square$ cm이다.

(2)

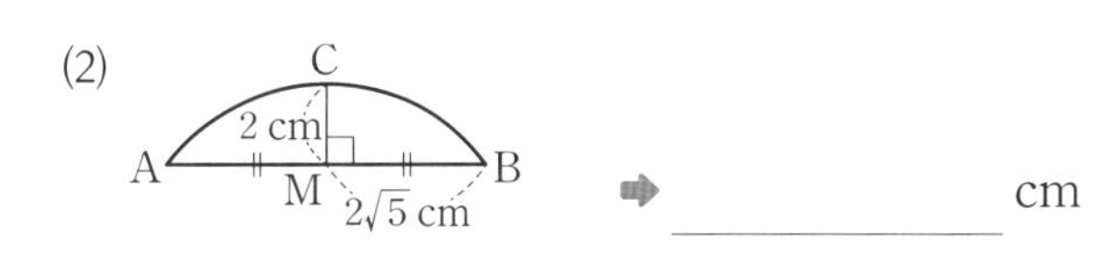

➡ ____________ cm

정답과 해설 _ p.23

01 오른쪽 그림에서 원 O의 반지름의 길이가 10 cm, $\overline{AB}=16$ cm이고 $\overline{AB}\perp\overline{OM}$일 때, 다음을 구하시오.

(1) $\overline{AM}$의 길이

(2) $\overline{OM}$의 길이

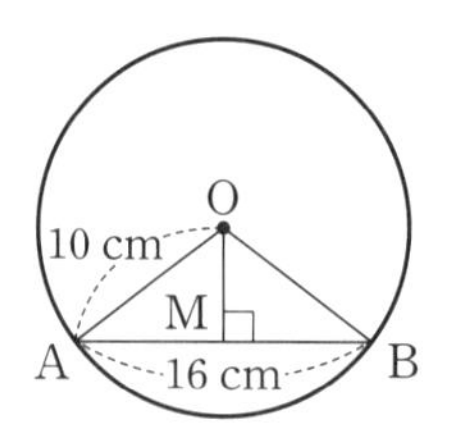

$\overline{OM}\perp\overline{AB}$이면 $\overline{AM}=\overline{BM}$이므로 피타고라스 정리를 이용한다.

02 다음 그림과 같은 원 O에서 x의 값을 구하시오.

(1)

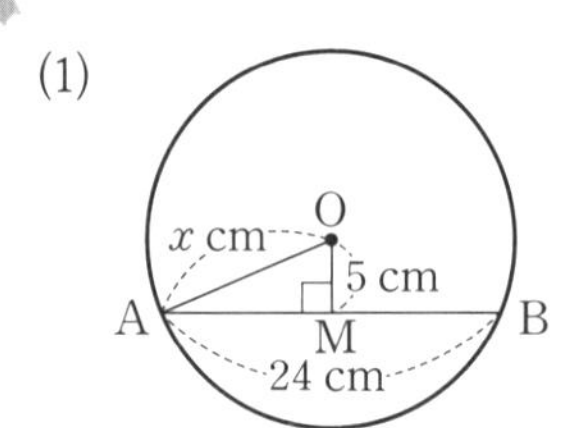

(2)

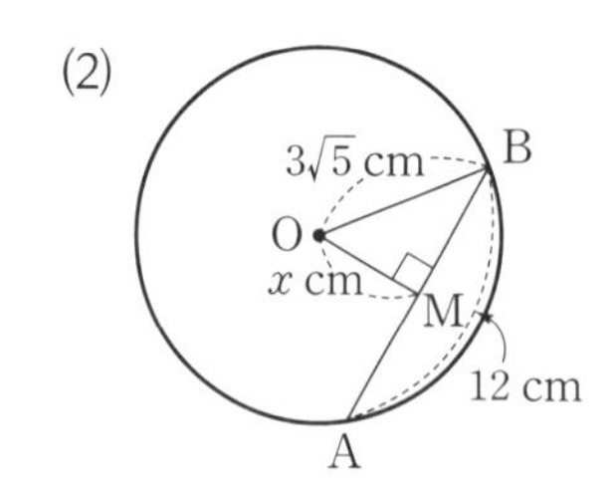

$\overline{AM}=\overline{BM}$

03 오른쪽 그림의 원 O에서 $\overline{AB}\perp\overline{OC}$이고 $\overline{OC}=3$ cm, $\overline{CD}=2$ cm일 때, $\overline{AB}$의 길이를 구하시오.

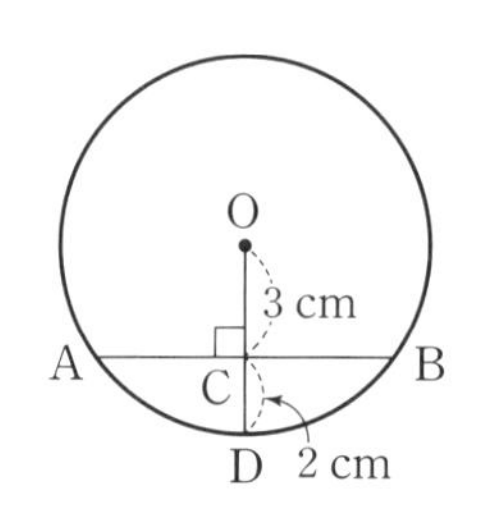

원 O의 반지름의 길이는 ($\overline{OC}$의 길이$+$$\overline{CD}$의 길이)이다.

04 오른쪽 그림에서 $\widehat{AB}$는 원 O의 일부분이다. $\overline{AM}=\overline{BM}=4$ cm, $\overline{CM}=2$ cm, $\overline{AB}\perp\overline{CM}$일 때, 원 O의 반지름의 길이는?

① 2 cm
② 3 cm
③ 4 cm
④ 5 cm
⑤ 6 cm

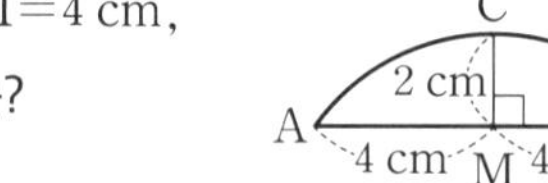

원의 중심 O에서 보조선 $\overline{OA}$, $\overline{OM}$을 긋고 반지름의 길이를 r cm라 하고 식을 세운다.

13강 현의 길이

정답과 해설 _ p.24

1. 현의 길이 up⁺

(1) 한 원에서 중심으로부터 같은 거리에 있는 두 현의 길이는 같다.
➡ $\overline{OM}=\overline{ON}$이면 $\overline{AB}=\overline{CD}$

(2) 한 원에서 길이가 같은 두 현은 원의 중심으로부터 같은 거리에 있다.

➡ $\overline{AB}=\overline{CD}$이면 $\overline{OM}=\overline{ON}$

우리의 길이가 같으면
우리의 길이도 같아.

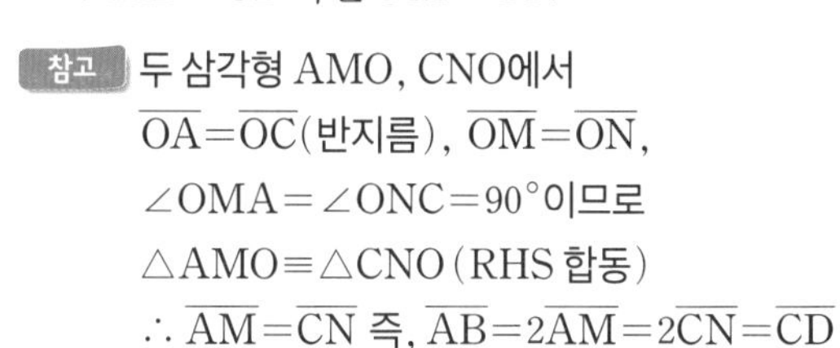

참고 두 삼각형 AMO, CNO에서
$\overline{OA}=\overline{OC}$(반지름), $\overline{OM}=\overline{ON}$,
$\angle OMA=\angle ONC=90^\circ$이므로
$\triangle AMO\equiv\triangle CNO$ (RHS 합동)
$\therefore \overline{AM}=\overline{CN}$ 즉, $\overline{AB}=2\overline{AM}=2\overline{CN}=\overline{CD}$

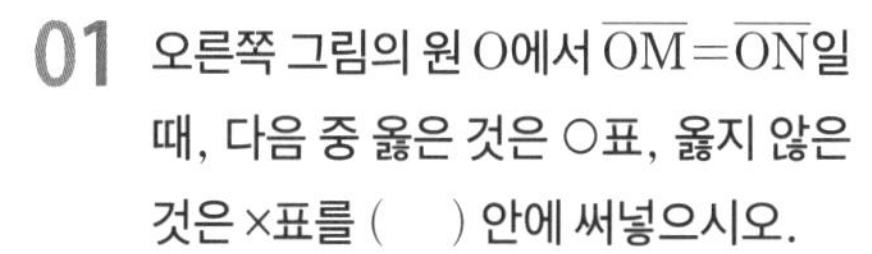

01 오른쪽 그림의 원 O에서 $\overline{OM}=\overline{ON}$일 때, 다음 중 옳은 것은 ○표, 옳지 않은 것은 ×표를 (　) 안에 써넣으시오.

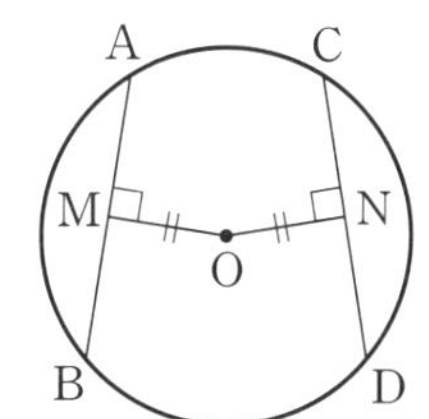

(1) $\overline{AB}=\overline{CD}$ (　　)

(2) $\overline{AM}=\overline{OM}$ (　　)

(3) $\overline{CN}=\overline{DN}$ (　　)

(4) $\overline{AM}=\overline{DN}$ (　　)

02 다음 그림의 원 O에서 x의 값을 구하시오.

(1)

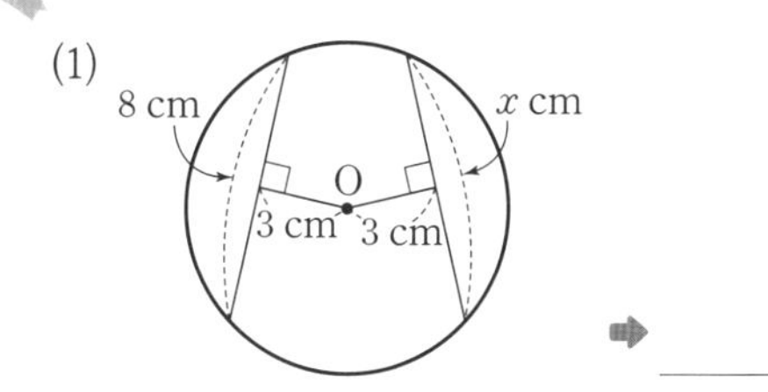

➡ ____________

(2)

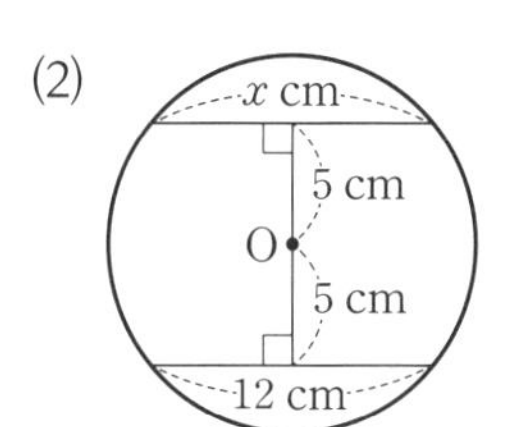

➡ ____________

(3)

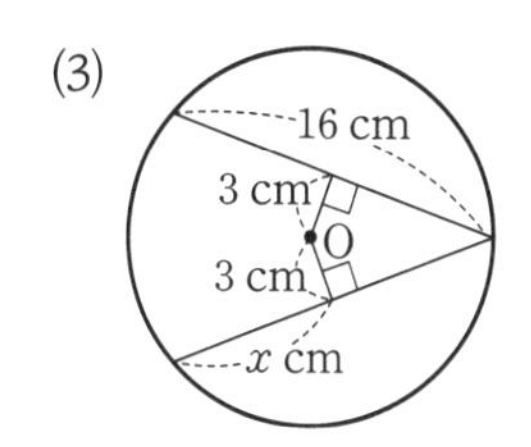

➡ ____________

(4)

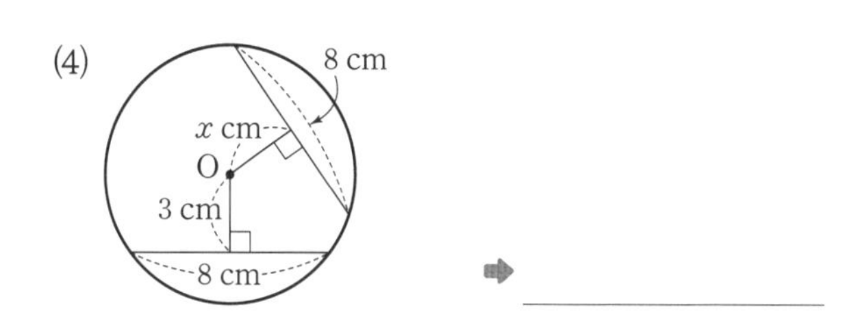

➡ ____________

(5)

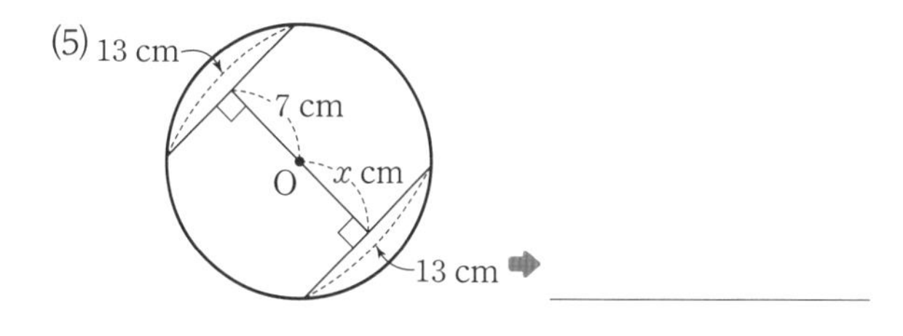

➡ ____________

(6)

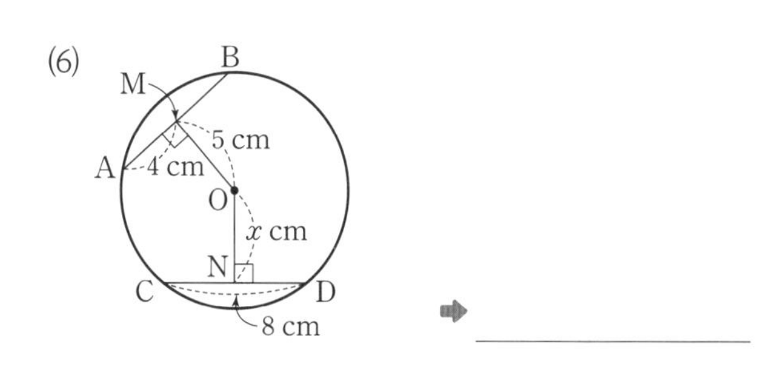

➡ ____________

(7)

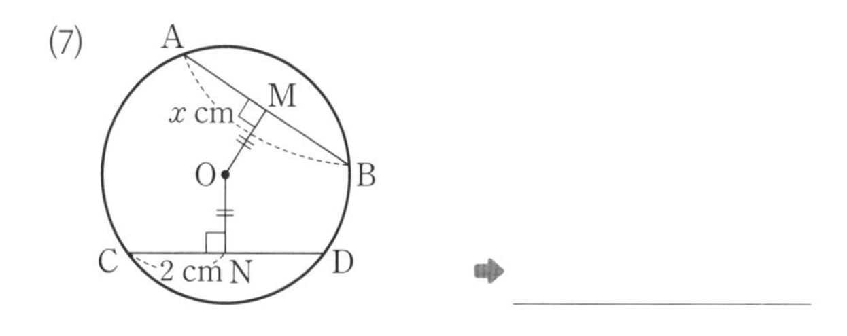

➡ ____________

03 다음 그림의 원 O에서 x의 값을 구하시오.

(1)

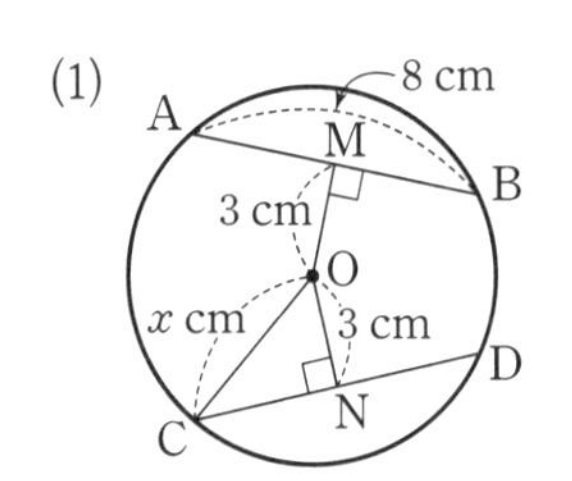

➡ $\overline{OM}=\overline{ON}$이므로 $\overline{CD}=\square$(cm)

직각삼각형 OCN에서 $\overline{CN}=\square$(cm)

$\therefore x=\sqrt{3^2+\square^2}=\square$

(2)

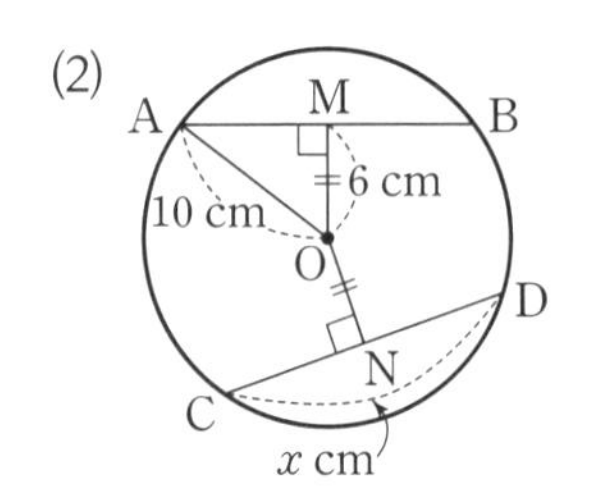

➡ ______________

(3)

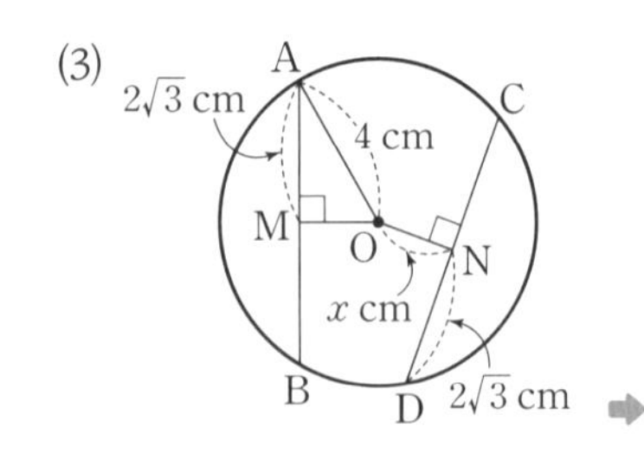

➡ ______________

(4)

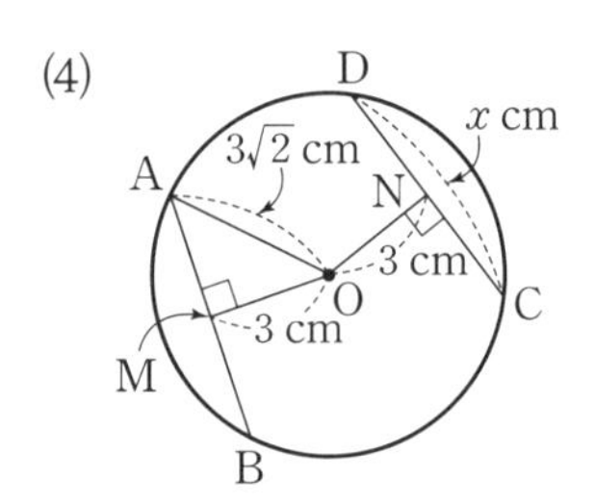

➡ ______________

(5)

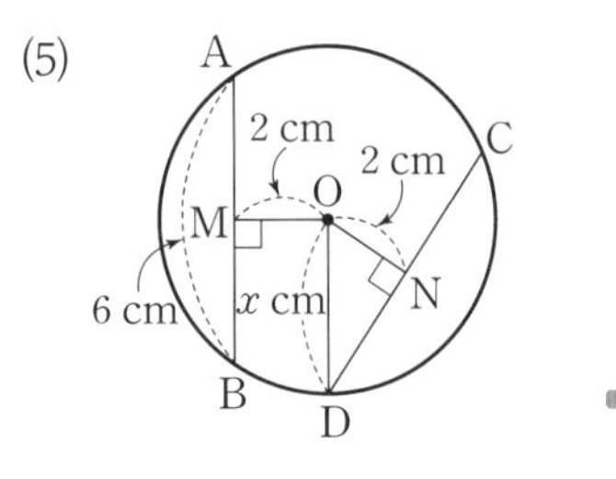

➡ ______________

04 다음 그림의 원 O에서 $\overline{OM}=\overline{ON}$일 때, $\angle x$의 크기를 구하시오.

(1)

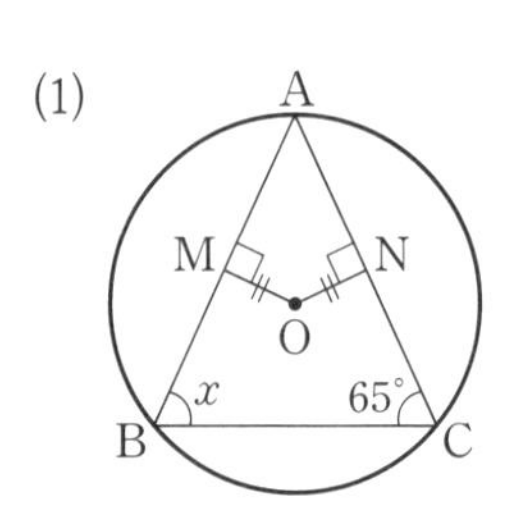

➡ $\overline{OM}=\overline{ON}$이므로 $\overline{AB}=\overline{AC}$

즉, $\triangle ABC$는 이등변삼각형이므로

$\angle x=\square$

(2)

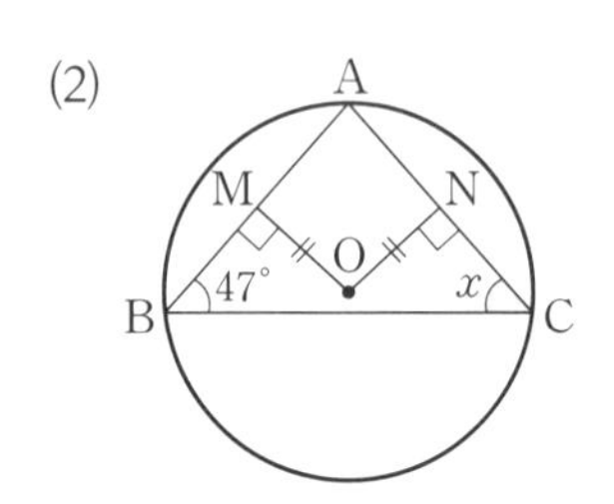

➡ ______________

(3) A, x, M, N, O, B, 60°, C

➡ ______________

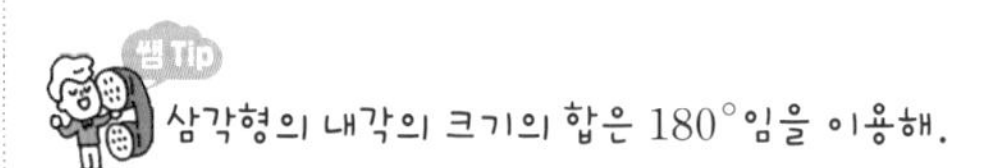

(4)

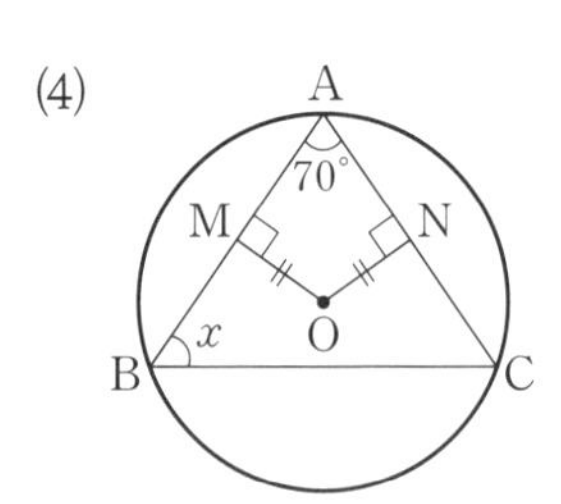

➡ ______________

(5) A, x, M, N, O, 72°, B, C

➡ ______________

정답과 해설 _ p.24

01 다음 그림의 원 O에서 $\overline{OM}=\overline{ON}$일 때, x의 값을 구하시오.

(1)

(2)

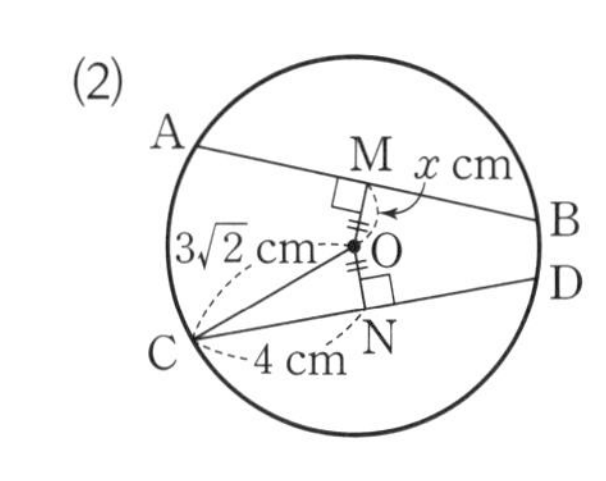

$\overline{OM}=\overline{ON}$이면 $\overline{AB}=\overline{CD}$

02 오른쪽 그림의 원 O에서 $\overline{AB} /\!/ \overline{CD}$일 때, 두 현 AB, CD 사이의 거리는?

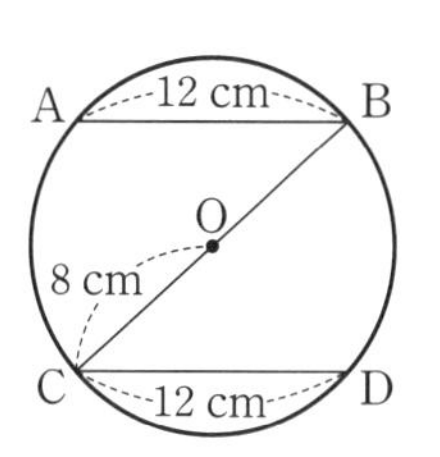

① $2\sqrt{7}$ cm　② $3\sqrt{7}$ cm
③ $4\sqrt{7}$ cm　④ $5\sqrt{7}$ cm
⑤ $6\sqrt{7}$ cm

원 O에서 두 현에 수선의 발을 내려 피타고라스 정리를 이용한다.

03 오른쪽 그림의 원 O에서 $\overline{OM}=\overline{ON}$일 때, x, y의 값을 각각 구하시오.

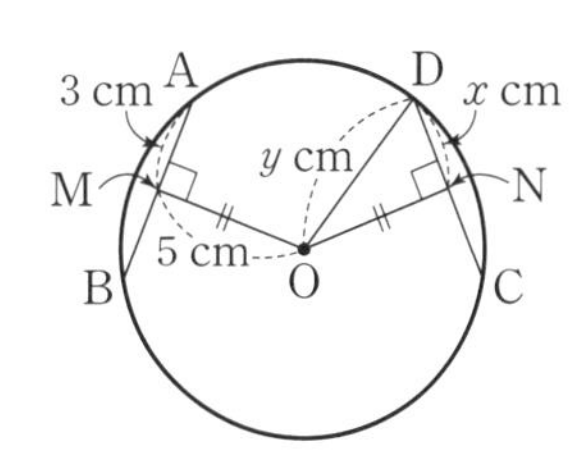

04 오른쪽 그림과 같이 원의 중심 O에서 $\overline{AB}$, $\overline{AC}$에 내린 수선의 발을 각각 M, N이라 하자. $\overline{OM}=\overline{ON}$일 때, $\angle B$의 크기를 구하시오.

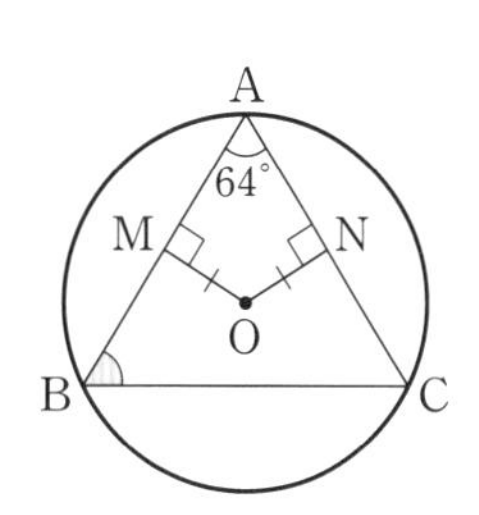

$\overline{OM}=\overline{ON}$이면 삼각형 ABC는 이등변삼각형이다.

05 오른쪽 그림과 같은 원 O에서 $\angle MON=130°$이고 $\overline{OM}=\overline{ON}$일 때, $\angle C$의 크기는?

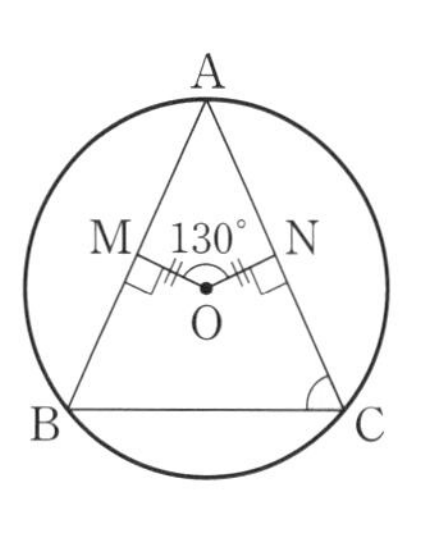

① 50°　② 55°
③ 60°　④ 65°
⑤ 70°

사각형 AMON에서 $\angle A$의 크기를 구한다.

14강 ••• 원의 접선의 길이

1. 원의 접선과 반지름

(1) **접선**: 원과 한 점에서 만나는 직선
접점: 접선과 원이 만나는 점

(2) 원의 접선은 그 접점을 지나는 원의 반지름과 서로 수직이다.
➡ $\overline{OT} \perp l$

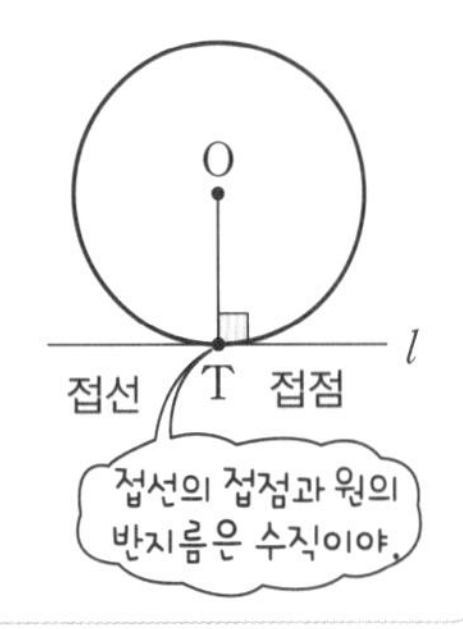

01 다음 그림에서 직선 PT는 원 O의 접선이고 점 T는 그 접점일 때, $\angle x$의 크기를 구하시오.

(1)

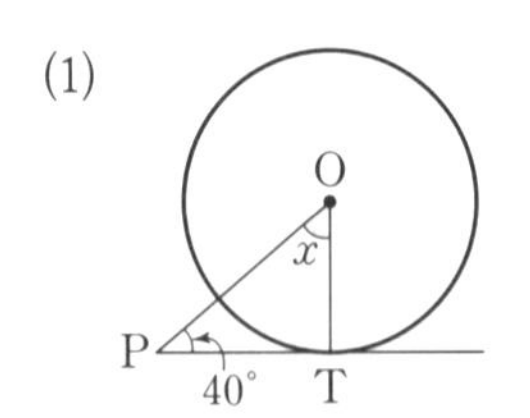

➡ ____________________

(2)

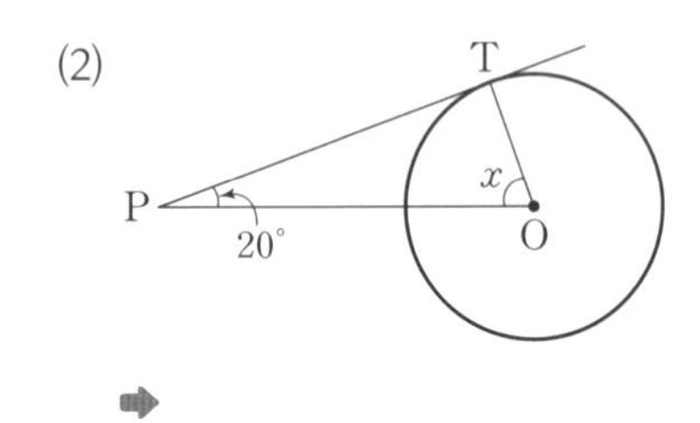

➡ ____________________

02 다음 그림에서 두 점 A, B는 점 P에서 원 O에 그은 두 접선의 접점일 때, $\angle x$의 크기를 구하시오.

(1)

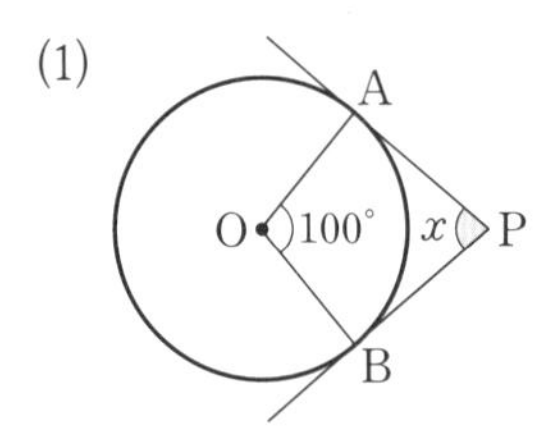

➡ □AOBP에서 $\angle PAO = \angle PBO =$ ☐ 이므로
$\angle x = 360° - ($ ☐ $+ 100° +$ ☐ $) =$ ☐

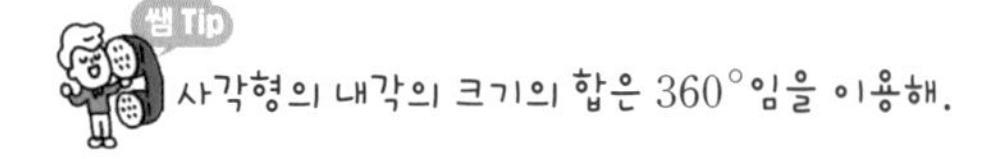

(2)

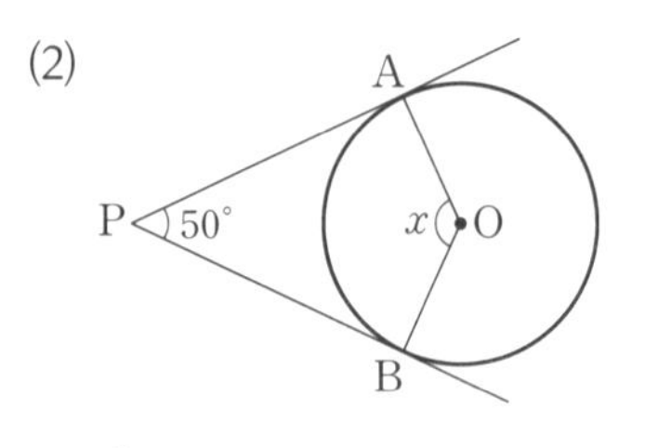

➡ ____________________

(3)

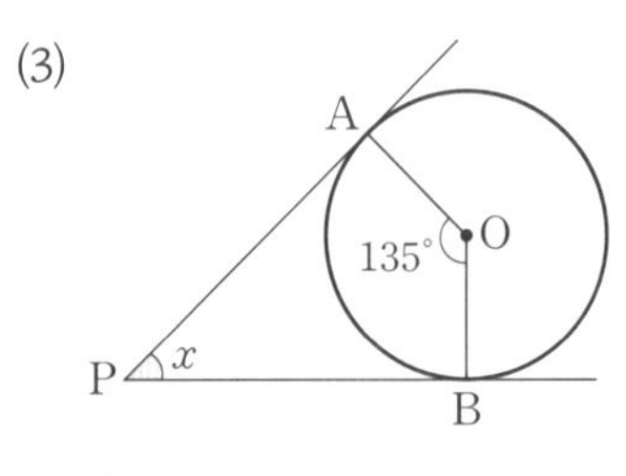

➡ ____________________

2. 원의 접선에 대한 성질 up+

(1) 원 밖의 한 점에서 그 원에 그을 수 있는 접선은 2개이다.

(2) 원 밖의 한 점에서 원에 두 접선을 그을 때, 그 점에서 두 접점까지의 거리는 같다.
➡ $\overline{PA} = \overline{PB}$

접선의 길이 A P O B
우리 둘의 접선의 길이는 같아.

참고 $\triangle PAO$와 $\triangle PBO$에서 $\angle PAO = \angle PBO = 90°$,
$\overline{OA} = \overline{OB}$(반지름), $\overline{OP}$는 공통이므로
$\triangle PAO \equiv \triangle PBO$ (RHS 합동)
$\therefore \overline{PA} = \overline{PB}$

03 다음 그림에서 두 점 A, B는 점 P에서 원 O에 그은 두 접선의 접점일 때, x의 값을 구하시오.

(1)

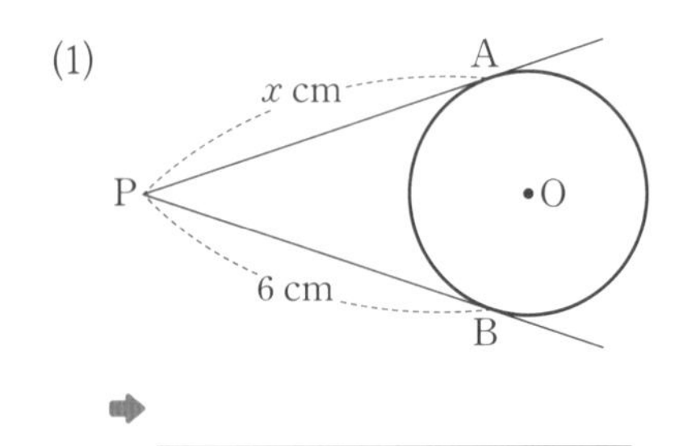

➡ ____________________

(2)

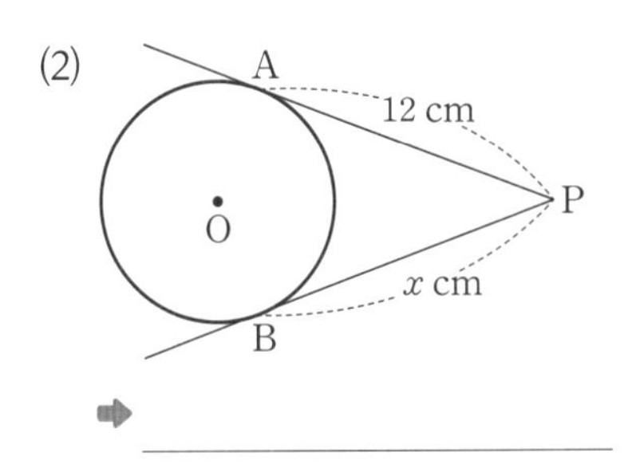

➡ ______

04 다음 그림에서 직선 PT가 원 O의 접선일 때, x의 값을 구하시오.

(1)

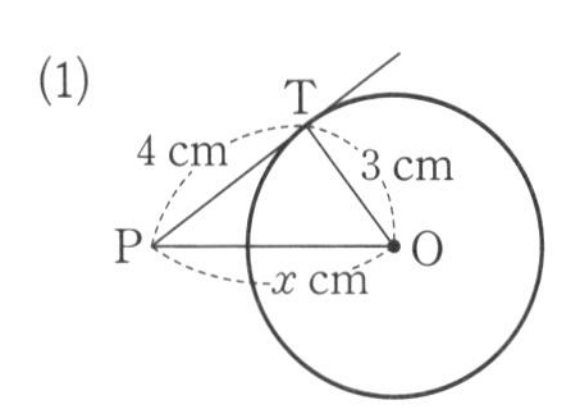

➡ △POT는 ∠PTO$=90°$인 직각삼각형이므로
$\overline{PO}=\sqrt{4^2+\square^2}=\square$(cm) $\therefore x=\square$

(2)

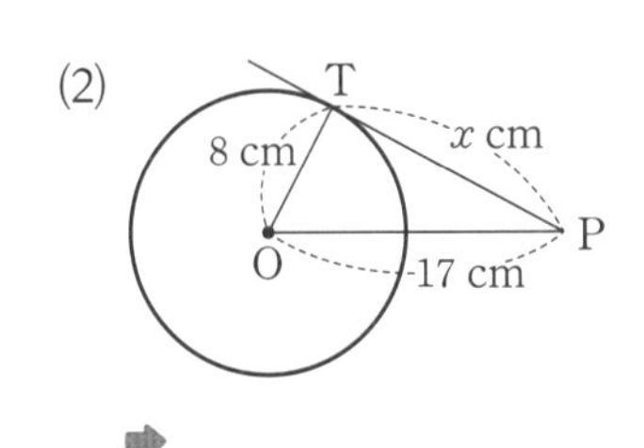

➡ ______

(3)

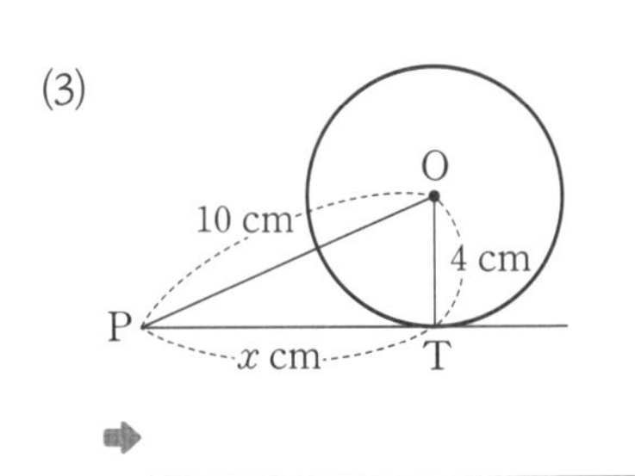

➡ ______

(4)

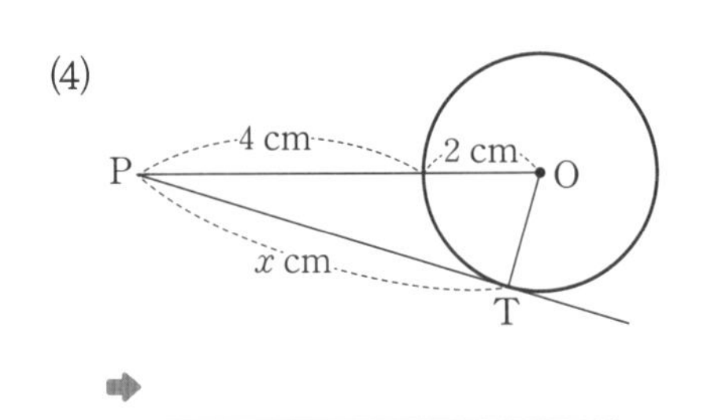

➡ ______

05 다음 그림에서 두 점 A, B는 점 P에서 원 O에 그은 두 접선의 접점일 때, x의 값을 구하시오.

(1)

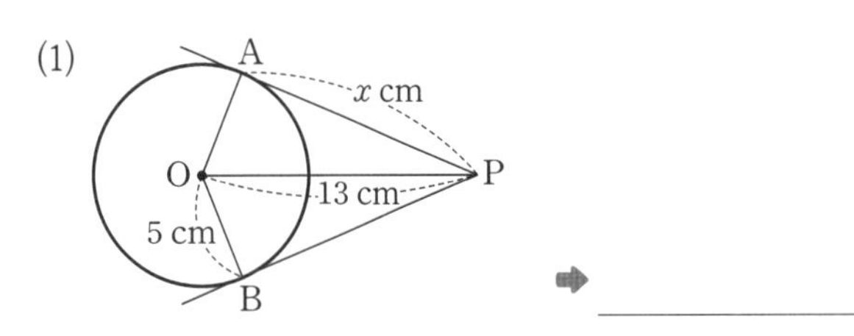

➡ ______

(2)

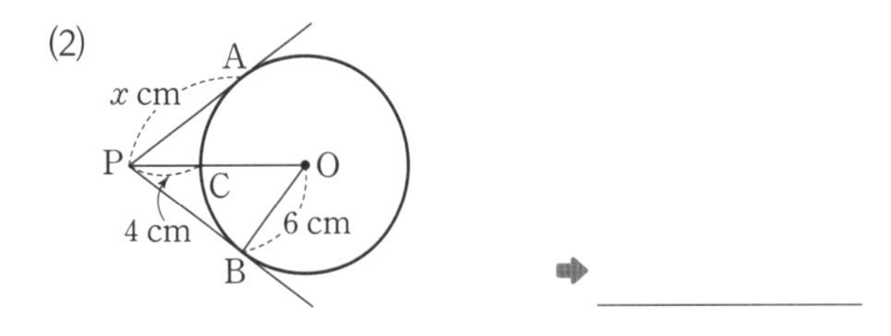

➡ ______

06 다음 그림에서 두 점 A, B는 점 P에서 원 O에 그은 두 접선의 접점일 때, ∠x의 크기를 구하시오.

(1)

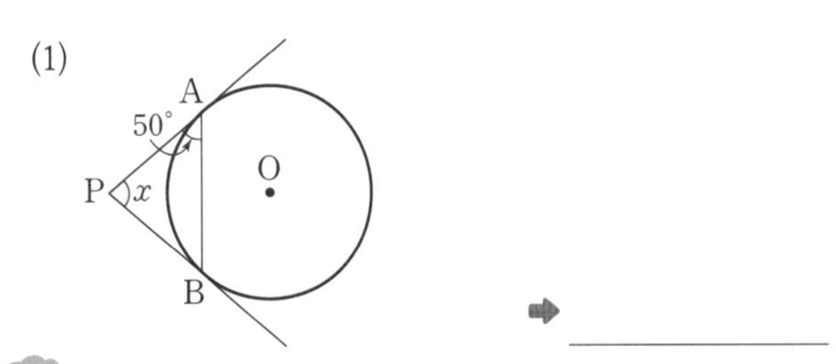

➡ ______

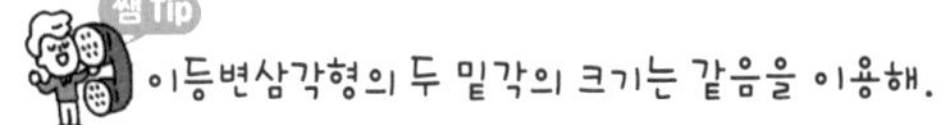

(2)

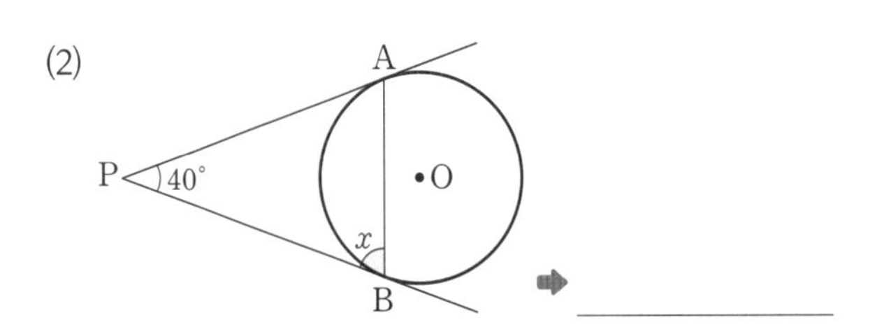

➡ ______

07 다음 그림에서 $\overline{PA}$, $\overline{PB}$, $\overline{CD}$는 원 O의 접선이고, 세 점 A, B, E는 그 접점일 때, x의 값을 구하시오.

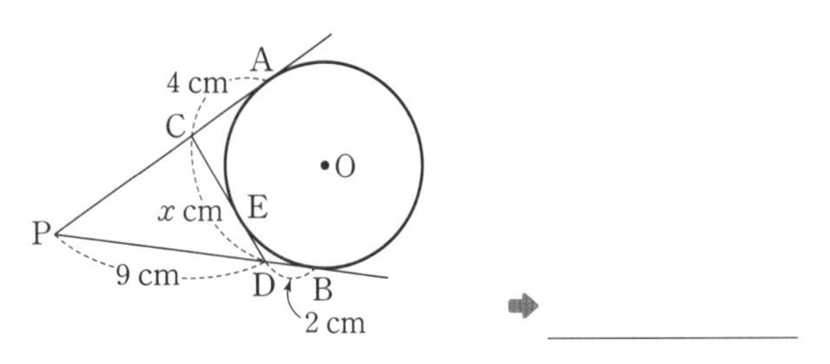

➡ ______

정답과 해설 _ p.26

01 다음 그림에서 직선 PT는 원 O의 접선이고 T는 그 접점일 때, $\angle x$의 크기를 구하시오.

(1)

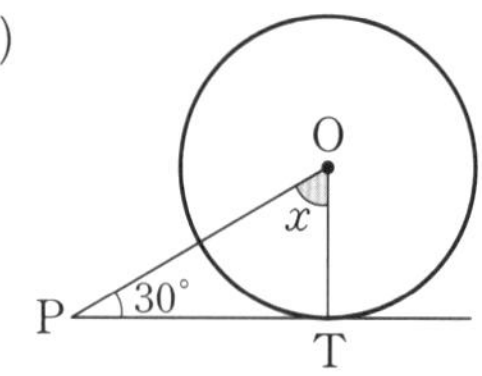

(2)

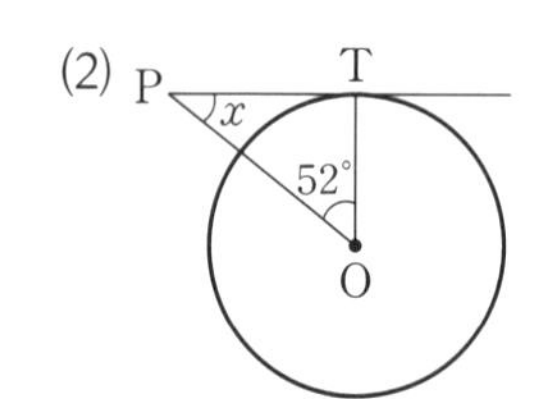

$\overline{PT} \perp \overline{OT}$

02 오른쪽 그림과 같이 반지름의 길이가 10 cm인 원 O가 있다. 이 원의 중심에서 20 cm만큼 떨어져 있는 점 P에서 이 원 O에 그은 접선의 길이는?

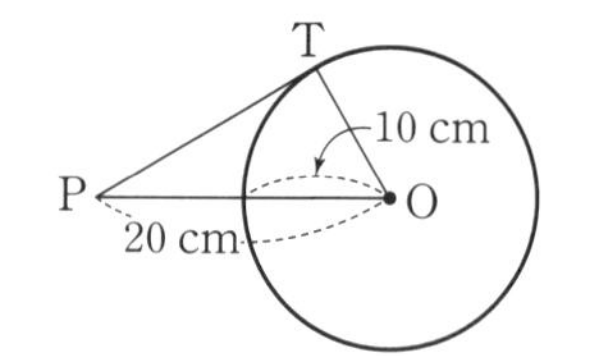

① $10\sqrt{3}$ cm ② $12\sqrt{3}$ cm
③ $14\sqrt{3}$ cm ④ $16\sqrt{3}$ cm
⑤ $18\sqrt{3}$ cm

$\overline{OT}=10$ cm

03 다음 그림에서 직선 PA, PB는 원 O의 접선이고 점 A, B는 그 접점일 때, $\angle x$의 크기를 구하시오.

(1)

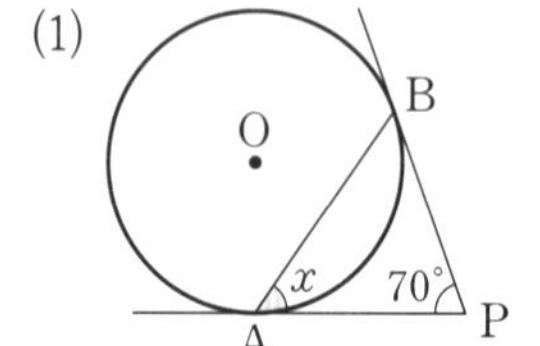

(2)

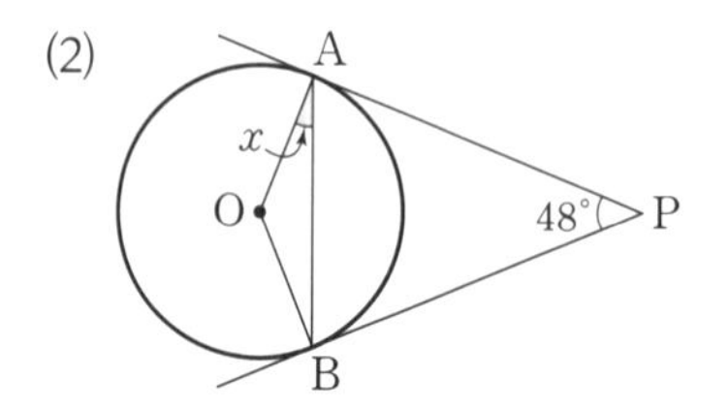

이등변삼각형의 두 밑각의 크기는 같다.

04 오른쪽 그림에서 직선 PA, PB, CD는 원 O의 접선이고 점 A, B, E는 접점이다. $\overline{OA}=4$ cm, $\overline{PC}=8$ cm, $\overline{CD}=6$ cm일 때, $\overline{DB}$의 길이는?

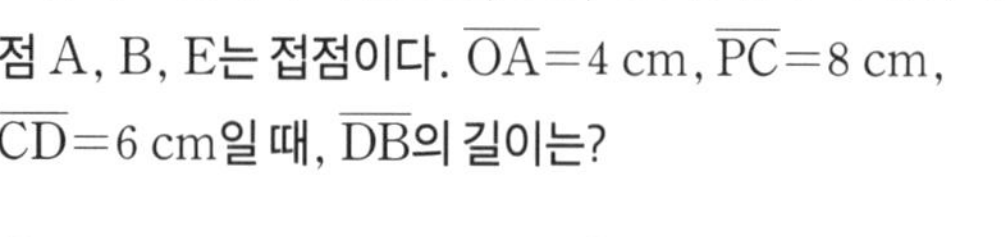

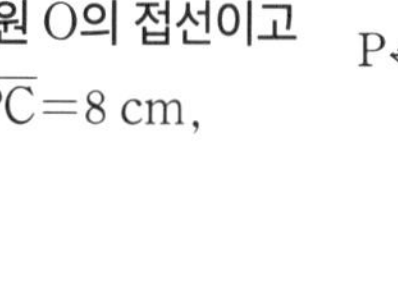

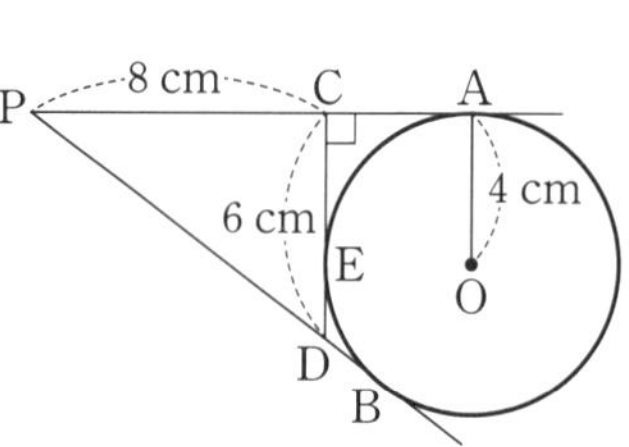

① 1 cm ② 2 cm
③ 3 cm ④ 4 cm
⑤ 5 cm

□CEOA는 정사각형이다.

15강 삼각형의 내접원, 원에 내접하는 사각형

정답과 해설 _ p.26

1. 삼각형의 내접원

원 O는 △ABC의 내접원이고, 세 점 D, E, F는 그 접점일 때,

(1) $\overline{AD}=\overline{AF}$, $\overline{BD}=\overline{BE}$, $\overline{CE}=\overline{CF}$

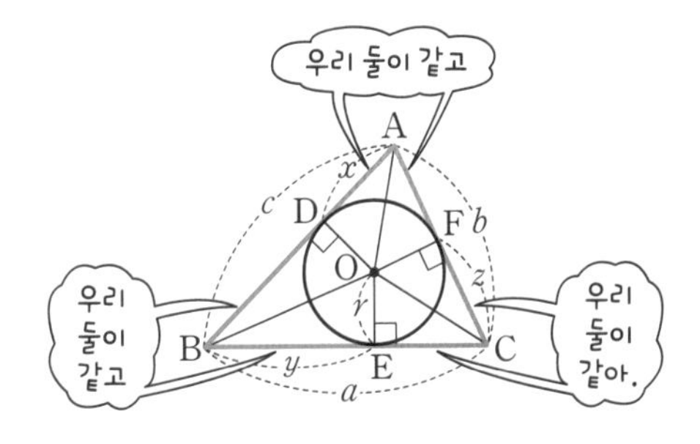

(2) (△ABC의 둘레의 길이) $=a+b+c$
$=2(x+y+z)$

(3) (△ABC의 넓이) $=\triangle OBC+\triangle OCA+\triangle OAB$
$=\frac{1}{2}ar+\frac{1}{2}br+\frac{1}{2}cr$
$=\frac{1}{2}r(a+b+c)$
$=r(x+y+z)$

01 다음 그림에서 원 O는△ABC의 내접원이고 세 점 D, E, F는 그 접점일 때, x의 값을 구하시오.

(1)

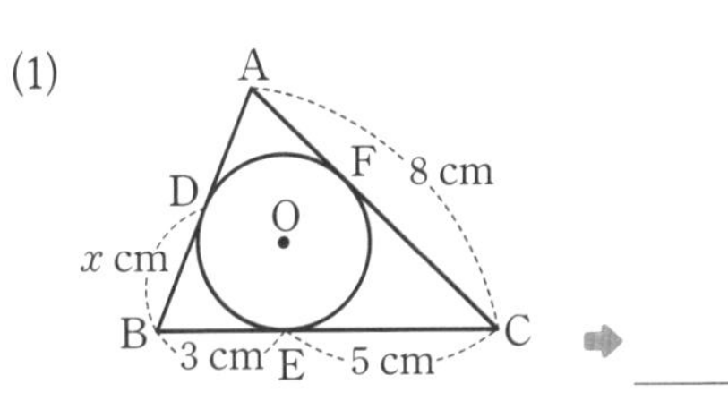

➡ ____________

(2)

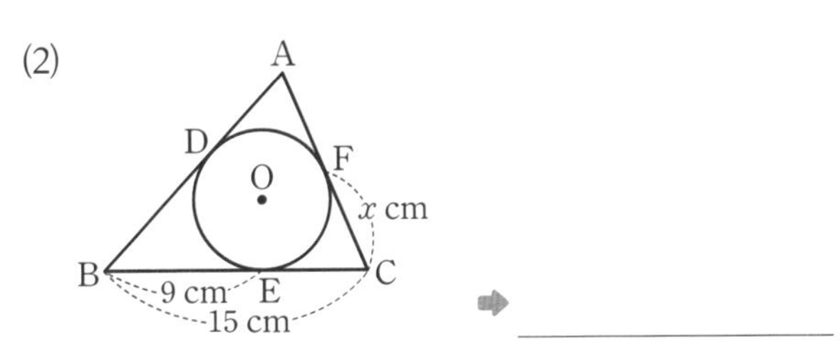

➡ ____________

(3)

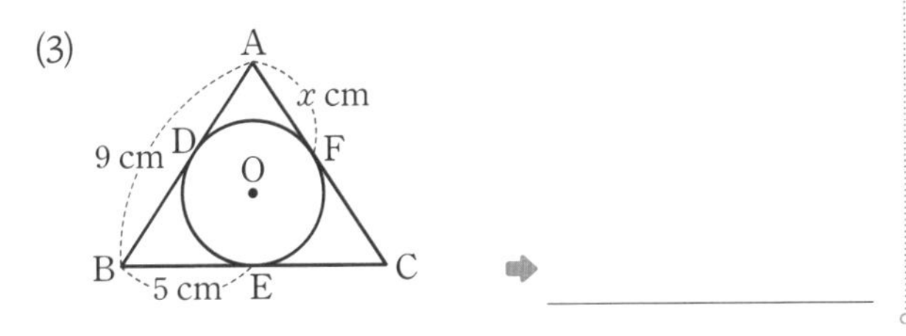

➡ ____________

(4)

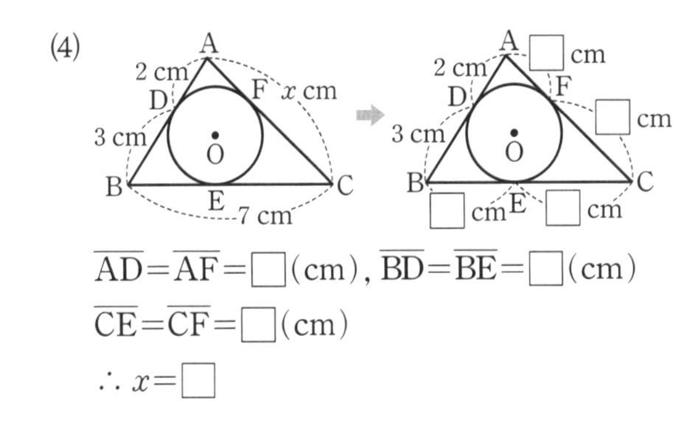

$\overline{AD}=\overline{AF}=\square$(cm), $\overline{BD}=\overline{BE}=\square$(cm)
$\overline{CE}=\overline{CF}=\square$(cm)
$\therefore x=\square$

(5)

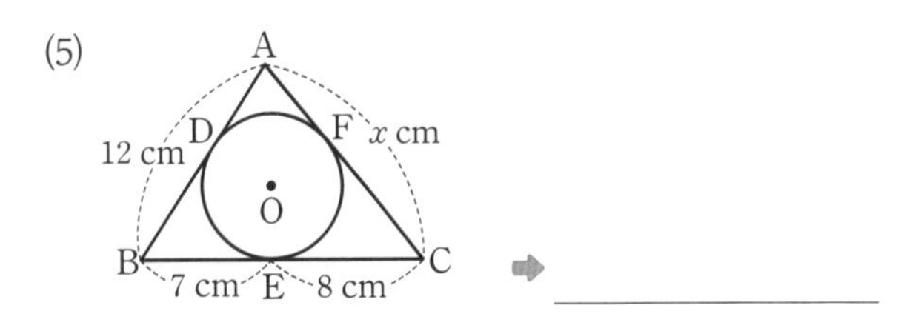

➡ ____________

(6)

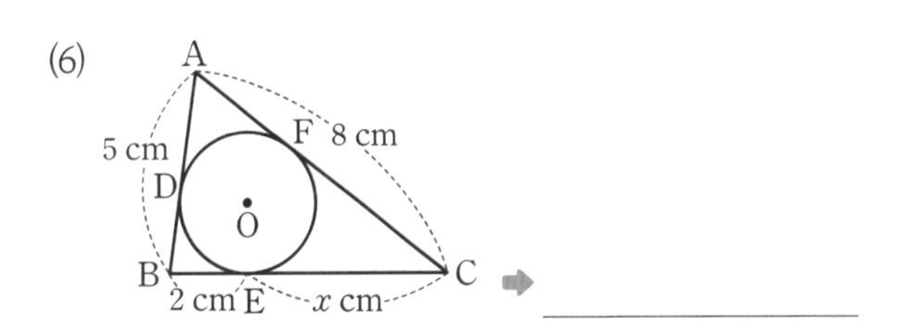

➡ ____________

(7)

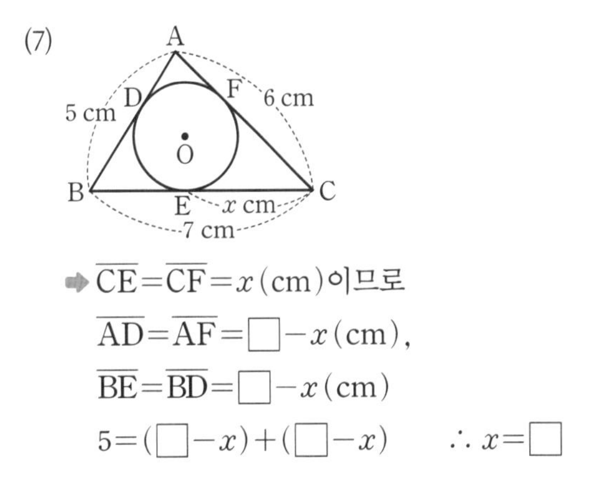

➡ $\overline{CE}=\overline{CF}=x$(cm)이므로
$\overline{AD}=\overline{AF}=\square-x$(cm),
$\overline{BE}=\overline{BD}=\square-x$(cm)
$5=(\square-x)+(\square-x)$ $\therefore x=\square$

(8)

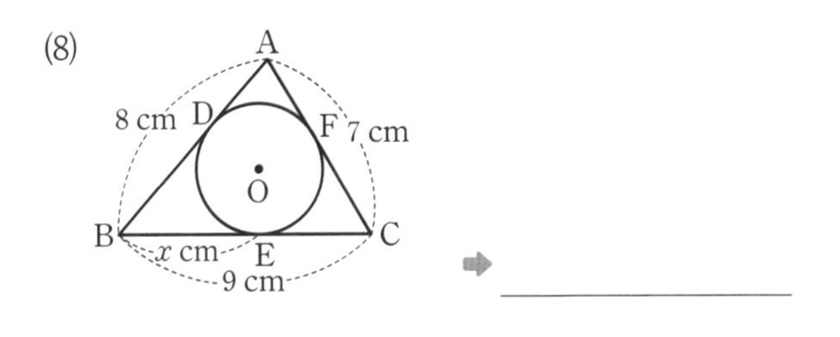

➡ ____________

02 다음 그림에서 원 O는 삼각형 ABC의 내접원이고 세 점 D, E, F는 그 접점일 때, △ABC의 둘레의 길이를 구하시오.

(1)

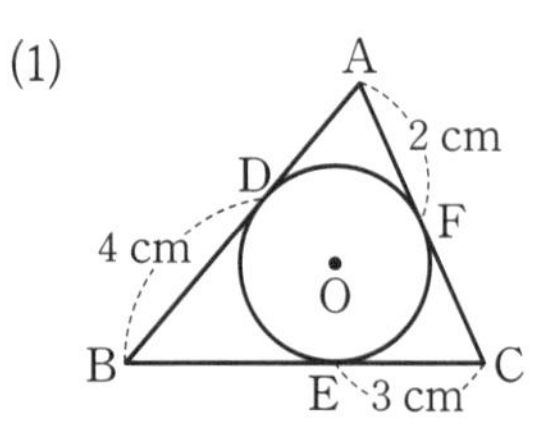

(△ABC의 둘레의 길이) $=2\times(4+3+\square)$

$=\square$ (cm)

(2)

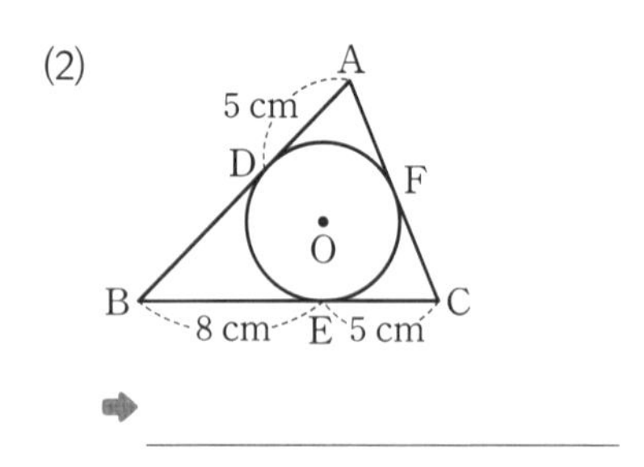

➡ ______________________

(3)

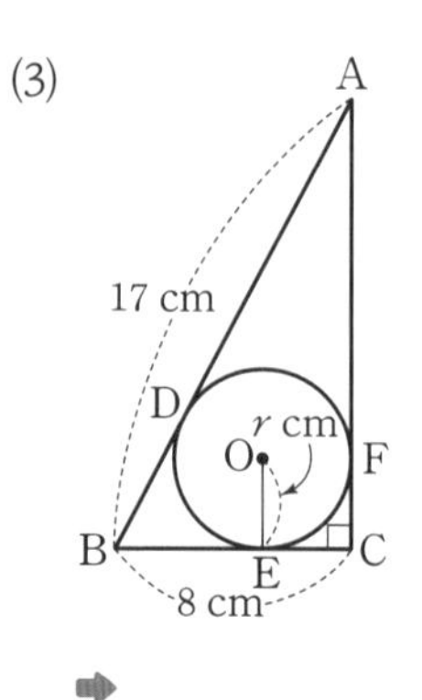

➡ ______________________

(4)

➡ ______________________

03 다음 그림에서 원 O는 직각삼각형 ABC의 내접원이고 세 점 D, E, F는 그 접점일 때, r의 값을 구하시오.

(1)

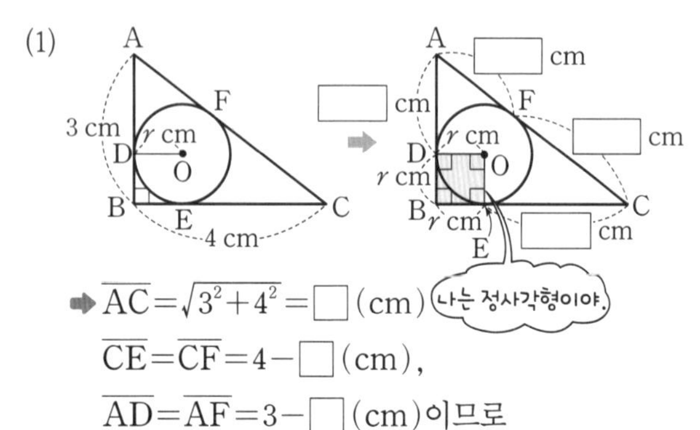

➡ $\overline{AC}=\sqrt{3^2+4^2}=\square$ (cm)

$\overline{CE}=\overline{CF}=4-\square$ (cm),

$\overline{AD}=\overline{AF}=3-\square$ (cm)이므로

$\square=(4-\square)+(3-\square)$ $\quad\therefore r=\square$

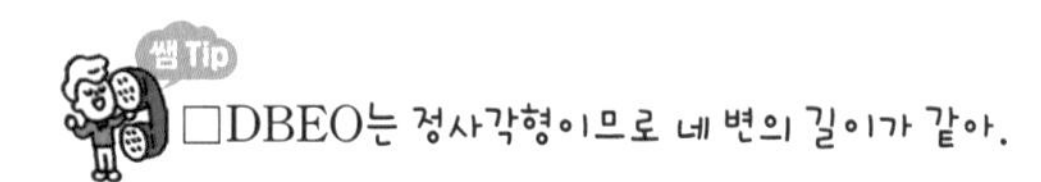

(2)

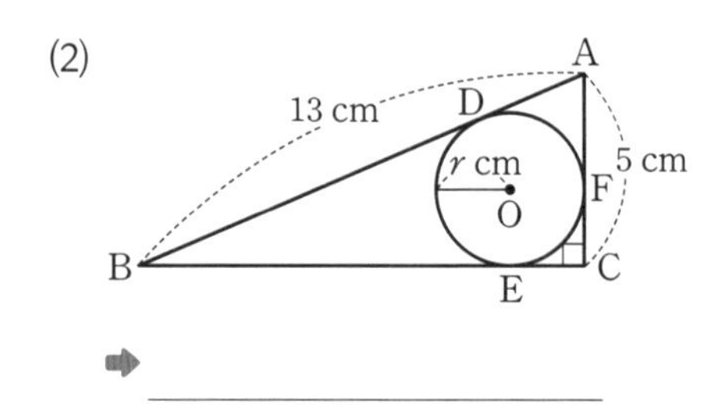

➡ ______________________

2. 원에 외접하는 사각형의 성질 up+

(1) 원에 외접하는 사각형의 두 쌍의 대변의 길이의 합은 서로 같다.

➡ $\overline{AB}+\overline{DC}=\overline{AD}+\overline{BC}$

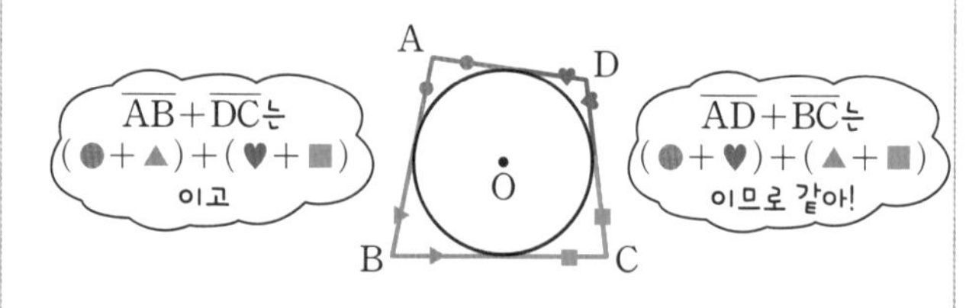

(2) 두 쌍의 대변의 길이의 합이 서로 같은 사각형은 원에 외접한다.

참고 원 밖의 한 점에서 그은 두 접선의 길이가 같으므로

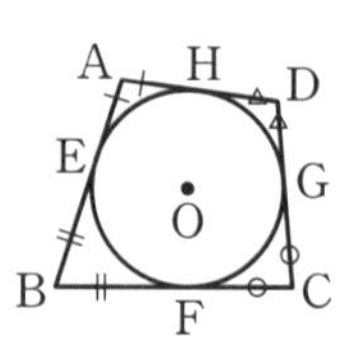

$\overline{AB}+\overline{DC}$

$=(\overline{AE}+\overline{BE})+(\overline{DG}+\overline{CG})$

$=(\overline{AH}+\overline{BF})+(\overline{DH}+\overline{CF})$

$=(\overline{AH}+\overline{DH})+(\overline{BF}+\overline{CF})$

$=\overline{AD}+\overline{BC}$

04 오른쪽 그림에서 원 O는 □ABCD의 내접원이고, 네 점 P, Q, R, S는 그 접점일 때, 다음 중 옳은 것은 ○표, 옳지 않은 것은 ×표를 ( ) 안에 써넣으시오.

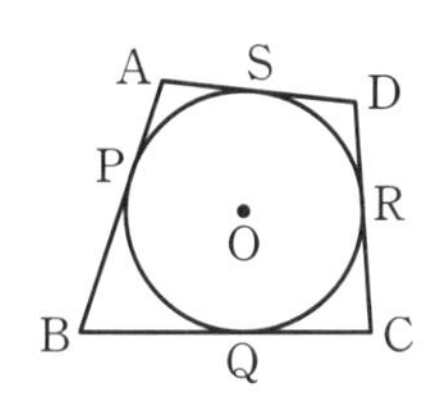

(1) $\overline{AP}=\overline{BP}$ ( )

(2) $\overline{DS}=\overline{DR}$ ( )

(3) $\overline{BP}=\overline{BQ}$ ( )

(4) $\overline{BC}=\overline{CD}$ ( )

(5) $\overline{AB}+\overline{BC}=\overline{CD}+\overline{DA}$ ( )

(6) $\overline{AB}+\overline{DC}=\overline{AD}+\overline{BC}$ ( )

05 다음 그림에서 □ABCD가 원 O에 외접할 때, x의 값을 구하시오.

(1)

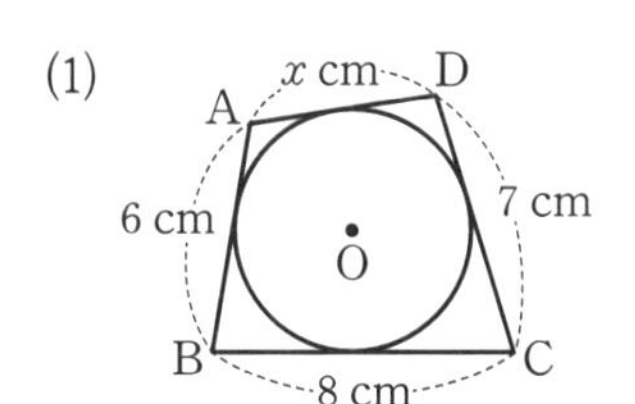

➡ $\overline{AB}+\overline{DC}=\overline{AD}+\overline{BC}$이므로

$6+\square=x+\square$ $\therefore x=\square$

(2)

A 7 cm D 16 cm O x cm B 20 cm C

➡ ____________

(3)

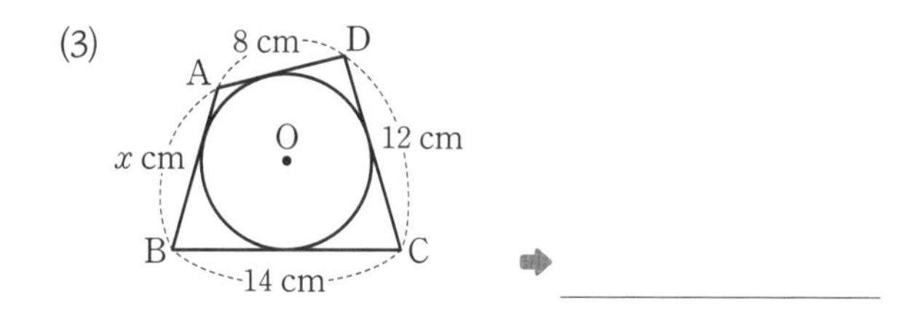

➡ ____________

06 다음 그림에서 □ABCD가 원 O에 외접할 때, x의 값을 구하시오.

(1)

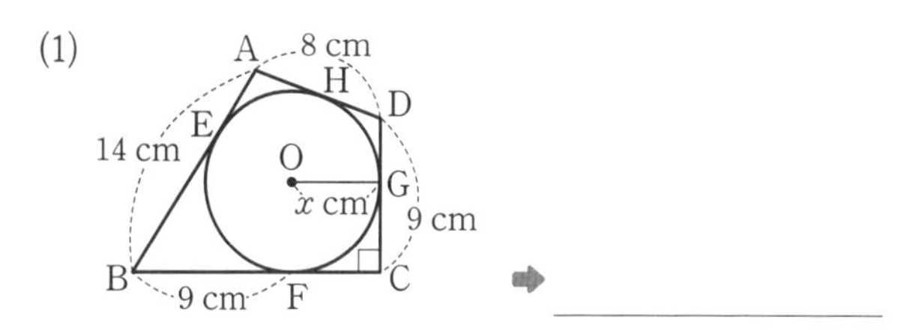

➡ ____________

쌤 Tip 원의 접선은 그 접점을 지나는 원의 반지름과 수직이야.

(2)

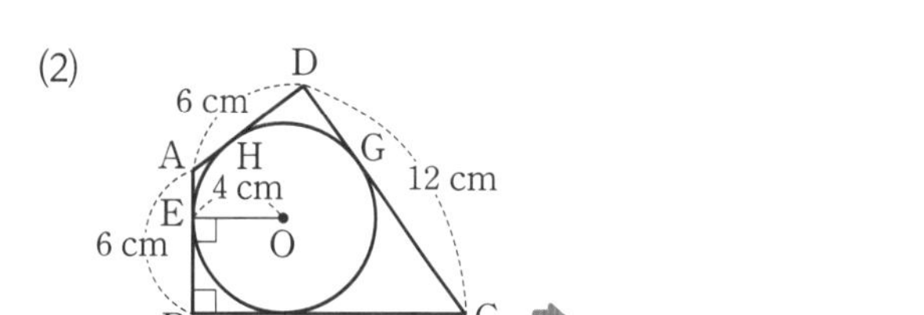

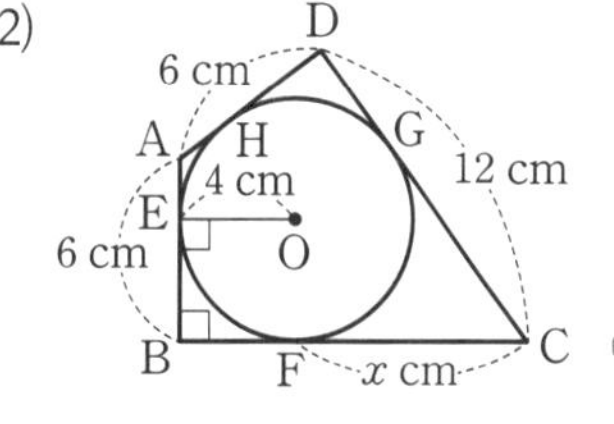

➡ ____________

(3)

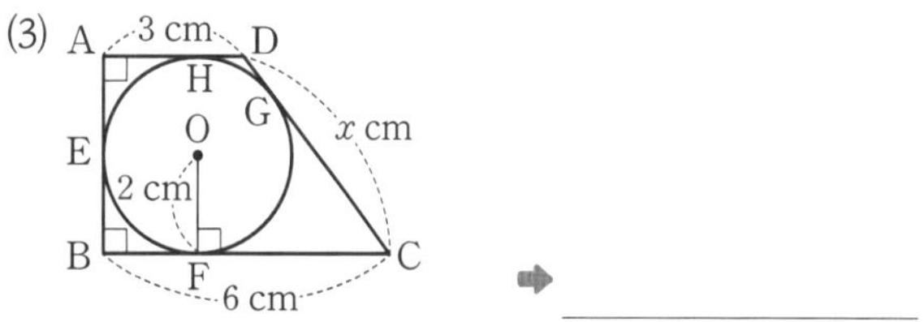

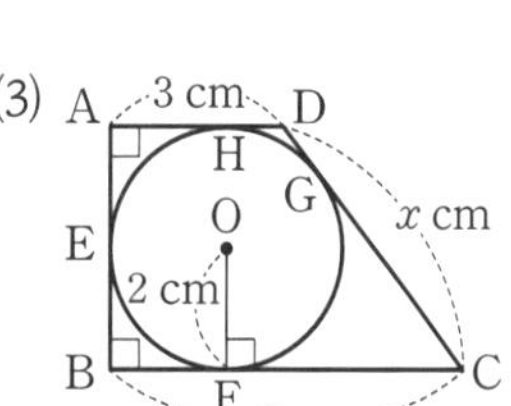

➡ ____________

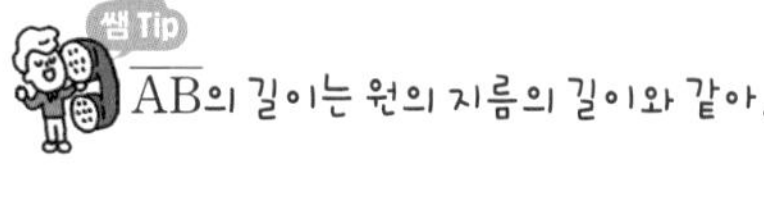

$\overline{AB}$의 길이는 원의 지름의 길이와 같아.

(4)

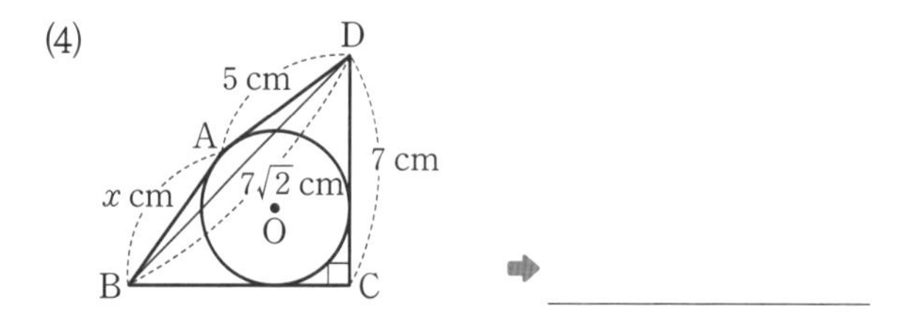

➡ ____________

정답과 해설 _ p.27

01 다음 그림에서 원 O는 △ABC의 내접원이고 세 점 D, E, F는 그 접점일 때, x의 값을 구하시오.

$\overline{AD}=\overline{AF}$, $\overline{BD}=\overline{BE}$, $\overline{CE}=\overline{CF}$

(1)

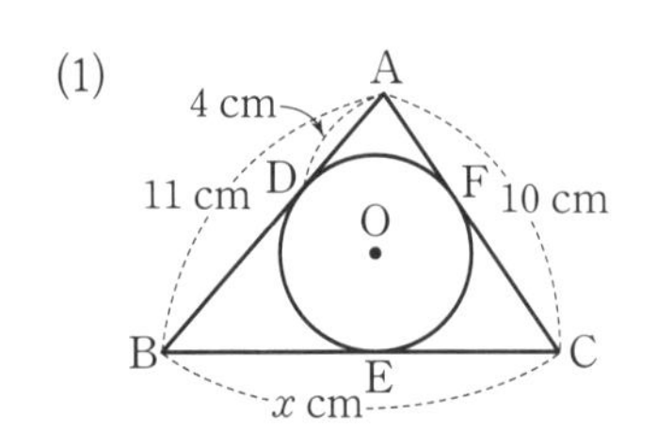

(2)

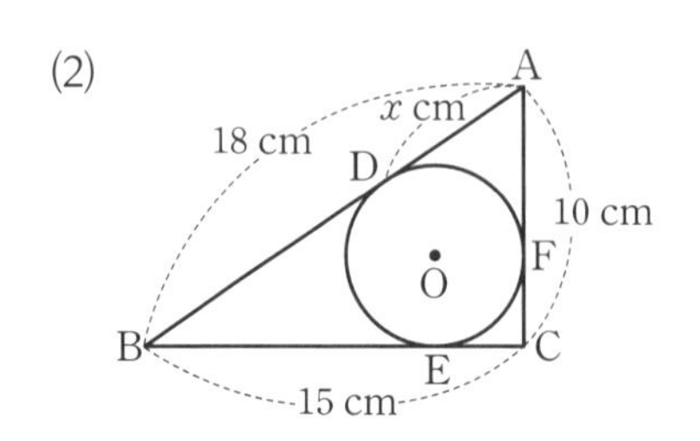

02 오른쪽 그림에서 원 O는 직각삼각형 ABC의 내접원이고 세 점 D, E, F는 그 접점일 때, 내접원의 반지름의 길이를 구하시오.

사각형 OECF는 정사각형이다.

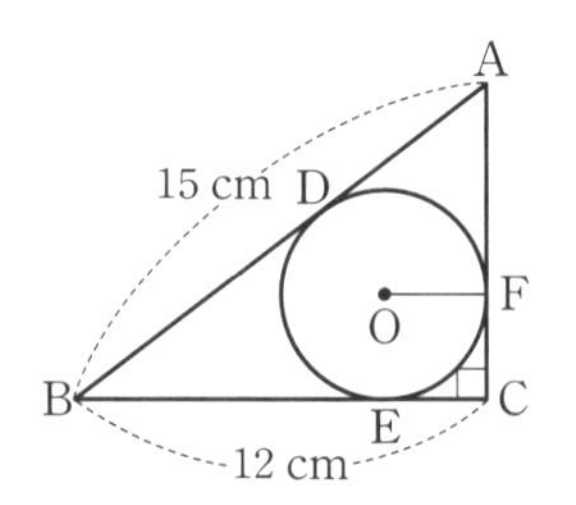

03 다음 그림에서 □ABCD가 원 O에 외접할 때, x의 값을 구하시오.

$\overline{AB}+\overline{DC}=\overline{AD}+\overline{BC}$

(1)

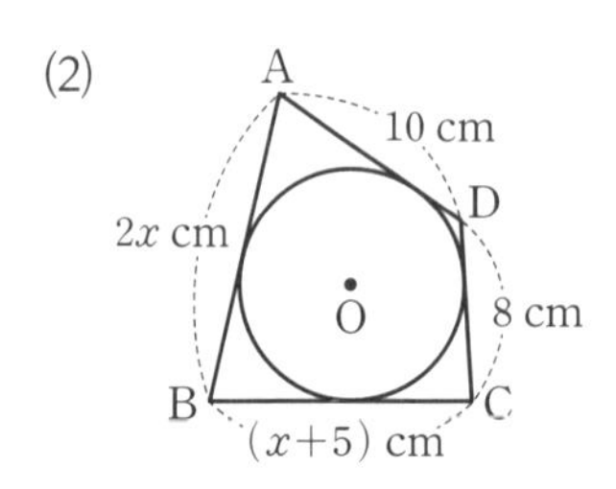

(2)

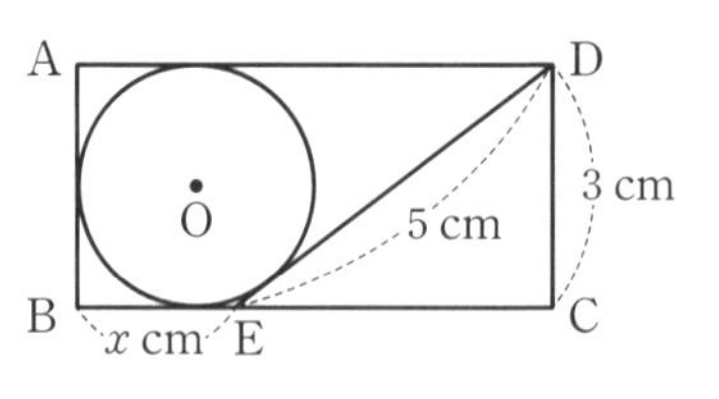

04 오른쪽 그림에서 원 O는 직사각형 ABCD의 세 변과 $\overline{DE}$에 접할 때, x의 값은?

$\overline{EC}$의 길이부터 구한 다음 $\overline{AB}+\overline{DE}=\overline{AD}+\overline{BE}$를 이용한다.

① 1　　② 2　　③ 3　　④ 4　　⑤ 5

정답과 해설 _ p.28

01 다음 그림의 원 O에서 x의 값을 구하시오.

(1)

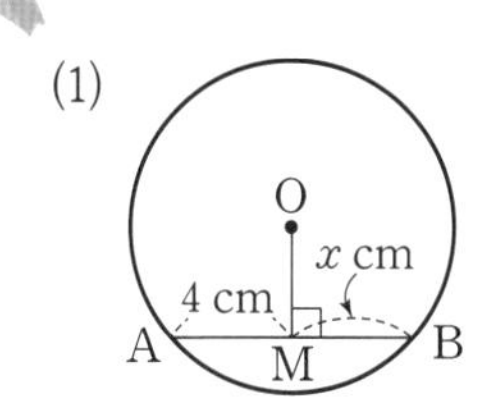

(2)

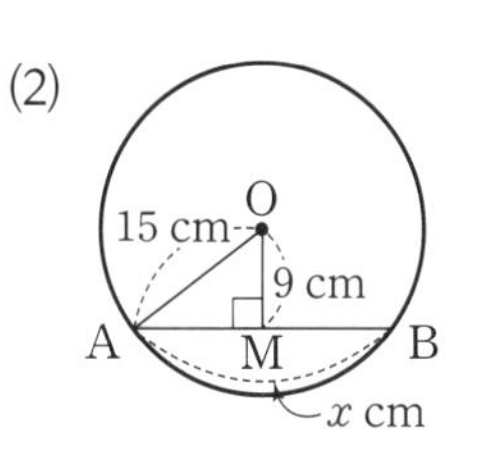

(3)

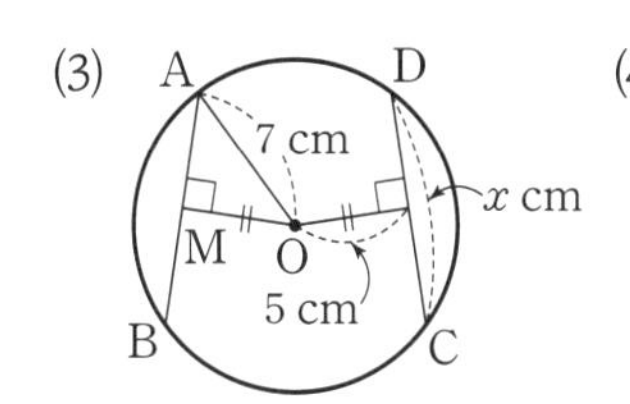

(4)

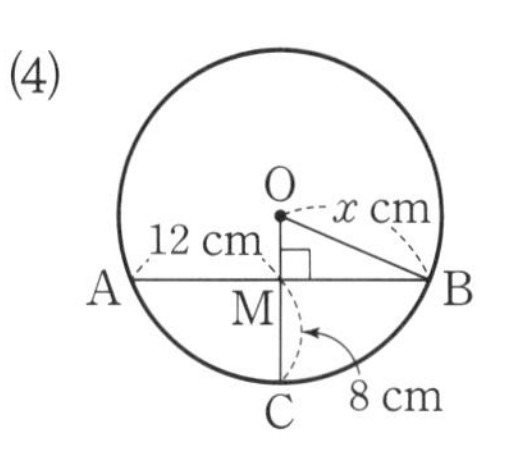

02 다음 그림의 원 O에서 x의 값을 구하시오.

(1)

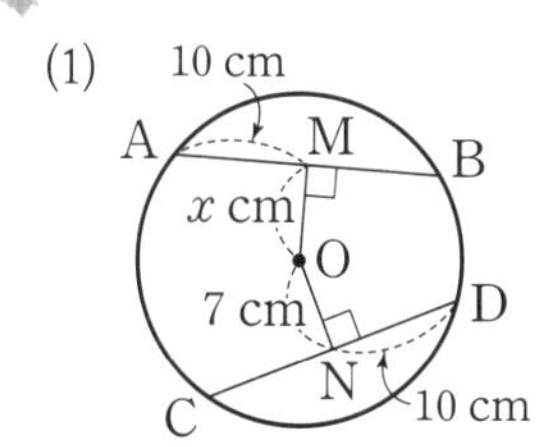

(2)

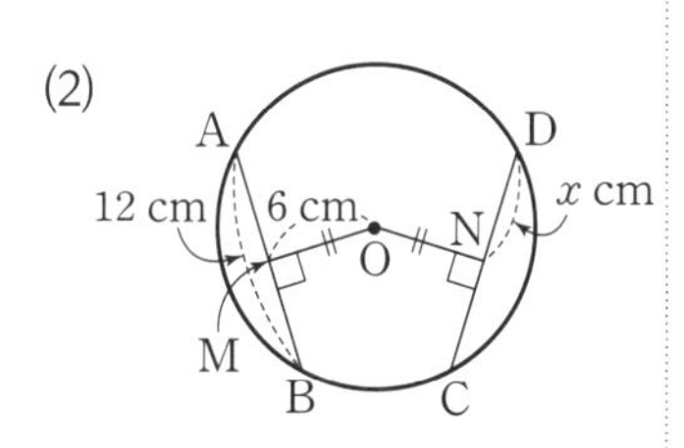

(3)

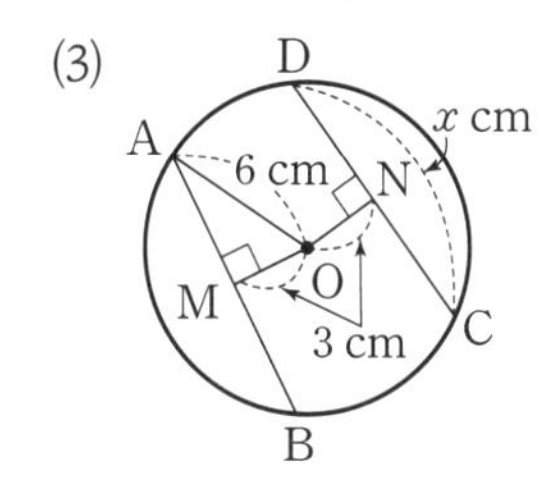

(4)

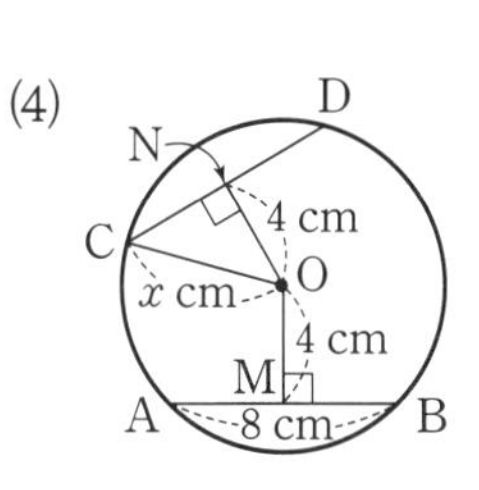

03 다음 그림의 원 O에서 $\angle x$의 크기를 구하시오.

(1)

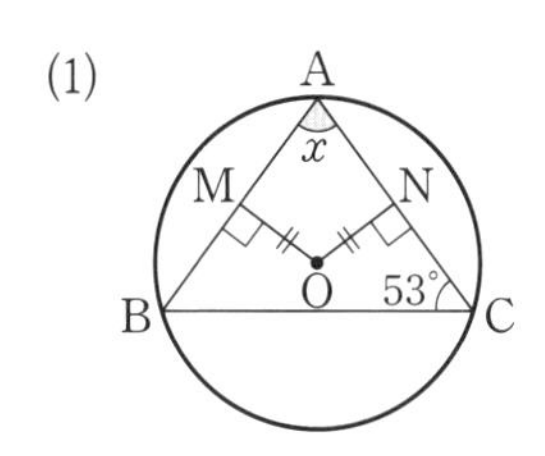

(2)

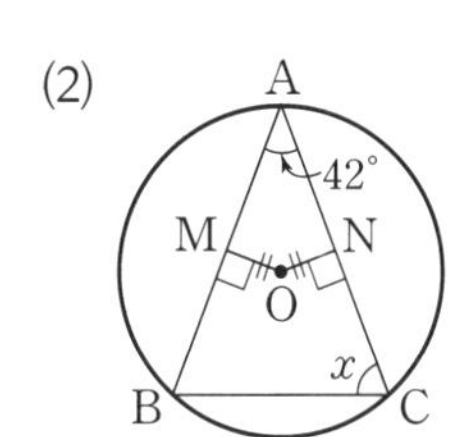

04 오른쪽 그림에서 직선 PA, PB는 원 O의 접선이다. 다음 설명 중 옳은 것은 ○표, 옳지 않은 것은 ×표를 (   ) 안에 써넣으시오.

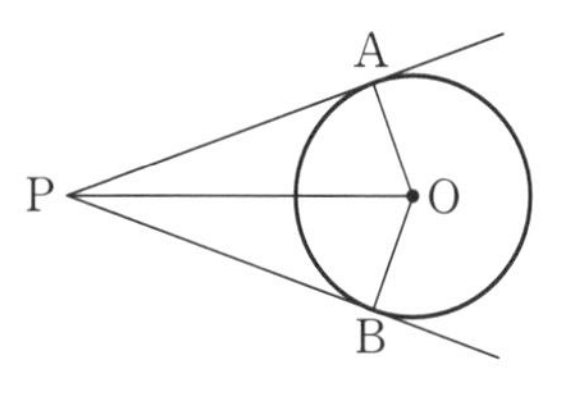

(1) $\overline{PA}=\overline{PB}$ (   )

(2) $\overline{PO}=\overline{PB}$ (   )

(3) $\angle PAO=90^\circ$ (   )

(4) $\triangle APO \equiv \triangle BPO$ (   )

(5) $\angle APO=\angle AOP$ (   )

05 다음 그림에서 직선 PT는 원 O의 접선일 때, x의 값을 구하시오.

(1)

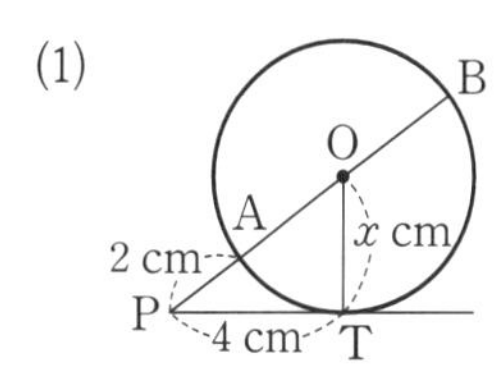

(2)

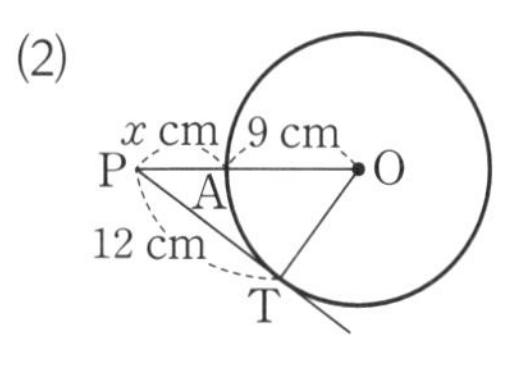

06 다음 그림에서 두 점 A, B는 점 P에서 원 O에 그은 두 접선의 접점일 때, x의 값을 구하시오.

(1)

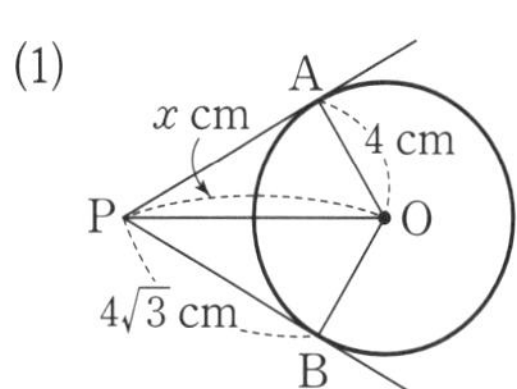

(2)

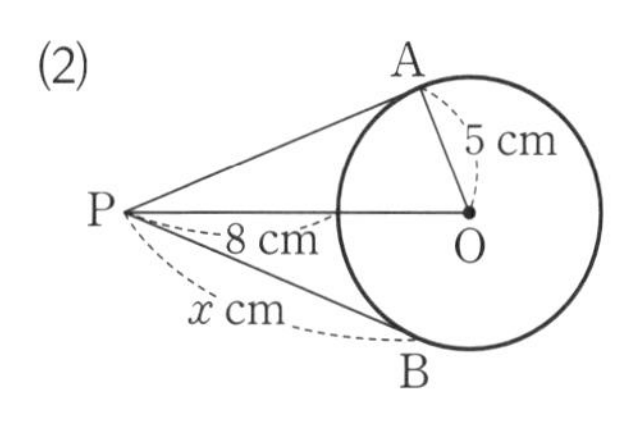

07 다음 그림에서 두 점 A, B는 점 P에서 원 O에 그은 두 접선의 접점일 때, $\angle x$의 크기를 구하시오.

(1)

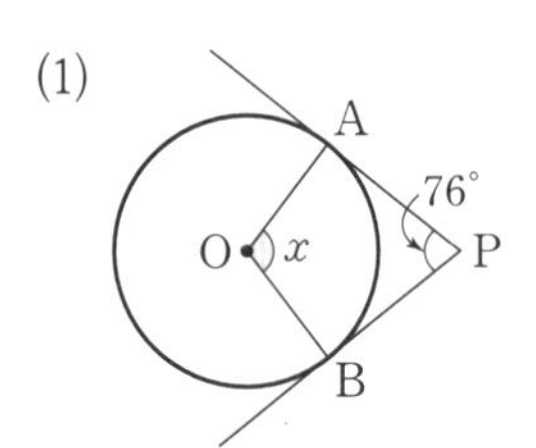

(2)

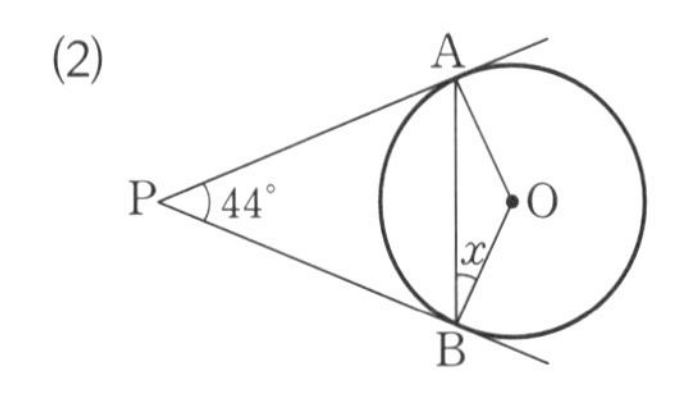

08 다음 그림에서 $\overline{PA}$, $\overline{PB}$, $\overline{CD}$는 원 O의 접선이고 세 점 A, B, E는 그 접점일 때, x의 값을 구하시오.

(1)

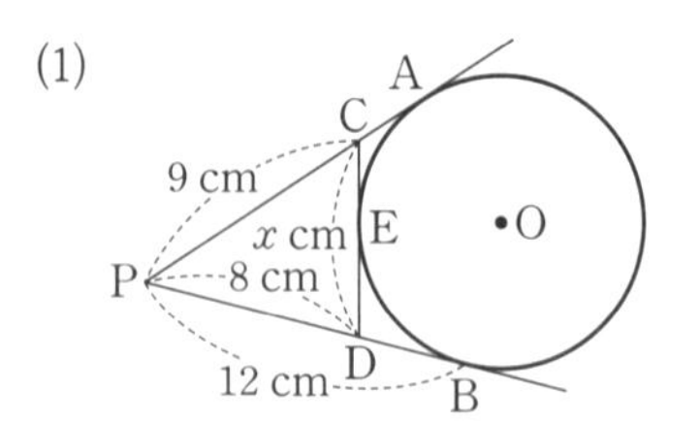

(2)

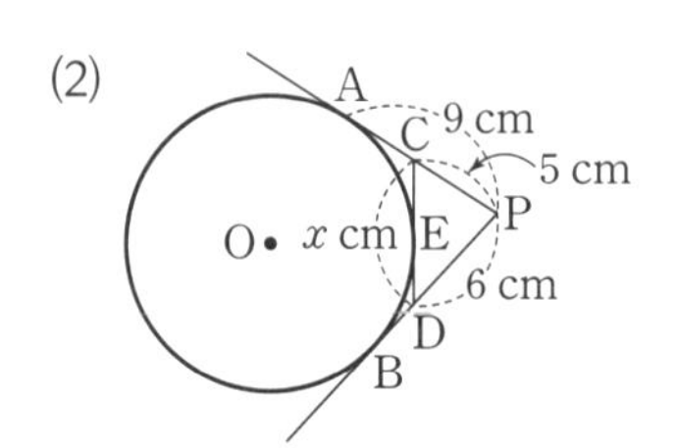

09 다음 그림에서 원 O는 △ABC의 내접원이고 세 점 D, E, F는 그 접점일 때, x의 값을 구하시오.

(1)

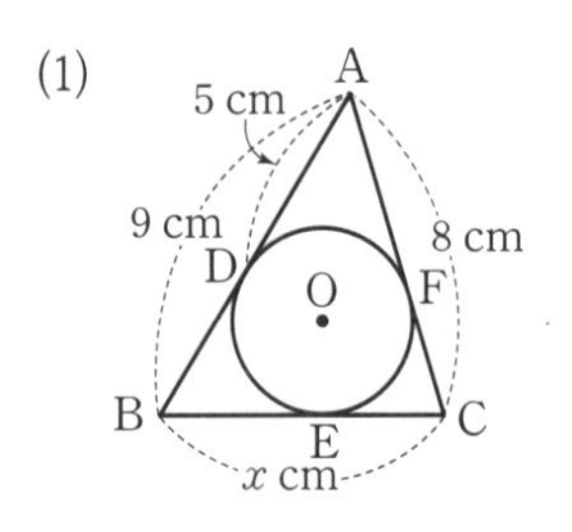

(2)

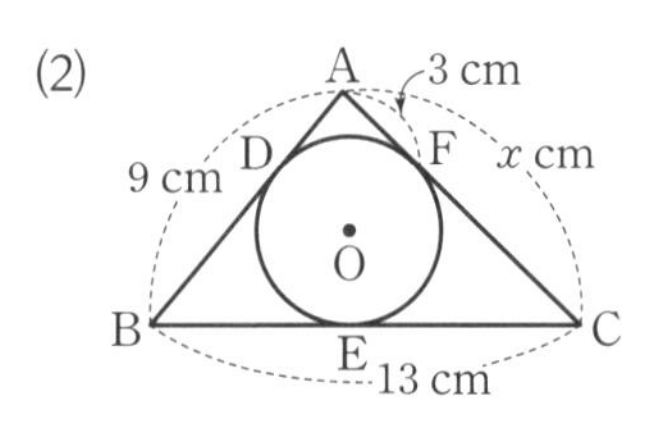

(3)

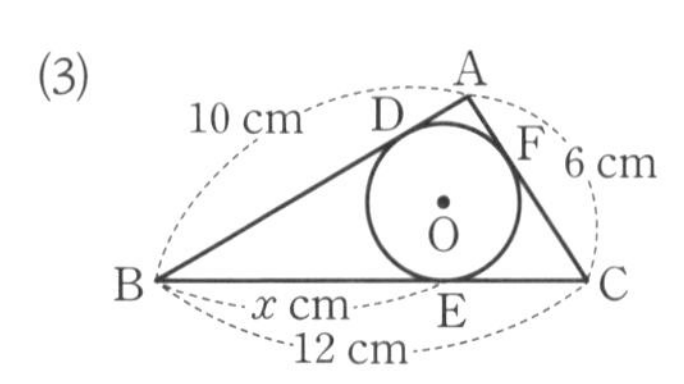

(4)

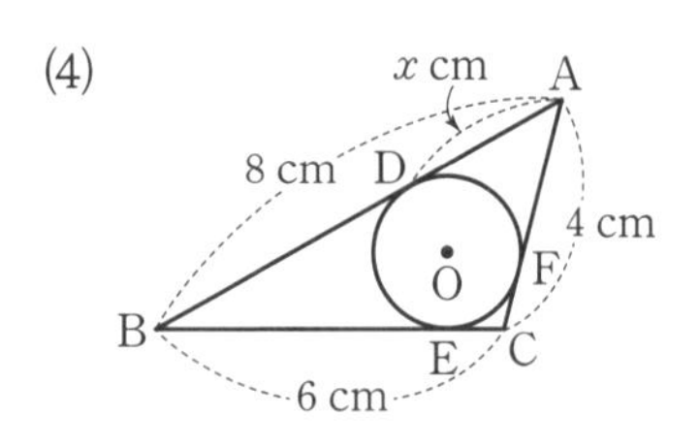

10 오른쪽 그림에서 원 O는 삼각형 ABC의 내접원이고 점 D, E, F는 접점일 때, △ABC의 둘레의 길이를 구하시오.

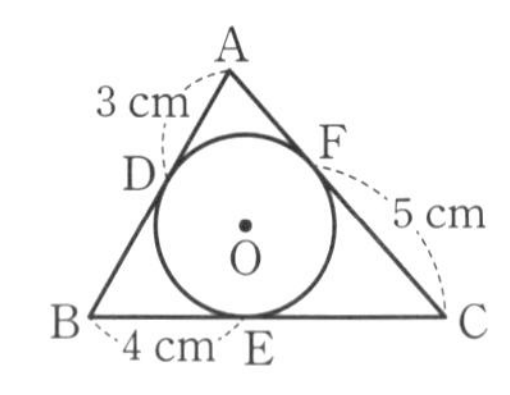

11 다음 그림에서 원 O는 직각삼각형 ABC의 내접원이고 세 점 D, E, F는 그 접점일 때, 원 O의 반지름의 길이를 구하시오.

(1)

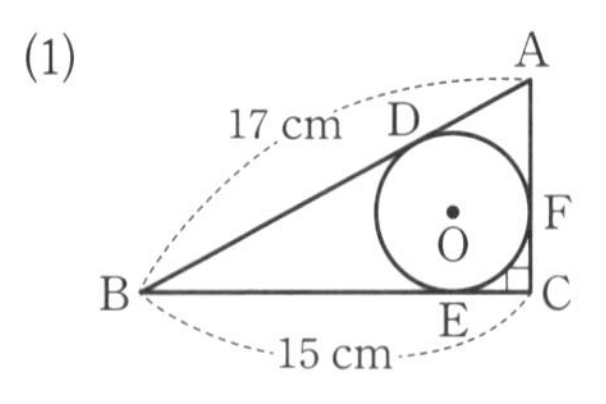

(2)

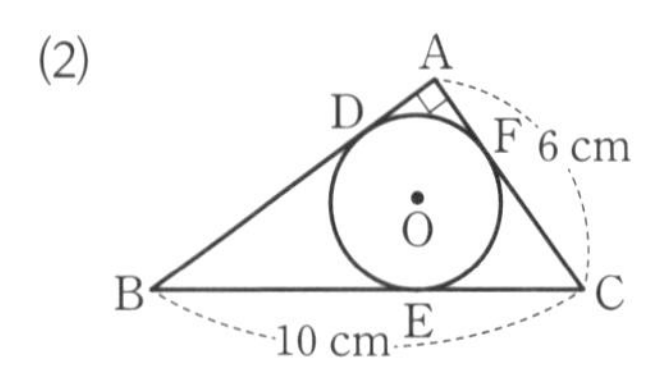

정답과 해설 _ p.28

도전 100점

12 오른쪽 그림에서 $\overline{AE}$, $\overline{AF}$, $\overline{BC}$는 원 O의 접선이고, 세 점 E, F, D는 그 접점일 때, △ABC의 둘레의 길이를 구하시오.

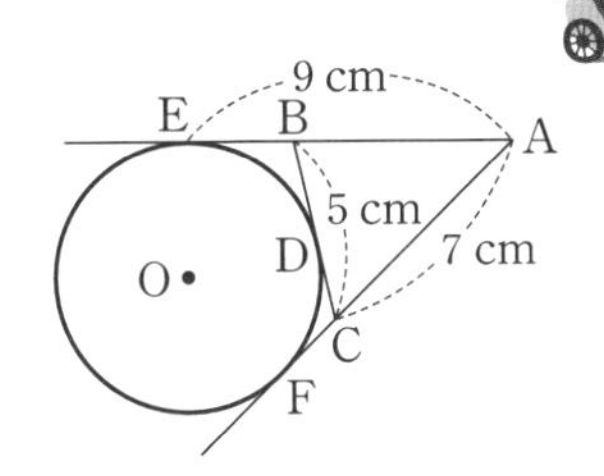

13 다음 그림에서 □ABCD가 원 O에 외접할 때, x의 값을 구하시오.

(1)

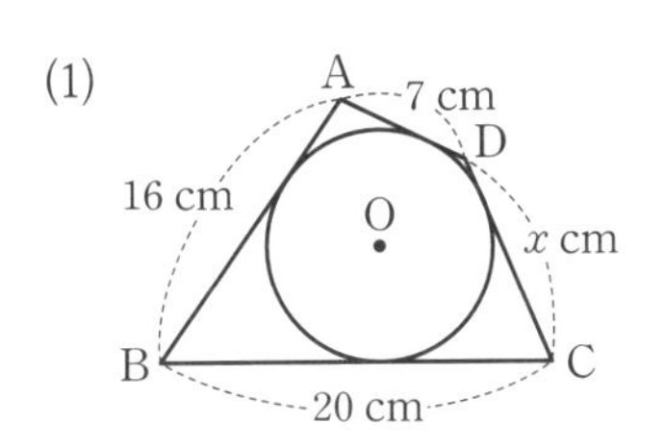

(2)

14 오른쪽 그림에서 원 O는 직사각형 ABCD의 세 변과 $\overline{DE}$에 접하고 네 점 P, Q, S, R은 그 접점일 때, $\overline{BE}$의 길이를 구하시오.

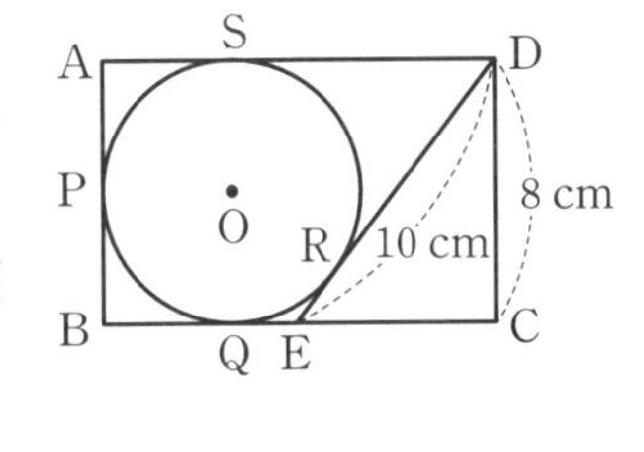

15 오른쪽 그림과 같이 반지름의 길이가 4 cm인 원 O가 □ABCD에 내접하고 있다. $\overline{BC}=12$ cm, $\overline{CD}=10$ cm일 때, □ABCD의 넓이를 구하시오.

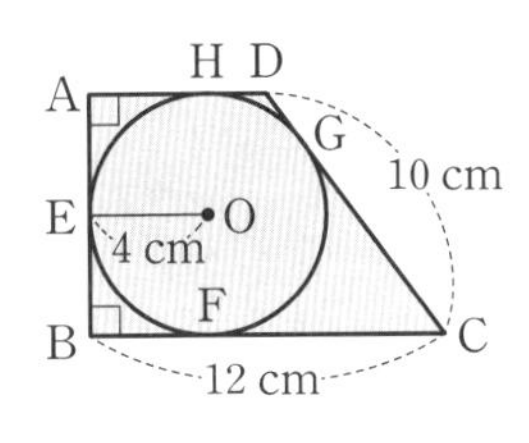

16 오른쪽은 원 모양의 깨진 접시를 측정한 것이다. $\overline{AB}=6\sqrt{3}$ cm, $\overline{CM}=3$ cm이고, $\overline{CM}$은 $\overline{AB}$의 수직이등분선일 때, 원래 접시의 반지름의 길이를 구하시오.

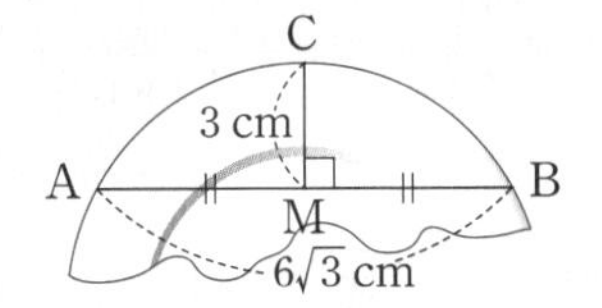

17 오른쪽 그림과 같은 원 O에서 $\overline{OM}\perp\overline{AB}$, $\overline{AB}=\overline{CD}$이고 $\overline{OM}=3$ cm, $\overline{OC}=5$ cm일 때, △OCD의 넓이를 구하시오.

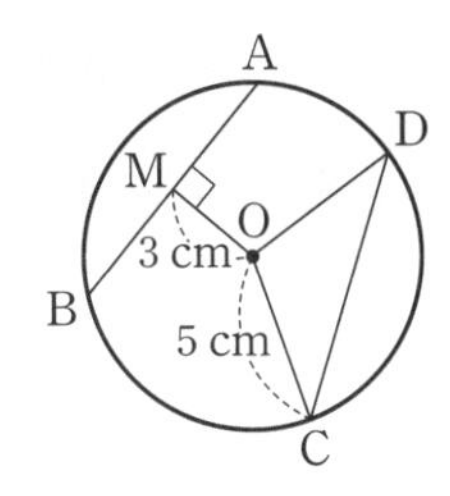

18 오른쪽 그림에서 직선 PA, PB, CD는 원 O의 접선이고 점 A, B, E는 그 접점이다. $\overline{OA}=4$ cm, $\overline{PO}=8$ cm일 때, △CPD의 둘레의 길이를 구하시오.

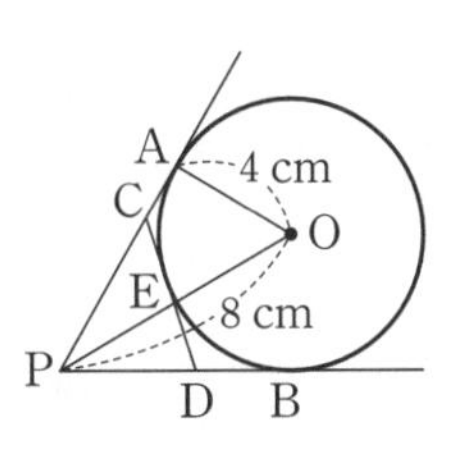

19 오른쪽 그림과 같은 사다리꼴 ABCD가 원 O에 외접하고 있다. $\overline{AB}=7$ cm, $\overline{DC}=4$ cm일 때, 이 사다리꼴의 넓이를 구하시오.

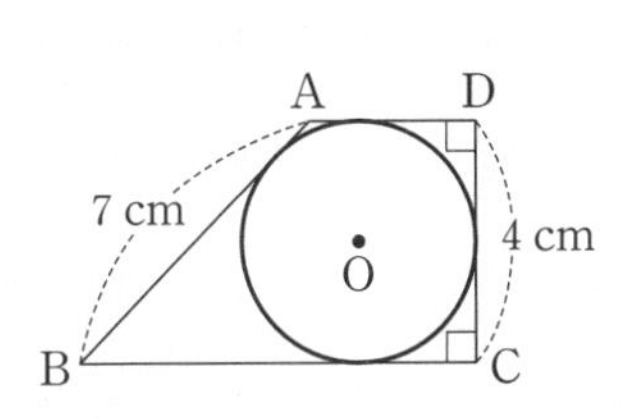

17강 ••• 원주각과 중심각의 크기

정답과 해설 _ p.30

1. 원주각과 중심각의 크기 up+

(1) 원주각 : 원 O에서 호 AB 위에 있지 않은 원 위의 한 점 P에 대하여 $\angle APB$를 호 AB에 대한 원주각이라고 한다.

(2) 원주각과 중심각의 크기

원에서 한 호에 대한 원주각의 크기는 그 호에 대한 중심각의 크기의 $\frac{1}{2}$이다.

➡ $\angle APB = \frac{1}{2}\angle AOB$

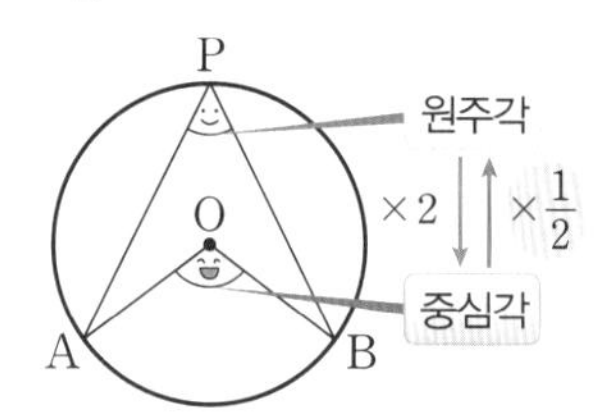

01 다음 그림에서 $\angle x$의 크기를 구하시오.

(1)

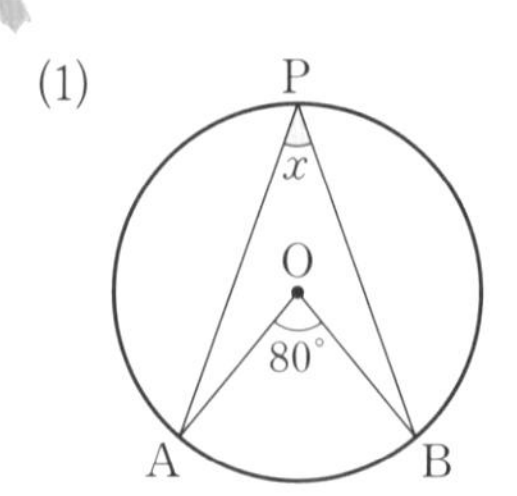

➡ $\angle APB = \square\,\angle AOB$이므로

$\angle x = \square \times 80° = \square$

(2)

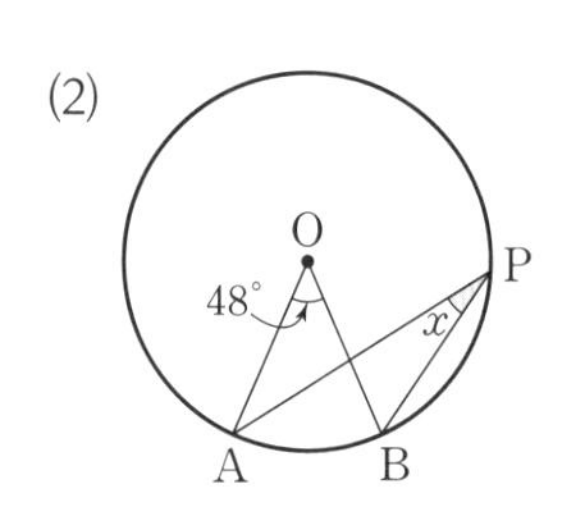

➡ ______

(3)

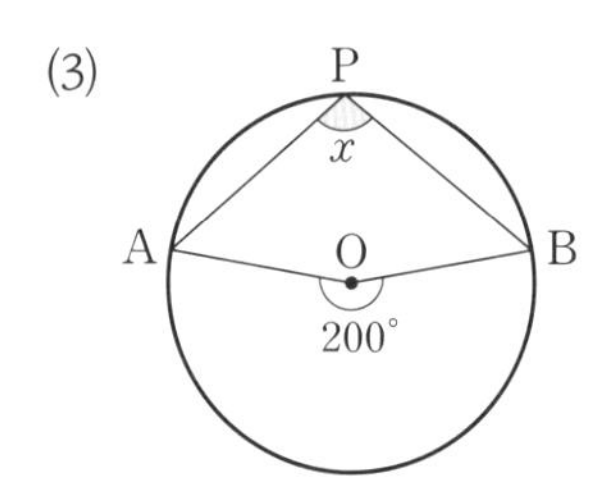

➡ ______

02 다음 그림에서 $\angle x$의 크기를 구하시오.

(1)

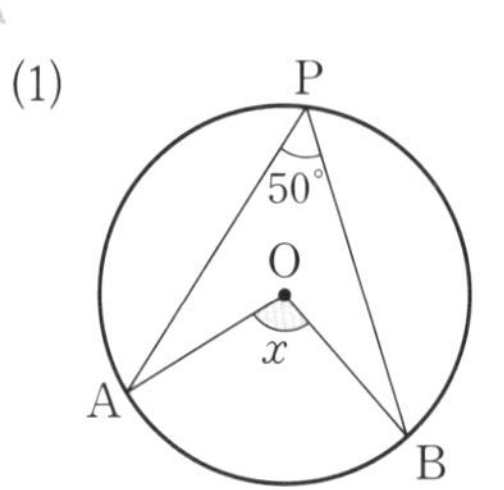

➡ $\angle AOB = \square\,\angle APB$이므로

$\angle x = \square \times 50° = \square$

(2)

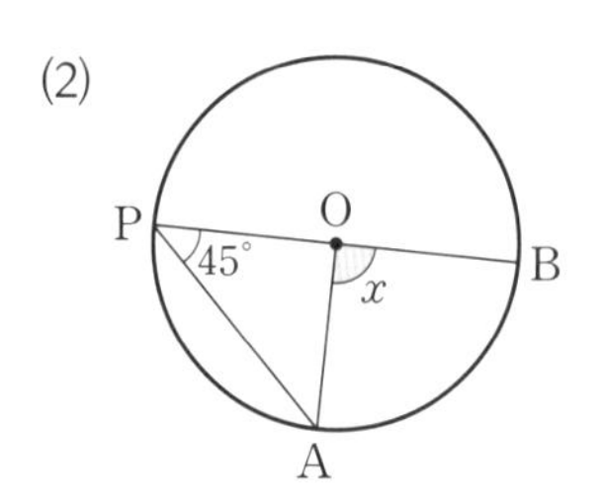

➡ ______

(3)

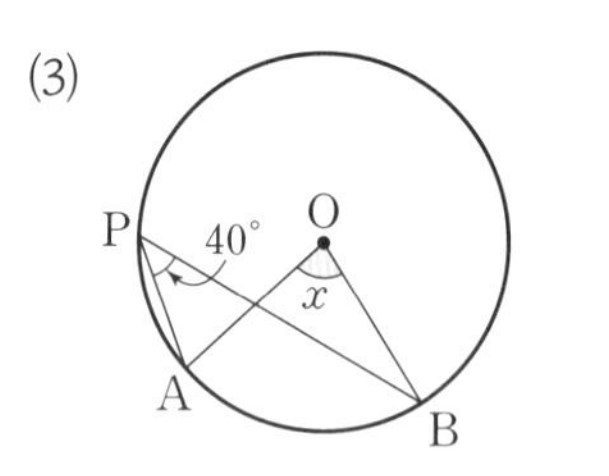

➡ ______

03 다음 그림에서 $\angle x$의 크기를 구하시오.

(1)

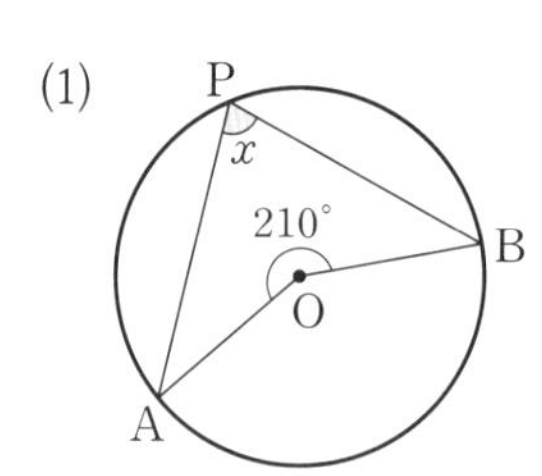

➡ ______

(2)

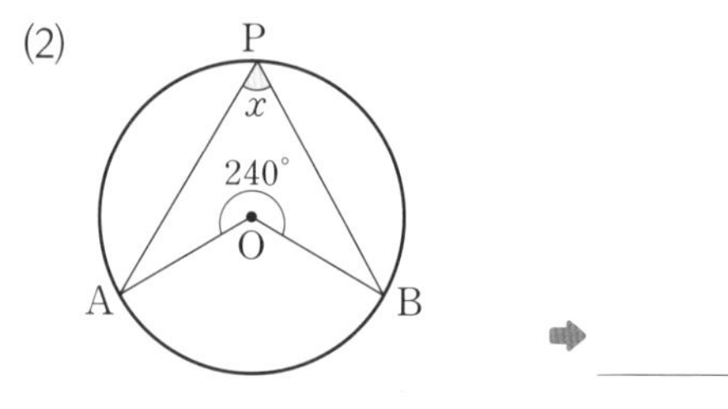

➡ ______

(3)

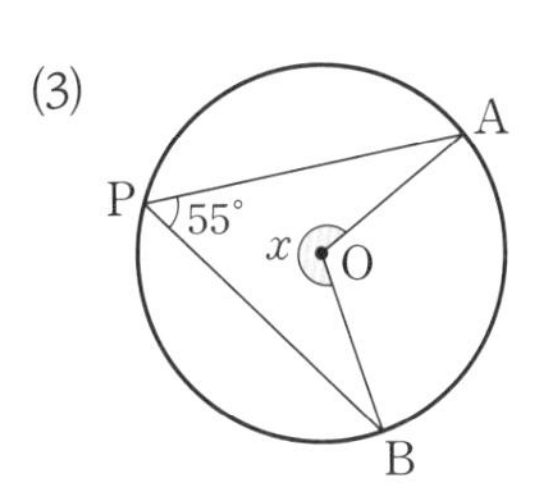

➡ ______

(4)

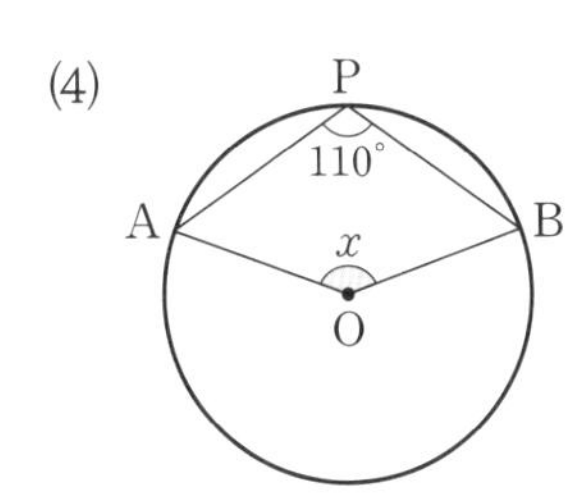

➡ ______

04 다음 그림에서 $\angle x$의 크기를 구하시오.

(1)

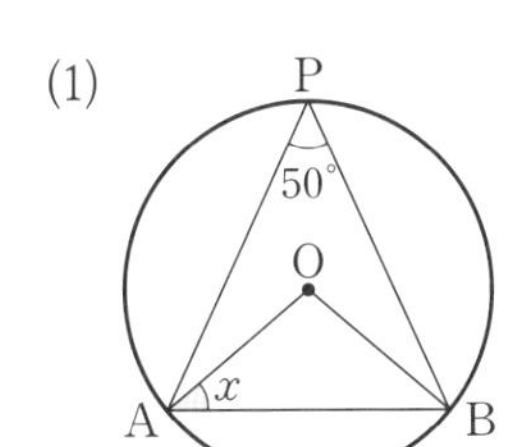

➡ $\angle AOB = \square \angle APB = \square \times 50° = \square$

$\overline{OA} = \square$이므로 $\triangle OAB$는 이등변삼각형이다.

$\therefore \angle x = \frac{1}{2} \times (180° - \square) = \square$

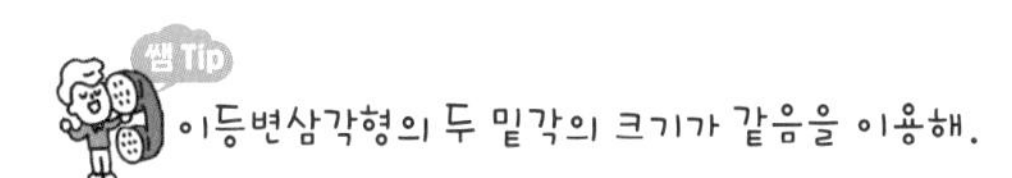

(2)

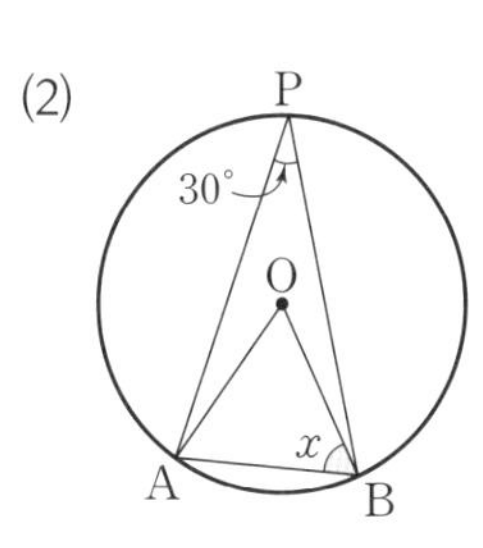

➡ ______

(3)

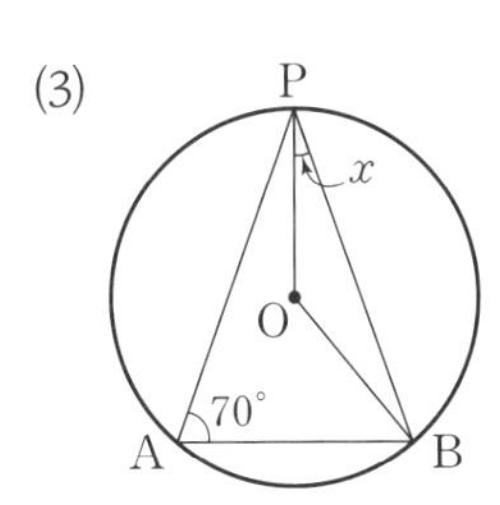

➡ ______

05 다음 그림에서 두 점 A, B는 점 P에서 원 O에 그은 두 접선의 접점일 때, $\angle x$의 크기를 구하시오.

(1)

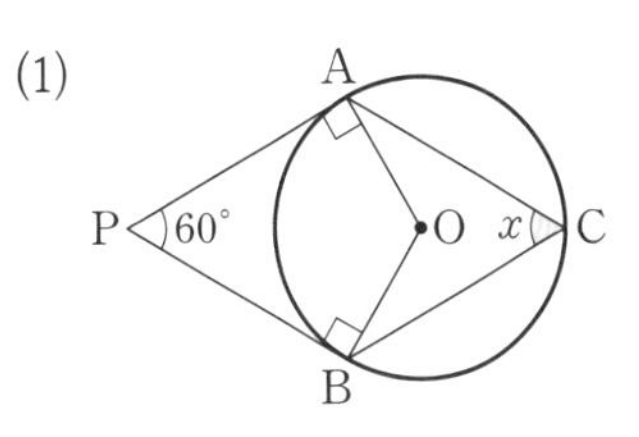

➡ $\angle PAO = \angle PBO = 90°$이므로

$\angle AOB = 360° - (\square + 60° + \square) = \square$

$\therefore \angle x = \frac{1}{2} \angle AOB = \frac{1}{2} \times \square = \square$

$\angle PAO = \angle PBO = 90°$이므로 $\angle APB + \angle AOB = 180°$

(2)

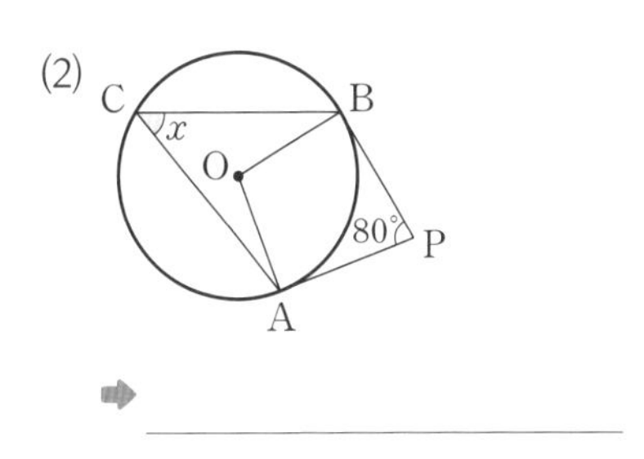

➡ ______

(3)

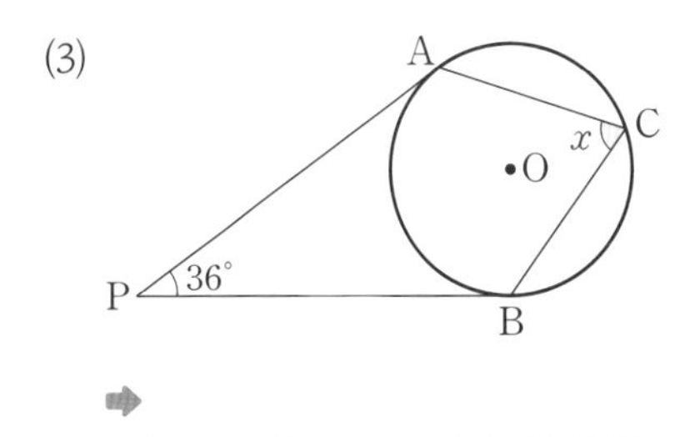

➡ ______

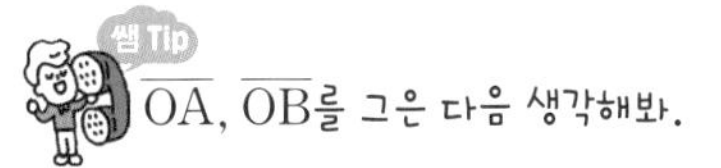

(4)

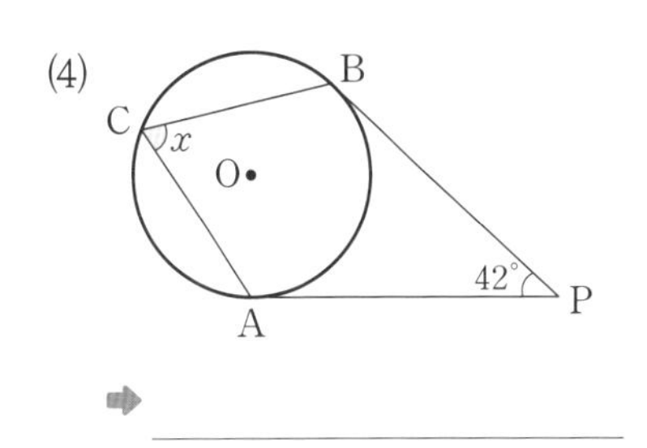

➡ ______

정답과 해설 _ p.31

01 다음 그림에서 $\angle x$의 크기를 구하시오.

(1)

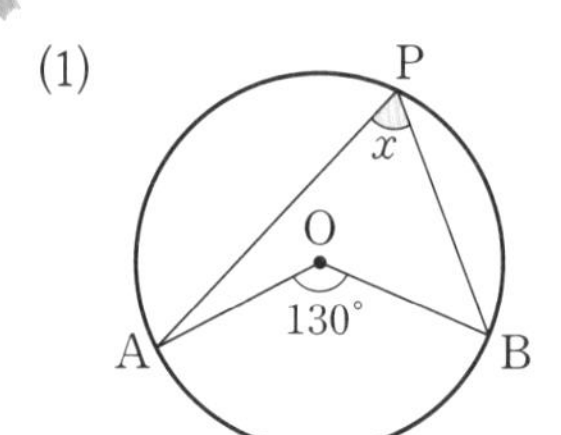

(2)

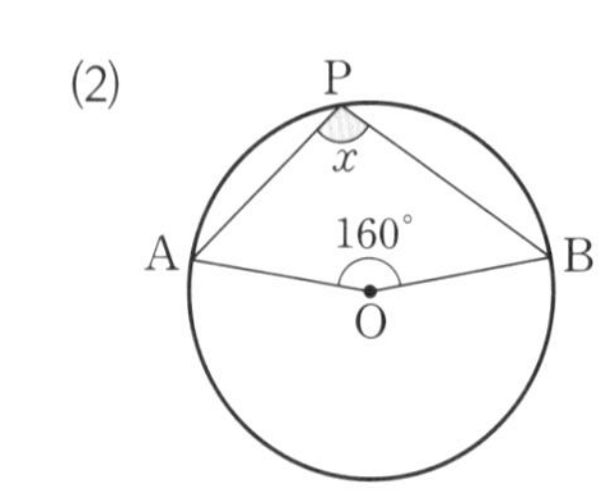

$\angle APB=\frac{1}{2}\angle AOB$

02 오른쪽 그림과 같은 원 O에서 $\angle APB=25°$, $\angle BQC=30°$일 때, $\angle x$의 크기를 구하시오.

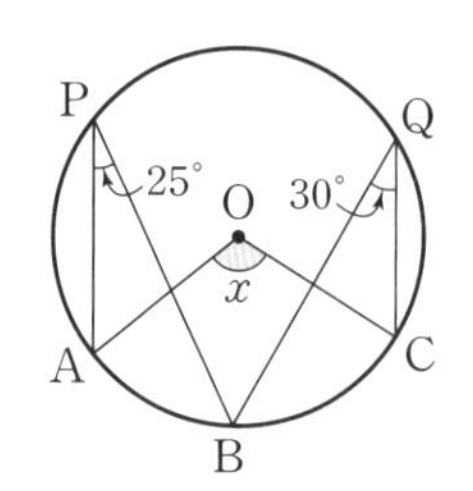

$\overline{OB}$를 그으면
$\angle AOC$
$=\angle AOB+\angle BOC$

03 다음 그림에서 $\angle x$의 크기를 구하시오.

(1)

P
72°
O
A
B
x

(2)

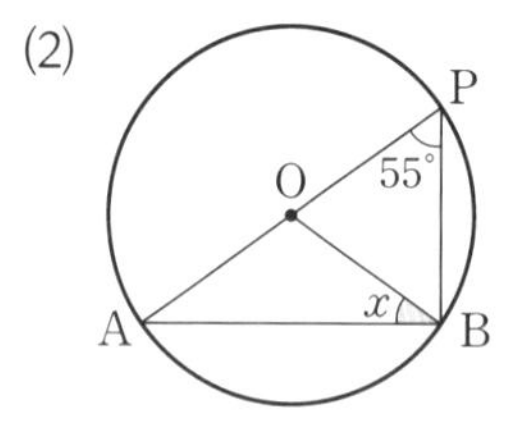

$\angle AOB=2\angle APB$

04 오른쪽 그림에서 직선 PA, PB는 원 O의 접선이고 점 A, B는 그 접점이다. $\angle APB=50°$일 때, $\angle x$의 크기를 구하시오.

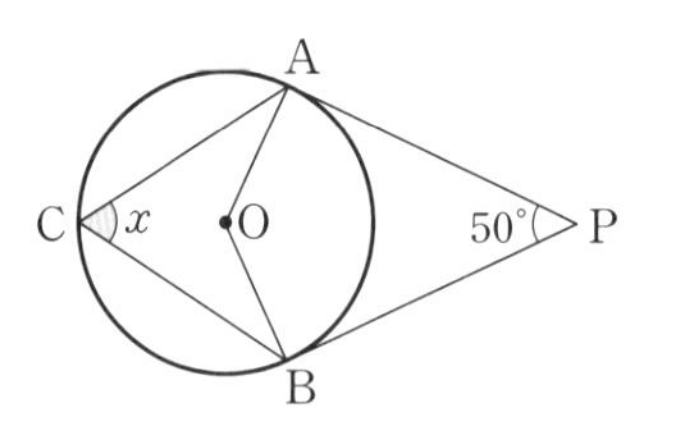

원의 접선은 그 접점을 지나는 반지름에 수직이다.

05 오른쪽 그림에서 점 P는 원 O의 두 현 AB, CD의 연장선의 교점이다. $\angle APD=40°$, $\angle BOD=140°$일 때, $\angle PDA$의 크기를 구하시오.

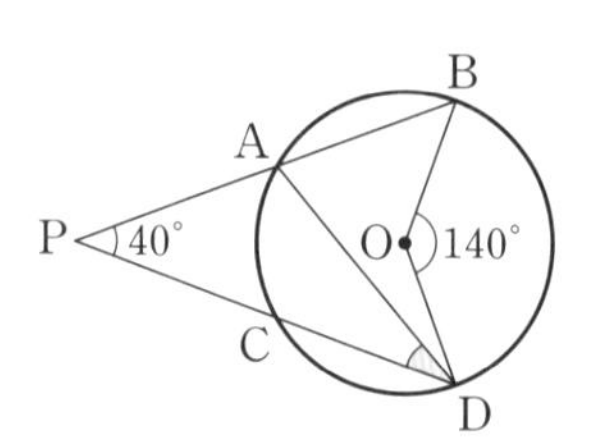

삼각형의 외각의 성질에 의해
$\angle APD+\angle PDA$
$=\angle BAD$

18강 원주각의 성질

정답과 해설 _ p.32

1. 한 호에 대한 원주각의 크기 up+

원에서 한 호에 대한 원주각의 크기는 모두 같다.

➡ $\angle APB = \angle AQB = \angle ARB$

참고 호 AB에 대한 중심각은 하나로 정해지지만 원주각은 무수히 많다.

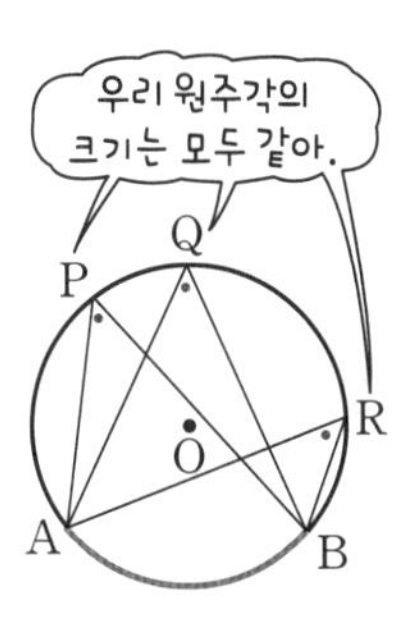

01 다음 그림에서 $\angle x$의 크기를 구하시오.

(1)

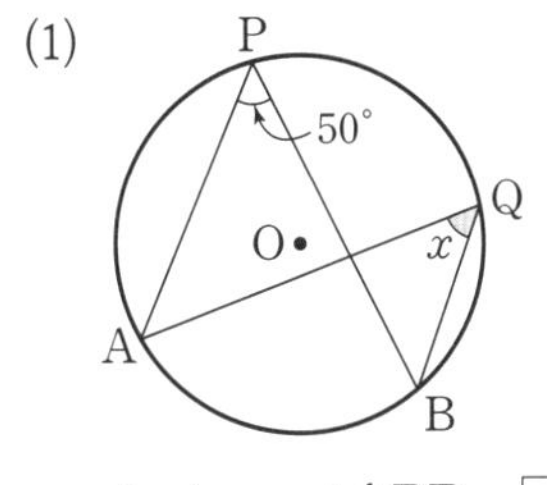

➡ $\angle x = \angle APB = \square$

(2)

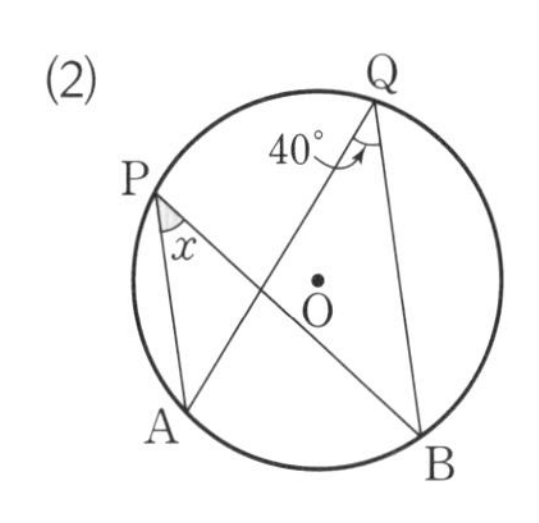

➡ ______

(3)

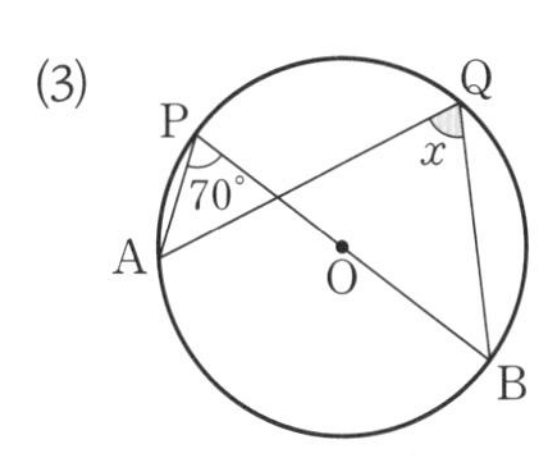

➡ ______

(4)

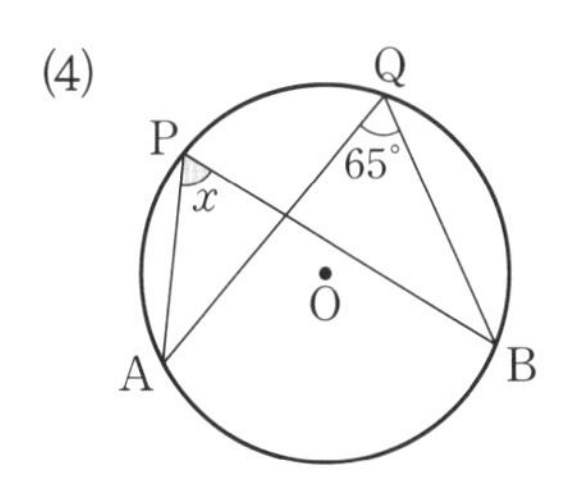

➡ ______

02 다음 그림에서 $\angle x$, $\angle y$의 크기를 각각 구하시오.

(1)

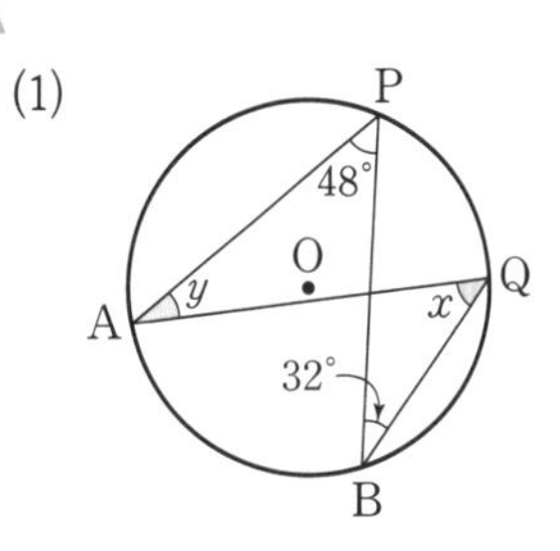

➡ ______

(2)

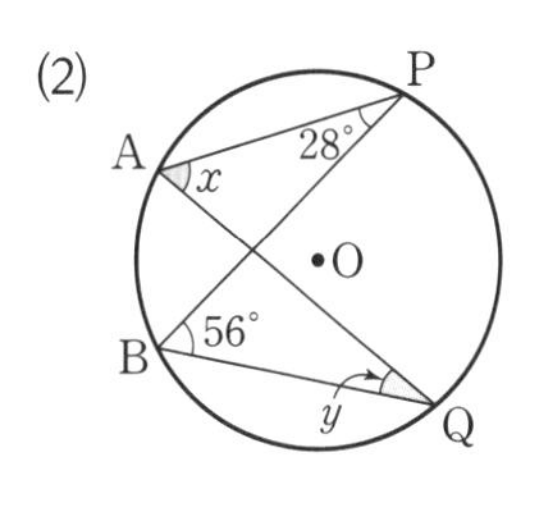

➡ ______

(3)

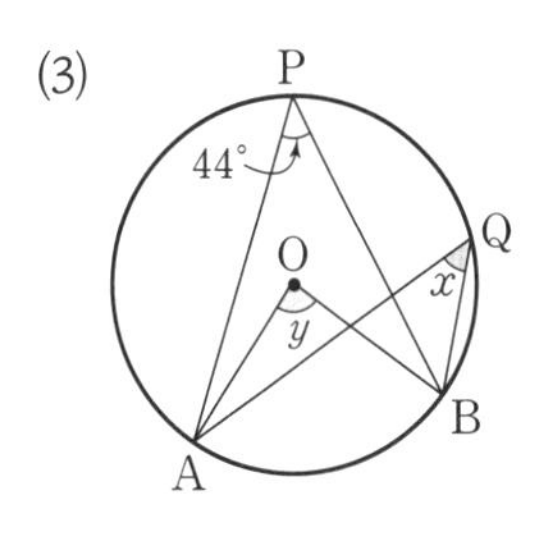

➡ ______

03 다음 그림에서 $\angle x$, $\angle y$의 크기를 각각 구하시오.

(1)

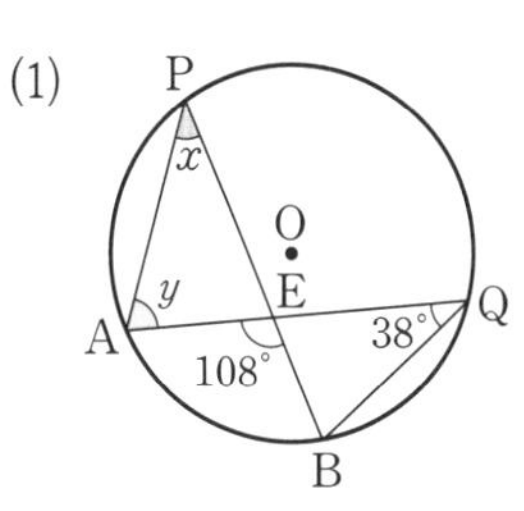

➡ $\angle x = \angle AQB = \square$

$\angle y = 108° - \square = \square$

(2)

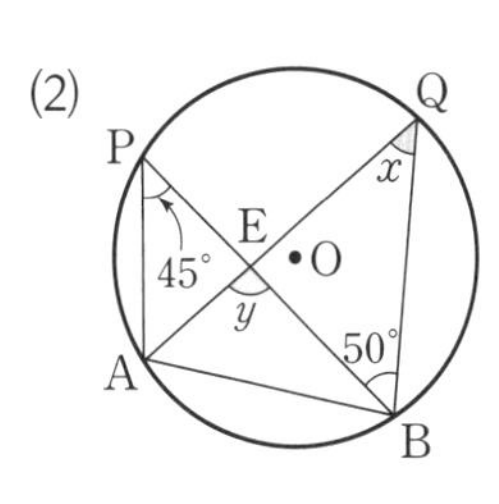

➡ ______

2. 반원에 대한 원주각의 크기 up+

반원에 대한 원주각의 크기는 $90°$이다.

➡ $\angle APB=90°$

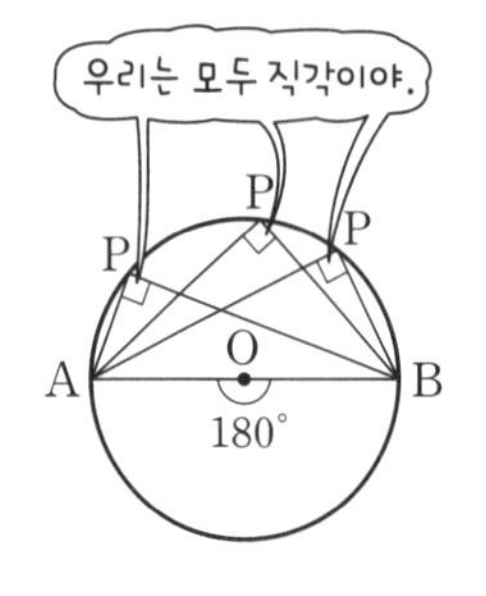

참고 $\angle AOB=180°$이므로 반원에 대한 원주각의 크기는

$\angle APB=\frac{1}{2}\times180°=90°$

04 다음 그림에서 $\overline{AB}$가 원 O의 지름일 때, $\angle x$의 크기를 구하시오.

(1)

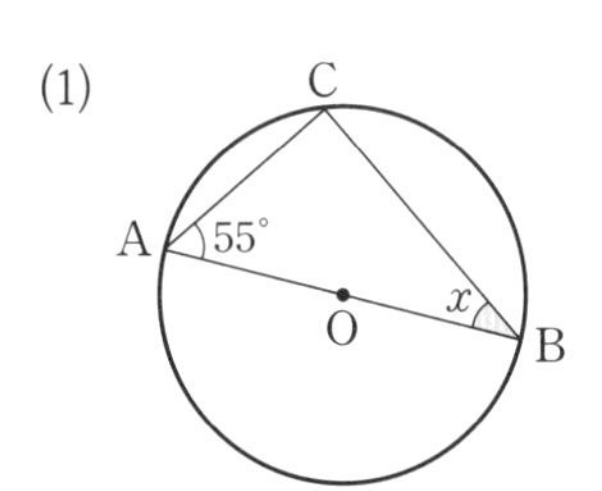

➡ $\overline{AB}$가 원 O의 지름이므로 $\angle ACB=\square$

직각삼각형 ACB에서

$\angle x=180°-(55°+\square)=\square$

(2)

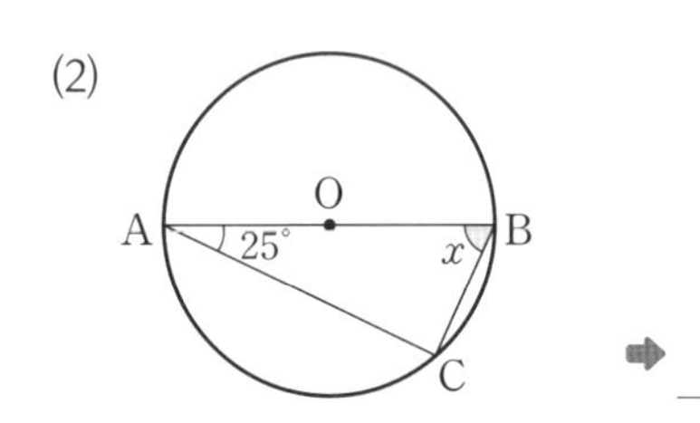

➡ ______

(3)

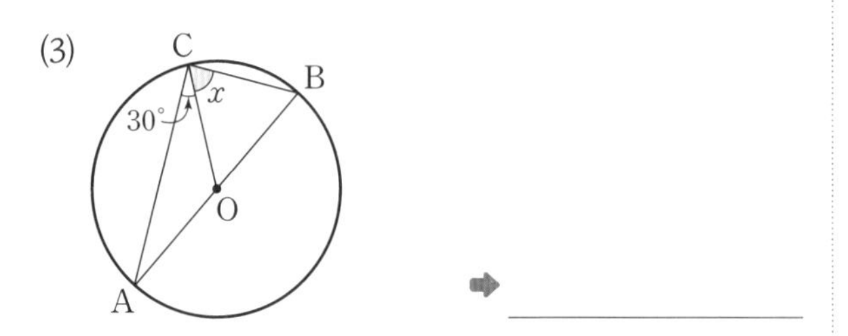

➡ ______

(4)

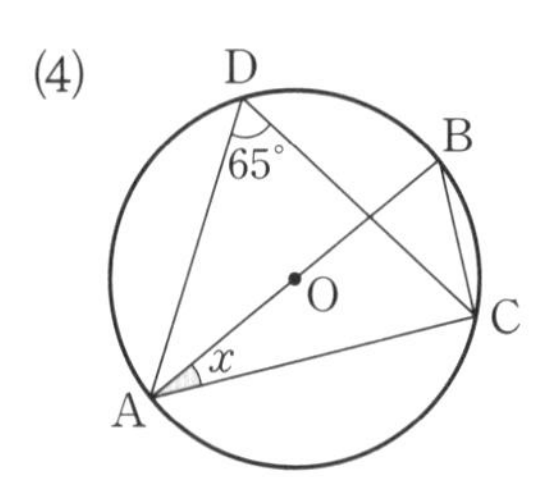

➡ $\angle ABC=\square$

$\overline{AB}$가 원 O의 지름이므로 $\angle ACB=90°$

$\therefore \angle x=180°-(90°+\square)=\square$

(5)

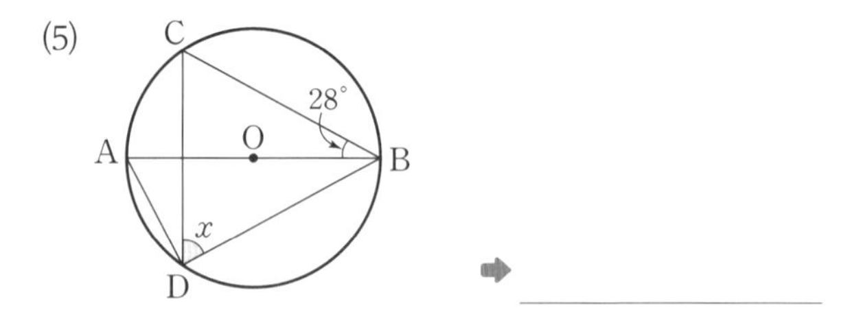

➡ ______

05 다음 그림에서 $\overline{AB}$가 원 O의 지름일 때, $\angle x$, $\angle y$의 크기를 각각 구하시오.

(1)

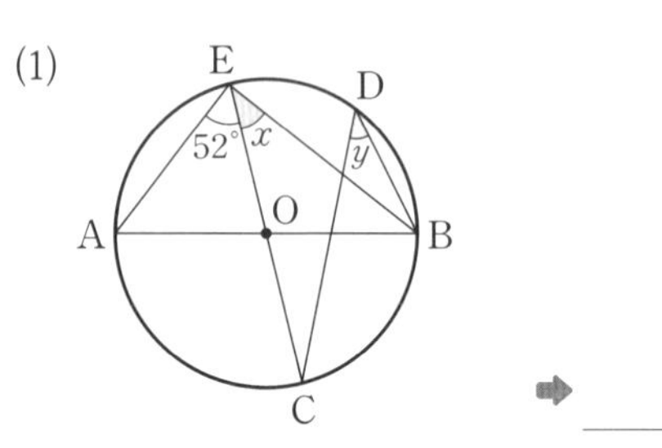

➡ ______

(2)

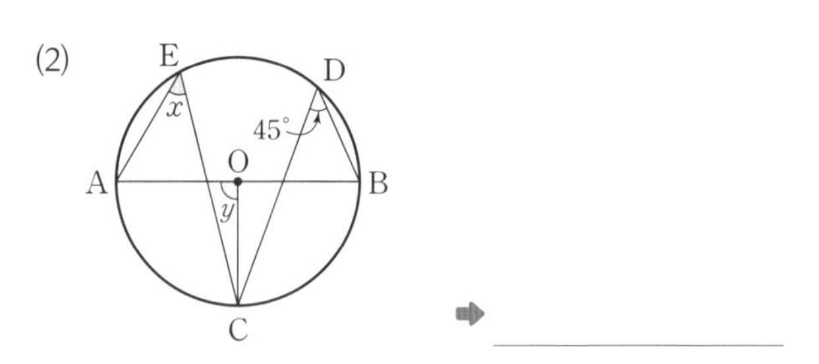

➡ ______

쌤 Tip $\overline{AD}$를 그어 반원에 대한 원주각을 생각해.

정답과 해설 _ p.32

01 다음 그림에서 $\angle x$, $\angle y$의 크기를 각각 구하시오.

(1)

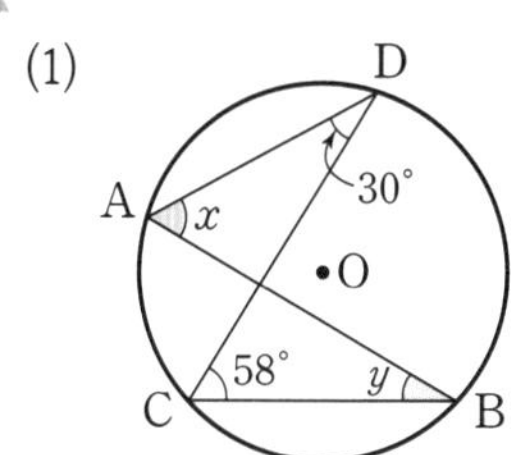

(2)

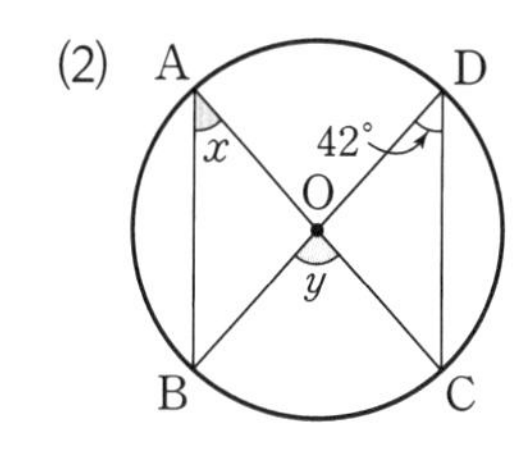

원에서 한 호에 대한 원주각의 크기는 모두 같다.

02 오른쪽 그림에서 $\angle APB=35°$, $\angle BRC=28°$일 때, $\angle x$의 크기를 구하시오.

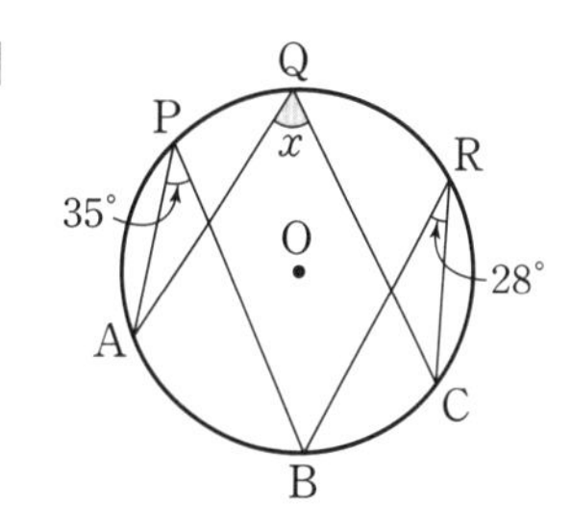

$\overline{QB}$를 그은 다음 원주각의 성질을 이용한다.

03 오른쪽 그림에서 $\angle x$의 크기를 구하시오.

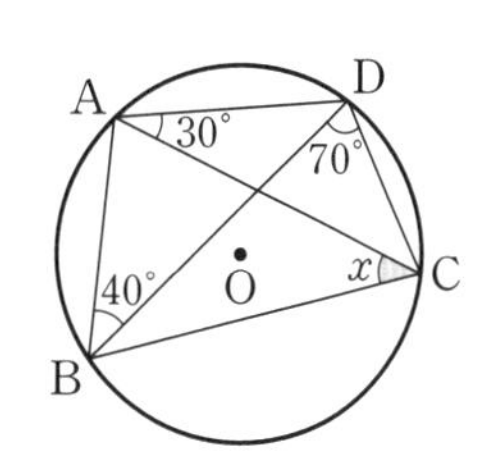

삼각형의 세 각의 크기의 합은 180°이다.

04 오른쪽 그림에서 $\overline{AB}$는 원 O의 지름이고 $\angle BOD=106°$일 때, $\angle x$의 크기를 구하시오.

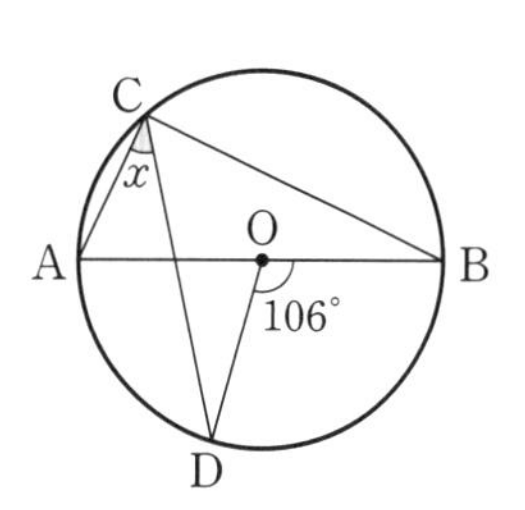

$\angle DCB=\frac{1}{2}\angle DOB$

19강 원주각의 크기와 호의 길이

정답과 해설 _ p.33

1. 원주각의 크기와 호의 길이 (1)

한 원에서

(1) 길이가 같은 호에 대한 원주각의 크기는 같다.
➡ $\overset{\frown}{AB}=\overset{\frown}{CD}$이면 $\angle APB=\angle CQD$

(2) 크기가 같은 원주각에 대한 호의 길이는 같다.
➡ $\angle APB=\angle CQD$이면 $\overset{\frown}{AB}=\overset{\frown}{CD}$

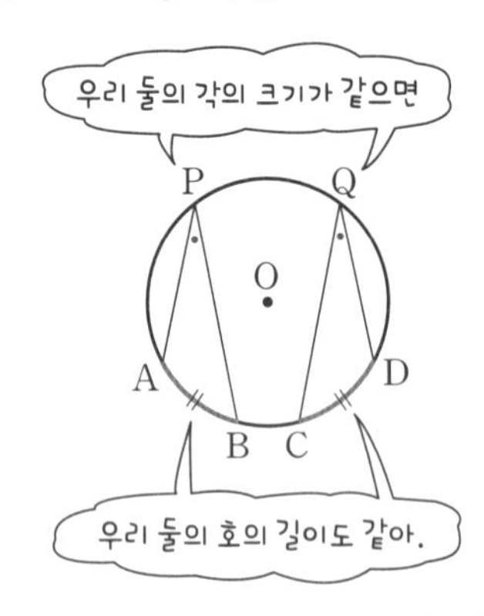

01 다음 그림의 원 O에서 $\angle x$의 크기를 구하시오.

(1)
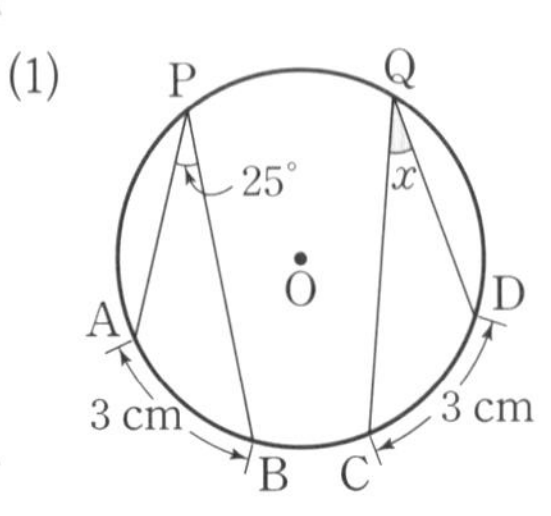

$\overset{\frown}{AB}=\overset{\frown}{CD}$이므로 $\angle x=\angle APB=$ ☐

(2)
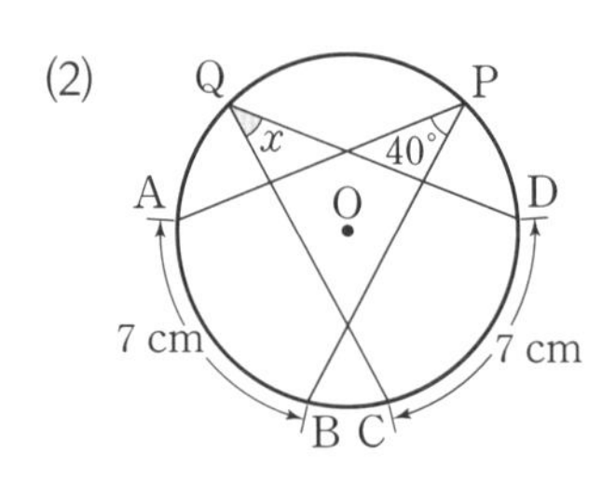

➡ ________

(3)
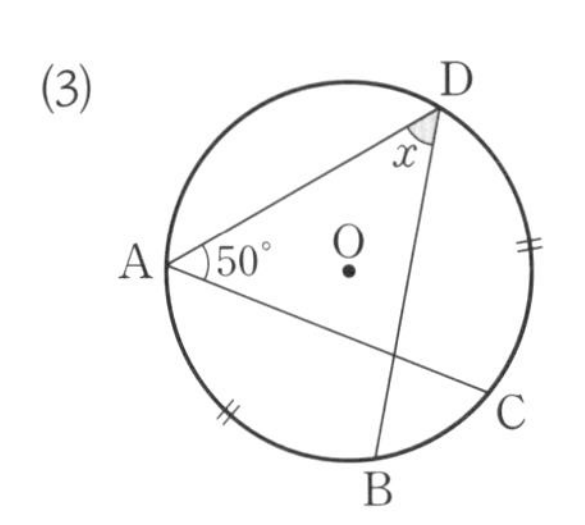

➡ ________

02 다음 그림의 원 O에서 x의 값을 구하시오.

(1)
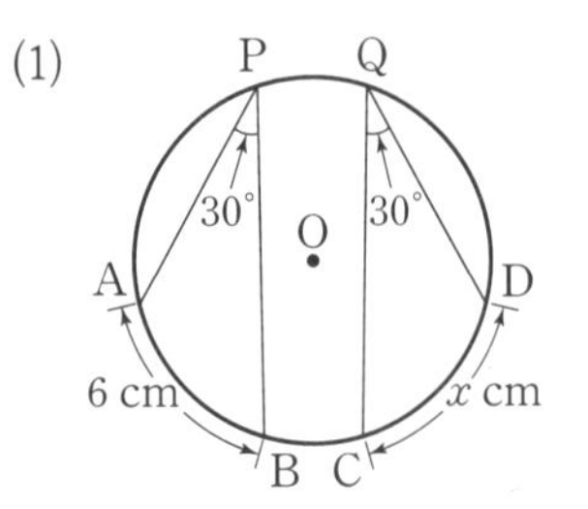

➡ ________

(2)
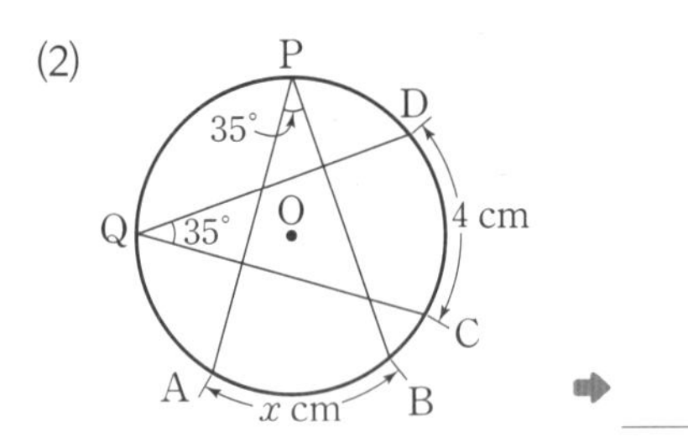

➡ ________

03 다음 그림의 원 O에서 $\angle x$의 크기를 구하시오.

(1)
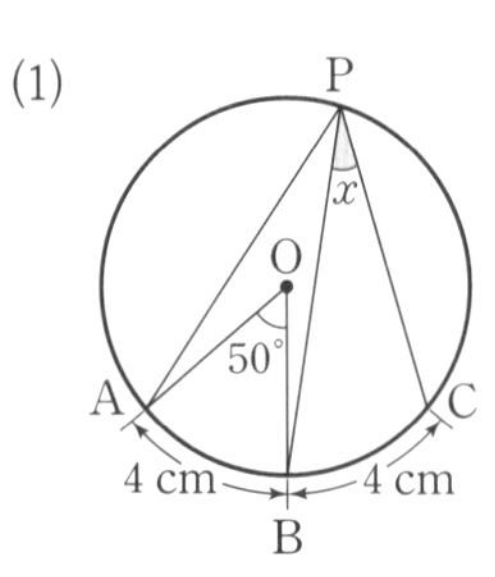

➡ $\overset{\frown}{AB}=\overset{\frown}{BC}$이므로

$\angle x=\angle APB=$ ☐ $\angle AOB=$ ☐

(2)
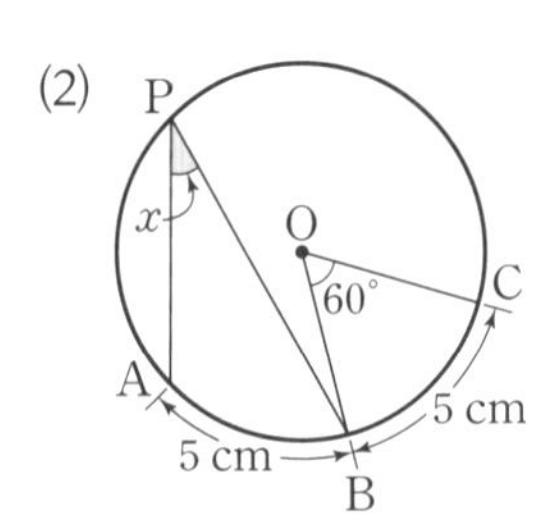

➡ ________

쌤 Tip
중심각의 크기가 주어지면 그 호에 대한 원주각을 이용할 수 있도록 보조선을 그어봐.

2. 원주각의 크기와 호의 길이(2) up+

호의 길이는 그에 대한 원주각의 크기에 정비례한다.

➡ $\angle APB : \angle BPC = \overset{\frown}{AB} : \overset{\frown}{BC}$

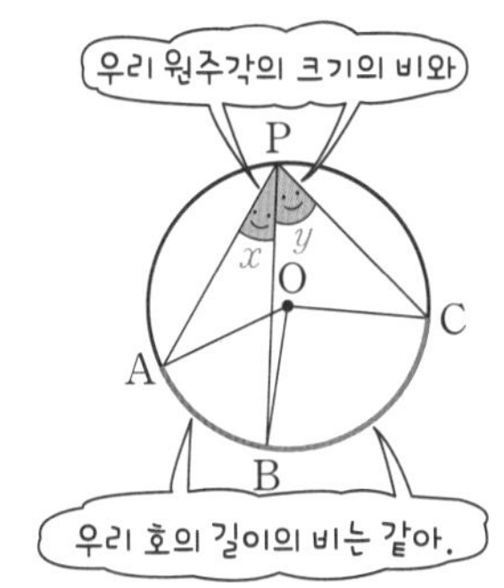

참고 (원주각의 크기)$=\frac{1}{2}\times$(중심각의 크기)이므로 호의 길이는 중심각의 크기에 정비례한다.

주의 원주각의 크기와 현의 길이는 정비례하지 않는다.

04 다음 그림의 원 O에서 $\angle x$의 크기를 구하시오.

(1)

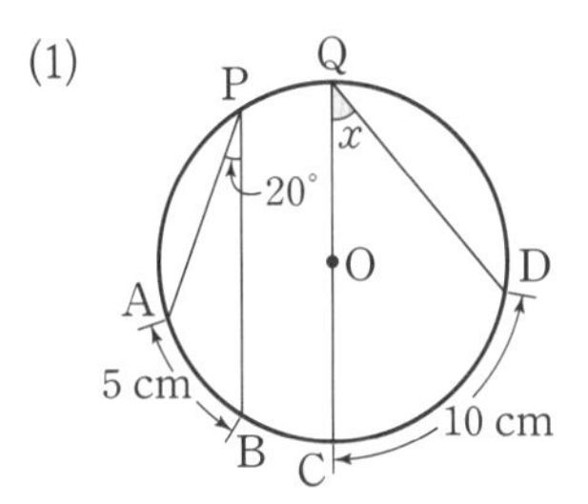

➡ $\angle APB : \angle CQD = \overset{\frown}{AB} : \square$이므로

$\square : \angle x = 5 : 10$ $\therefore \angle x = \square$

(2)

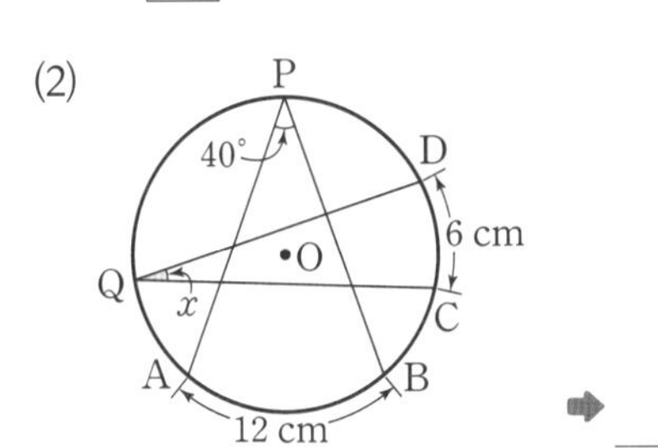

➡ ____________

(3)

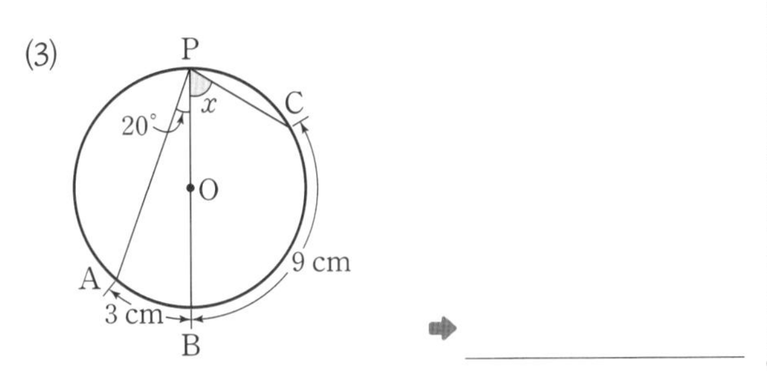

➡ ____________

(4)

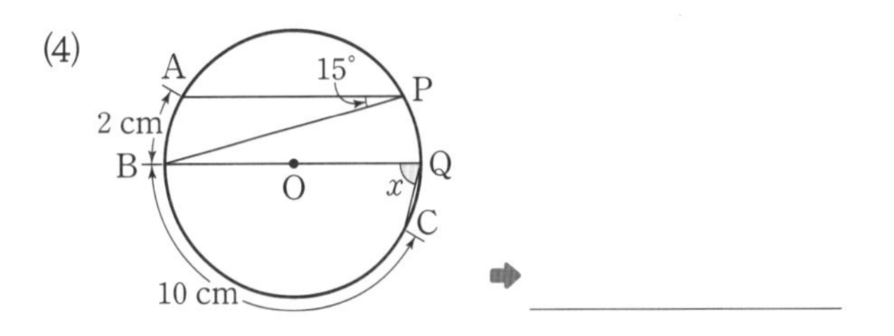

➡ ____________

(5)

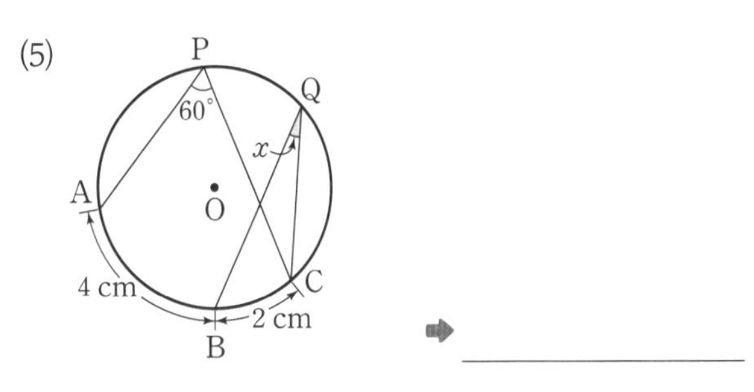

➡ ____________

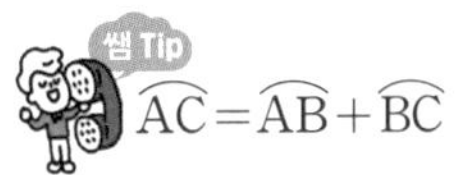

$\overset{\frown}{AC} = \overset{\frown}{AB} + \overset{\frown}{BC}$

05 다음 그림의 원 O에서 x의 값을 구하시오.

(1)

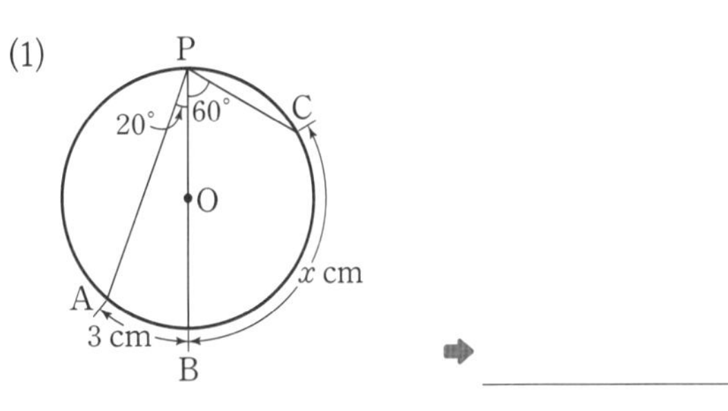

➡ ____________

(2)

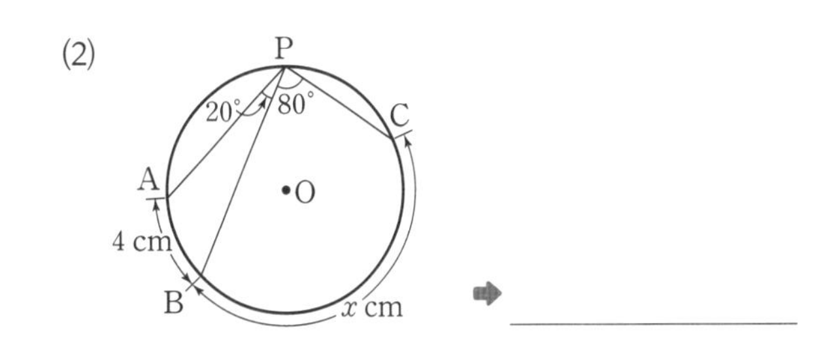

➡ ____________

(3)

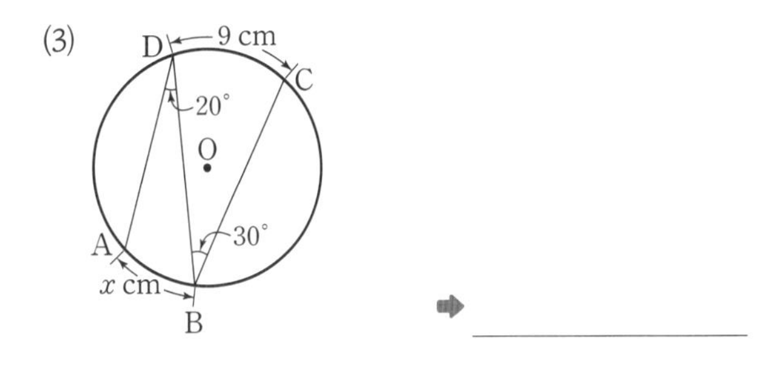

➡ ____________

정답과 해설 _ p.33

다음 그림의 원 O에서 $\angle x$의 크기를 구하시오.

(1)

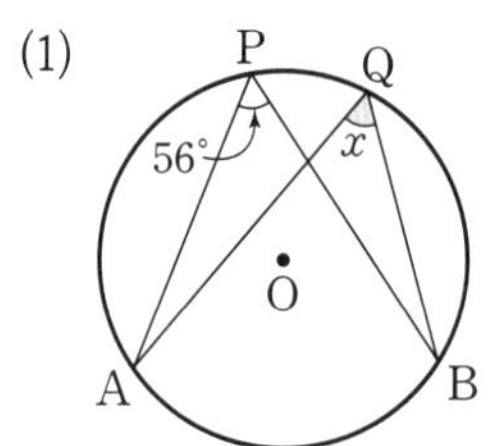

(2)

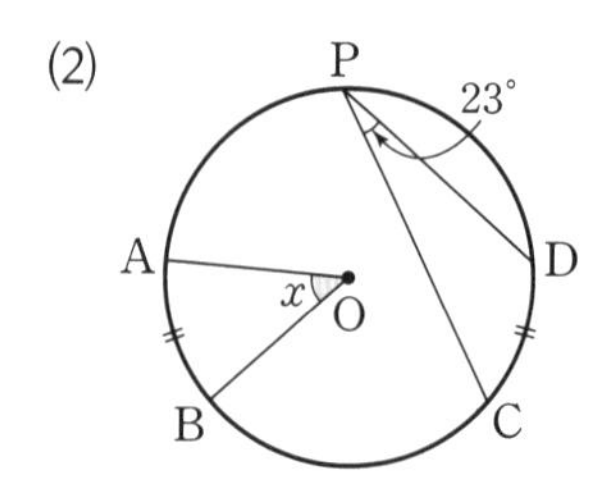

(2) $\overline{PA}$, $\overline{PB}$를 그은 다음 원주각의 성질을 이용한다.

02 오른쪽 그림에서 $\angle APB=40°$, $\angle BQC=30°$이고 $\widehat{AB}=8\text{ cm}$일 때, x의 값을 구하시오.

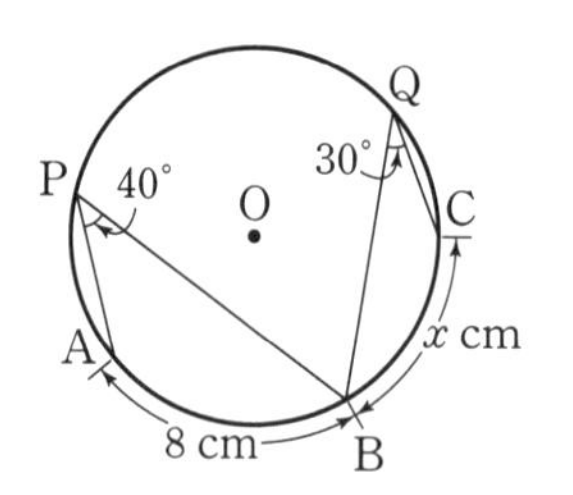

03 오른쪽 그림에서 $\widehat{AD}=2\widehat{BC}$이고 $\angle BAC=20°$일 때, $\angle x$의 크기를 구하시오.

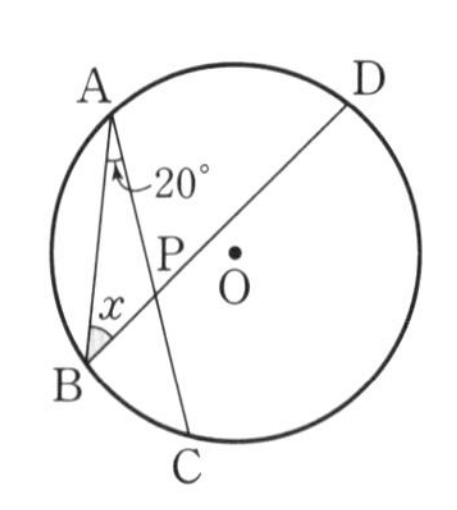

호의 길이는 그에 대한 원주각의 크기에 정비례한다.

04 오른쪽 그림에서 점 P는 두 현 AC, BD의 교점이고 $\widehat{BC}=6\text{ cm}$, $\angle ABD=15°$, $\angle BPC=60°$일 때, x의 값을 구하시오.

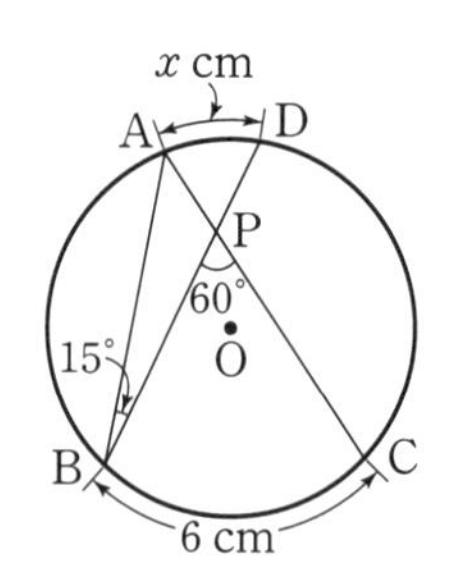

삼각형의 외각의 성질을 이용한다.

1. 네 점이 한 원 위에 있을 조건

두 점 C, D가 직선 AB에 대하여 같은 쪽에 있고 $\angle ACB = \angle ADB$이면 네 점 A, B, C, D는 한 원 위에 있다.

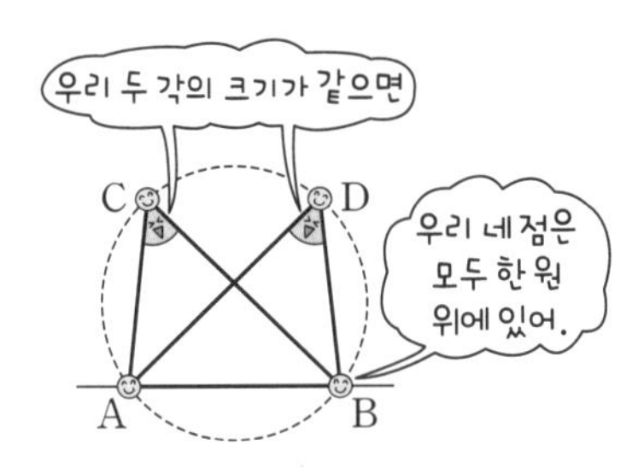

참고 네 점 A, B, C, D가 한 원 위에 있다는 것은 □ABCD가 원에 내접하는 사각형이라는 것이다.

01 다음 그림에서 네 점 A, B, C, D가 한 원 위에 있으면 ○표, 아니면 ×표를 ( ) 안에 써넣으시오.

(1)

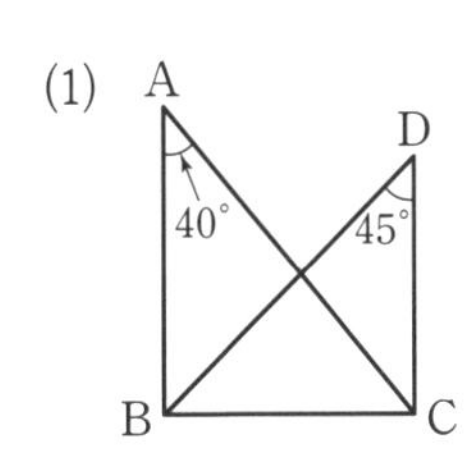

( )

(2)

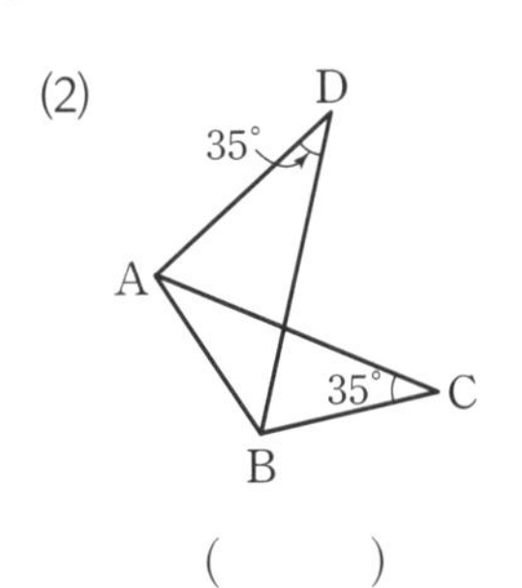

( )

(3)

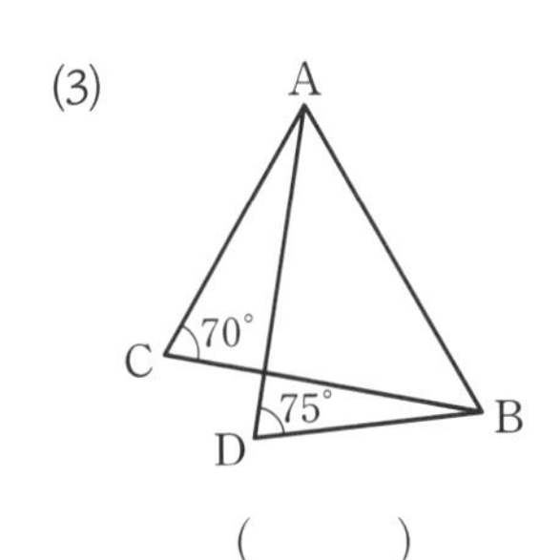

( )

(4)

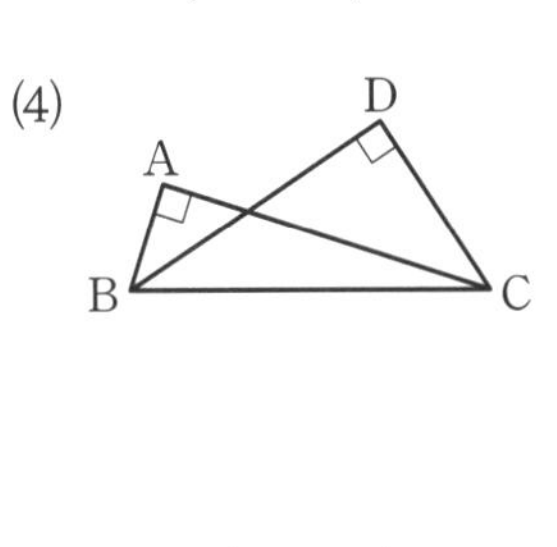

( )

02 다음 그림에서 네 점 A, B, C, D가 한 원 위에 있도록 하는 $\angle x$의 크기를 구하시오.

(1)

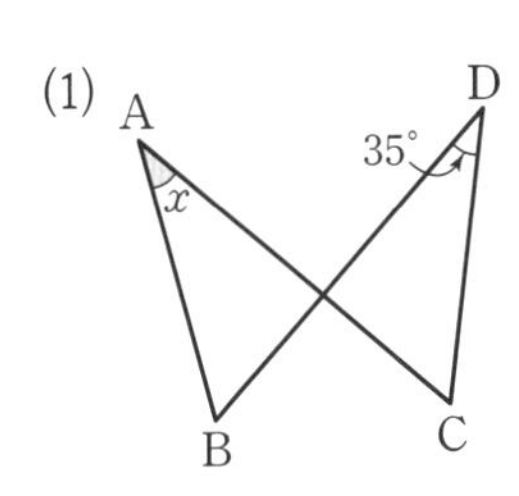

➡ ______________

(2)

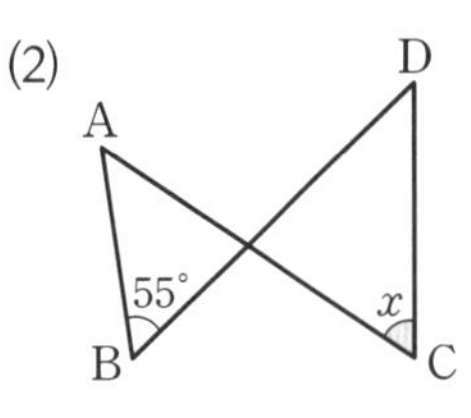

➡ ______________

(3)

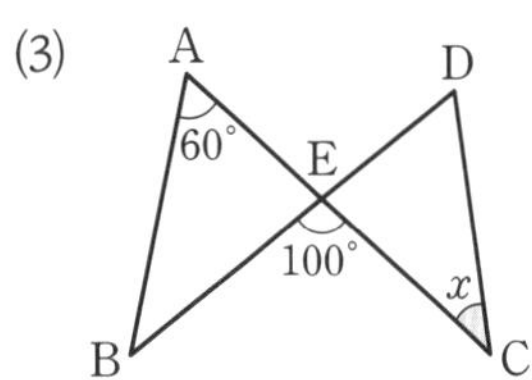

➡ ______________

2. 원에 내접하는 사각형의 성질(1) up+

원에 내접하는 사각형에서 한 쌍의 대각의 크기의 합은 $180°$이다.

➡ $\angle A + \angle C = 180°$, $\angle B + \angle D = 180°$

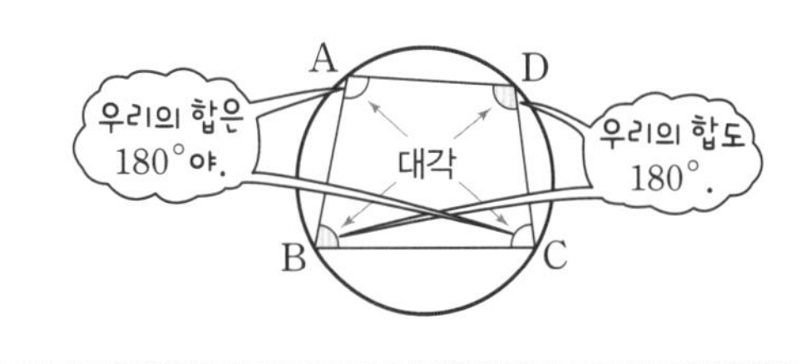

03 다음 그림에서 □ABCD가 원에 내접할 때, $\angle x$, $\angle y$의 크기를 각각 구하시오.

(1)

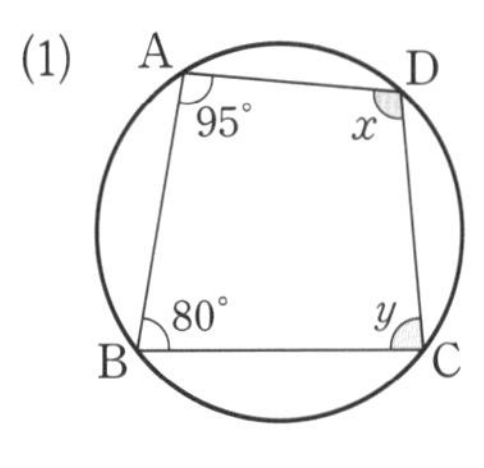

➡ ______________

(2)

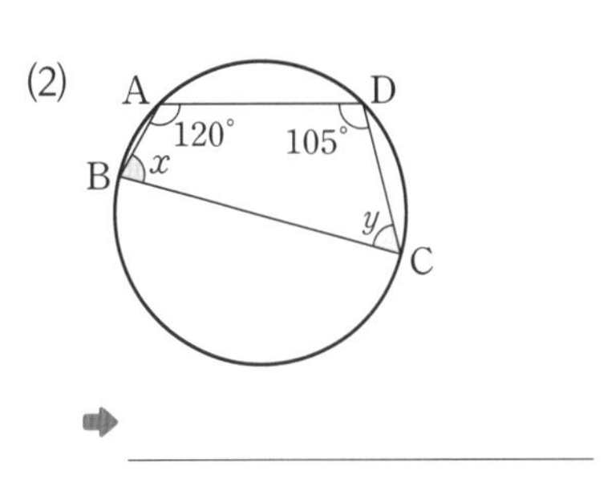

➡ ______________

(3)

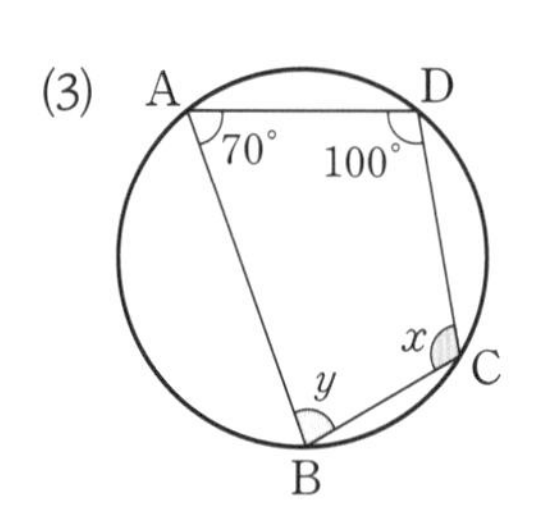

➡ ______________

(4) A, D, 83°, x, y, C, 63°, B

➡ ______________

04 다음 그림에서 □ABCD가 원에 내접할 때, $\angle x$, $\angle y$의 크기를 각각 구하시오.

(1) A, y, D, 30°, 40°, x, B, C

➡ ______________

쌤 Tip 삼각형의 세 각의 크기의 합은 180°임을 이용해.

(2)

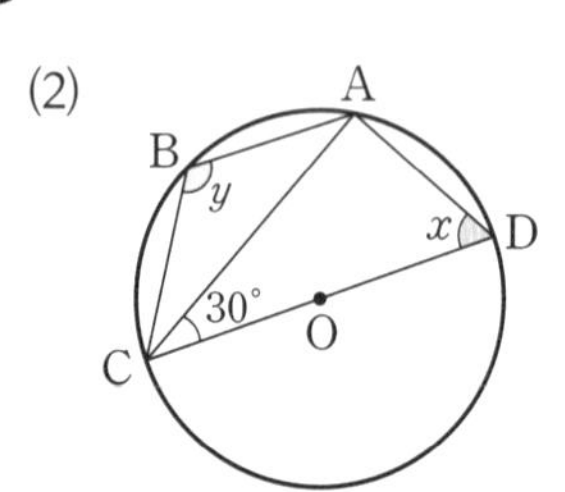

➡ ______________

3. 원에 내접하는 사각형의 성질 (2) up⁺

원에 내접하는 사각형에서 한 외각의 크기는 그 외각과 이웃한 내각에 대한 대각의 크기와 같다.

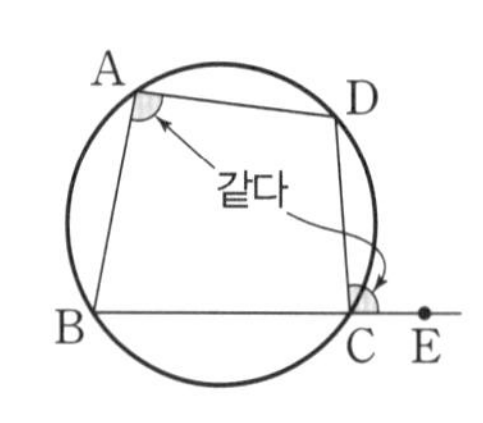

➡ $\angle DCE = \angle A$

참고 $\angle A + \angle DCB = 180°$에서
$\angle A = 180° - \angle DCB = \angle DCE$

05 다음 그림에서 □ABCD가 원에 내접할 때, $\angle x$의 크기를 구하시오.

(1)

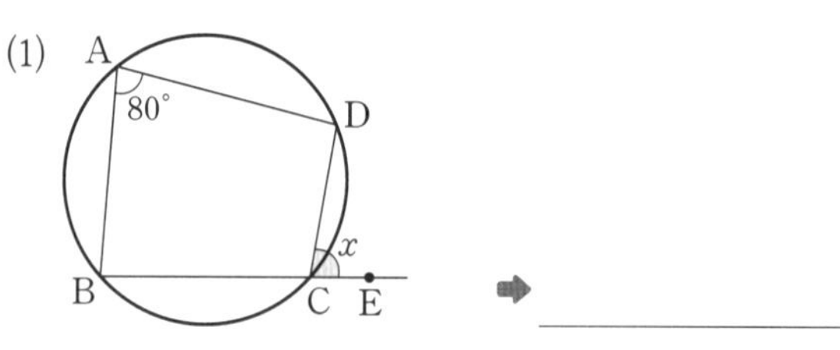

➡ ______________

(2)

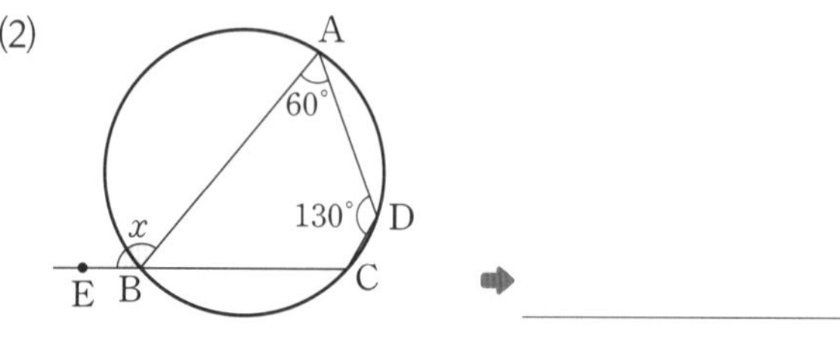

➡ ______________

(3)

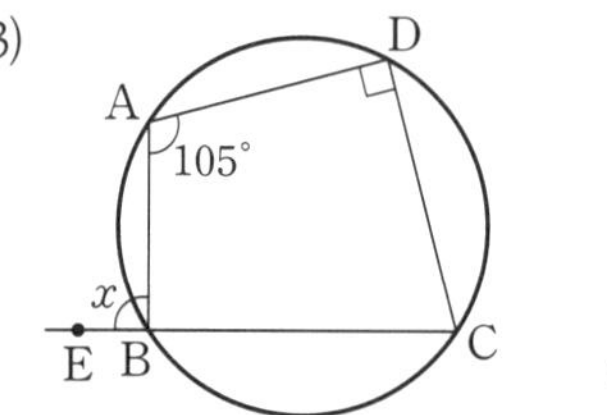

➡ ______________

(4)

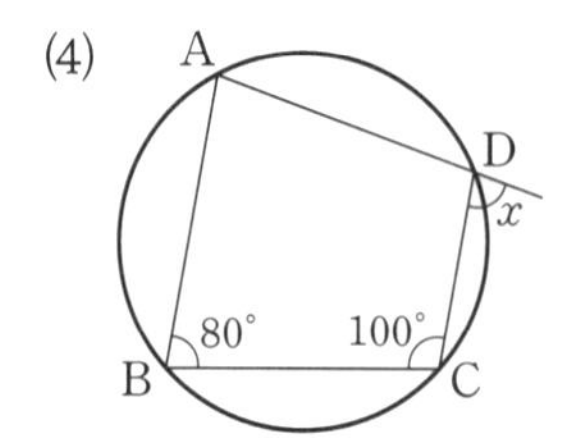

➡ ______________

06 다음 그림에서 □ABCD가 원에 내접할 때, $\angle x$의 크기를 구하시오.

(1)

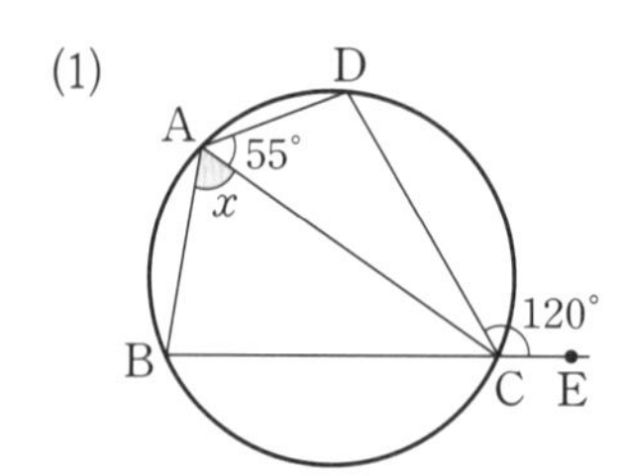

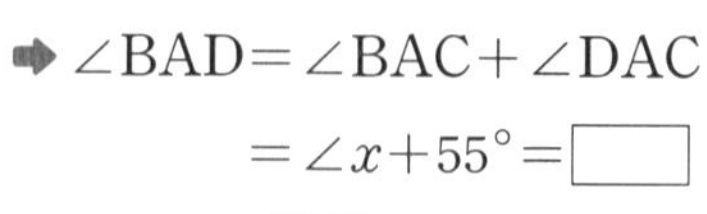

➡ $\angle BAD = \angle BAC + \angle DAC$
$= \angle x + 55° =$ □

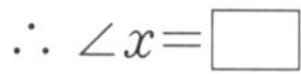

$\therefore \angle x =$ □

(2)

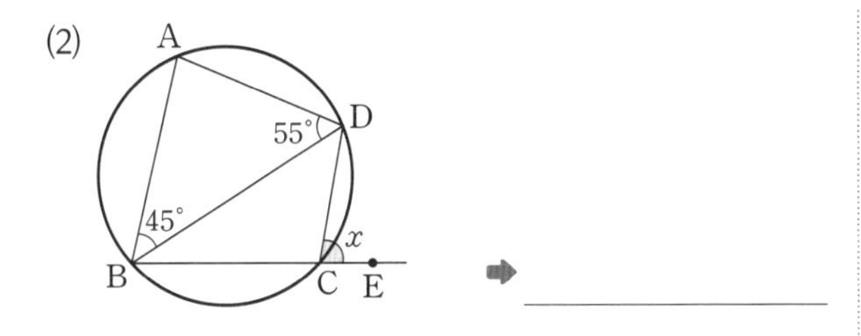

➡ ________________

4. 사각형이 원에 내접하기 위한 조건

(1) 한 쌍의 대각의 크기의 합이 180°인 사각형은 원에 내접한다.

(2) 한 외각의 크기가 그 외각과 이웃한 내각에 대한 대각의 크기와 같은 사각형은 원에 내접한다.

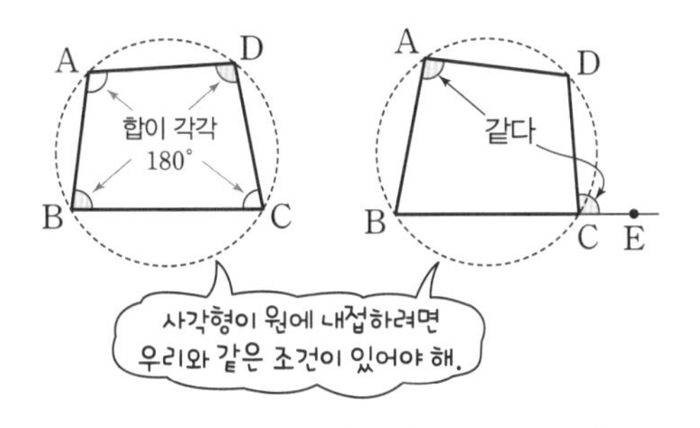

07 다음 그림에서 □ABCD가 원에 내접하면 ○표, 내접하지 않으면 ×표를 ( ) 안에 써넣으시오.

(1)

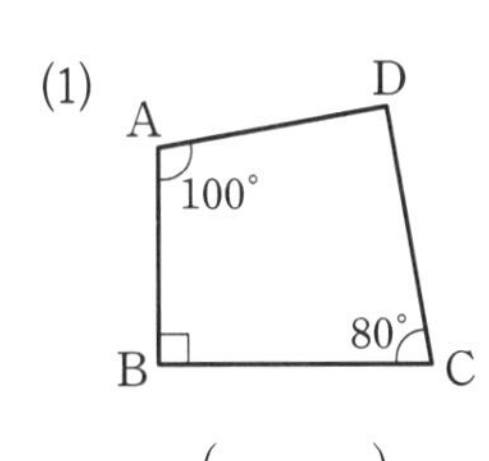

( )

(2)

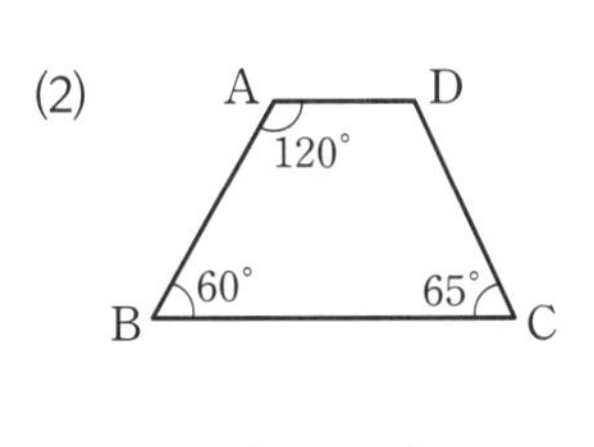

( )

(3)

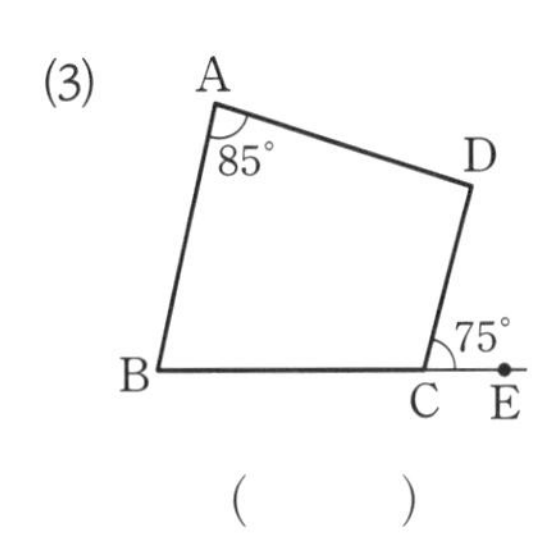

( )

(4)

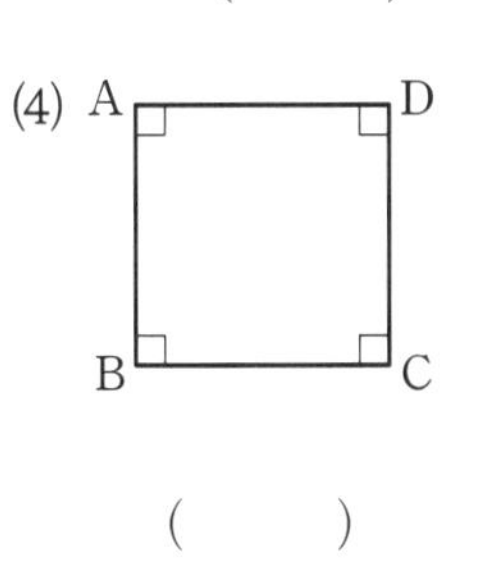

( )

개념 Tip 정사각형, 직사각형, 등변사다리꼴은 한 쌍의 대각의 크기의 합이 180°이므로 항상 원에 내접한다.

08 다음 그림에서 □ABCD가 원에 내접하도록 하는 ∠x의 크기를 구하시오.

(1)

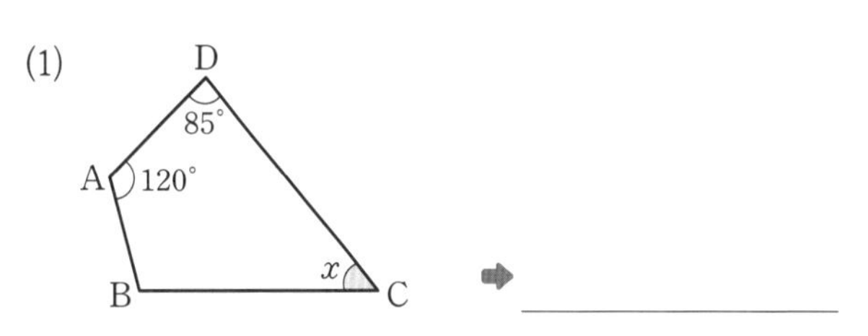

➡ ________________

(2)

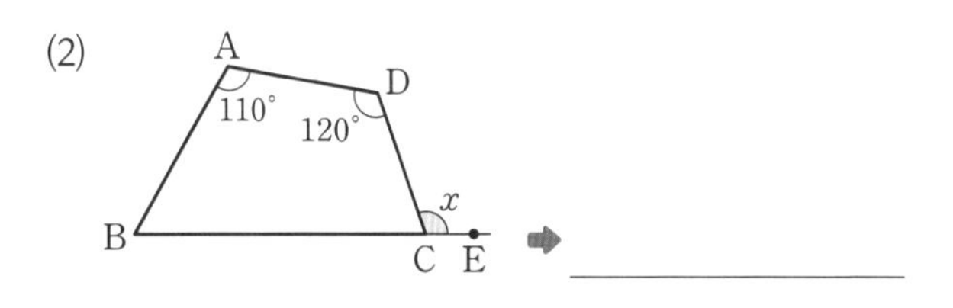

➡ ________________

(3)

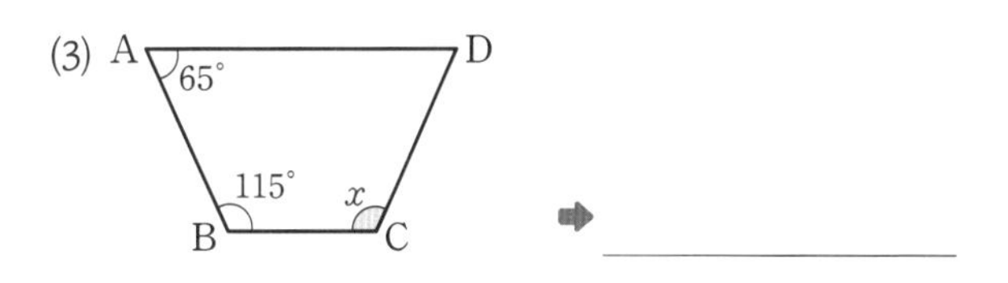

➡ ________________

(4)

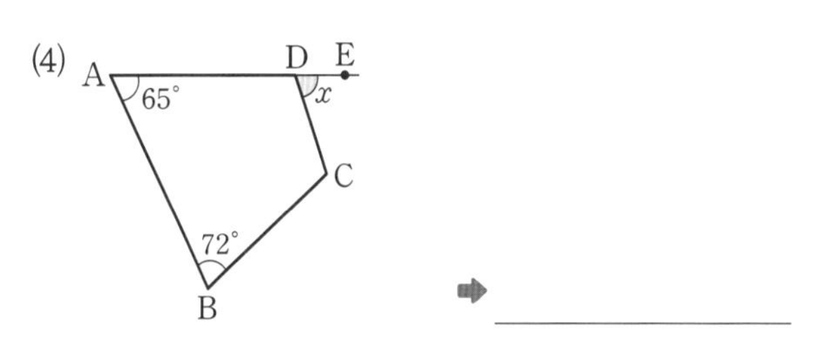

➡ ________________

(5)

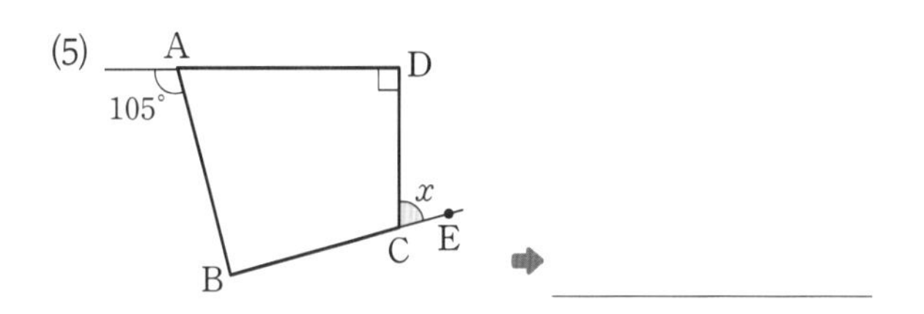

➡ ________________

정답과 해설 _ p.35

01 다음 중 네 점 A, B, C, D가 한 원 위에 있지 않은 것은?

> $\angle BAC = \angle BDC$이면 네 점 A, B, C, D는 한 원 위에 있다.

① 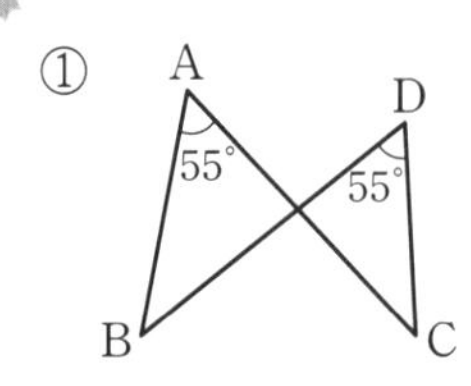

② A, D, 50°, 40°, B, C

③ 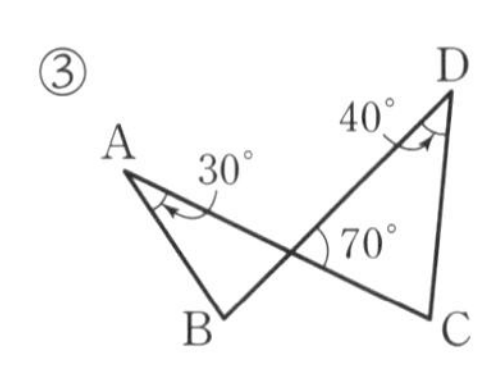

④ 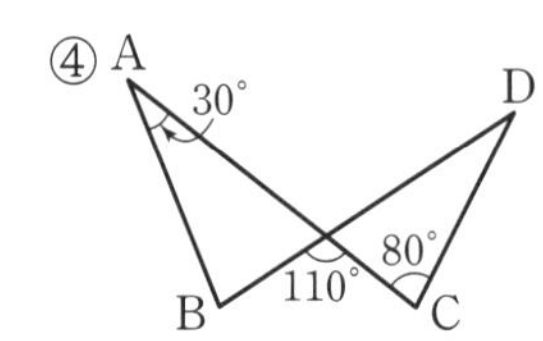

⑤ 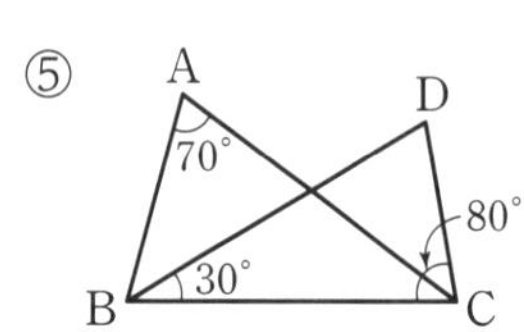

02 오른쪽 그림의 □ABCD가 원에 내접할 때, $\angle x$의 크기를 구하시오.

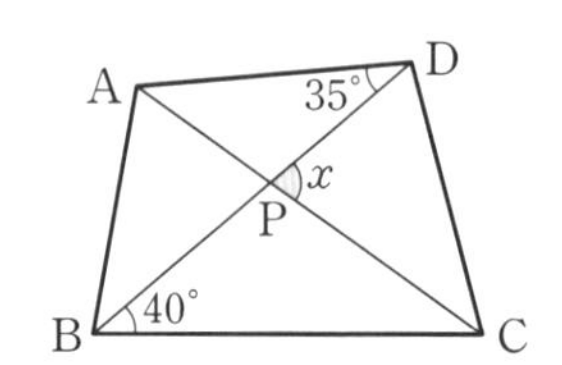

> $\angle ADB = \angle ACB$
> 또는
> $\angle DAC = \angle DBC$
> 임을 이용한다.

03 다음 그림에서 □ABCD가 원에 내접할 때, $\angle x$, $\angle y$의 크기를 각각 구하시오.

(1) 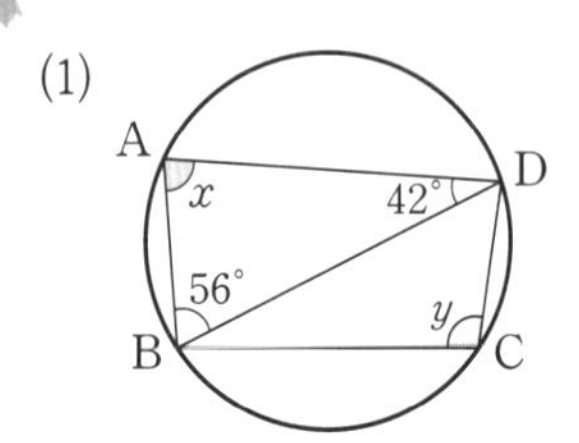

(2) 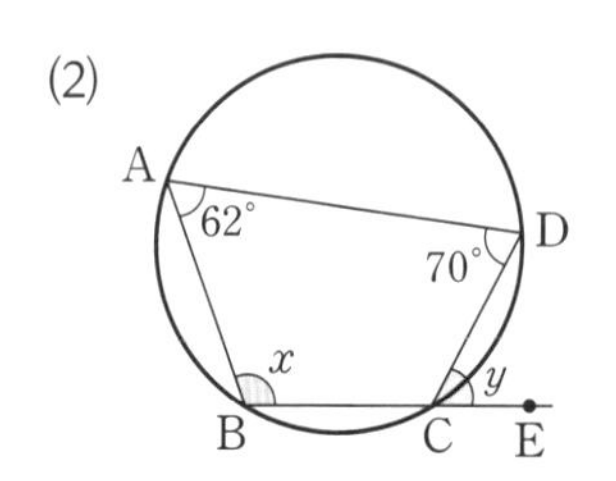

> 원에 내접하는 사각형의 성질

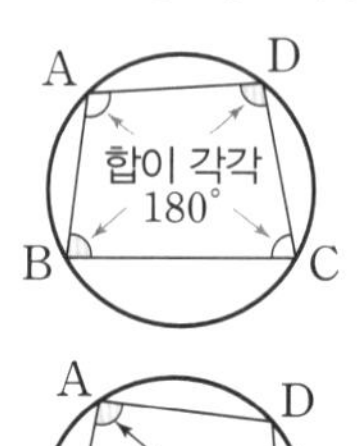

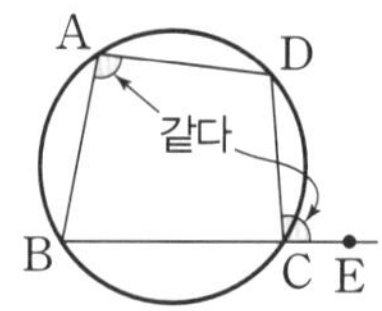

04 오른쪽 그림과 같이 원에 내접하는 사각형 ABCD에서 $\angle ADC = 100°$, $\angle DEC = 35°$일 때, $\angle BAD$의 크기를 구하시오.

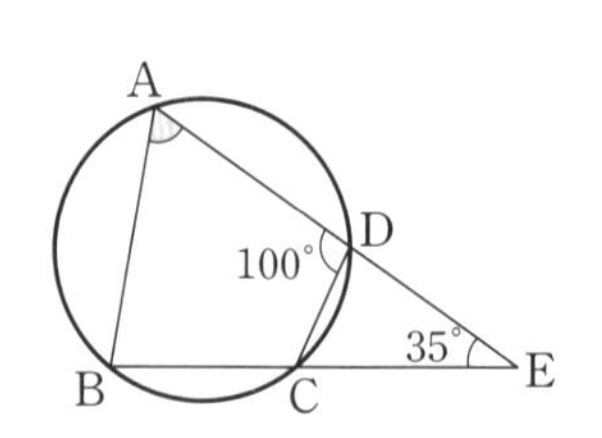

> △DCE에서 삼각형의 외각의 성질을 이용하여 $\angle DCE$의 크기를 구한다.

21강 원주각의 활용 (2)

1. 접선과 현이 이루는 각 up+

(1) 접선과 그 접점을 지나는 현이 이루는 각의 크기는 그 각의 내부에 있는 호에 대한 원주각의 크기와 같다.

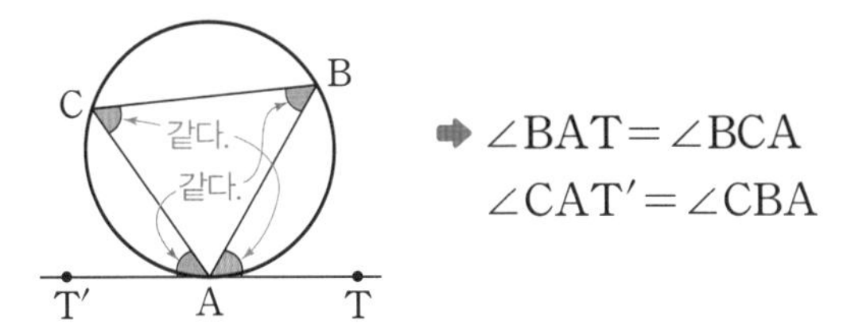

➡ $\angle BAT = \angle BCA$
$\angle CAT' = \angle CBA$

(2) 접선이 되기 위한 조건

원에서 $\angle BAT = \angle BCA$이면 $\overline{AT}$는 원의 접선이다.

01 다음 그림에서 직선 AT가 원의 접선일 때, $\angle x$의 크기를 구하시오.

(1)

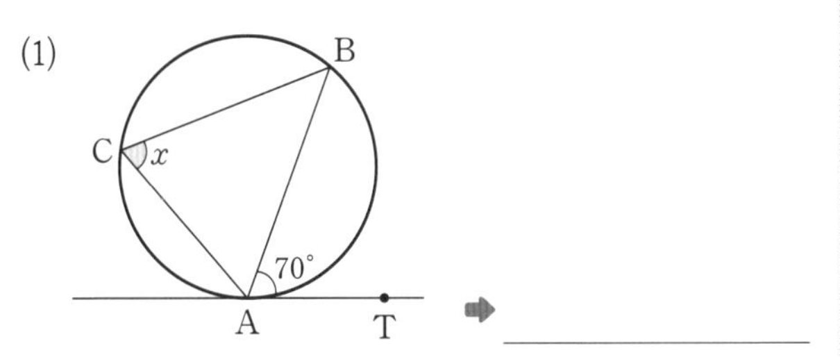

➡ ____________

(2)

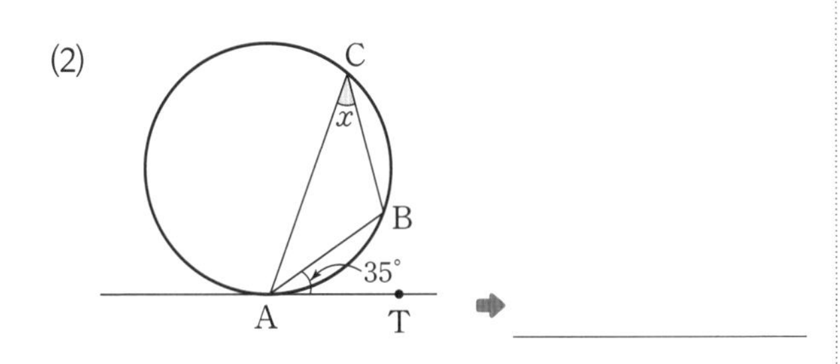

➡ ____________

(3)

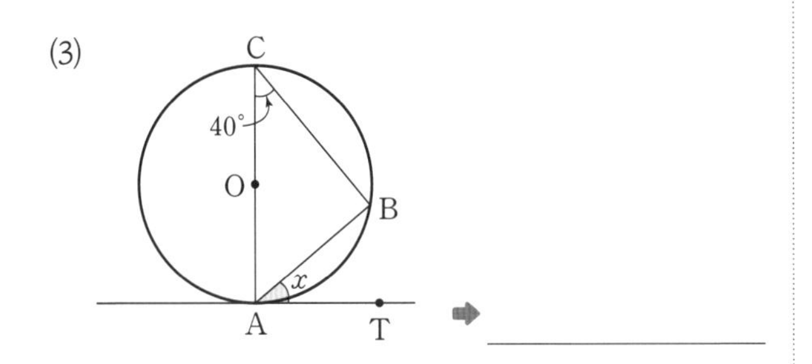

➡ ____________

(4)

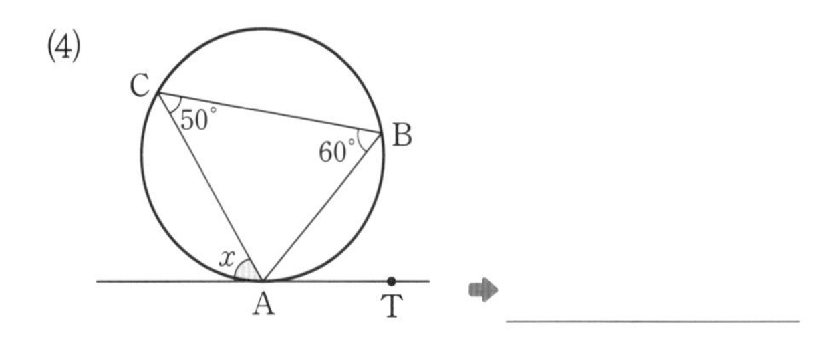

➡ ____________

(5)

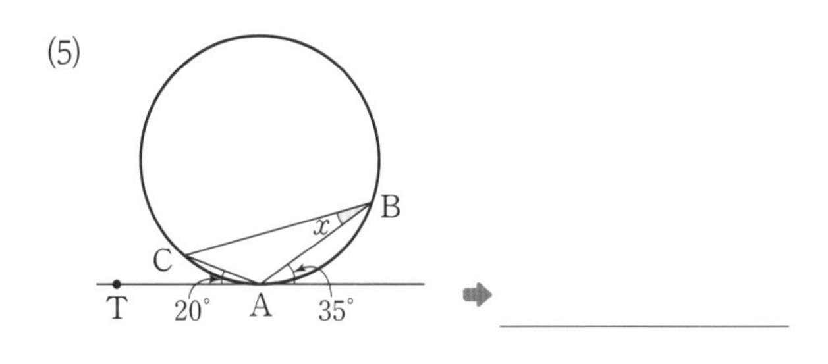

➡ ____________

(6)

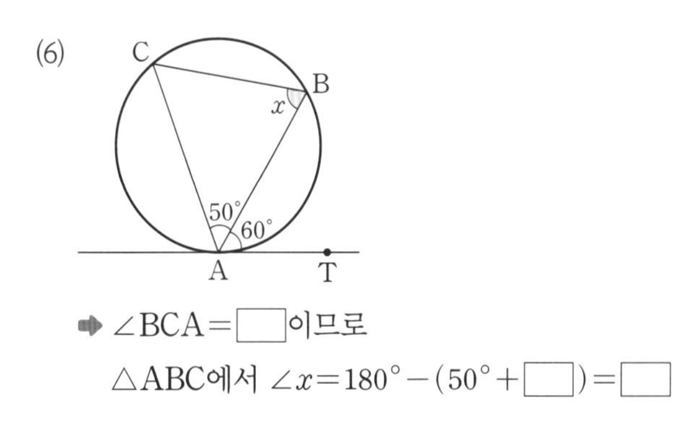

➡ $\angle BCA=$ ☐ 이므로
$\triangle ABC$에서 $\angle x = 180° - (50° +$ ☐ $) =$ ☐

(7)

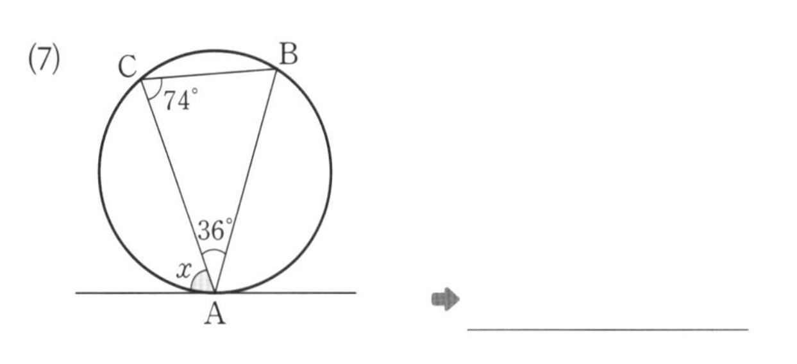

➡ ____________

(8)

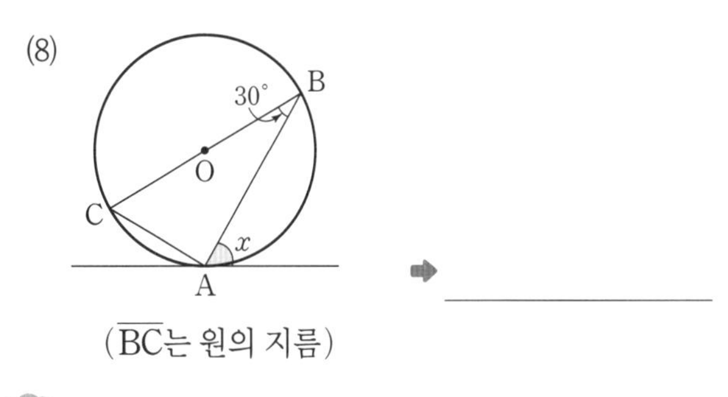

➡ ____________

($\overline{BC}$는 원의 지름)

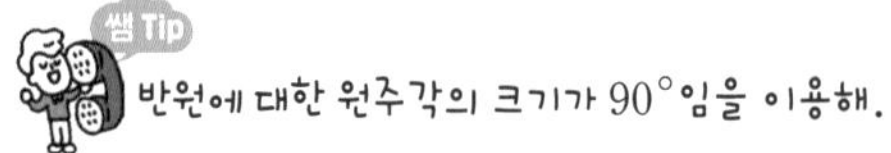

02 다음 그림에서 직선 AT가 원의 접선일 때, $\angle x$의 크기를 구하시오.

(1)

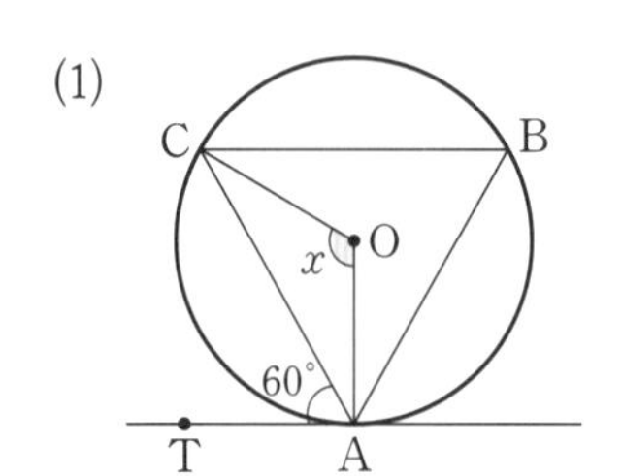

➡ $\angle CBA=\angle CAT=\square$이므로

$\angle x=2\angle CBA=2\times\square=\square$

(2)

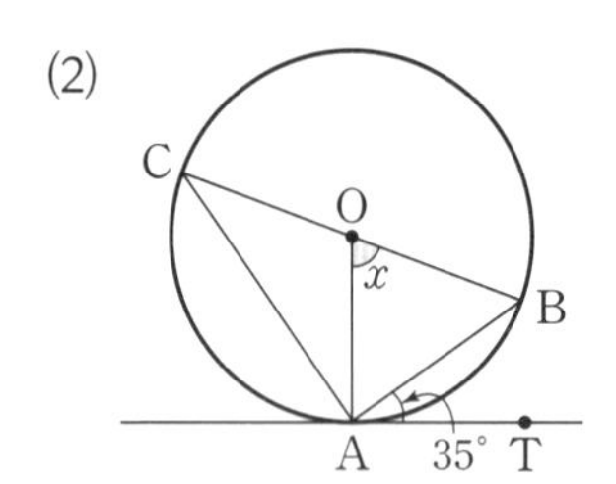

➡ ______________

(3)

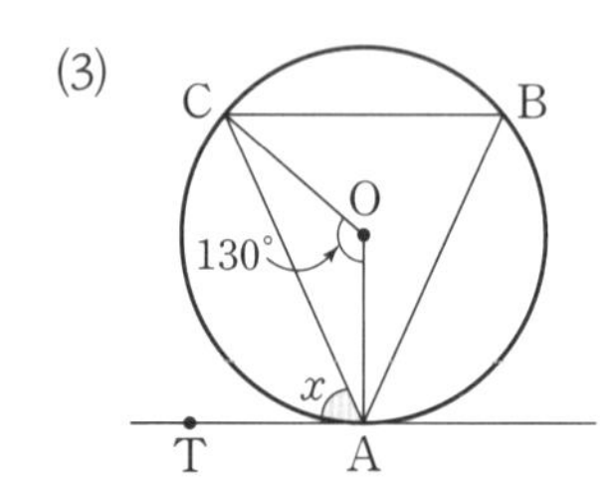

➡ ______________

$\angle CBA=\frac{1}{2}\angle COA$임을 이용해.

(4)

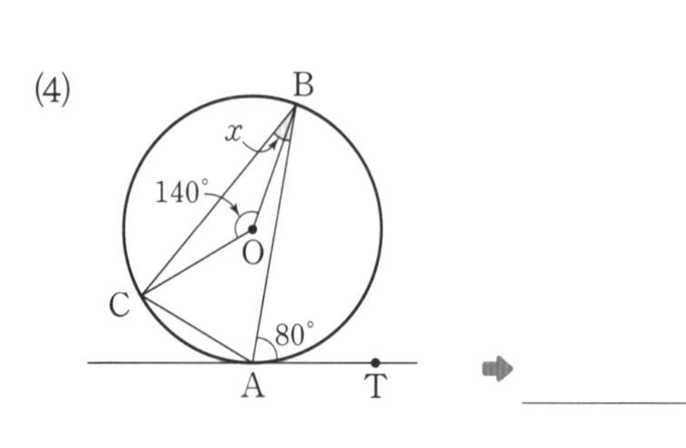

➡ ______________

2. 접선과 현이 이루는 각의 활용 up+

할선이 원의 중심을 지날 때 보조선을 그어 접선과 현이 이루는 각의 성질을 이용하여 크기가 같은 원주각을 찾는다.

- $\angle ATB=90°$
- $\angle ATP=\angle PBT$

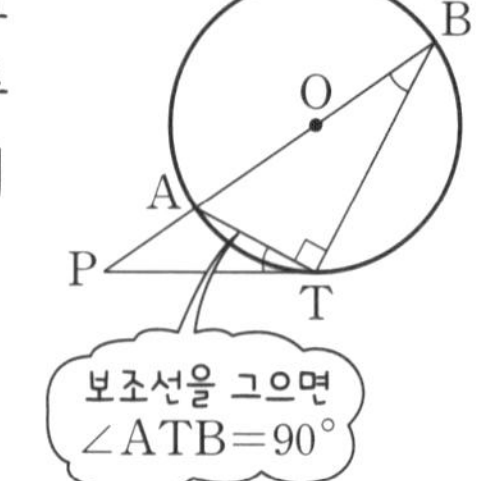

03 다음 그림에서 직선 PT가 원의 접선일 때, $\angle x$의 크기를 구하시오.

(1)

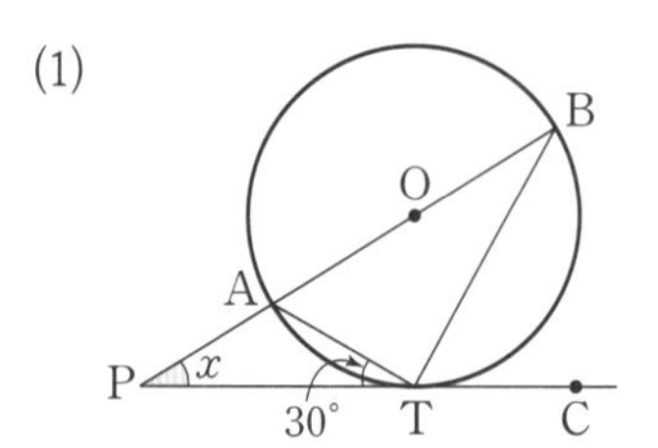

➡ $\overline{AB}$가 원 O의 지름이므로 $\angle ATB=\square$

$\angle ABT=\angle ATP=\square$,

$\angle BAT=90°-\square=\square$

$\triangle APT$에서 $\angle x=\square-30°=\square$

(2)

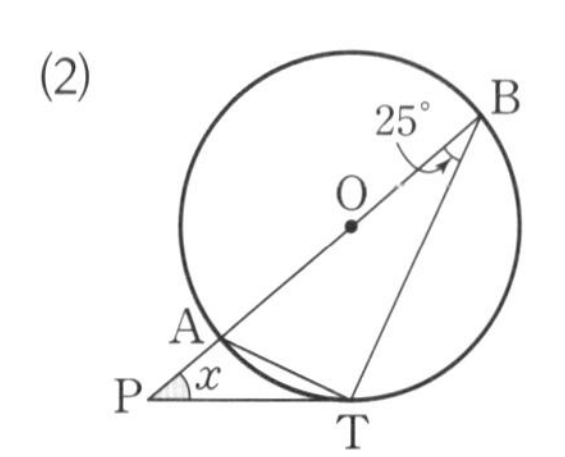

➡ ______________

(3)

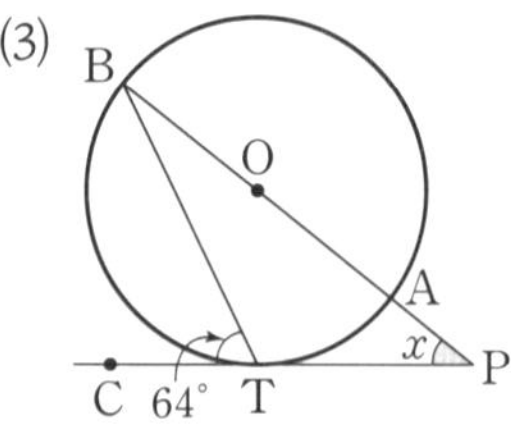

➡ ______________

쌤 Tip 반원에 대한 원주각을 이용해.

정답과 해설 _ p.36

01 오른쪽 그림에서 직선 TT′은 원 O의 접선이고, $\angle CAT=70°$, $\angle ACB=95°$일 때, $\angle x$, $\angle y$의 크기를 각각 구하시오.

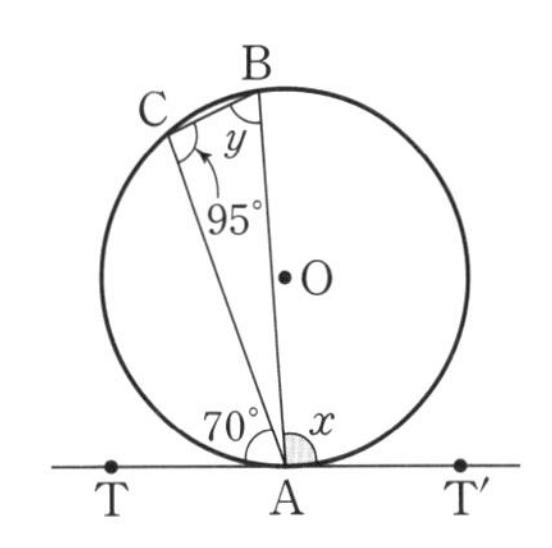

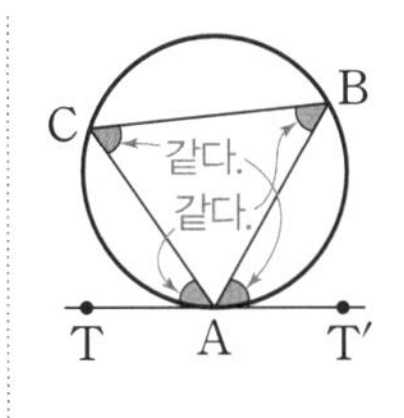

02 오른쪽 그림에서 직선 TA가 원 O의 접선이고 $\angle ABC=35°$일 때, $\angle x$, $\angle y$의 크기를 각각 구하시오.

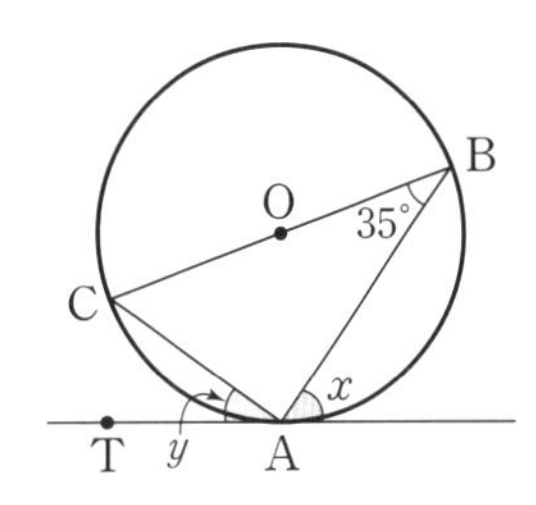

반원에 대한 원주각의 크기는 $90°$이다.

03 오른쪽 그림에서 직선 PT가 원 O의 접선이고 $\angle ATP=40°$일 때, $\angle x$, $\angle y$의 크기를 각각 구하시오.

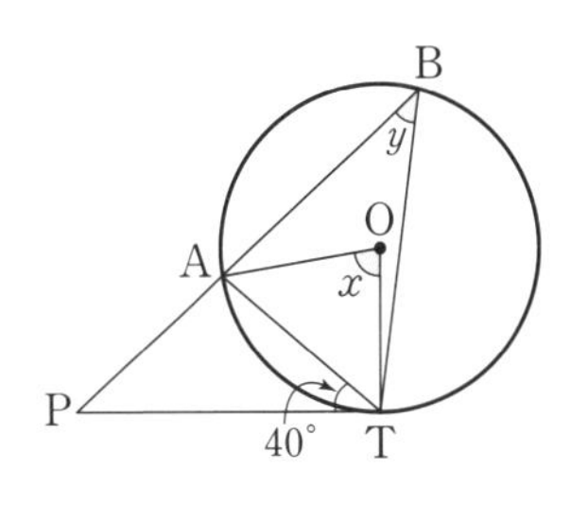

$\angle ABT=\frac{1}{2}\angle AOT$

04 오른쪽 그림에서 직선 TA가 원 O의 접선일 때, $\angle x$의 크기를 구하시오.

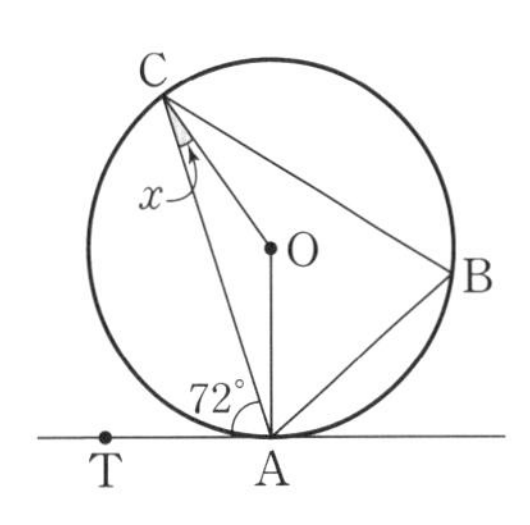

$\triangle OCA$는 이등변삼각형이다.

중단원 연산 마무리

01 다음 그림에서 $\angle x$의 크기를 구하시오.

(1)

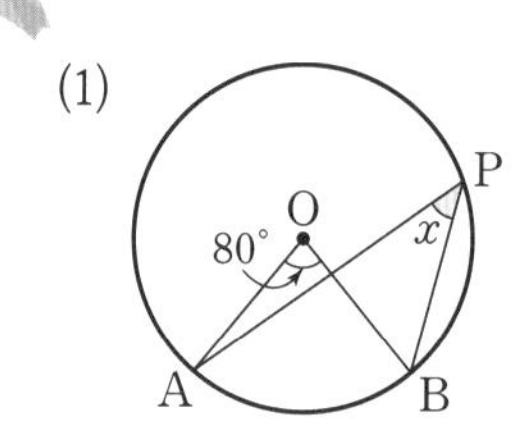

(2)

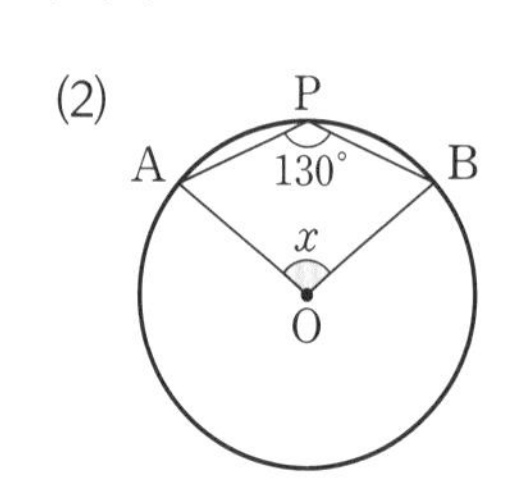

02 다음 그림에서 $\angle x$, $\angle y$의 크기를 각각 구하시오.

(1)

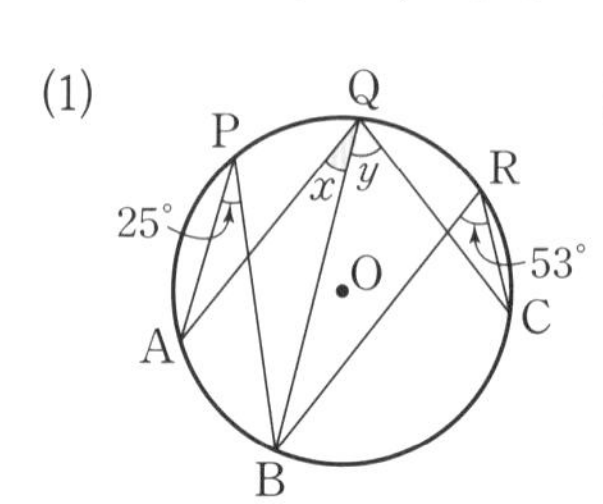

(2)

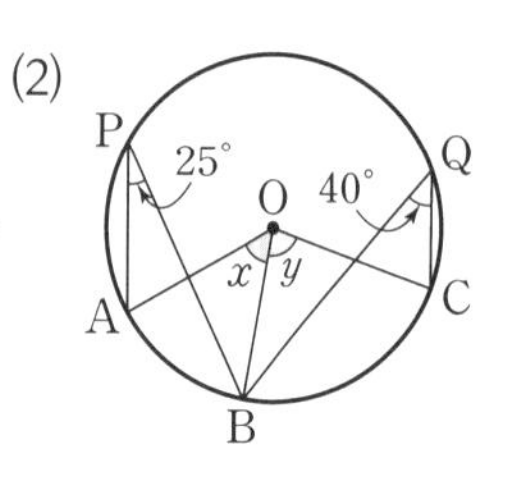

(3)

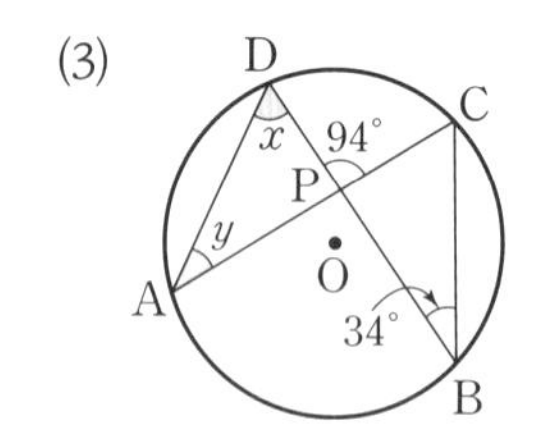

(4)

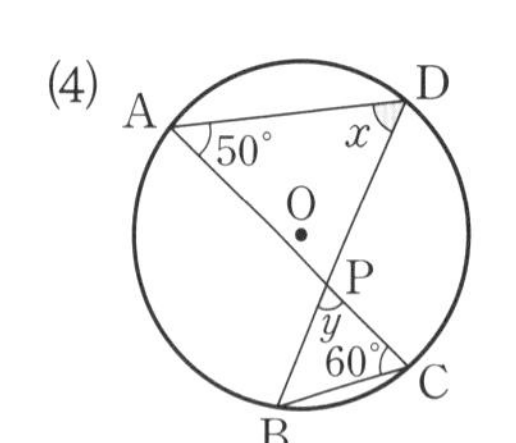

03 다음 그림에서 $\overline{AB}$가 원의 지름일 때, $\angle x$, $\angle y$의 크기를 각각 구하시오.

(1)

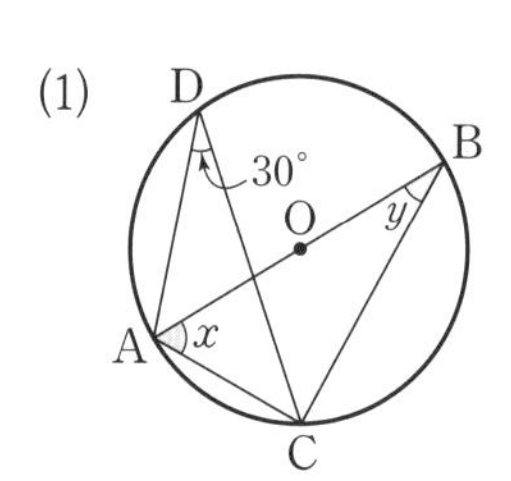

(2)

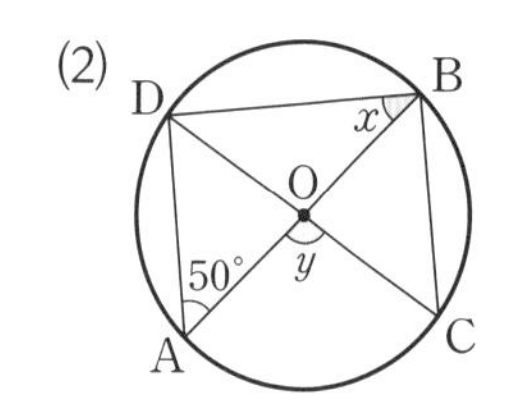

04 오른쪽 그림에서 직선 PA, PB는 원 O의 접선이고 점 A, B는 그 접점이다. $\angle APB=56°$일 때, $\angle ACB$의 크기를 구하시오.

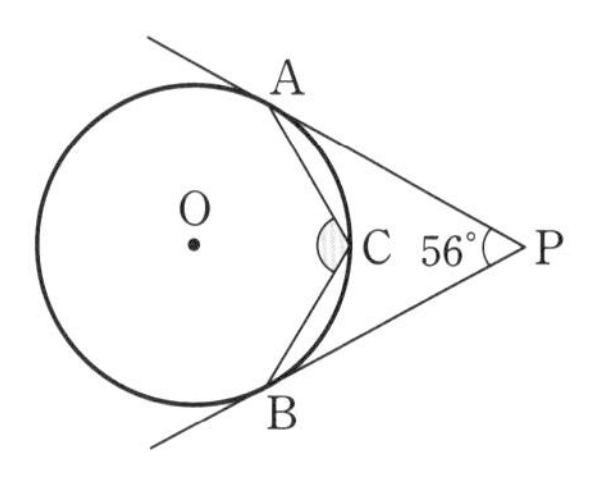

05 다음 그림에서 $\angle x$의 크기를 구하시오.

(1)

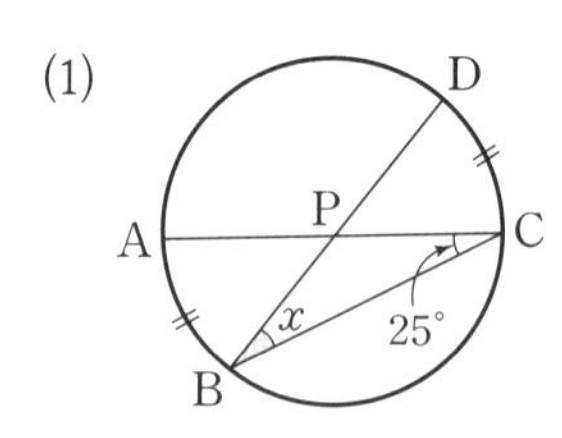

(2)

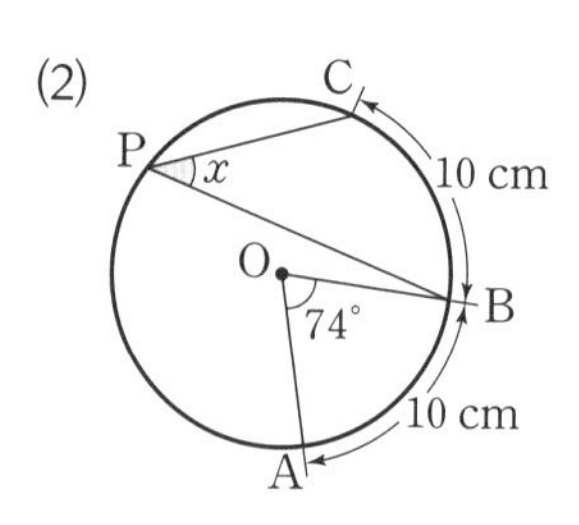

06 다음 그림의 원 O에서 $\angle x$의 크기를 구하시오.

(1)

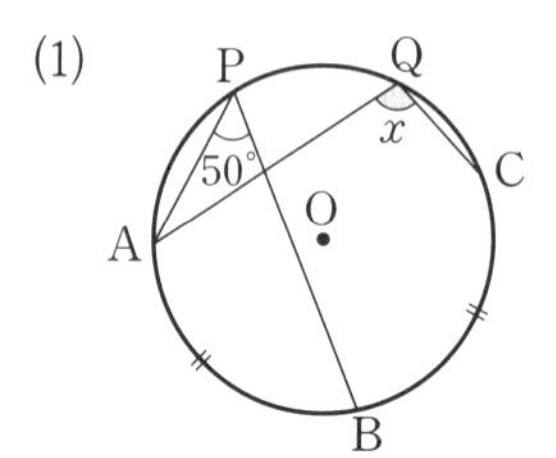

(2)

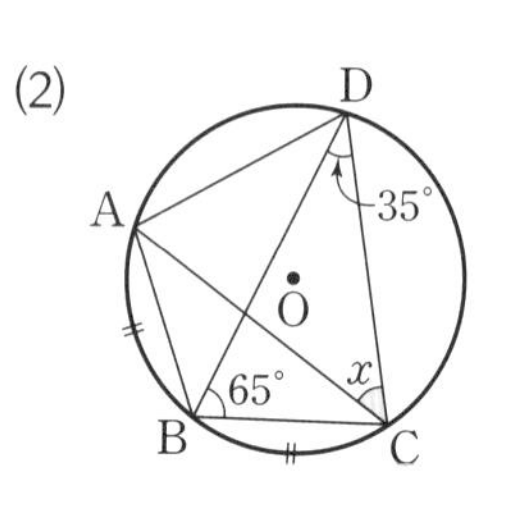

07 다음 그림에서 x의 값을 구하시오.

(1)

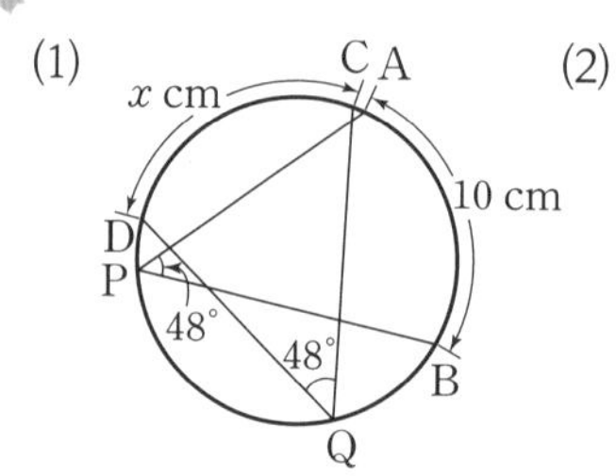

(2)

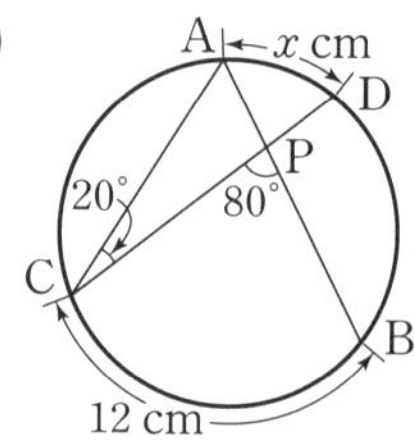

08 △ABC는 원 O에 내접하고
$\overset{\frown}{AB}:\overset{\frown}{BC}:\overset{\frown}{CA}=2:4:3$이면
$\angle C:\angle A:\angle B=2:4:3$이다.
다음 □ 안에 알맞은 것을 써넣으시오.

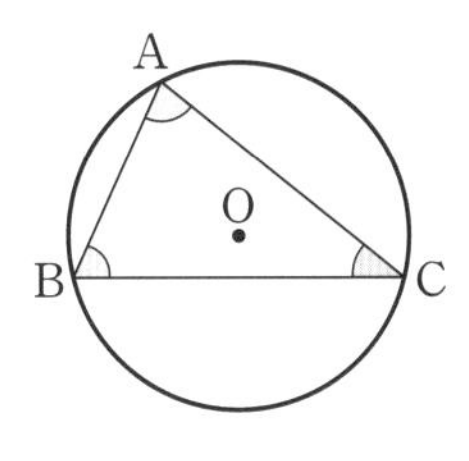

(1) $\angle A=180^\circ\times\dfrac{4}{2+4+3}=\square$

(2) $\angle B=180^\circ\times\dfrac{\square}{2+4+3}=\square$

(3) $\angle C=180^\circ\times\dfrac{\square}{2+4+3}=\square$

09 다음 그림에서 네 점 A, B, C, D가 한 원 위에 있으면 ○표, 아니면 ×표를 (   ) 안에 써넣으시오.

(1)

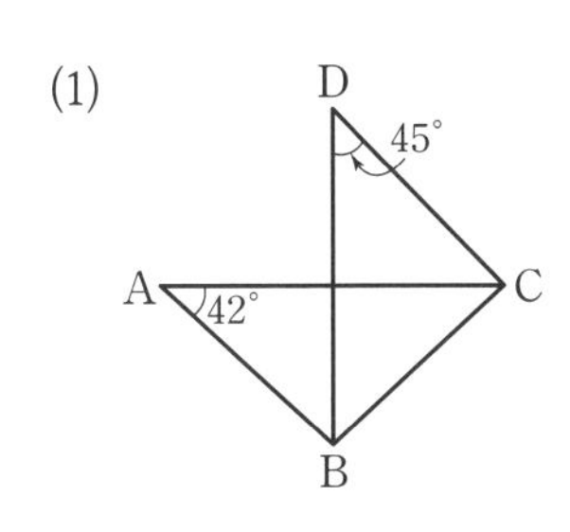

(   )

(2)

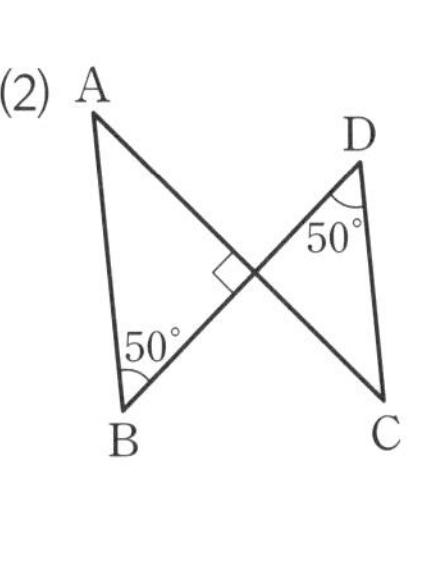

(   )

(3)

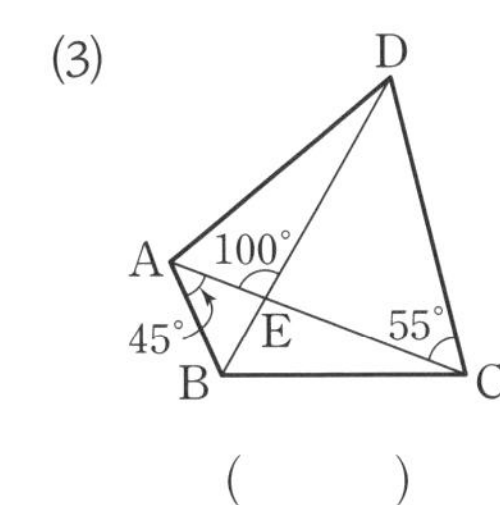

(   )

(4)

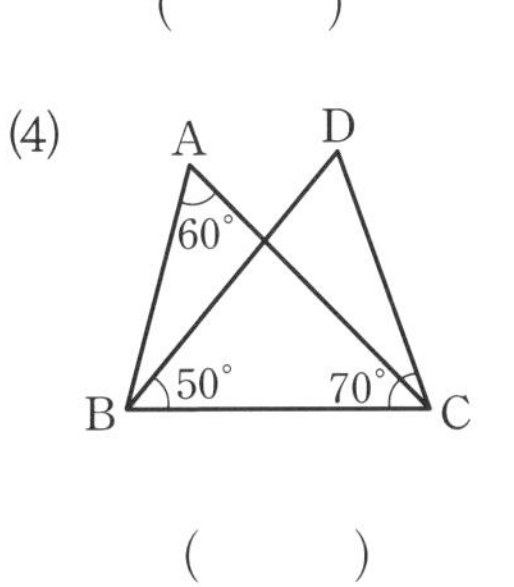

(   )

10 다음 그림에서 □ABCD가 원에 내접할 때, $\angle x$, $\angle y$의 크기를 각각 구하시오.

(1)

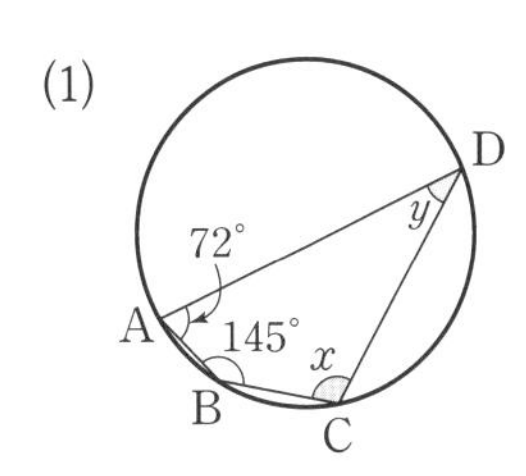

(2)

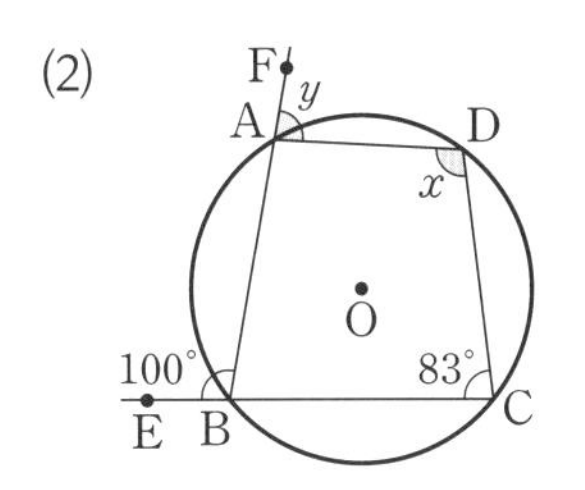

11 다음 그림에서 □ABCD가 원에 내접할 때, $\angle x$, $\angle y$의 크기를 각각 구하시오.

(1)

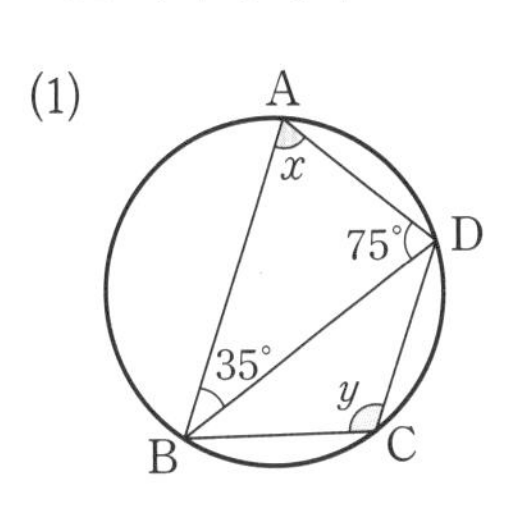

(2)

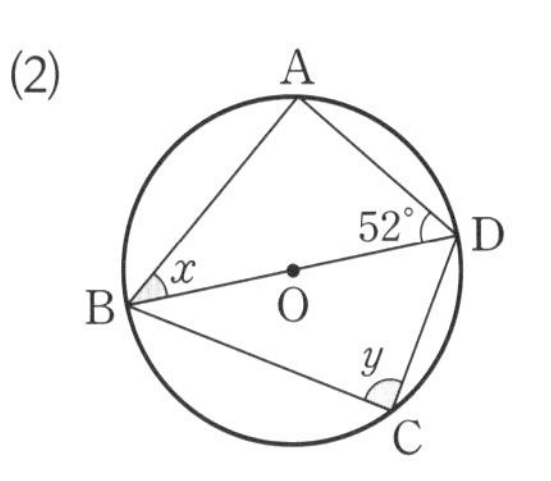

(3)

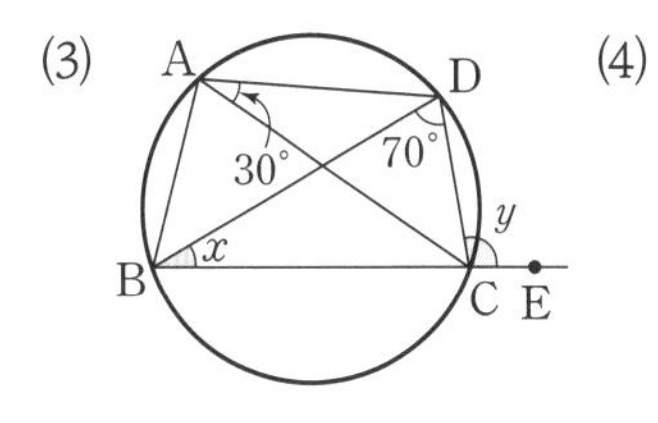

(4)

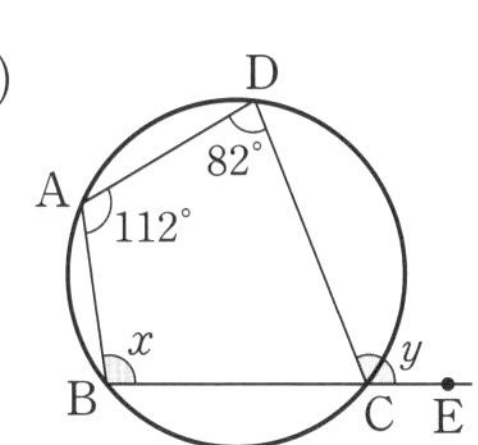

12 다음 보기 중 □ABCD가 원에 내접하는 것을 모두 고르시오.

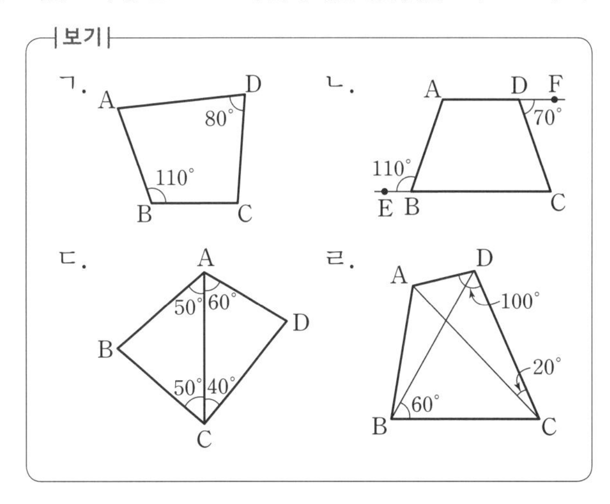

13 다음 그림에서 □ABCD가 원에 내접하도록 하는 $\angle x$, $\angle y$의 크기를 각각 구하시오.

(1)

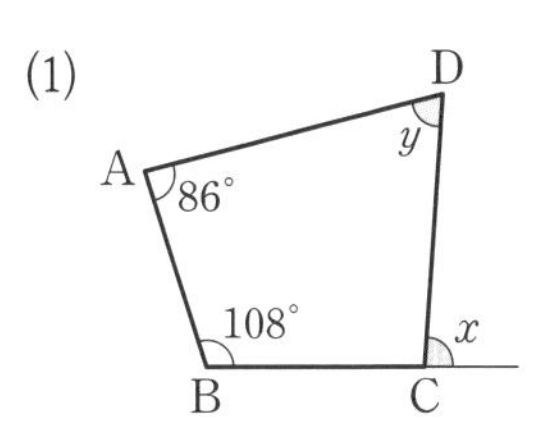

(2)

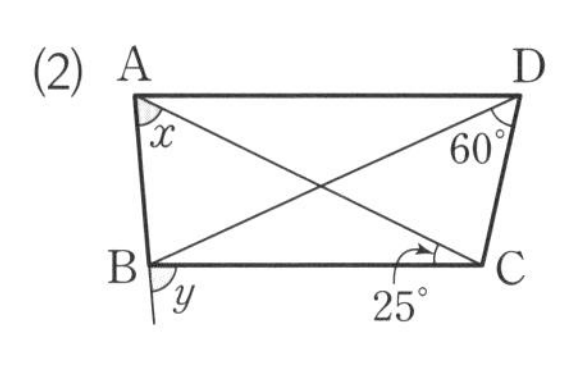

정답과 해설 _ p.37

도전 100점

14 다음 중 항상 원에 내접하는 사각형을 모두 고르면? (정답 3개)

① 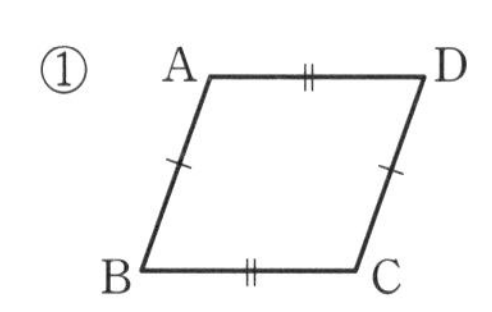

② 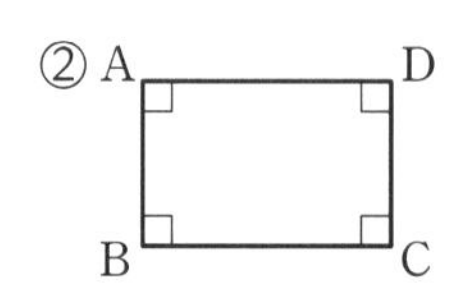

③ 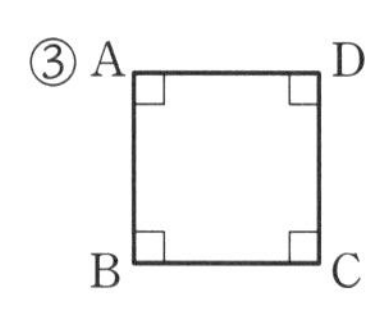

④ 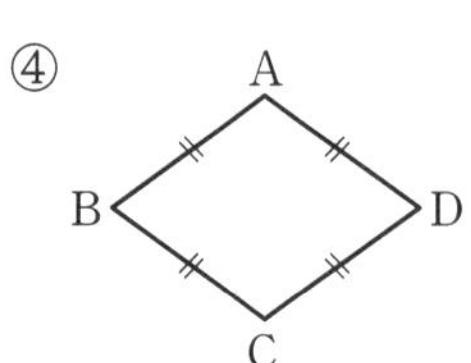

⑤ A D B C

15 다음 그림에서 직선 AT가 원의 접선일 때, $\angle x$의 크기를 구하시오.

(1) 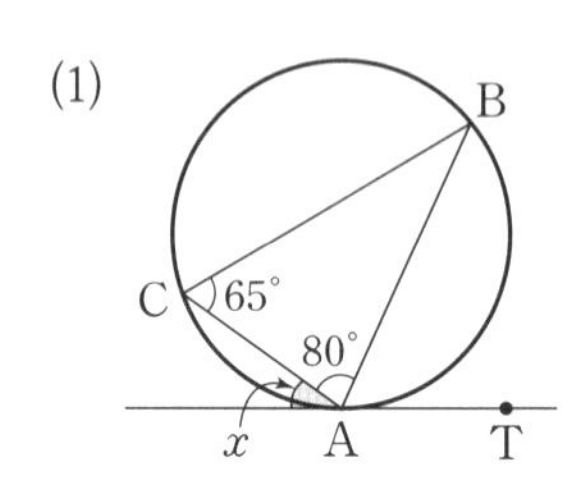

(2) 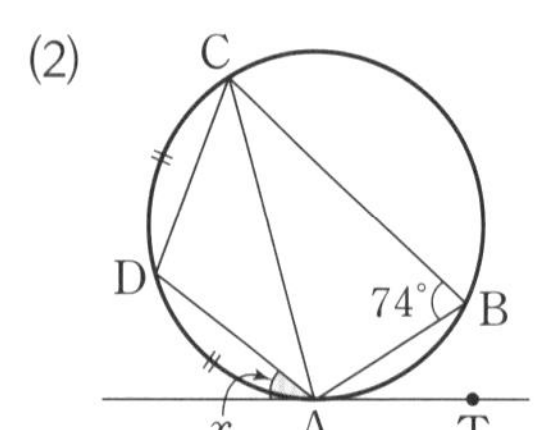

(3) 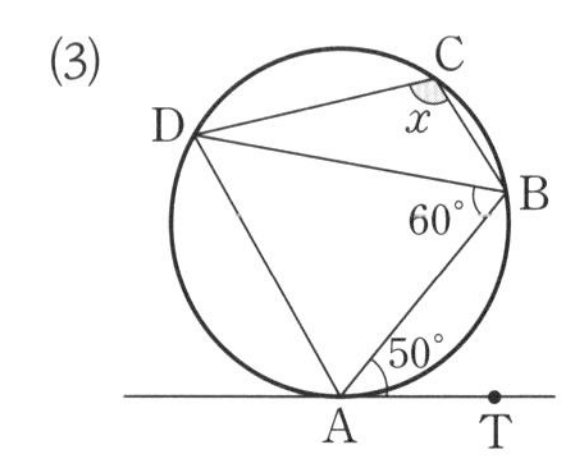

(4) 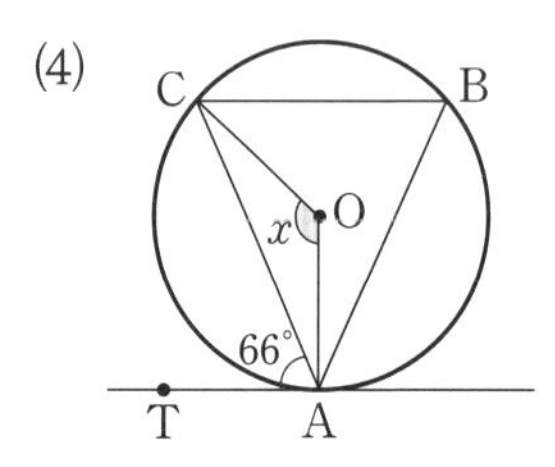

16 오른쪽 그림에서 직선 PA는 원 O의 접선이고 점 A는 접점이다. $\overline{PC}$가 원 O의 중심을 지나고 $\angle ABC=55°$일 때, $\angle x$의 크기를 구하시오.

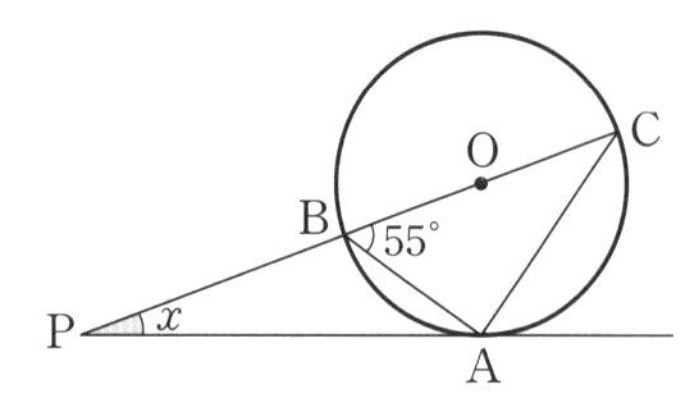

17 오른쪽 그림과 같이 $\triangle ABC$가 원 O에 내접하고 $\angle A=70°$일 때, $\angle x$의 크기를 구하시오.

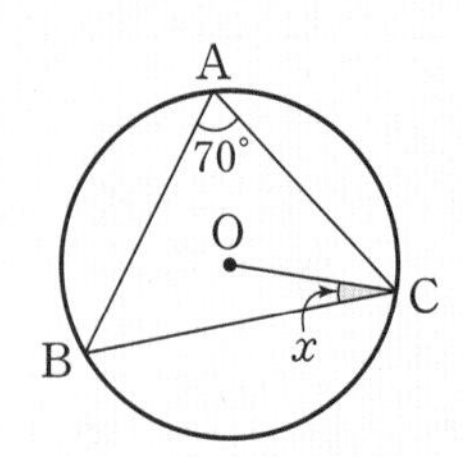

18 오른쪽 그림에서 $\triangle ABC$는 원 O에 내접하고
$\overset{\frown}{AB} : \overset{\frown}{BC} : \overset{\frown}{CA}=3:5:7$일 때,
$\angle B$의 크기를 구하시오.

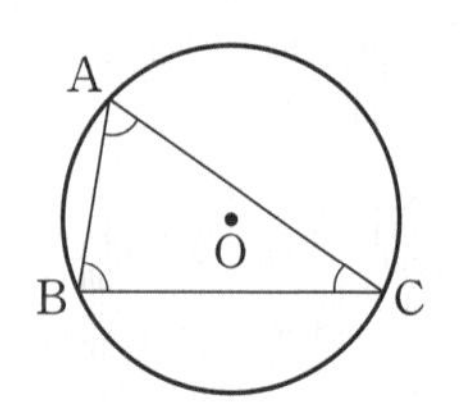

19 오른쪽 그림에서 □ABCD가 원에 내접하고 직선 CT가 원의 접선일 때, $\angle x$, $\angle y$의 크기를 각각 구하시오.

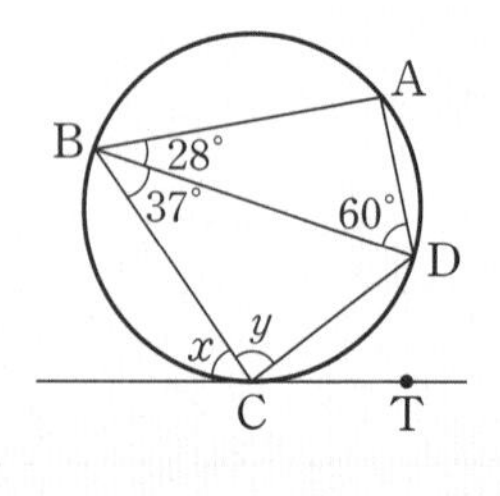

20 오른쪽 그림과 같이 $\overline{BC}$가 지름인 원 O에서 직선 TA는 원의 접선이고 반지름의 길이는 10 cm이다. $\angle CAT=30°$일 때, $\triangle ABC$의 넓이를 구하시오.

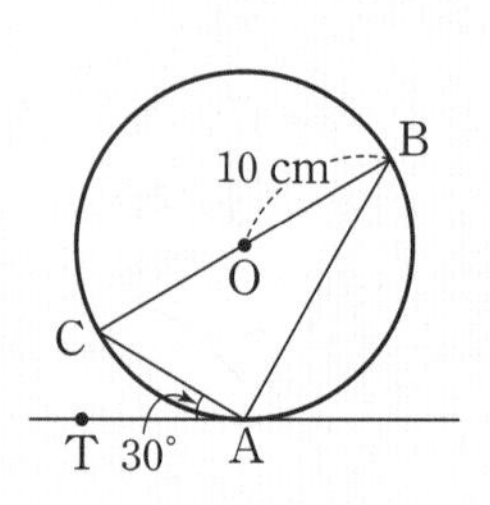

나만의 비법 노트

VI. 통계

연산 문제와 시험 대비 문제를 많이 풀어 보고 개념과 원리를 확실하게 이해하자.
또한 이해도를 바탕으로 자신의 수준에 맞는 계획을 세워 반복 학습을 하자.

중단원명	강의명	학습 날짜	이해도
1. 통계	23강 대푯값	월 일	
	24강 편차	월 일	
	25강 분산과 표준편차	월 일	
	26강 산점도	월 일	
	27강 상관관계	월 일	
	28강 중단원 연산 마무리	월 일	

단원 VI

정답과 해설 _ p.39

평균을 알고 있나요?

1 다음 자료의 평균을 구하시오. 초등 5

(1) 주영이네 모둠원의 줄넘기 기록

주영	서진	민서	연아	지민
2회	6회	7회	19회	6회

모둠원의 줄넘기 평균 ➡ ______

(2) 학급별 학생 수

1반	2반	3반	4반	5반
19명	21명	23명	23명	24명

학급별 평균 학생 수 ➡ ______

(3) 일주일 동안 피자 판매량

월	화	수	목	금	토	일
14판	18판	25판	16판	35판	50판	52판

하루 평균 피자 판매량 ➡ ______

줄기와 잎 그림을 알고 있나요?

2 아래는 정우네 반 학생들의 국어 성적을 나타낸 줄기와 잎 그림이다. 다음을 구하시오. 중등 1

국어 성적 (6|0은 60점)

줄기	잎
6	0 4 4 5
7	0 2 4 6 7 8
8	0 0 2 2 4 6 8
9	0 4 6

(1) 잎이 가장 많은 줄기

(2) 국어 성적이 80점 이상인 학생 수

(3) 국어 성적이 70점 미만인 학생 수

순서쌍과 좌표를 알고 있나요?

3 다음 점을 오른쪽 좌표평면 위에 나타내시오. 중등 1

(1) $A(2, 3)$

(2) $B(5, 5)$

(3) $C(4, 1)$

(4) $D(1, 1)$

(5) $E(2, 6)$

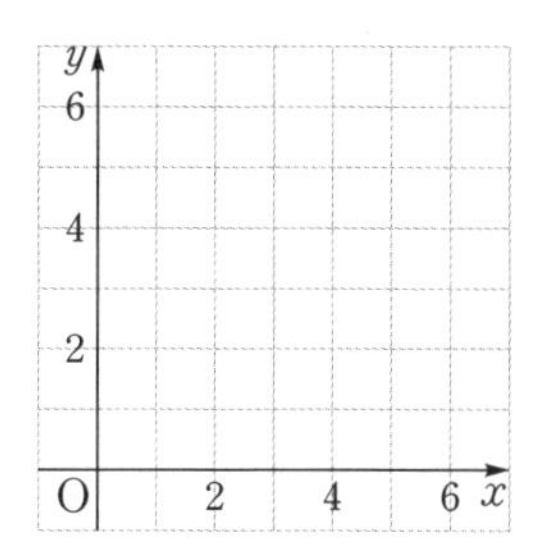

일차함수의 그래프를 알고 있나요?

4 다음 일차함수의 그래프의 기울기가 양수인지 음수인지 말하시오. 중등 2

(1)

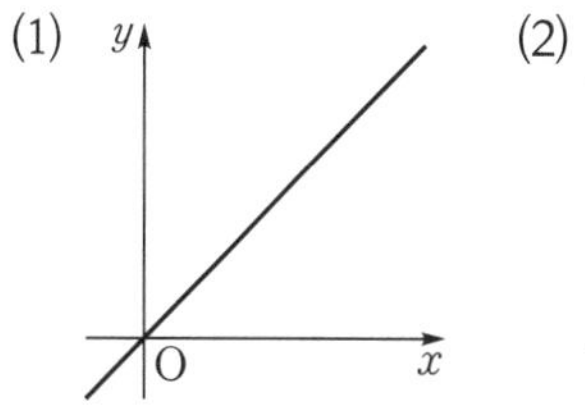

(2)

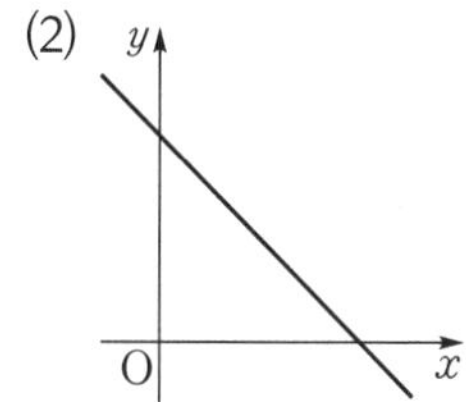

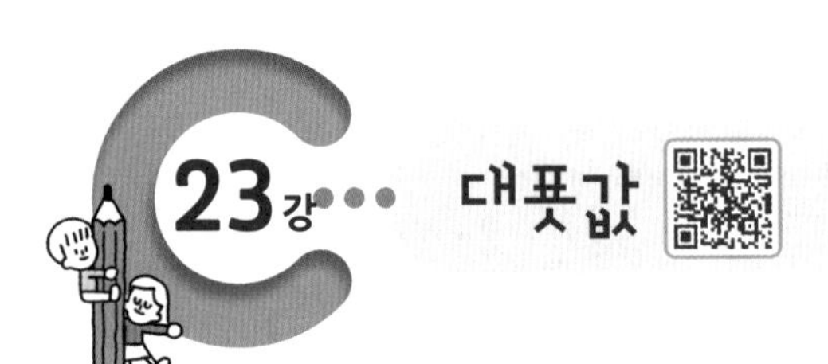

23강 대푯값

정답과 해설 _ p.39

1. 대푯값과 평균

(1) 대푯값: 자료 전체의 중심적인 경향이나 특징을 대표적으로 나타내는 값

(2) 평균: 자료의 값의 총합을 자료의 총 개수로 나눈 값

$(\text{평균})=\dfrac{(\text{자료의 값의 총합})}{(\text{자료의 총 개수})}$

참고 대푯값에는 평균, 중앙값, 최빈값 등 여러 가지가 있으며, 그 중에서 가장 많이 쓰이는 것은 평균이다.

이 자료는 2021 아시안컵 남자 농구 국가대표팀의 키의 대푯값이야.

키(cm)	
181	195
193	200
187	207
189	197
196	199
189	203

01 다음 자료의 평균을 구하시오.

(1) 4, 6, 8, 2

➡ ____________

(2) 7, 7, 9, 9

➡ ____________

(3) 18, 3, 6, 11, 7

➡ ____________

(4) 1, 1, 6, 12, 6, 4

➡ ____________

02 다음 자료들의 평균이 [ ] 안의 수와 같을 때, x의 값을 구하시오.

(1) 5, 10, x [6]

➡ $(\text{평균})=\dfrac{5+10+x}{3}=\square$이므로

$x+15=\square \qquad \therefore x=\square$

(2) 2, 3, x, 15 [9]

➡ ____________

(3) 10, 80, x, 60 [50]

➡ ____________

(4) x, 3, 4, 5, 7 [5]

➡ ____________

(5) 8, 5, 1, 14, x, 13 [8]

➡ ____________

(6) 16, 18, 24, x, 30 [20]

➡ ____________

2. 대푯값-중앙값 up+

(1) 중앙값: 자료를 작은 값부터 차례대로 나열할 때, 중앙에 위치한 값

① 자료의 개수가 홀수이면 중앙에 위치한 값이 중앙값이다.

예 자료 2, 2, 3, 5, 6, 7, 9의 중앙값은 5이다.

② 자료의 개수가 짝수이면 중앙에 있는 두 값의 평균이 중앙값이다.

예 자료 1, 2, 2, 4, 5, 6의 중앙값은 $\frac{2+4}{2}=3$이다.

(2) 자료의 개수가 n개일 때 중앙값 구하기

① n이 홀수이면 $\frac{n+1}{2}$번째 값

② n이 짝수이면

$\frac{n}{2}$번째와 $\left(\frac{n+1}{2}\right)$번째 자료의 평균

참고 자료에 매우 크거나 작은 값, 즉 극단적인 값이 있는 경우에는 중앙값이 평균보다 자료의 특징을 더 잘 나타낸다.

03 다음 자료의 중앙값을 구하시오.

(1) 3, 1, 5, 2, 4

➡ 자료를 작은 값부터 크기순으로 나열하면

1, 2, □, □, 5

자료의 개수가 홀수이므로 중앙값은 □이다.

(2) 8, 4, 7, 14, 12

➡ ____________

(3) 7, 4, 8, 5, 3, 6, 4

➡ ____________

(4) 4, 9, 3, 6, 8, 12

자료를 작은 값부터 크기순으로 나열하면

3, 4, 6, □, 9, □

자료의 개수가 짝수이므로 중앙값은 한가운데 있는 두 값 6, □의 평균인 $\frac{6+\square}{2}=\square$이다.

(5) 20, 60, 40, 90

➡ ____________

(6) 19, 10, 12, 18, 14, 11

➡ ____________

04 다음은 자료를 작은 값부터 크기순으로 나열한 것이다. 이 자료의 중앙값이 [ ] 안의 수와 같을 때, x의 값을 구하시오.

(1) 1, x, 4, 6 [3]

➡ 자료의 개수가 짝수이므로 중앙값은 중앙에 있는 두 값 x, □의 평균이다.

$\therefore \frac{x+\square}{2}=3$에서 $x=\square$

(2) 4, 6, x, 10, 12, 14 [9]

➡ ____________

(3) 12, 19, 23, x, 32, 40 [25]

➡ ____________

3. 대푯값 - 최빈값 up+

최빈값: 자료의 값 중에서 가장 많이 나타난 값

주의 최빈값은 자료에 따라 2개 이상일 수도 있다.

예 자료 1, 3, 3, 5, 7, 7, 9의 최빈값은 3과 7이다.

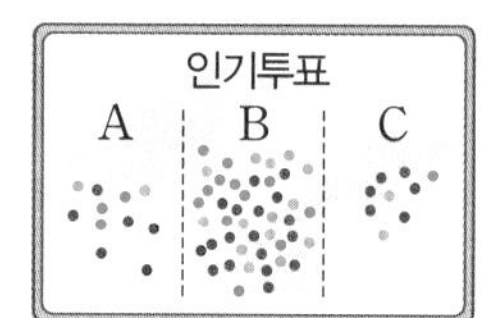

자료의 수가 많고 중복된 값이 많을 때는 대푯값으로 최빈값이 좋아.

참고 최빈값은 선호도를 조사할 때 주로 사용되며 숫자로 나타내지 못하는 자료에도 활용할 수 있다.

05 다음 자료의 최빈값을 구하시오.

(1) 1, 5, 2, 5, 9

➡ 자료를 작은 값부터 크기순으로 나열하면 1, 2, 5, 5, 9이고, 이때 가장 많이 나타나는 값, 즉 최빈값은 □이다.

(2) 3, 2, 2, 3, 4, 2, 5

➡ ______

(3) 5, 4, 6, 8, 9, 6, 8, 6

➡ ______

(4) 3, 2, 3, 2, 4

➡ ______

쌤 Tip 최빈값은 자료에 따라 2개 이상일 수도 있어.

(5) 1, 2, 5, 3, 2, 7, 5, 8, 6

➡ ______

(6) 10, 8, 9, 10, 9, 8, 9

➡ ______

(7) 22, 27, 20, 27, 20, 24, 22

➡ ______

06 다음 중 옳은 것은 ○표, 옳지 않은 것은 ×표를 (　) 안에 써넣으시오.

(1) 중앙값은 대푯값 중의 하나이다. (　　)

(2) 중앙값은 항상 중앙에 있는 값이다. (　　)

(3) 최빈값은 항상 1개만 존재한다. (　　)

(4) 자료의 개수가 짝수인 경우 크기순으로 나열하였을 때, 가운데 값 2개의 평균이 중앙값이다. (　　)

(5) 평균, 중앙값, 최빈값이 모두 같은 경우가 있다. (　　)

정답과 해설 _ p.40

01 아래 표는 지민이의 성적을 나타낸 것이다. 물음에 답하시오.

과목	국어	수학	영어	과학
점수(점)	83	85	92	88

(1) 네 과목 점수의 평균을 구하시오.

(2) 위의 네 과목에 사회 점수를 합하여 다섯 과목 점수의 평균을 구했더니 85점이었다. 지민이의 사회 점수를 구하시오.

(2) 다섯 과목 점수의 총합은 (다섯 과목의 평균)$\times 5$

다음은 6개의 자료를 크기순으로 나열한 것이다. 이 자료의 중앙값이 7일 때, 상수 x의 값을 구하시오.

2, 4, x, 8, 10, 12

자료의 개수가 짝수일 때는 가운데 있는 두 값의 평균이 중앙값이다.

03 다음은 연우네 반 학생 25명을 대상으로 혈액형을 조사하여 나타낸 것이다. 이 자료의 최빈값을 구하시오.

혈액형	A형	B형	O형	AB형
도수(명)	7	5	9	4

가장 많이 나타나는 값이 최빈값이다.

04 아래는 친구 6명의 몸무게를 조사하여 나타낸 것이다. 다음을 구하시오.

(단위: kg)

57, 47, 55, 57, 49, 68

(1) 몸무게의 평균

(2) 몸무게의 중앙값

(3) 몸무게의 최빈값

자료의 개수가 짝수 n개일 때 중앙값은 $\frac{n}{2}$번째와 $\left(\frac{n}{2}+1\right)$번째 자료의 평균이다.

24강 편차

1. 평균이 주어졌을 때의 편차와 변량

(1) 산포도: 자료들이 대푯값 주위에 흩어져 있는 정도를 하나의 수로 나타낸 값

참고 자료들이 대푯값을 중심으로 모여 있을수록 산포도는 작아지고, 대푯값을 중심으로 넓게 흩어져 있을수록 산포도는 커진다.

(2) 편차: 어떤 자료의 각 변량에서 평균을 뺀 값

➡ (편차)=(변량)−(평균)
(변량)=(편차)+(평균)

① 편차의 총합은 항상 0이다.
② (변량)>(평균)이면 그 편차는 양수이고, (변량)<(평균)이면 그 편차는 음수이다.
③ 편차의 절댓값이 클수록 그 변량은 평균에서 멀리 떨어져 있고, 편차의 절댓값이 작을수록 그 변량은 평균에 가까이 있다.

01 다음 주어진 자료의 평균이 [ ] 안의 수와 같을 때, 표를 완성하시오.

(1) [5]

변량	1	7	9	3
편차	−4		4	

쌤 Tip (편차)=(변량)−(평균)임을 이용해.

(2) [20]

변량	15	30	25	10
편차	−5			

(3) [13]

변량	18	9	16	8	14
편차			3		

(4) [15]

변량	5	10	15	20	25
편차			0		

(5) [10]

변량	8		11		12
편차	−2	3	1	−4	2

쌤 Tip (변량)=(편차)+(평균)임을 이용해.

(6) [60]

변량	80	60			
편차	20	0	15	−25	−10

(7) [6]

변량	4			8	
편차	−2	1	−1	2	0

(8) [50]

변량	44				
편차	−6	6	−2	3	−1

02 다음 자료의 평균을 구하고 표를 완성하시오.

(1)

변량	6	4	2	8
편차				

➡ 변량 6, 4, 2, 8의 평균은

$\frac{6+4+2+8}{\square}=\square$

따라서 (편차)=(변량)−(평균)을 이용하여 표의 빈칸을 완성하면 □, □, □, □이다.

(2)

변량	0	9	8	7
편차				

평균 ➡ ____________

(3)

변량	10	60	40	30
편차				

평균 ➡ ____________

(4)

변량	3	7	5	1	9
편차					

평균 ➡ ____________

(5)

변량	12	22	15	25	16
편차					

평균 ➡ ____________

03 다음 표에서 a의 값을 구하시오.

(1)

변량	A	B	C	D
편차	-2	1	a	-1

➡ 편차의 총합은 0이므로

$(-2)+1+a+(-1)=0$ $\therefore a=\square$

(2)

변량	A	B	C	D
편차	4	-3	a	-4

➡ ____________

(3)

변량	A	B	C	D	E
편차	-5	-3	a	4	8

➡ ____________

(4)

변량	A	B	C	D	E
편차	a	15	-12	3	-4

➡ ____________

(5)

변량	A	B	C	D	E
편차	-7	-2	-1	a	4

➡ ____________

정답과 해설 _ p.41

01 다음에 주어진 자료의 평균이 6일 때, 각 변량의 편차를 구하시오.

변량	4	7	5	8	6
편차					

(편차)=(변량)−(평균)

02 다음은 어느 반 여학생 5명의 오래 매달리기 기록의 편차이다. $a+b$의 값을 구하시오.

학생	A	B	C	D	E
편차(초)	-2	5	a	b	1

참고 편차는 주어진 자료와 같은 단위를 사용한다.

편차의 총합은 0이다.

03 아래는 학생 5명의 수학 수행평가 성적에 대한 편차를 나타낸 것이다. 수학 수행평가 성적의 평균이 18점일 때, 다음을 구하시오.

학생	A	B	C	D	E
편차(점)	3	-1	-5	x	1

(1) x의 값

(2) 학생 D의 점수

(2) (변량)=(편차)+(평균)

04 6개의 변량 13, 8, 7, 6, 11, 9에 대하여 다음 중 이 변량들의 편차가 될 수 없는 것은?

① -2　② -1　③ 0
④ 1　⑤ 2

평균을 구한 후 편차를 구한다.

25강 분산과 표준편차

정답과 해설 _ p.42

1. 편차가 주어졌을 때의 분산, 표준편차

(1) 분산 : 각 편차의 제곱의 총합을 변량의 개수로 나눈 값, 즉 어떤 자료의 편차의 제곱의 평균

➡ $(\text{분산})=\dfrac{\{(\text{편차})^2\text{의 총합}\}}{(\text{변량의 개수})}$

(2) 표준편차: 분산의 음이 아닌 제곱근

➡ $(\text{표준편차})=\sqrt{(\text{분산})}$

참고 ① 분산과 표준편차는 평균을 중심으로 변량이 흩어져 있는 정도를 나타내는 산포도이다.
② 분산은 단위를 갖지 않고, 표준편차는 변량과 같은 단위를 갖는다.

[01~04] 어떤 자료의 편차가 아래와 같을 때, 다음을 구하시오.

01

$1,\quad -1,\quad -1,\quad 1$

(1) $(\text{편차})^2$의 총합

$\{(\text{편차})^2\text{의 총합}\}=1^2+(-1)^2+(\square)^2+1^2$
$=\square$

(2) 분산

$(\text{분산})=\dfrac{\{(\text{편차})^2\text{의 총합}\}}{(\text{변량의 개수})}=\dfrac{\square}{4}=\square$

(3) 표준편차

$(\text{표준편차})=\sqrt{(\text{분산})}=\square$

02

$3,\quad -1,\quad -3,\quad 1$

(1) $(\text{편차})^2$의 총합 ➡ ________

(2) 분산 ➡ ________

(3) 표준편차 ➡ ________

03

$4,\quad 0,\quad -2\quad -4,\quad 2$

(1) $(\text{편차})^2$의 총합 ➡ ________

(2) 분산 ➡ ________

(3) 표준편차 ➡ ________

04

$1,\quad 1,\quad -1,\quad 2\quad -4,\quad 1$

(1) $(\text{편차})^2$의 총합 ➡ ________

(2) 분산 ➡ ________

(3) 표준편차 ➡ ________

[05~06] 어떤 자료의 편차가 아래와 같을 때, 다음을 구하시오.

05

$-5,\quad 3,\quad x,\quad 1$

(1) x의 값 ➡ ________

(2) $(\text{편차})^2$의 총합 ➡ ________

(3) 분산 ➡ ________

(4) 표준편차 ➡ ________

06

$-3,\quad -2,\quad 1,\quad 5,\quad x$

(1) x의 값 ➡ ________

(2) $(\text{편차})^2$의 총합 ➡ ________

(3) 분산 ➡ ________

(4) 표준편차 ➡ ________

[07~09] 주어진 자료에 대하여 다음을 구하시오.

07

1, 2, 3, 4, 5

(1) 평균 ➡ ______

(2)

변량	1	2	3	4	5
편차					
(편차)^2					

(3) (편차)^{2}의 총합 ➡ ______

(4) 분산 ➡ ______

(5) 표준편차 ➡ ______

08

5, 4, 6, 3, 2

(1) 평균 ➡ ______

(2)

변량	5	4	6	3	2
편차					
(편차)^2					

(3) (편차)^{2}의 총합 ➡ ______

(4) 분산 ➡ ______

(5) 표준편차 ➡ ______

09

12, 9, 13, 11, 15

(1) 평균 ➡ ______

(2)

변량	12	9	13	11	15
편차					
(편차)^2					

(3) (편차)^{2}의 총합 ➡ ______

(4) 분산 ➡ ______

(5) 표준편차 ➡ ______

[10~12] 주어진 자료의 평균이 [ ] 안의 수와 같을 때, 다음을 구하시오.

10

2, 4, x, 8 [5]

(1) x의 값

➡ 평균이 5이므로

$\frac{2+4+x+8}{4}=\square \qquad \therefore x=\square$

(2) 분산

➡ $(\text{분산})=\frac{(2-5)^2+(4-5)^2+(\square-5)^2+(8-5)^2}{4}$

$=\square$

(3) 표준편차 ➡ ______

3개의 변량 a, b, c의 평균을 m, 분산을 s^2이라 하면

$m=\frac{a+b+c}{3}$, $s^2=\frac{(a-m)^2+(b-m)^2+(c-m)^2}{3}$

11

7, 8, 5, x [6]

(1) x의 값 ➡ ______

(2) 분산 ➡ ______

(3) 표준편차 ➡ ______

12

20, 21, 17, x, 24 [20]

(1) x의 값 ➡ ______

(2) 분산 ➡ ______

(3) 표준편차 ➡ ______

2. 자료의 분석 up+

(1) 자료의 분산 또는 표준편차가 작다.

➡ 자료들이 평균을 중심으로 모여 있다.
➡ 자료의 분포 상태가 고르다.

(2) 자료의 분산 또는 표준편차가 크다.

➡ 자료들이 평균을 중심으로 더 넓게 흩어져 있다.
➡ 자료의 분포 상태가 고르지 않다.

[13~15] 주어진 자료 중 분포 상태가 가장 고른 반을 구하시오.

13 중간고사 수학 성적

	1반	2반	3반
평균(점)	78	80	82
표준편차(점)	2.3	1.8	3.3

➡ ____________

14 1분 동안의 윗몸 일으키기 기록

	1반	2반	3반	4반
평균(회)	78	80	82	83
표준편차(회)	1.5	1.8	3.3	2.9

➡ ____________

15 통학 시간

	1반	2반	3반	4반
평균(분)	24	25	30	23
분산	86	78	64	88

➡ ____________

16 아래 표는 A, B 두 반의 국어 성적의 평균과 표준편차를 나타낸 것이다. 다음 중 옳은 것은 ○표, 옳지 않은 것은 ×표를 하시오.

반	평균(점)	표준편차(점)
A	75	7
B	72	5.5

(1) A반의 성적이 B반의 성적보다 우수하다. ( )

(2) A반이 B반보다 성적도 높고, 성적의 분포도 고르다. ( )

(3) B반이 A반보다 성적은 낮지만 성적의 분포는 고르다. ( )

(4) A, B 두 반 중 성적이 가장 좋은 학생은 A반에 있다. ( )

[17~18] 주어진 자료를 보고 다음을 구하시오.

17

A팀 편차	1	−1	2	−2
B팀 편차	2	−1	2	−3

(1) 두 팀의 분산 ➡ A팀: B팀:

(2) 분포 상태가 더 고른 팀 ➡ ____________

18

국어 편차	−3	0	−1	3	1
영어 편차	2	−4	−1	3	0

(1) 두 과목의 분산 ➡ 국어: 영어:

(2) 분포 상태가 더 고른 과목 ➡ ____________

정답과 해설 _ p.44

01 다음은 민기의 5회에 걸쳐 평가한 수학 수행평가에 대한 편차를 나타낸 것이다. 민기의 수학 수행평가의 표준편차를 구하시오.

(단위: 점)

-1, -4, 2, -2, 5

$(\text{분산}) = \dfrac{\{(\text{편차})^2\text{의 총합}\}}{(\text{변량의 개수})}$

$(\text{표준편차}) = \sqrt{(\text{분산})}$

02 다음은 A, B, C, D, E 5명의 제기차기 횟수에 대한 편차를 나타낸 것이다. 제기차기 횟수의 분산을 구하시오.

학생	A	B	C	D	E
편차(회)	2	1	-2	x	-5

편차의 총합은 0임을 이용하여 x의 값을 구한다.

03 아래 표는 어느 학교 세 반의 1분 동안 줄넘기 기록의 평균과 표준편차이다. 물음에 답하시오.

	1반	2반	3반
평균(회)	86	90	76
표준편차(회)	2.3	3.6	2.5

(1) 줄넘기 기록이 가장 좋은 반을 구하시오.

(2) 줄넘기 기록이 가장 고른 반을 구하시오.

표준편차가 작을수록 자료의 분포 상태가 고르다.

04 두 변량 x, y의 평균이 2이고 분산이 2일 때, x^2+y^2의 값을 구하시오.

두 변량의 편차는 $x-2$, $y-2$이다.

26강 산점도

1. 산점도 up+

산점도: 두 변량 사이의 관계를 알기 위하여 두 변량 x, y의 순서쌍 (x, y)를 좌표로 하는 점을 좌표평면 위에 나타낸 그림

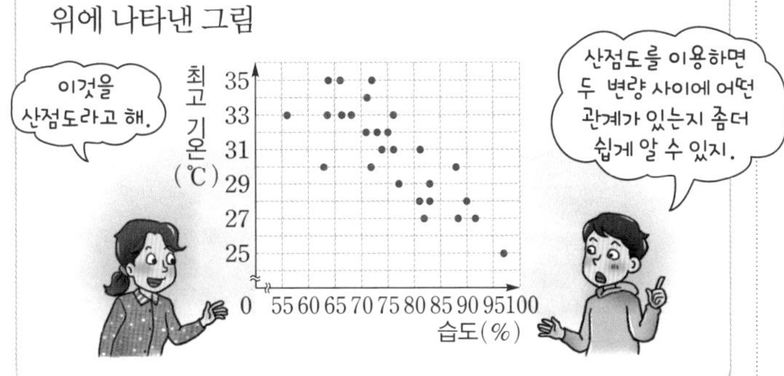

[01~05] 주어진 자료를 보고 산점도를 그리시오.

01

수학(점)	50	60	70	80	90
과학(점)	60	70	80	70	90

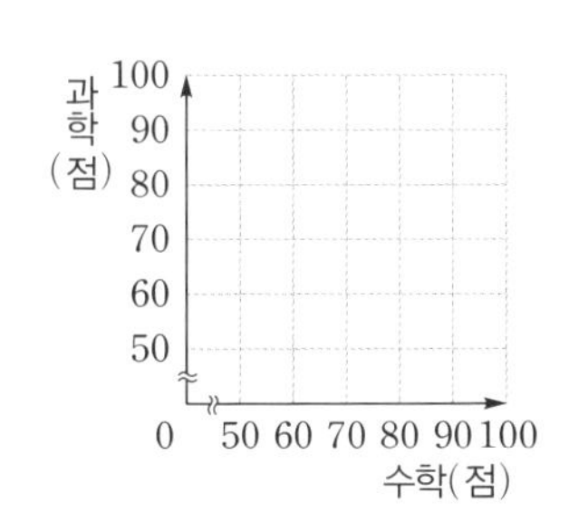

02

몸무게(kg)	50	65	60	65	70
키(cm)	155	165	160	170	175

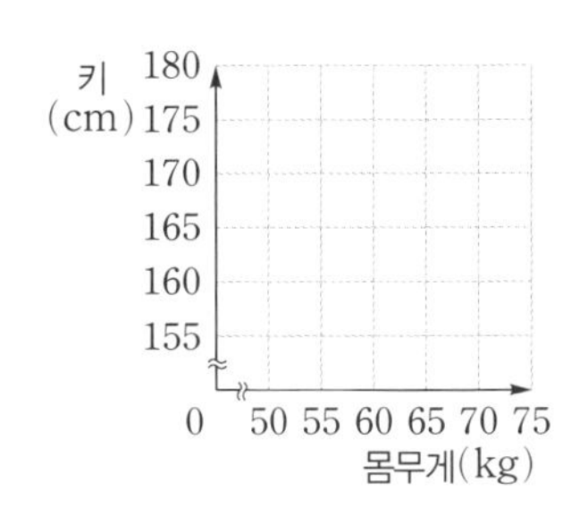

03

사용 시간(시간)	3	4	5	6	7	8
남은 배터리 양(%)	70	60	50	40	30	20

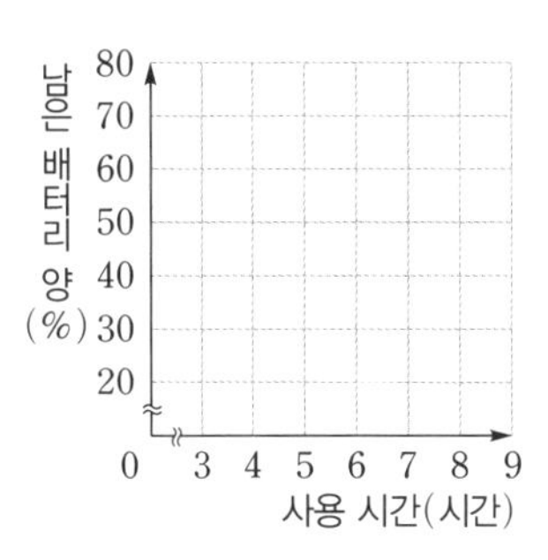

04

미술(점)	50	80	90	60	70
체육(점)	80	60	80	70	90

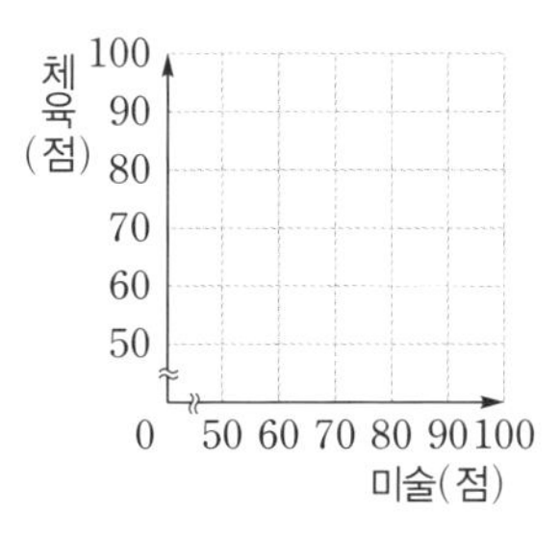

05

시력	1.6	0.8	1.2	1.0	0.6	1.4
발 길이(mm)	240	265	260	250	255	265

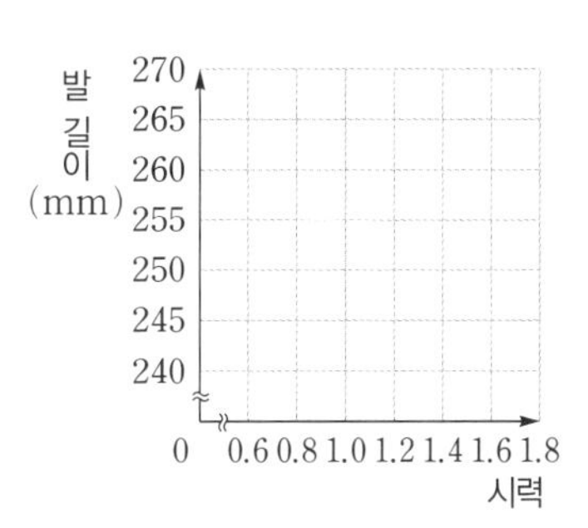

2. 산점도 분석

산점도를 주어진 조건에 따라 분석할 때 다음과 같이 기준이 되는 보조선을 그어 해당하는 부분에 속한 점의 개수를 센다.

① 이상 또는 이하에 대한 조건이 주어질 때

② 두 변량을 비교할 때

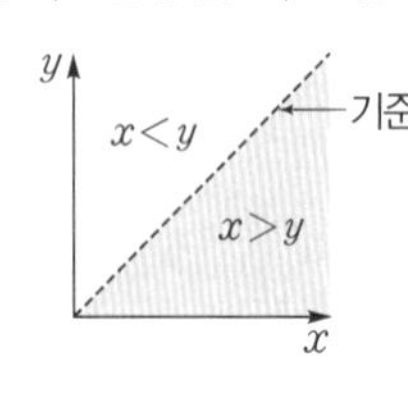

주의 이상, 이하인 수를 구할 때는 기준선 위에 있는 점도 빠뜨리지 않도록 한다.

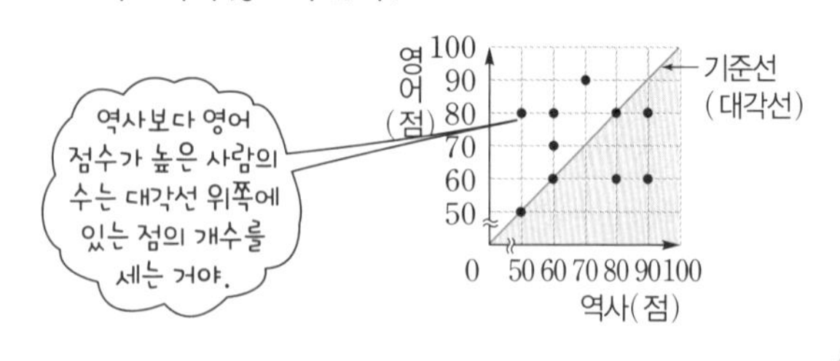

06 아래 그림은 지민이네 반 학생 10명의 체육 수행평가에서 1차와 2차에 받은 점수를 조사하여 나타낸 산점도이다. 다음을 구하시오.

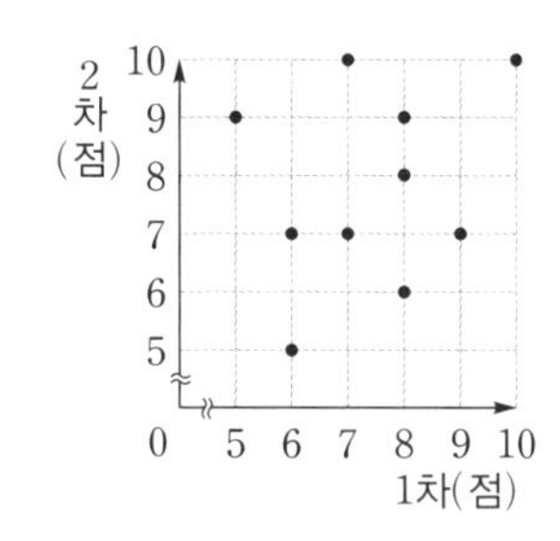

(1) 1차와 2차 점수가 같은 학생 수

➡ ____________________

(2) 1차보다 2차에 더 높은 점수를 받은 학생 수

➡ ____________________

(3) 1차 점수가 가장 낮은 학생의 2차 점수

➡ ____________________

(4) 1차와 2차 모두 8점 이상인 학생 수

➡ ____________________

(5) 2차 점수가 7점 미만인 학생 수

➡ ____________________

07 아래 그림은 어느 반 학생 15명에 대한 국어 성적과 수학 성적의 산점도이다. 다음을 구하시오.

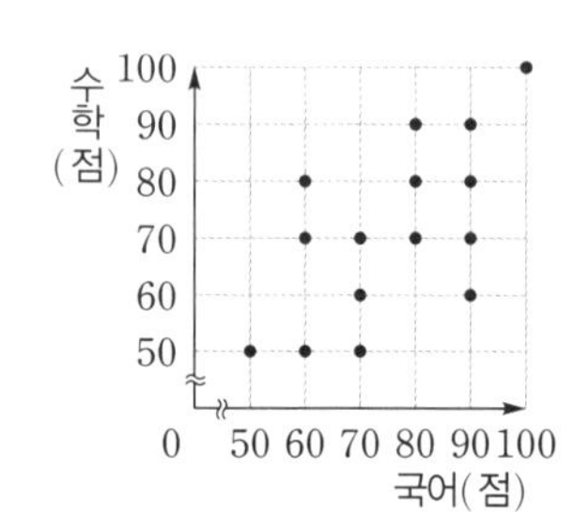

(1) 국어 점수와 수학 점수가 같은 학생 수

➡ ____________________

(2) 수학 점수가 60점 미만인 학생 수

➡ ____________________

(3) 국어 점수가 80점 이상인 학생 수

➡ ____________________

(4) 두 과목 중 적어도 한 과목의 점수가 90점 이상인 학생 수

➡ ____________________

(5) 국어 점수보다 수학 점수가 높은 학생은 전체의 몇 %인가?

➡ ____________________

(6) 두 과목의 점수 차가 20점 이상인 학생 수

➡ ____________________

오른쪽 그림은 10명의 양궁 선수들이 두 차례에 걸쳐 활을 쏘아 얻은 점수를 조사하여 나타낸 산점도이다. 물음에 답하시오.

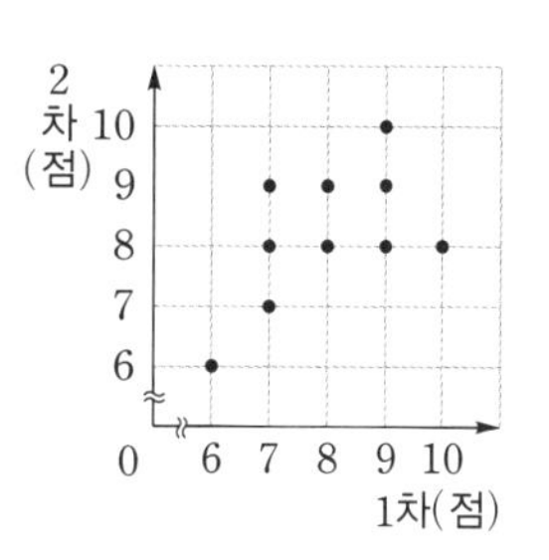

(1) 2차 점수가 9점 이상인 선수는 몇 명인가?

(2) 점수 차가 2점 이상인 선수는 전체의 몇 %인가?

(3) 2차 점수가 9점인 선수들의 1차 점수의 평균을 구하시오.

(2)

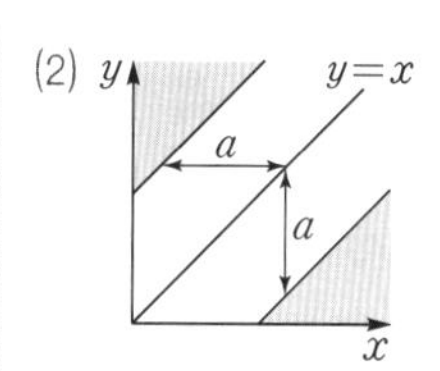

→ 차가 a이상

(3) 2차 점수가 9점인 선수는 3명이다.

02 오른쪽은 명우네 반 학생 20명의 수학 점수와 과학 점수를 조사하여 나타낸 산점도이다. 물음에 답하시오.

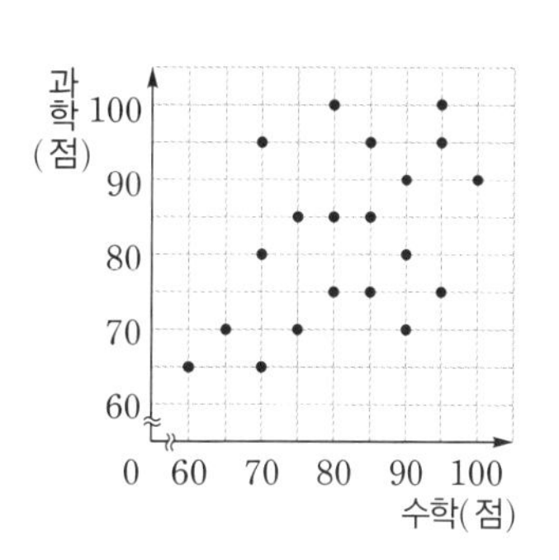

(1) 수학 점수가 과학 점수보다 좋은 학생 수를 구하시오.

(2) 수학 점수와 과학 점수가 모두 90점 이상인 학생은 전체의 몇 %인지 구하시오.

기준이 되는 보조선을 그어 색칠해 본다.

오른쪽은 지수네 반 학생 10명의 1분 동안 팔 굽혀 펴기 횟수와 턱걸이 횟수를 조사하여 나타낸 산점도이다. 다음 중 옳지 않은 것은?

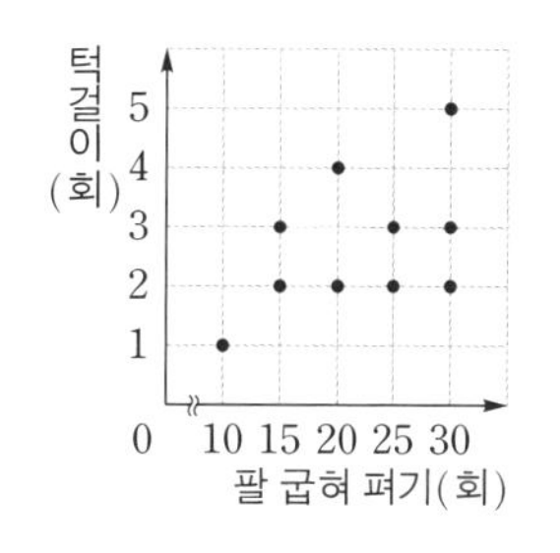

① 팔 굽혀 펴기가 25회 이상인 학생 수는 5이다.
② 턱걸이 횟수가 2회 이하인 학생 수는 5이다.
③ 턱걸이 횟수가 4회 이상, 팔 굽혀 펴기가 25회 이상인 학생 수는 1이다.
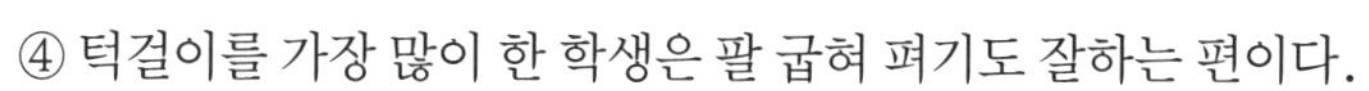
④ 턱걸이를 가장 많이 한 학생은 팔 굽혀 펴기도 잘하는 편이다.
⑤ 턱걸이 횟수가 3회 미만이고 팔 굽혀 펴기가 20회 미만인 학생 수는 전체의 25 %이다.

이상, 이하일 때는 경계를 포함하고, 초과, 미만일 때는 경계를 제외한다.

27강 ••• 상관관계

정답과 해설 _ p.45

1. 상관관계 up+

(1) 상관관계: 두 변량의 값 사이에 한쪽의 값이 커짐에 따라 다른 쪽의 값이 커지거나 작아지는 관계

(2) 상관관계의 종류: 두 변량 x, y에 대한 산점도에서

① 양의 상관관계: x의 값이 커짐에 따라 y의 값도 대체로 커지는 관계

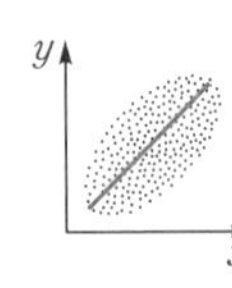

[강한 경우] [약한 경우]

점들이 한 직선 주위에 가까이 몰려 있을수록 상관관계가 강하다고 하고, 멀리 흩어져 있을수록 상관관계가 약하다고 해.

② 음의 상관관계: x의 값이 커짐에 따라 y의 값은 대체로 작아지는 관계

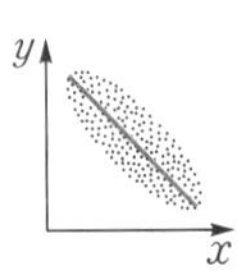

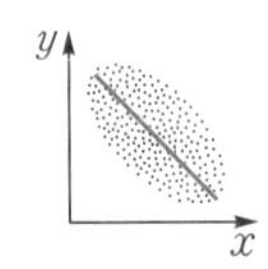

[강한 경우] [약한 경우]

③ 상관관계가 없다: x의 값이 커짐에 따라 y의 값이 증가하는 경향이 있는지 감소하는 경향이 있는지 분명하지 않은 경우

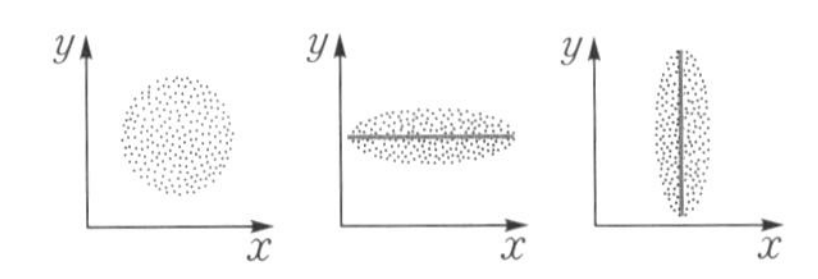

01 보기의 산점도 중에서 □ 안에 알맞은 것을 써넣으시오.

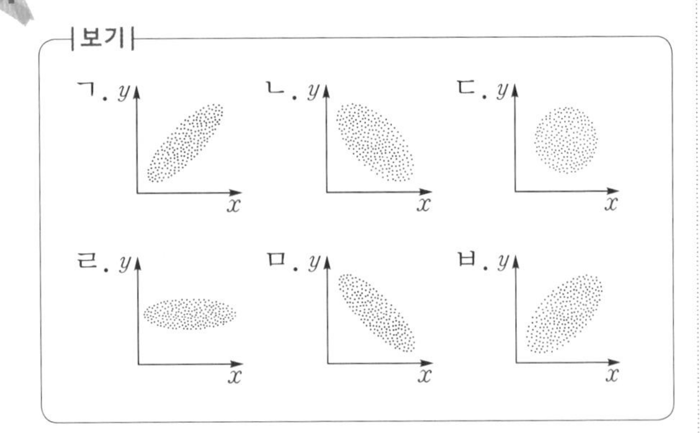

(1) 양의 상관관계를 나타내는 것은 □과 □이다.

(2) 음의 상관관계를 나타내는 것 중에서 □이 □보다 더 강한 음의 상관관계이다.

(3) x의 값이 커짐에 따라 y의 값이 작아지는 경향이 가장 뚜렷한 것은 □이다.

(4) 상관관계가 없는 것은 □, □이다.

02 다음 두 변량 사이의 상관관계를 나타낸 산점도로 알맞은 것을 보기에서 고르시오.

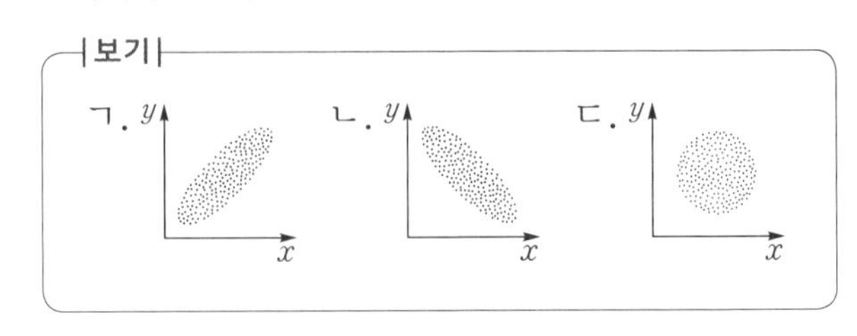

(1) 키와 몸무게 (　　)

(2) 겨울철 기온과 난방비 (　　)

(3) 몸무게와 시력 (　　)

(4) 물건의 가격과 소비량 (　　)

(5) 통학 거리와 통학 시간 (　　)

(6) 손가락 길이와 미술 점수 (　　)

03 다음과 같은 상관관계가 있는 것을 보기에서 고르시오.

보기

ㄱ. 여름철 기온과 전기 소비량
ㄴ. 낮의 길이와 밤의 길이
ㄷ. 가방의 무게와 성적
ㄹ. 운동량과 비만도
ㅁ. 머리 둘레와 수학 성적

(1) 양의 상관관계가 있는 것

(2) 음의 상관관계가 있는 것

(3) 상관관계가 없는 것

2. 상관관계 해석 up+

아래 산점도는 점들이 대체로 오른쪽 위로 향하는 한 직선을 중심으로 그 주위에 분포하므로 양의 상관관계가 있다.

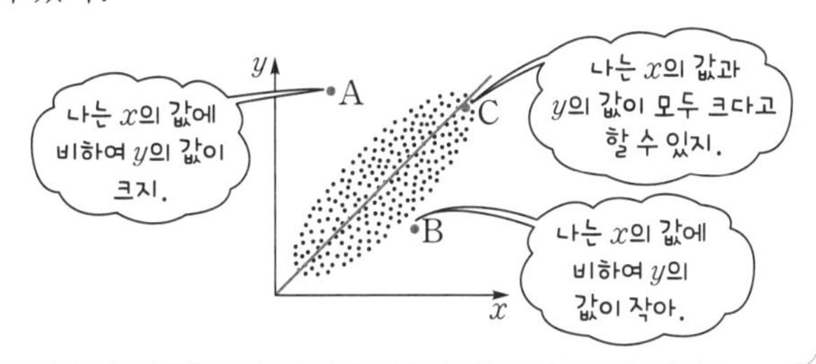

[04~05] 오른쪽 그림은 어느 학교 학생들의 키와 발 길이를 조사하여 나타낸 산점도이다.

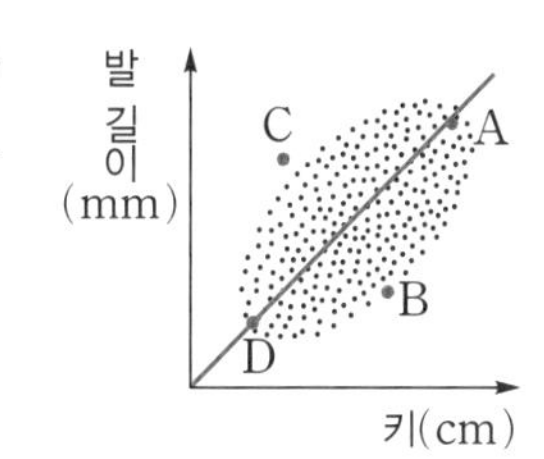

04 다음 중 네 명의 학생 A, B, C, D에 대한 설명 중 옳은 것은 ○표, 옳지 않은 것은 ×표를 ( ) 안에 써넣으시오.

(1) 키와 발 길이 사이에는 음의 상관관계가 있다. ( )

(2) A, B, C, D 네 명 중 키가 가장 큰 학생은 A이다. ( )

(3) A, B, C, D 네 명 중 발이 가장 작은 학생은 D이다. ( )

(4) 키에 비해 발이 큰 학생은 B이다. ( )

05 다음 보기 중 위의 키와 발 길이에 대한 상관관계와 같은 상관관계를 가지는 것을 모두 고르시오.

보기
ㄱ. 시력과 몸무게
ㄴ. 산의 높이와 기온
ㄷ. 미세먼지와 초미세먼지
ㄹ. 영어 성적과 턱걸이 횟수
ㅁ. 여름철 기온과 아이스크림 판매량

06 오른쪽은 태훈이네 학교 학생들의 운동량과 비만도를 조사하여 나타낸 산점도이다. 다음 중 A, B, C, D 네 명의 학생에 대한 설명 중 옳은 것은 ○표, 옳지 않은 것은 ×표를 ( ) 안에 써넣으시오.

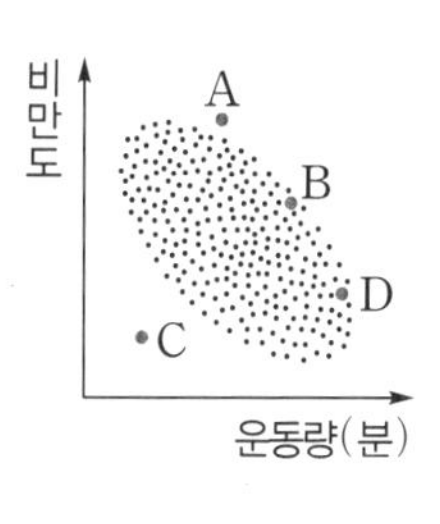

(1) 운동량과 비만도 사이에는 음의 상관관계가 있다. ( )

(2) A, B, C, D 중 운동량이 가장 많은 학생은 A이다. ( )

(3) A는 B보다 운동량이 많다. ( )

(4) 운동량에 비해 비만도가 가장 적은 학생은 C이다. ( )

(5) 운동량에 비하여 비만도가 가장 높은 학생은 A이다. ( )

07 오른쪽 그림은 수학 성적과 과학 성적에 대한 산점도이다. A, B, C, D 네 명에 대한 설명 중 옳은 것은 ○표, 옳지 않은 것은 ×표를 ( ) 안에 써넣으시오.

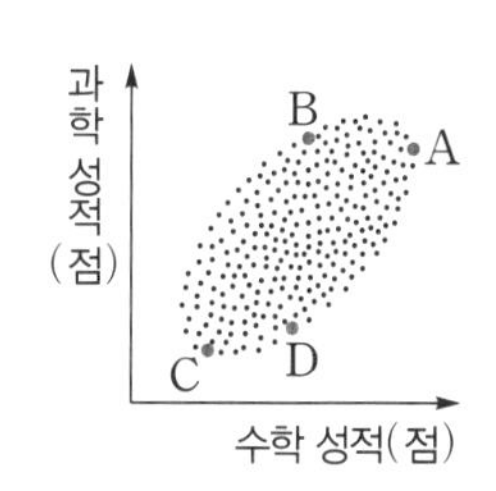

(1) A, B, C, D 중 수학 성적과 과학 성적 모두 가장 우수한 학생은 A이다. ( )

(2) B는 과학 성적에 비해 수학 성적이 우수한 편이다. ( )

(3) C는 수학 성적과 과학 성적이 모두 낮다. ( )

(4) D는 B에 비해 과학 성적이 우수하다. ( )

힘수 만점

정답과 해설 _ p.46

01 다음 중 가장 강한 음의 상관관계를 나타내는 산점도는?

①

② 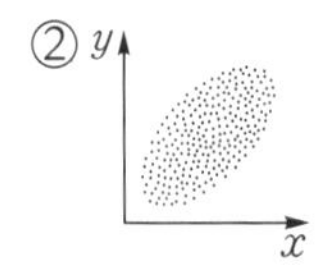

③ 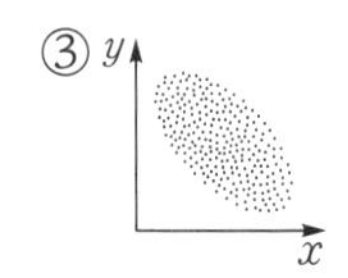

④

⑤ 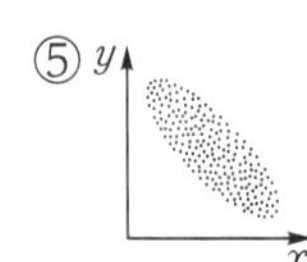

점들이 한 직선에 가까이 모여 있을수록 상관관계가 강하다.

02 다음 중 두 변량 사이에 오른쪽 그림과 같은 상관관계를 가지는 자료를 모두 고르면?(정답 2개)

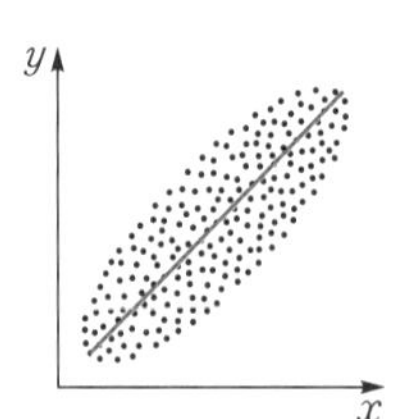

① 영어 성적과 국어 성적

② 스마트폰 사용 시간과 수면 시간

③ 자동차의 증가와 공기 오염 지수

④ 자동차의 사용 시간과 자동차의 가격

⑤ 머리둘레와 성적

주어진 산점도는 양의 상관관계이다.

03 오른쪽 그림은 지후네 반 학생들의 키와 몸무게에 대한 산점도이다. 다음 중 지후의 상태에 대한 설명으로 가장 옳은 것은?

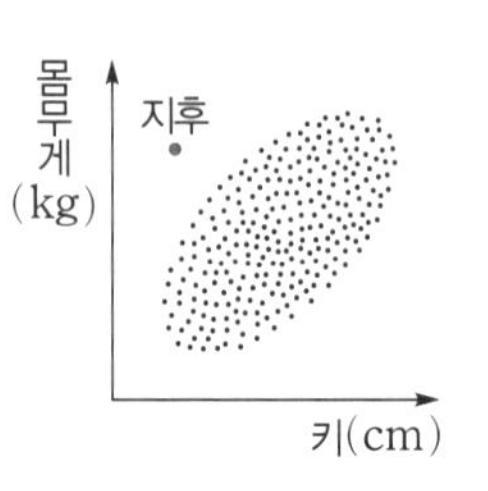

① 키에 비해 몸무게가 적게 나간다.

② 키에 비해 몸무게가 많이 나간다.

③ 키가 커서 몸무게가 많이 나간다.

④ 키가 작아서 몸무게가 적게 나간다.

⑤ 키와 몸무게가 같다.

04 오른쪽 산점도에서 A, B, C, D, E 5명의 학생 중 국어 성적에 비해 수학 성적이 가장 우수한 학생은?

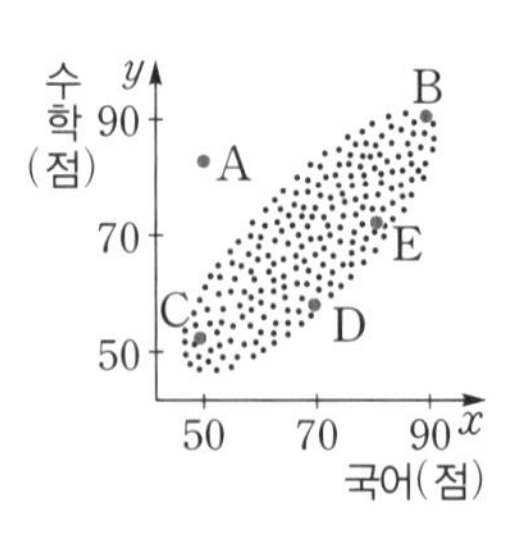

① A ② B

③ C ④ D

⑤ E

오른쪽 위로 올라가는 대각선을 그었을 때 위쪽에 있으면서 가장 멀리 떨어진 점을 찾는다.

중단원 연산 마무리

정답과 해설 _ p.46

01 다음 자료의 중앙값을 구하시오.

(1) 3, 5, 7, 4, 4, 8

(2) 19, 10, 13, 15, 13, 15, 12, 17

02 다음 자료의 최빈값을 구하시오.

(1) 1, 2, 5, 3, 2, 7, 5, 8, 6

(2) 20, 30, 40, 50, 60, 70, 80, 80, 90, 100

03 아래 자료는 어느 반 학생 10명의 턱걸이 횟수를 조사하여 나타낸 것이다. 다음을 구하시오.

(단위: 회)

4, 8, 1, 2, 3, 8, 4, 7, 8, 5

(1) 평균

(2) 중앙값

(3) 최빈값

04 아래 자료의 최빈값이 10일 때, 다음을 구하시오.

6, 12, 15, x, 10, 7

(1) x의 값

(2) 평균

(3) 중앙값

[05~06] 아래 자료의 평균이 [ ] 안의 수와 같을 때, 다음을 구하시오.

05

17, x, 16, 18, 14 [16]

(1) x의 값

(2) 중앙값

06

12, 7, 19, x, 5, 9, 4 [9]

(1) x의 값

(2) 최빈값

07 소연이가 3번의 수학 시험에서 받은 점수가 77점, 82점, 78점이었다. 4번째 시험까지의 수학 점수의 평균이 80점 이상이 되려면 4번째 시험에서 수학을 최소 몇 점을 받아야 하는지 구하시오.

08 다음 자료 중 중앙값이 가장 큰 것은?

① 5, 8, 5, 3, 8, 9
② 5, 7, 4, 9, 3, 4
③ 4, 5, 6, 3, 5, 6
④ 2, 9, 8, 7, 5, 4
⑤ 9, 5, 6, 5, 4, 8

09 주어진 자료에 대하여 다음을 구하시오.

27, 34, 30, 28, 31

(1) 평균

(2)

변량	27	34	30	28	31
편차					
$(\text{편차})^2$					

(3) $(\text{편차})^2$의 총합

(4) 분산

(5) 표준편차

10 아래 표는 윤아의 5회에 걸친 영어 단어 시험 성적에 대한 편차를 나타낸 것이다. 다음을 구하시오.

(단위: 점)

-5, 1, a, 3, 2

(1) a의 값

(2) 분산

(3) 표준편차

11 아래 표는 학생 5명의 수학 점수에 대한 편차를 나타낸 것이다. 학생들의 수학 점수의 평균이 80점일 때, 다음 설명 중 옳은 것을 모두 고르면? (정답 2개)

(단위: 점)

학생	A	B	C	D	E
편차(점)	2	0	-4	x	1

① x의 값은 -1이다.
② C의 수학 점수는 84점이다.
③ A와 C의 수학 점수의 차는 2점이다.
④ 점수가 가장 낮은 사람은 C이다.
⑤ 학생 5명의 수학 점수의 분산은 4.4이다.

12 다음 표는 다섯 학급의 학생들의 1학기 기말고사 성적의 평균과 표준편차를 나타낸 것이다. 다섯 학급 중에서 성적이 가장 고른 반을 구하시오.

학급	1반	2반	3반	4반	5반
평균(점)	73	69	72	71	70
표준편차(점)	8.6	7.4	5.5	6.7	9.1

13 오른쪽은 15명의 양궁 선수들이 양궁 시합에서 1차, 2차에 화살을 쏘아 얻은 점수를 조사하여 나타낸 산점도이다. 다음 중 옳지 않은 것은?

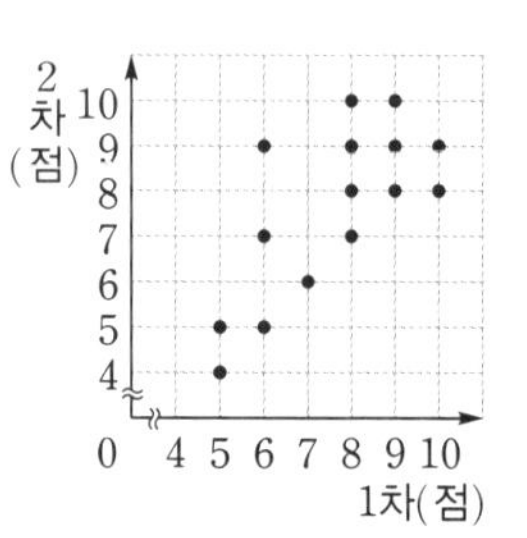

① 1차 점수와 2차 점수가 같은 선수는 3명이다.
② 1차 점수가 2차 점수보다 높은 선수는 7명이다.
③ 1차 점수가 9점 이상인 선수는 5명이다.
④ 1차 점수와 2차 점수가 모두 9점 이상인 선수는 2명이다.
⑤ 2차 점수가 6점 이상 8점 이하인 선수는 6명이다.

14 오른쪽 그림은 민준이네 반 학생 16명의 1학기 중간고사와 기말고사에서 얻은 수학 성적에 대한 산점도이다. 중간고사와 기말고사 성적 모두 70점 이하인 학생은 전체의 몇 %인지 구하시오.

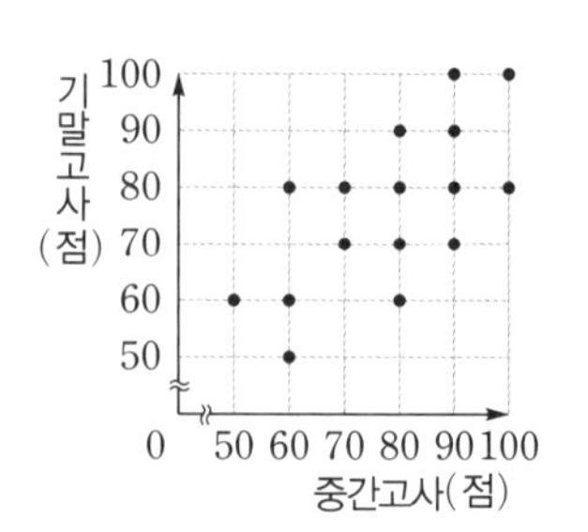

도전 100점

15 다음 보기 중 오른쪽 그림과 같은 상관 관계를 가지는 것을 모두 고르시오.

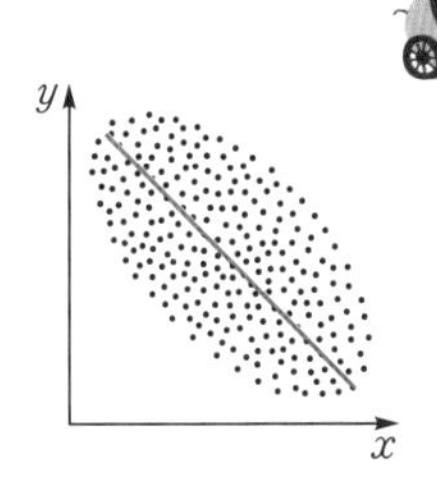

보기

ㄱ. 겨울철 기온과 난방비
ㄴ. 지능지수와 식사량
ㄷ. 수학 성적과 영어 성적
ㄹ. 도시의 자동차 수와 평균 주행 속도
ㅁ. 인구수와 쓰레기 배출량
ㅂ. 산의 높이와 온도

16 오른쪽 그림은 어느 중학교 학생들의 영어 성적과 수학 성적에 관한 산점도이다. A, B, C, D, E 5명의 학생에 대하여 다음을 구하시오.

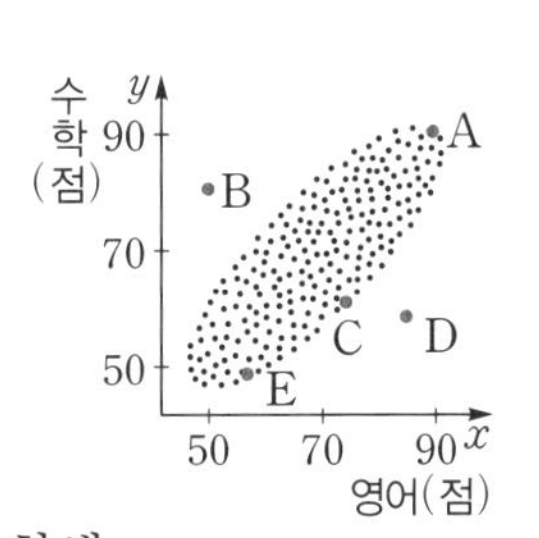

(1) 두 과목 성적이 가장 우수한 학생

(2) 두 과목 성적이 가장 낮은 학생

(3) 영어 성적에 비해 수학 성적이 가장 높은 학생

(4) 수학 성적에 비해 영어 성적이 가장 높은 학생

17 오른쪽 그림은 진호네 학교 학생들의 키와 몸무게를 조사하여 나타낸 산점도이다. A, B, C, D, E 중 키에 비하여 몸무게가 가장 많이 나가는 학생을 구하시오.

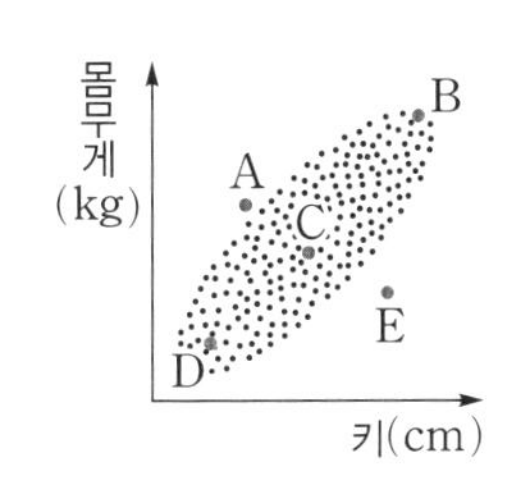

18 다음은 희철이네 모둠에 속한 학생들의 턱걸이 횟수를 기록한 것이다. 이 자료의 평균이 a회, 중앙값이 b회, 최빈값이 c회일 때, $a+b-c$의 값을 구하시오.

(단위: 회)

1, 5, 3, 5, 2, 5, 2, 9

19 변량 7, 6, 5, x, y의 평균이 5이고 분산이 2일 때, x^2+y^2의 값을 구하시오.

20 다음은 지민이와 재호의 5회에 걸친 수행 평가 점수이다. 두 사람의 점수의 평균이 8점으로 같을 때, 지민이와 재호 중 성적이 더 고른 사람을 쓰시오.

(단위: 점)

	1회	2회	3회	4회	5회
지민	7	9	8	6	10
재호	6	8	8	10	8

21 오른쪽 산점도는 민주네 반 학생 12명의 두 번에 걸친 단소 음악 수행 평가 점수를 조사하여 나타낸 것이다. 1, 2차 모두에서 7점 이하를 받은 학생 수를 m명, 1, 2차 모두에서 9점 이상을 받은 학생 수를 n명이라고 할 때, $m+n$의 값을 구하시오.

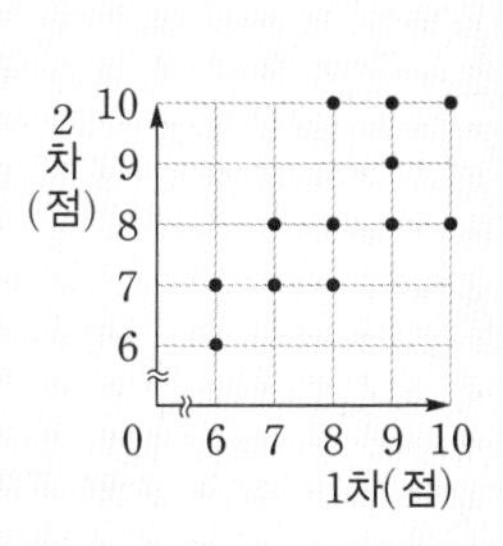

나만의 비법 노트

힘수 연산으로 **수학** 기초 체력 **UP!**

힘이 붙는 수학 연산

정답과 해설

중등 3-2

금성출판사

푸르넷 에듀 소개

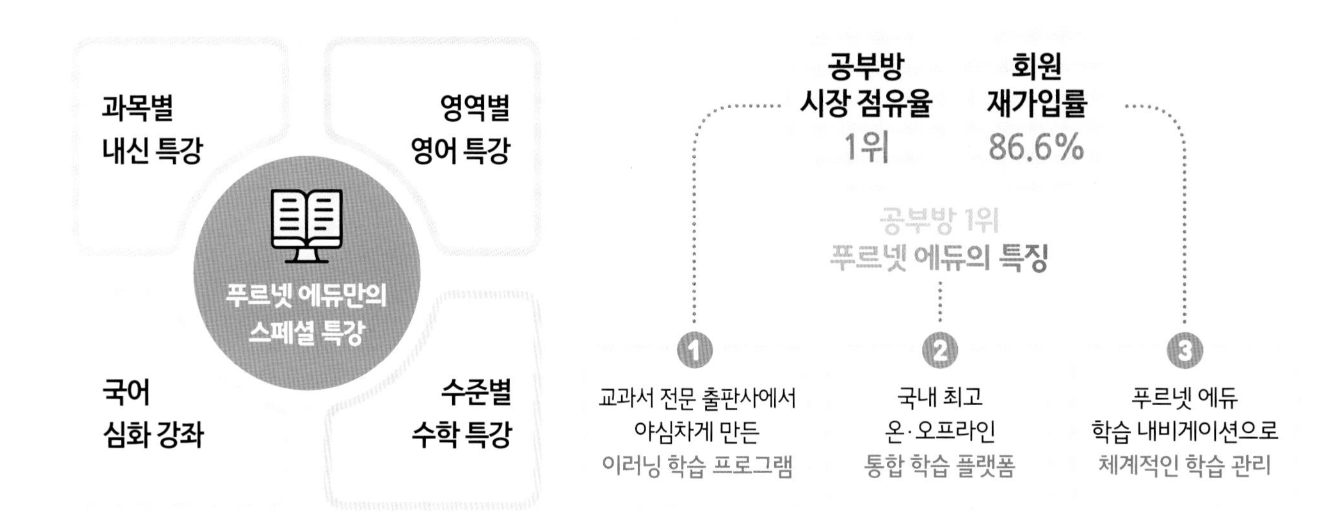

푸르넷 에듀 상품

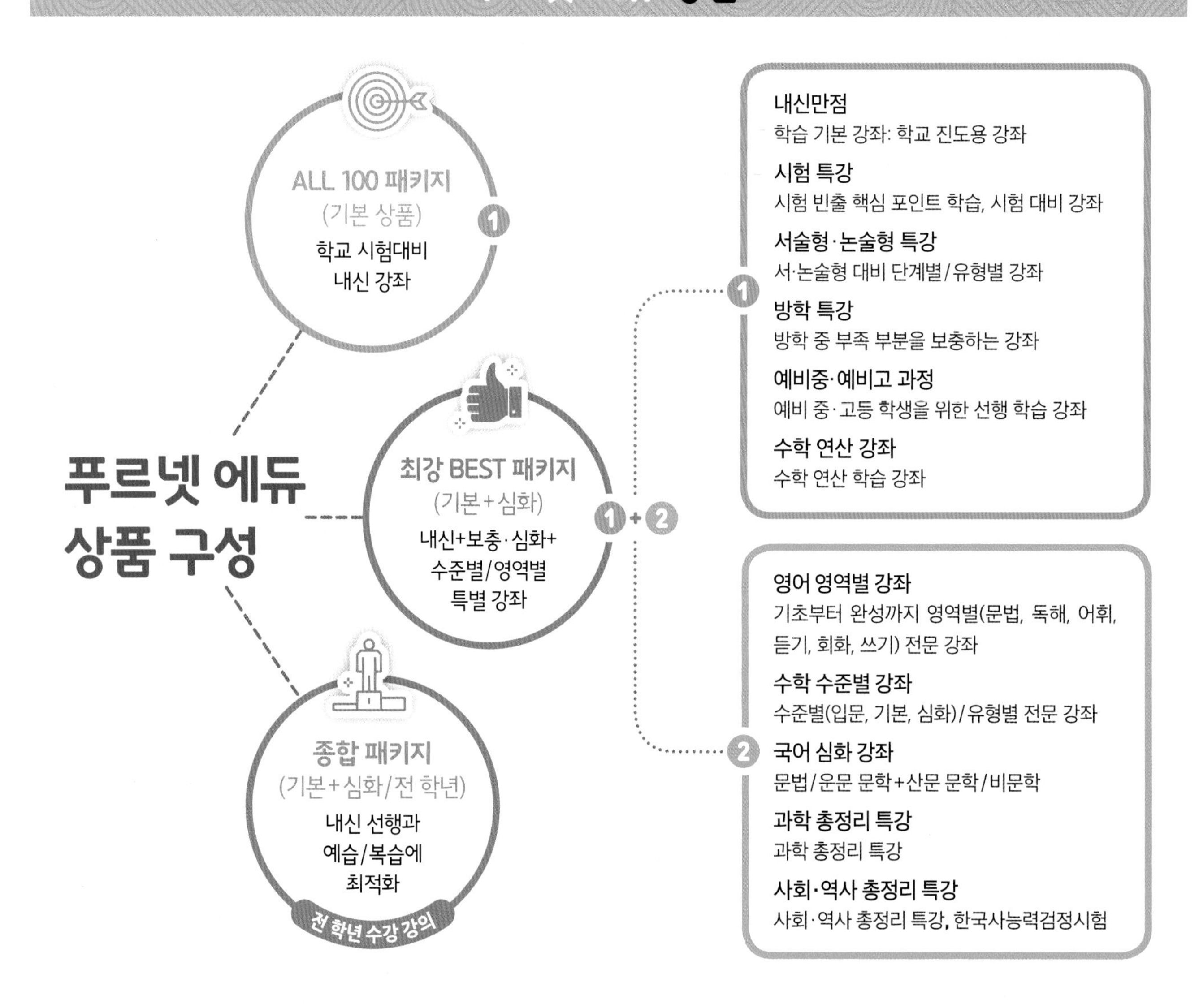

중등 3-2

정답과 해설

삼각비

힘수 점검 7쪽

1. (1) $\sqrt{13}$ (2) $4\sqrt{2}$ (3) 13 (4) $4\sqrt{3}$

2. (1) $65°$ (2) $30°$ (3) $110°$ (4) $60°$

3. (1) $\triangle ABC \backsim \triangle DBA \backsim \triangle DAC$, $\angle C$
(2) $\triangle ABC \backsim \triangle CBD \backsim \triangle ACD$, $\angle A$
(3) $\triangle ABC \backsim \triangle DBA \backsim \triangle DAC$, $\angle B$
(4) $\triangle ABC \backsim \triangle DEC$, $\angle B$

4. (1) 9 cm^2 (2) 6 cm^2 (3) 40 cm^2 (4) 35 cm^2

1강 + 삼각비의 뜻(1) 8~10쪽

01 (1) $\overline{BC}$, $\frac{3}{5}$, $\overline{AC}$, $\frac{4}{5}$, $\overline{BC}$, $\frac{3}{4}$ (2) $\frac{5}{13}$, $\frac{12}{13}$, $\frac{5}{12}$
(3) $\frac{1}{2}$, $\frac{\sqrt{3}}{2}$, $\frac{\sqrt{3}}{3}$

02 (1) $\overline{AB}$, $\frac{4}{5}$, $\overline{AC}$, $\frac{3}{5}$, $\overline{AB}$, $\frac{4}{3}$ (2) $\frac{\sqrt{2}}{2}$, $\frac{\sqrt{2}}{2}$, 1

03 (1) 4 (2) 8, 4 (3) 12, 4

04 (1) 1, 5, $\sqrt{5}$, $2\sqrt{5}$, $\frac{1}{2}$ (2) $\frac{1}{2}$, $\frac{\sqrt{3}}{2}$, $\frac{\sqrt{3}}{3}$
(3) $\frac{\sqrt{3}}{2}$, $\frac{1}{2}$, $\sqrt{3}$ (4) $\frac{\sqrt{6}}{3}$, $\frac{\sqrt{3}}{3}$, $\sqrt{2}$ (5) $\frac{3}{5}$, $\frac{4}{5}$, $\frac{3}{4}$
(6) $\frac{12}{13}$, $\frac{5}{13}$, $\frac{12}{5}$ (7) $\frac{3\sqrt{10}}{10}$, $\frac{\sqrt{10}}{10}$, 3
(8) $\frac{\sqrt{15}}{8}$, $\frac{7}{8}$, $\frac{\sqrt{15}}{7}$ (9) $\frac{\sqrt{3}}{2}$, $\frac{1}{2}$, $\sqrt{3}$

05 (1) 4, 4, 4, $2\sqrt{2}$ (2) 4 (3) $\sqrt{5}$ (4) $5\sqrt{2}$ (5) $3\sqrt{2}$ (6) $3\sqrt{5}$
(7) $\sqrt{2}$ (8) 5

01 (1) $\sin A=\frac{\boxed{\overline{BC}}}{\overline{AC}}=\boxed{\frac{3}{5}}$

$\cos A=\frac{\overline{AB}}{\boxed{\overline{AC}}}=\boxed{\frac{4}{5}}$

$\tan A=\frac{\boxed{\overline{BC}}}{\overline{AB}}=\boxed{\frac{3}{4}}$

(2) $\sin A=\frac{\overline{BC}}{\overline{AC}}=\frac{5}{13}$

$\cos A=\frac{\overline{AB}}{\overline{AC}}=\frac{12}{13}$

$\tan A=\frac{\overline{BC}}{\overline{AB}}=\frac{5}{12}$

(3) $\sin A=\frac{\overline{BC}}{\overline{AC}}=\frac{1}{2}$

$\cos A=\frac{\overline{AB}}{\overline{AC}}=\frac{\sqrt{3}}{2}$

$\tan A=\frac{\overline{BC}}{\overline{AB}}=\frac{1}{\sqrt{3}}=\frac{\sqrt{3}}{3}$

02 (1) $\sin C=\frac{\boxed{\overline{AB}}}{\overline{AC}}=\frac{8}{10}=\boxed{\frac{4}{5}}$

$\cos C=\frac{\overline{BC}}{\boxed{\overline{AC}}}=\frac{6}{10}=\boxed{\frac{3}{5}}$

$\tan C=\frac{\boxed{\overline{AB}}}{\overline{BC}}=\frac{8}{6}=\boxed{\frac{4}{3}}$

(2) $\sin C=\frac{\overline{AB}}{\overline{AC}}=\frac{1}{\sqrt{2}}=\frac{\sqrt{2}}{2}$

$\cos C=\frac{\overline{BC}}{\overline{AC}}=\frac{1}{\sqrt{2}}=\frac{\sqrt{2}}{2}$

$\tan C=\frac{\overline{AB}}{\overline{BC}}=1$

03 (1) $\triangle ABC$에서 $\cos A=\frac{\overline{AB}}{\overline{AC}}=\frac{\boxed{4}}{5}$

(2) $\triangle ADE$에서 $\cos A=\frac{\overline{AD}}{\overline{AE}}=\frac{\boxed{8}}{10}=\frac{\boxed{4}}{5}$

(3) $\triangle AFG$에서 $\cos A=\frac{\overline{AF}}{\overline{AG}}=\frac{\boxed{12}}{15}=\frac{\boxed{4}}{5}$

04 (1) 피타고라스 정리를 이용하면
$\overline{AC}=\sqrt{2^2+\boxed{1}^2}=\sqrt{\boxed{5}}$

$\sin A=\frac{\overline{BC}}{\overline{AC}}=\frac{1}{\sqrt{5}}=\frac{\boxed{\sqrt{5}}}{5}$

$\cos A=\frac{\overline{AB}}{\overline{AC}}=\frac{2}{\sqrt{5}}=\frac{\boxed{2\sqrt{5}}}{5}$

$\tan A=\frac{\overline{BC}}{\overline{AB}}=\boxed{\frac{1}{2}}$

(2) 피타고라스 정리를 이용하면
$\overline{AB}=\sqrt{4^2-2^2}=\sqrt{12}=2\sqrt{3}$

$\sin A=\frac{\overline{BC}}{\overline{AC}}=\frac{2}{4}=\frac{1}{2}$

$\cos A=\frac{\overline{AB}}{\overline{AC}}=\frac{2\sqrt{3}}{4}=\frac{\sqrt{3}}{2}$

$\tan A=\frac{\overline{BC}}{\overline{AB}}=\frac{2}{2\sqrt{3}}=\frac{1}{\sqrt{3}}=\frac{\sqrt{3}}{3}$

(3) 피타고라스 정리를 이용하면
$\overline{BC}=\sqrt{3^2+(3\sqrt{3})^2}=\sqrt{36}=6$

$\sin B=\frac{\overline{AC}}{\overline{BC}}=\frac{3\sqrt{3}}{6}=\frac{\sqrt{3}}{2}$

$\cos B=\frac{\overline{AB}}{\overline{BC}}=\frac{3}{6}=\frac{1}{2}$

$\tan B=\frac{\overline{AC}}{\overline{AB}}=\frac{3\sqrt{3}}{3}=\sqrt{3}$

(4) 피타고라스 정리를 이용하면

$\overline{AC}=\sqrt{(\sqrt{2})^2+2^2}=\sqrt{6}$

$\sin A=\frac{\overline{BC}}{\overline{AC}}=\frac{2}{\sqrt{6}}=\frac{2\sqrt{6}}{6}=\frac{\sqrt{6}}{3}$

$\cos A=\frac{\overline{AB}}{\overline{AC}}=\frac{\sqrt{2}}{\sqrt{6}}=\frac{1}{\sqrt{3}}=\frac{\sqrt{3}}{3}$

$\tan A=\frac{\overline{BC}}{\overline{AB}}=\frac{2}{\sqrt{2}}=\frac{2\sqrt{2}}{2}=\sqrt{2}$

(5) 피타고라스 정리를 이용하면

$\overline{BC}=\sqrt{20^2-12^2}=\sqrt{256}=16$

$\sin C=\frac{\overline{AB}}{\overline{AC}}=\frac{12}{20}=\frac{3}{5}$

$\cos C=\frac{\overline{BC}}{\overline{AC}}=\frac{16}{20}=\frac{4}{5}$

$\tan C=\frac{\overline{AB}}{\overline{BC}}=\frac{12}{16}=\frac{3}{4}$

(6) 피타고라스 정리를 이용하면

$\overline{BC}=\sqrt{13^2-12^2}=\sqrt{25}=5$

$\sin C=\frac{\overline{AB}}{\overline{AC}}=\frac{12}{13}$

$\cos C=\frac{\overline{BC}}{\overline{AC}}=\frac{5}{13}$

$\tan C=\frac{\overline{AB}}{\overline{BC}}=\frac{12}{5}$

(7) 피타고라스 정리를 이용하면

$\overline{AC}=\sqrt{3^2+1^2}=\sqrt{10}$

$\sin C=\frac{\overline{AB}}{\overline{AC}}=\frac{3}{\sqrt{10}}=\frac{3\sqrt{10}}{10}$

$\cos C=\frac{\overline{BC}}{\overline{AC}}=\frac{1}{\sqrt{10}}=\frac{\sqrt{10}}{10}$

$\tan C=\frac{\overline{AB}}{\overline{BC}}=3$

(8) 피타고라스 정리를 이용하면

$\overline{AB}=\sqrt{8^2-(\sqrt{15})^2}=\sqrt{49}=7$

$\sin B=\frac{\overline{AC}}{\overline{BC}}=\frac{\sqrt{15}}{8}$

$\cos B=\frac{\overline{AB}}{\overline{BC}}=\frac{7}{8}$

$\tan B=\frac{\overline{AC}}{\overline{AB}}=\frac{\sqrt{15}}{7}$

(9) 피타고라스 정리를 이용하면

$\overline{AB}=\sqrt{(2\sqrt{5})^2-(\sqrt{5})^2}=\sqrt{15}$

$\sin C=\frac{\overline{AB}}{\overline{AC}}=\frac{\sqrt{15}}{2\sqrt{5}}=\frac{\sqrt{3}}{2}$

$\cos C=\frac{\overline{BC}}{\overline{AC}}=\frac{\sqrt{5}}{2\sqrt{5}}=\frac{1}{2}$

$\tan C=\frac{\overline{AB}}{\overline{BC}}=\frac{\sqrt{15}}{\sqrt{5}}=\sqrt{3}$

05 (1) $\sin A=\frac{\overline{BC}}{\overline{AC}}=\frac{x}{\boxed{4}}$이므로 $\frac{x}{\boxed{4}}=\frac{\sqrt{2}}{2}$

$\therefore x=\frac{\sqrt{2}}{2}\times\boxed{4}=\boxed{2\sqrt{2}}$

(2) $\cos A=\frac{\overline{AB}}{\overline{AC}}=\frac{x}{6}$이므로 $\frac{x}{6}=\frac{2}{3}$

$\therefore x=\frac{2}{3}\times 6=4$

(3) $\tan A=\frac{\overline{BC}}{\overline{AB}}=\frac{1}{x}$이므로 $\frac{1}{x}=\frac{\sqrt{5}}{5}$

$\therefore x=\frac{5}{\sqrt{5}}=\frac{5\sqrt{5}}{5}=\sqrt{5}$

(4) $\sin A=\frac{\overline{BC}}{\overline{AC}}=\frac{3\sqrt{2}}{x}$이므로 $\frac{3\sqrt{2}}{x}=\frac{3}{5}$

$\therefore x=3\sqrt{2}\times\frac{5}{3}=5\sqrt{2}$

(5) $\cos A=\frac{\overline{AB}}{\overline{AC}}=\frac{3}{x}$이므로 $\frac{3}{x}=\frac{\sqrt{2}}{2}$

$\therefore x=3\times\frac{2}{\sqrt{2}}=3\times\frac{2\sqrt{2}}{2}=3\sqrt{2}$

(6) $\cos A=\frac{\overline{AB}}{\overline{AC}}=\frac{\overline{AB}}{9}$이므로 $\frac{\overline{AB}}{9}=\frac{2}{3}$

$\overline{AB}=\frac{2}{3}\times 9=6$

$\therefore x=\sqrt{9^2-6^2}=\sqrt{45}=3\sqrt{5}$

(7) $\sin A=\frac{\overline{BC}}{\overline{AC}}=\frac{\overline{BC}}{\sqrt{6}}$이므로 $\frac{\overline{BC}}{\sqrt{6}}=\frac{\sqrt{6}}{3}$

$\overline{BC}=\frac{\sqrt{6}}{3}\times\sqrt{6}=\frac{6}{3}=2$

$\therefore x=\sqrt{(\sqrt{6})^2-2^2}=\sqrt{2}$

(8) $\sin A=\frac{\overline{BC}}{\overline{AC}}=\frac{5\sqrt{3}}{\overline{AC}}$이므로 $\frac{5\sqrt{3}}{\overline{AC}}=\frac{\sqrt{3}}{2}$

$\overline{AC}=5\sqrt{3}\times\frac{2}{\sqrt{3}}=10$

$\therefore x=\sqrt{10^2-(5\sqrt{3})^2}=\sqrt{25}=5$

힘수 만점 11쪽

01 ③ **02** $\frac{\sqrt{7}}{4}$ **03** $\frac{16}{17}$ **04** $x=4$, $y=2\sqrt{5}$

01 ① $\sin A=\frac{\overline{BC}}{\overline{AC}}=\frac{3}{5}$

② $\cos A=\frac{\overline{AB}}{\overline{AC}}=\frac{4}{5}$

③ $\tan A=\dfrac{\overline{BC}}{\overline{AB}}=\dfrac{3}{4}$

④ $\sin C=\dfrac{\overline{AB}}{\overline{AC}}=\dfrac{4}{5}$

⑤ $\cos C=\dfrac{\overline{BC}}{\overline{AC}}=\dfrac{3}{5}$

02 피타고라스 정리에 의해

$\overline{AB}=\sqrt{4^2-3^2}=\sqrt{7}$

$\therefore \sin C=\dfrac{\overline{AB}}{\overline{AC}}=\dfrac{\sqrt{7}}{4}$

03 피타고라스 정리에 의해

$\overline{BC}=\sqrt{17^2-15^2}=\sqrt{64}=8$이므로

$\sin A=\dfrac{\overline{BC}}{\overline{AC}}=\dfrac{8}{17}$

$\cos C=\dfrac{\overline{BC}}{\overline{AC}}=\dfrac{8}{17}$

$\therefore \sin A+\cos C=\dfrac{8}{17}+\dfrac{8}{17}=\dfrac{16}{17}$

04 $\cos A=\dfrac{y}{6}$이므로 $\dfrac{y}{6}=\dfrac{\sqrt{5}}{3}$

$\therefore y=\dfrac{\sqrt{5}}{3}\times 6=2\sqrt{5}$

직각삼각형 ABC에서 피타고라스 정리를 이용하면

$\overline{BC}=\sqrt{6^2-(2\sqrt{5})^2}=\sqrt{16}=4$ $\therefore x=4$

2강 + 삼각비의 뜻 (2) 12~13쪽

01 (1) $3, \dfrac{3}{5}, \dfrac{4}{3}$ (2) $\dfrac{\sqrt{7}}{4}, \dfrac{\sqrt{7}}{3}$ (3) $\dfrac{8}{17}, \dfrac{15}{17}$

(4) $\dfrac{\sqrt{3}}{2}, \dfrac{\sqrt{3}}{3}$ (5) $\dfrac{\sqrt{2}}{2}, 1$ (6) $\dfrac{1}{2}, \dfrac{\sqrt{3}}{3}$ (7) $\dfrac{\sqrt{5}}{5}, \dfrac{2\sqrt{5}}{5}$

(8) $\dfrac{2\sqrt{7}}{7}, \dfrac{\sqrt{21}}{7}$

02 (1) $\triangle$DBA, $\triangle$DAC (2) $\angle$C (3) $\dfrac{4}{5}, \dfrac{3}{5}, \dfrac{4}{3}$

03 $\dfrac{2}{3}, \dfrac{\sqrt{5}}{3}, \dfrac{2\sqrt{5}}{5}$

04 (1) $\angle$B (2) $\sin x=\dfrac{4}{5}$, $\cos x=\dfrac{3}{5}$, $\tan x=\dfrac{4}{3}$

05 (1) $\dfrac{3}{5}, \dfrac{4}{5}, \dfrac{3}{4}$ (2) $\dfrac{\sqrt{2}}{2}, \dfrac{\sqrt{2}}{2}, 1$ (3) $\dfrac{\sqrt{3}}{2}, \dfrac{1}{2}, \sqrt{3}$

01 (1) $\sin A=\dfrac{4}{5}$이므로 $\overline{AC}=5$, $\overline{BC}=4$인 직각삼각형 ABC를 그리면 오른쪽과 같으므로

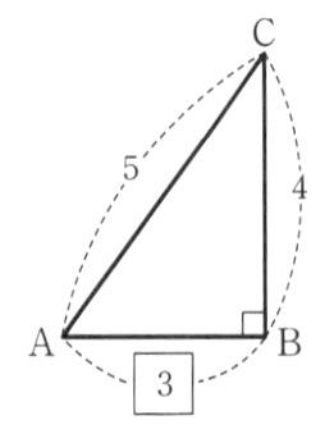

$\overline{AB}=\sqrt{5^2-4^2}=\sqrt{9}=\boxed{3}$

따라서 이 직각삼각형에서

$\cos A=\dfrac{\overline{AB}}{\overline{AC}}=\boxed{\dfrac{3}{5}}$

$\tan A=\dfrac{\overline{BC}}{\overline{AB}}=\boxed{\dfrac{4}{3}}$

(2) $\cos A=\dfrac{3}{4}$이므로 $\overline{AC}=4$, $\overline{AB}=3$인 직각삼각형 ABC를 그리면 오른쪽과 같으므로

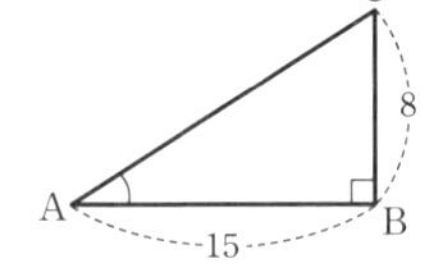

$\overline{BC}=\sqrt{4^2-3^2}=\sqrt{7}$

따라서 이 직각삼각형에서

$\sin A=\dfrac{\overline{BC}}{\overline{AC}}=\boxed{\dfrac{\sqrt{7}}{4}}$

$\tan A=\dfrac{\overline{BC}}{\overline{AB}}=\boxed{\dfrac{\sqrt{7}}{3}}$

(3) $\tan A=\dfrac{8}{15}$이므로 $\overline{AB}=15$, $\overline{BC}=8$인 직각삼각형 ABC를 그리면 오른쪽과 같으므로

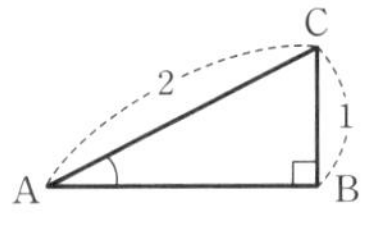

$\overline{AC}=\sqrt{15^2+8^2}=\sqrt{289}=17$

따라서 이 직각삼각형에서

$\sin A=\dfrac{\overline{BC}}{\overline{AC}}=\boxed{\dfrac{8}{17}}$

$\cos A=\dfrac{\overline{AB}}{\overline{AC}}=\boxed{\dfrac{15}{17}}$

(4) $\sin A=\dfrac{1}{2}$이므로 $\overline{AC}=2$, $\overline{BC}=1$인 직각삼각형 ABC를 그리면 오른쪽과 같으므로

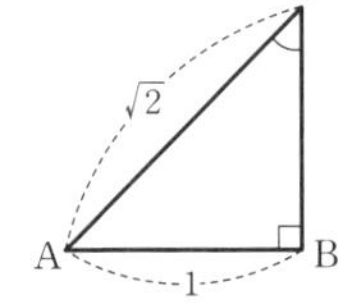

$\overline{AB}=\sqrt{2^2-1^2}=\sqrt{3}$

따라서 이 직각삼각형에서

$\cos A=\boxed{\dfrac{\sqrt{3}}{2}}$

$\tan A=\dfrac{1}{\sqrt{3}}=\boxed{\dfrac{\sqrt{3}}{3}}$

(5) $\sin C=\dfrac{1}{\sqrt{2}}$이므로 $\overline{AC}=\sqrt{2}$, $\overline{AB}=1$인 직각삼각형 ABC를 그리면 오른쪽과 같으므로

$\overline{BC}=\sqrt{(\sqrt{2})^2-1^2}=1$

따라서 이 직각삼각형에서

$\cos C=\dfrac{\overline{BC}}{\overline{AC}}=\dfrac{1}{\sqrt{2}}=\boxed{\dfrac{\sqrt{2}}{2}}$

$\tan C=\dfrac{\overline{AB}}{\overline{BC}}=\boxed{1}$

(6) $\cos C=\dfrac{\sqrt{3}}{2}$이므로 $\overline{AC}=2$, $\overline{BC}=\sqrt{3}$인 직각삼각형 ABC를 그리면 오른쪽과 같으므로

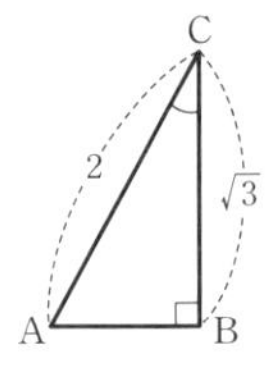

$\overline{AB}=\sqrt{2^2-(\sqrt{3})^2}=1$

따라서 이 직각삼각형에서

$\sin C=\dfrac{\overline{AB}}{\overline{AC}}=\boxed{\dfrac{1}{2}}$

$\tan C=\dfrac{\overline{AB}}{\overline{BC}}=\dfrac{1}{\sqrt{3}}=\boxed{\dfrac{\sqrt{3}}{3}}$

(7) $\tan C=\dfrac{1}{2}$이므로 $\overline{AB}=1$, $\overline{BC}=2$인 직각 삼각형 ABC를 그리면 오른쪽과 같으므로

$\overline{AC}=\sqrt{1^2+2^2}=\sqrt{5}$

따라서 이 직각삼각형에서

$\sin C=\dfrac{\overline{AB}}{\overline{AC}}=\dfrac{1}{\sqrt{5}}=\boxed{\dfrac{\sqrt{5}}{5}}$

$\cos C=\dfrac{\overline{BC}}{\overline{AC}}=\dfrac{2}{\sqrt{5}}=\boxed{\dfrac{2\sqrt{5}}{5}}$

(8) $\tan A=\dfrac{2\sqrt{3}}{4}$이므로 $\overline{AB}=4$, $\overline{BC}=2\sqrt{3}$인 직각삼각형 ABC를 그리면 오른쪽과 같으므로

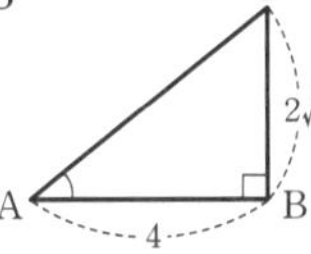

$\overline{AC}=\sqrt{4^2+(2\sqrt{3})^2}$

$=\sqrt{28}=2\sqrt{7}$

따라서 이 직각삼각형에서

$\sin C=\dfrac{\overline{AB}}{\overline{AC}}=\dfrac{4}{2\sqrt{7}}=\dfrac{2}{\sqrt{7}}=\boxed{\dfrac{2\sqrt{7}}{7}}$

$\cos C=\dfrac{\overline{BC}}{\overline{AC}}=\dfrac{2\sqrt{3}}{2\sqrt{7}}=\dfrac{\sqrt{3}}{\sqrt{7}}=\boxed{\dfrac{\sqrt{21}}{7}}$

02 (1) △ABC와 △DBA에서

$\angle BAC=\angle BDA=90^\circ$, ∠B는 공통

이므로 △ABC∽△DBA (AA 닮음)

또, △ABC와 △DAC에서

$\angle BAC=\angle ADC=90^\circ$, ∠C는 공통

이므로 △ABC∽△DAC (AA 닮음)

(2) △ABD에서 $\angle BAD=90^\circ-\angle B$

△ABC에서 $\angle C=90^\circ-\angle B$

$\therefore \angle BAD=\angle C$

(3) $\angle BAD=\angle C=\angle x$이므로

$\sin x=\sin C=\dfrac{\overline{AB}}{\overline{BC}}=\boxed{\dfrac{4}{5}}$

$\cos x=\cos C=\dfrac{\overline{AC}}{\overline{BC}}=\boxed{\dfrac{3}{5}}$

$\tan x=\tan C=\dfrac{\overline{AB}}{\overline{AC}}=\boxed{\dfrac{4}{3}}$

03 △ABC와 △ACD에서

$\angle ACB=\angle ADC=90^\circ$, ∠A는 공통

이므로 △ABC∽△ACD (AA 닮음)

$\therefore \angle x=\angle B$

직각삼각형 ABC에서 $\overline{BC}=\sqrt{6^2-4^2}=\sqrt{20}=2\sqrt{5}$이므로

$\sin x=\sin B=\dfrac{\overline{AC}}{\overline{AB}}=\dfrac{4}{6}=\dfrac{2}{3}$

$\cos x=\cos B=\dfrac{\overline{BC}}{\overline{AB}}=\dfrac{2\sqrt{5}}{6}=\dfrac{\sqrt{5}}{3}$

$\tan x=\tan B=\dfrac{\overline{AC}}{\overline{BC}}=\dfrac{4}{2\sqrt{5}}=\dfrac{2}{\sqrt{5}}=\dfrac{2\sqrt{5}}{5}$

04 (1) △ABC와 △ADE에서

$\angle ACB=\angle AED=90^\circ$, ∠A는 공통

이므로 △ABC∽△ADE (AA 닮음)

$\therefore \angle x=\angle B$

(2) $\sin x=\sin B=\dfrac{8}{10}=\dfrac{4}{5}$

$\cos x=\cos B=\dfrac{6}{10}=\dfrac{3}{5}$

$\tan x=\tan B=\dfrac{8}{6}=\dfrac{4}{3}$

05 (1) △ABC와 △DEC에서

$\angle ABC=\angle DEC=90^\circ$, ∠C는 공통

이므로 △ABC∽△DEC (AA 닮음)

$\therefore \angle x=\angle A$

$\sin x=\sin A=\dfrac{6}{10}=\dfrac{3}{5}$

$\cos x=\cos A=\dfrac{8}{10}=\dfrac{4}{5}$

$\tan x=\tan A=\dfrac{6}{8}=\dfrac{3}{4}$

(2) △ABC와 △DBE에서

$\angle BED=\angle BCA=90^\circ$, ∠B는 공통

이므로 △ABC∽△DBE (AA 닮음)

$\therefore \angle x=\angle A$

직각삼각형 ABC에서

$\overline{BC}=\sqrt{(2\sqrt{2})^2-2^2}=\sqrt{4}=2$이므로

$\sin x=\sin A=\dfrac{2}{2\sqrt{2}}=\dfrac{1}{\sqrt{2}}=\dfrac{\sqrt{2}}{2}$

$\cos x=\cos A=\dfrac{2}{2\sqrt{2}}=\dfrac{1}{\sqrt{2}}=\dfrac{\sqrt{2}}{2}$

$\tan x=\tan A=\dfrac{2}{2}=1$

(3) △CAB와 △CED에서

$\angle CAB=\angle CED=90^\circ$, ∠C는 공통

이므로 △CAB∽△CED (AA 닮음) $\therefore \angle x=\angle B$

직각삼각형 ABC에서

$\overline{AC}=\sqrt{6^2-3^2}=\sqrt{27}=3\sqrt{3}$이므로

$\sin x=\sin B=\dfrac{3\sqrt{3}}{6}=\dfrac{\sqrt{3}}{2}$

$\cos x=\cos B=\dfrac{3}{6}=\dfrac{1}{2}$

$\tan x=\tan B=\dfrac{3\sqrt{3}}{3}=\sqrt{3}$

힘수 만점 14쪽

01 (1) $\frac{12}{13}$ (2) $\frac{\sqrt{5}}{3}$ (3) $\sin A=\frac{2\sqrt{5}}{5}$, $\cos A=\frac{\sqrt{5}}{5}$

02 7 **03** (1) $\frac{1}{2}$ (2) $\frac{\sqrt{3}}{2}$ (2) $\frac{\sqrt{3}}{3}$ **04** $\frac{8}{17}$

01 (1) $\angle B=90°$, $\sin A=\frac{5}{13}$를 만족시키는 가장 간단한 직각삼각형을 그리면 오른쪽과 같다.

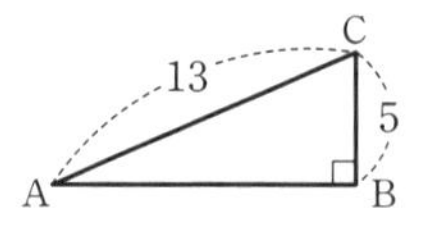

$\overline{AB}=\sqrt{13^2-5^2}=\sqrt{144}=12$이므로 $\cos A=\frac{12}{13}$

(2) $\angle B=90°$, $\cos A=\frac{2}{3}$를 만족시키는 가장 간단한 직각삼각형을 그리면 오른쪽과 같다.

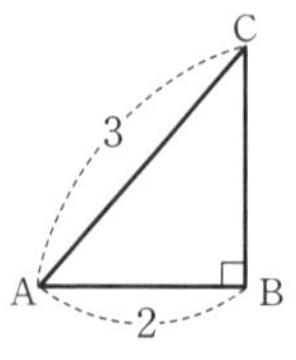

$\overline{BC}=\sqrt{3^2-2^2}=\sqrt{5}$이므로 $\sin A=\frac{\sqrt{5}}{3}$

(3) $\angle B=90°$, $\tan A=2$를 만족시키는 가장 간단한 직각삼각형을 그리면 오른쪽과 같다.

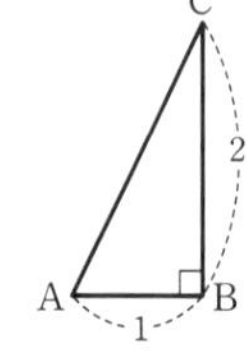

$\overline{AC}=\sqrt{1^2+2^2}=\sqrt{5}$이므로

$\sin A=\frac{2}{\sqrt{5}}=\frac{2\sqrt{5}}{5}$, $\cos A=\frac{1}{\sqrt{5}}=\frac{\sqrt{5}}{5}$

02 $3\tan A-4=0$이므로 $3\tan A=4$, $\tan A=\frac{4}{3}$

$\angle B=90°$, $\tan A=\frac{4}{3}$를 만족시키는 가장 간단한 직각삼각형을 그리면 오른쪽과 같다.

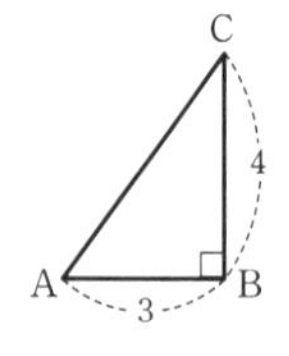

$\overline{AC}=\sqrt{3^2+4^2}=\sqrt{25}=5$이므로

$\sin A=\frac{4}{5}$, $\cos A=\frac{3}{5}$

$\sin A+\cos A=\frac{4}{5}+\frac{3}{5}=\frac{7}{5}$, $\sin A-\cos A=\frac{4}{5}-\frac{3}{5}=\frac{1}{5}$

이므로

$\frac{\sin A+\cos A}{\sin A-\cos A}=\frac{7}{5}\div\frac{1}{5}=7$

03 $\triangle ABC$와 $\triangle DBA$에서

$\angle BAC=\angle BDA=90°$, $\angle B$는 공통

이므로 $\triangle ABC \backsim \triangle DBA$ (AA 닮음)

$\therefore \angle x=\angle C$

$\overline{AC}=\sqrt{2^2-1^2}=\sqrt{3}$이므로

(1) $\sin x=\sin C=\frac{1}{2}$

(2) $\cos x=\cos C=\frac{\sqrt{3}}{2}$

(3) $\tan x=\tan C=\frac{1}{\sqrt{3}}=\frac{\sqrt{3}}{3}$

04 $\triangle ABC$와 $\triangle EBD$에서

$\angle BAC=\angle BED=90°$, $\angle B$는 공통

이므로 $\triangle ABC \backsim \triangle EBD$ (AA 닮음)

$\therefore \angle x=\angle C$

$\overline{BC}=\sqrt{15^2+8^2}=\sqrt{289}=17$이므로

$\cos x=\cos C=\frac{8}{17}$

3강 + 특수한 각의 삼각비의 값 15~16쪽

01 (1) $\frac{1+\sqrt{3}}{2}$ (2) $-\frac{1}{2}$ (3) 1 (4) $\frac{3}{2}$ (5) $2\sqrt{3}$ (6) $\frac{1}{3}$ (7) $\frac{3}{4}$ (8) 1

02 (1) 30° (2) 45° (3) 45° (4) 60° (5) 60° (6) 60°

03 (1) $2\sqrt{3}$, $2\sqrt{3}$, 4 (2) $3\sqrt{3}$ (3) $\sqrt{2}$ (4) $3\sqrt{3}$

04 (1) $2\sqrt{2}$, 2, 2, $\frac{4\sqrt{3}}{3}$ (2) $4\sqrt{3}$ (3) 12 (4) $\sqrt{3}$ (5) 4 (6) $2\sqrt{6}$

01 (1) $\sin 30°+\cos 30°=\frac{1}{2}+\frac{\sqrt{3}}{2}=\frac{1+\sqrt{3}}{2}$

(2) $\cos 60°-\tan 45°=\frac{1}{2}-1=-\frac{1}{2}$

(3) $\sin 30°+\cos 60°=\frac{1}{2}+\frac{1}{2}=1$

(4) $\cos 30°\times\tan 60°=\frac{\sqrt{3}}{2}\times\sqrt{3}=\frac{3}{2}$

(5) $\tan 60°\div\cos 60°=\sqrt{3}\div\frac{1}{2}=\sqrt{3}\times 2=2\sqrt{3}$

(6) $\tan 30°\times\cos 60°\div\sin 60°$

$=\frac{\sqrt{3}}{3}\times\frac{1}{2}\div\frac{\sqrt{3}}{2}=\frac{\sqrt{3}}{3}\times\frac{1}{2}\times\frac{2}{\sqrt{3}}=\frac{1}{3}$

(7) $\sin 45°\times\cos 45°+\cos 60°\times\sin 30°$

$=\frac{\sqrt{2}}{2}\times\frac{\sqrt{2}}{2}+\frac{1}{2}\times\frac{1}{2}=\frac{1}{2}+\frac{1}{4}=\frac{3}{4}$

(8) $\sin^2 30°+\cos^2 30°=(\sin 30°)^2+(\cos 30°)^2$

$=\left(\frac{1}{2}\right)^2+\left(\frac{\sqrt{3}}{2}\right)^2=\frac{1}{4}+\frac{3}{4}=1$

02 (1) $\sin 30°=\frac{1}{2}$이므로 $A=30°$

(2) $\cos 45°=\frac{\sqrt{2}}{2}$이므로 $A=45°$

(3) $\tan 45°=1$이므로 $A=45°$

(4) $\sin 60°=\frac{\sqrt{3}}{2}$이므로 $A=60°$

(5) $\cos 60°=\frac{1}{2}$이므로 $A=60°$

(6) $\tan 60°=\sqrt{3}$이므로 $A=60°$

03 (1) $\sin 60° = \frac{\sqrt{3}}{2}$이므로 $\frac{\boxed{2\sqrt{3}}}{x} = \frac{\sqrt{3}}{2}$

$\therefore x = \boxed{2\sqrt{3}} \times \frac{2}{\sqrt{3}} = \boxed{4}$

(2) $\cos 30° = \frac{\sqrt{3}}{2}$이므로 $\frac{x}{6} = \frac{\sqrt{3}}{2}$

$\therefore x = \frac{\sqrt{3}}{2} \times 6 = 3\sqrt{3}$

(3) $\tan 45° = 1$이므로 $\frac{\sqrt{2}}{x} = 1$

$\therefore x = \sqrt{2}$

(4) $\tan 60° = \sqrt{3}$이므로 $\frac{x}{3} = \sqrt{3}$

$\therefore x = 3\sqrt{3}$

04 (1) 직각삼각형 ABD에서 $\sin 45° = \frac{\sqrt{2}}{2}$이므로

$\frac{\overline{AD}}{\boxed{2\sqrt{2}}} = \frac{\sqrt{2}}{2}$ $\quad \therefore \overline{AD} = \frac{\sqrt{2}}{2} \times 2\sqrt{2} = \boxed{2}$

직각삼각형 ADC에서 $\sin 60° = \frac{\sqrt{3}}{2}$이므로

$\frac{\boxed{2}}{x} = \frac{\sqrt{3}}{2}$ $\quad \therefore x = 2 \times \frac{2}{\sqrt{3}} = \boxed{\frac{4\sqrt{3}}{3}}$

(2) 직각삼각형 ABD에서 $\tan 60° = \sqrt{3}$이므로

$\frac{\overline{AD}}{4} = \sqrt{3}$ $\quad \therefore \overline{AD} = 4\sqrt{3}$

직각삼각형 ACD에서 $\tan 45° = 1$이므로

$\frac{4\sqrt{3}}{x} = 1$ $\quad \therefore x = 4\sqrt{3}$

(3) 직각삼각형 DBC에서 $\tan 60° = \sqrt{3}$이므로

$\frac{\overline{BC}}{6} = \sqrt{3}$ $\quad \therefore \overline{BC} = 6\sqrt{3}$

직각삼각형 ABC에서 $\tan 30° = \frac{\sqrt{3}}{3}$이므로

$\frac{\overline{BC}}{\overline{AB}} = \frac{6\sqrt{3}}{x+6} = \frac{\sqrt{3}}{3}$

$x+6 = 6\sqrt{3} \times \frac{3}{\sqrt{3}} = 18$이므로 $x = 12$

(4) 직각삼각형 ABC에서

$\sin 30° = \frac{1}{2}$이므로 $\frac{1}{2} = \frac{\overline{AB}}{2\sqrt{3}}$

$\therefore \overline{AB} = \frac{1}{2} \times 2\sqrt{3} = \sqrt{3}$

직각삼각형 ABD에서

$\tan 45° = 1$이므로 $\frac{\sqrt{3}}{x} = 1$

$\therefore x = \sqrt{3}$

(5) 직각삼각형 BCD에서

$\tan 45° = 1$이므로 $\frac{\overline{BC}}{2\sqrt{3}} = 1$

$\therefore \overline{BC} = 2\sqrt{3}$

직각삼각형 ABC에서

$\cos 30° = \frac{\sqrt{3}}{2}$이므로 $\frac{2\sqrt{3}}{x} = \frac{\sqrt{3}}{2}$

$\therefore x = 2\sqrt{3} \times \frac{2}{\sqrt{3}} = 4$

(6) 직각삼각형 ABC에서

$\tan 60° = \sqrt{3}$이므로 $\frac{\overline{AC}}{4} = \sqrt{3}$

$\therefore \overline{AC} = 4\sqrt{3}$

직각삼각형 ACD에서

$\sin 45° = \frac{\sqrt{2}}{2}$이므로 $\frac{x}{4\sqrt{3}} = \frac{\sqrt{2}}{2}$

$\therefore x = \frac{\sqrt{2}}{2} \times 4\sqrt{3} = 2\sqrt{6}$

힘수 만점 　17쪽

01 ㄱ, ㄷ, ㄹ　**02** 25°　**03** $x=6$, $y=3$　**04** ③　**05** $2\sqrt{3}$ cm²

01 ㄱ. $\sin 30° = \frac{1}{2}$, $\cos 30° \times \tan 30° = \frac{\sqrt{3}}{2} \times \frac{\sqrt{3}}{3} = \frac{1}{2}$

이므로 $\sin 30° = \cos 30° \times \tan 30°$

ㄴ. $\sin 30° + \sin 60° = \frac{1}{2} + \frac{\sqrt{3}}{2} = \frac{1+\sqrt{3}}{2} \neq 1$

ㄷ. $\tan 30° \times \tan 60° = \frac{\sqrt{3}}{3} \times \sqrt{3} = 1$

ㄹ. $\sin 45° = \cos 45° = \frac{\sqrt{2}}{2}$

따라서 옳은 것은 ㄱ, ㄷ, ㄹ이다.

02 $\sin 60° = \frac{\sqrt{3}}{2}$이므로

$2\angle x + 10° = 60°$, $2\angle x = 50°$

$\therefore \angle x = 25°$

03 $\cos 30° = \frac{\sqrt{3}}{2}$이므로 $\frac{3\sqrt{3}}{x} = \frac{\sqrt{3}}{2}$

$\therefore x = 3\sqrt{3} \times \frac{2}{\sqrt{3}} = 6$

$\tan 30° = \frac{\sqrt{3}}{3}$이므로

$\frac{y}{3\sqrt{3}} = \frac{\sqrt{3}}{3}$

$\therefore y = \frac{\sqrt{3}}{3} \times 3\sqrt{3} = 3$

04 직각삼각형 BCD에서

$\tan 30° = \frac{\sqrt{3}}{3}$이므로 $\frac{8}{\overline{BC}} = \frac{\sqrt{3}}{3}$

$\therefore \overline{BC} = 8 \times \frac{3}{\sqrt{3}} = \frac{24}{\sqrt{3}} = 8\sqrt{3}$

직각삼각형 ABC에서

$\sin 45° = \frac{\sqrt{2}}{2}$이므로 $\frac{\overline{AB}}{8\sqrt{3}} = \frac{\sqrt{2}}{2}$

$\therefore \overline{AB} = \frac{\sqrt{2}}{2} \times 8\sqrt{3} = 4\sqrt{6}$

05 $\sin 30° = \frac{1}{2}$이므로 $\frac{\overline{AC}}{4} = \frac{1}{2}$ $\quad \therefore \overline{AC} = 2\,(\text{cm})$

$\cos 30° = \frac{\sqrt{3}}{2}$이므로 $\frac{\overline{BC}}{4} = \frac{\sqrt{3}}{2}$ $\quad \therefore \overline{BC} = 2\sqrt{3}\,(\text{cm})$

$\therefore \triangle ABC = \frac{1}{2} \times \overline{BC} \times \overline{AC}$

$= \frac{1}{2} \times 2\sqrt{3} \times 2$

$= 2\sqrt{3}\,(\text{cm}^2)$

4강 + 예각의 삼각비의 값 18~19쪽

01 (1) ○, 1, $\overline{AB}$ (2) ○ (3) × (4) × (5) ○
(6) ○, y, y, $\overline{OB}$, $\overline{OB}$
02 (1) 0.6428 (2) 0.7660 (3) 0.8391 (4) 0.7660
(5) 0.6428
03 (1) 0.7880 (2) 0.6157 (3) 1.2799 (4) 0.6157
(5) 0.7880
04 (1) 0 (2) 1 (3) 0 (4) 1 (5) 0
05 풀이 참조
06 (1) 1 (2) 0 (3) 1 (4) −1 (5) $\frac{3}{2}$ (6) 1
07 (1) < (2) > (3) < (4) > (5) < (6) <
08 $\tan 0°$, $\sin 30°$, $\cos 45°$, $\cos 30°$, $\sin 90°$, $\tan 60°$

01 (1) $\sin x = \frac{\overline{AB}}{\overline{OA}} = \frac{\overline{AB}}{\boxed{1}} = \boxed{\overline{AB}}$

(2) $\cos x = \frac{\overline{OB}}{\overline{OA}} = \frac{\overline{OB}}{1} = \overline{OB}$

(3) △COD에서

$\tan x = \frac{\overline{CD}}{\overline{OD}} = \frac{\overline{CD}}{1} = \overline{CD}$

(4) $\sin y = \frac{\overline{OB}}{\overline{OA}} = \frac{\overline{OB}}{1} = \overline{OB}$

(5) $\cos y = \frac{\overline{AB}}{\overline{OA}} = \frac{\overline{AB}}{1} = \overline{AB}$

(6) $\overline{AB} /\!/ \overline{CD}$이므로 $\angle OCD = \angle OAB$ (동위각)

즉, $z = \boxed{y}$

$\therefore \sin z = \sin \boxed{y} = \frac{\boxed{\overline{OB}}}{\overline{OA}} = \frac{\overline{OB}}{1} = \boxed{\overline{OB}}$

02 (1) $\sin 40° = \frac{\overline{AB}}{\overline{OA}} = \frac{\overline{AB}}{1} = \overline{AB} = 0.6428$

(2) $\cos 40° = \frac{\overline{OB}}{\overline{OA}} = \frac{\overline{OB}}{1} = \overline{OB} = 0.7660$

(3) $\tan 40° = \frac{\overline{CD}}{\overline{OD}} = \frac{\overline{CD}}{1} = \overline{CD} = 0.8391$

(4) 직각삼각형 AOB에서

$\angle OAB = 90° - 40° = 50°$이므로

$\sin 50° = \frac{\overline{OB}}{\overline{OA}} = \frac{\overline{OB}}{1} = \overline{OB} = 0.7660$

(5) $\cos 50° = \frac{\overline{AB}}{\overline{OA}} = \frac{\overline{AB}}{1} = \overline{AB} = 0.6428$

03 (1) $\sin 52° = \frac{\overline{AB}}{\overline{OA}} = \frac{\overline{AB}}{1} = \overline{AB} = 0.7880$

(2) $\cos 52° = \frac{\overline{OB}}{\overline{OA}} = \frac{\overline{OB}}{1} = \overline{OB} = 0.6157$

(3) $\tan 52° = \frac{\overline{CD}}{\overline{OD}} = \frac{\overline{CD}}{1} = \overline{CD} = 1.2799$

(4) 직각삼각형 AOB에서

$\angle OAB = 90° - 52° = 38°$이므로

$\sin 38° = \frac{\overline{OB}}{\overline{OA}} = \frac{\overline{OB}}{1} = \overline{OB} = 0.6157$

(5) $\cos 38° = \frac{\overline{AB}}{\overline{OA}} = \frac{\overline{AB}}{1} = \overline{AB} = 0.7880$

05

삼각비 \ A	0°	30°	45°	60°	90°
$\sin A$	0	$\frac{1}{2}$	$\frac{\sqrt{2}}{2}$	$\frac{\sqrt{3}}{2}$	1
$\cos A$	1	$\frac{\sqrt{3}}{2}$	$\frac{\sqrt{2}}{2}$	$\frac{1}{2}$	0
$\tan A$	0	$\frac{\sqrt{3}}{3}$	1	$\sqrt{3}$	정할 수 없다.

06 (1) $\sin 0° + \cos 0° = 0 + 1 = 1$

(2) $\cos 90° \times \tan 30° = 0 \times \frac{\sqrt{3}}{3} = 0$

(3) $\tan 45° \times \cos 0° = 1 \times 1 = 1$

(4) $\sin 0° + \cos 90° - \tan 45° = 0 + 0 - 1 = -1$

(5) $\sin 30° - \cos 90° \times \sin 90° + \tan 45°$

$= \frac{1}{2} - 0 \times 1 + 1 = \frac{3}{2}$

(6) $\sin^2 90° + \cos^2 90° = 1^2 + 0^2 = 1$

07 (1) $\sin 30° = \frac{1}{2}$, $\sin 60° = \frac{\sqrt{3}}{2}$이므로

$\sin 30°$ ⓒ< $\sin 60°$

(2) $\cos 30^\circ=\frac{\sqrt{3}}{2}$, $\cos 60^\circ=\frac{1}{2}$이므로

$\cos 30^\circ$ ⓐ$>$ $\cos 60^\circ$

(3) $\sin 0^\circ=0$, $\sin 90^\circ=1$이므로

$\sin 0^\circ$ ⓐ$<$ $\sin 90^\circ$

(4) $\cos 0^\circ=1$, $\cos 90^\circ=0$이므로

$\cos 0^\circ$ ⓐ$>$ $\cos 90^\circ$

(5) $\tan 0^\circ=0$, $\tan 45^\circ=1$이므로

$\tan 0^\circ$ ⓐ$<$ $\tan 45^\circ$

(6) $\sin 0^\circ=0$, $\cos 0^\circ=1$이므로

$\sin 0^\circ$ ⓐ$<$ $\cos 0^\circ$

08 $\cos 45^\circ=\frac{\sqrt{2}}{2}$, $\sin 30^\circ=\frac{1}{2}$, $\sin 90^\circ=1$, $\cos 30^\circ=\frac{\sqrt{3}}{2}$,

$\tan 0^\circ=0$, $\tan 60^\circ=\sqrt{3}$

따라서 작은 것부터 차례로 나열하면

$\tan 0^\circ$, $\sin 30^\circ$, $\cos 45^\circ$, $\cos 30^\circ$, $\sin 90^\circ$, $\tan 60^\circ$

힘수 만점 20쪽

01 ①, ⑤ **02** ③ **03** ⑤ **04** ④

01 ① $\sin x=\frac{\overline{BC}}{\overline{AC}}=\overline{BC}$

② $\cos y=\frac{\overline{BC}}{\overline{AC}}=\overline{BC}$

③ $\cos x=\frac{\overline{AB}}{\overline{AC}}=\overline{AB}$

④ $\sin z=\sin y=\frac{\overline{AB}}{\overline{AC}}=\overline{AB}$

⑤ $\tan x=\frac{\overline{DE}}{\overline{AD}}=\overline{DE}$

02 ① $\sin 90^\circ+\cos 90^\circ=1+0=1$

② $\sin 30^\circ+\tan 45^\circ=\frac{1}{2}+1=\frac{3}{2}$

③ $\sin 90^\circ-\tan 45^\circ+\cos 0^\circ=1-1+1=1$

④ $\sin 30^\circ\times\cos 90^\circ=\frac{1}{2}\times 0=0$

⑤ $\sin 60^\circ\times\tan 30^\circ=\frac{\sqrt{3}}{2}\times\frac{\sqrt{3}}{3}=\frac{1}{2}$

04 ① $\sin 0^\circ=0$ ② $\sin 30^\circ=\frac{1}{2}$

③ $\tan 45^\circ=1$ ④ $\tan 60^\circ=\sqrt{3}$

⑤ $\cos 90^\circ=0$

따라서 작은 순서로 나열하면

$\sin 0^\circ=\cos 90^\circ<\sin 30^\circ<\tan 45^\circ<\tan 60^\circ$

이므로 그 값이 가장 큰 것은 $\tan 60^\circ$이다.

5강 삼각비의 표 21~22쪽

01 (1) 0.4226 (2) 0.9272 (3) 0.4452 (4) 0.3907 (5) 0.9336 (6) 0.4245

02 (1) 18° (2) 16° (3) 20° (4) 19° (5) 17° (6) 20° (7) 18° (8) 16° (9) 19°

03 (1) 0.7431, 74.31 (2) 6.293 (3) 93.25 (4) 766

04 (1) 55.92, 0.5592, 34° (2) 35°

05 (1) 36°, 36°, 0.5878, 5.878 (2) 8.48

02 (7) $10\cos x=9.511$이므로 $\cos x=0.9511$ $\therefore x=18^\circ$

(8) $100\sin x=27.56$이므로 $\sin x=0.2756$ $\therefore x=16^\circ$

(9) $10\tan x=3.443$이므로 $\tan x=0.3443$ $\therefore x=19^\circ$

03 (1) $\cos 42^\circ=\frac{x}{100}$이므로 $\frac{x}{100}=\boxed{0.7431}$

$\therefore x=100\times 0.7431=\boxed{74.31}$

(2) $\sin 39^\circ=\frac{x}{10}$이므로 $\frac{x}{10}=0.6293$

$\therefore x=10\times 0.6293=6.293$

(3) $\tan 43^\circ=\frac{x}{100}$이므로 $\frac{x}{100}=0.9325$

$\therefore x=100\times 0.9325=93.25$

(4) $\angle CAB=90^\circ-50^\circ=40^\circ$

$\cos 40^\circ=\frac{x}{1000}$이므로 $\frac{x}{1000}=0.7660$

$\therefore x=1000\times 0.7660=766$

04 (1) $\sin x=\frac{\boxed{55.92}}{100}=\boxed{0.5592}$ $\therefore x=\boxed{34^\circ}$

(2) $\cos x=\frac{8.192}{10}=0.8192$ $\therefore x=35^\circ$

05 (1) $\cos A=\frac{8.09}{10}=0$ $\therefore A=\boxed{36^\circ}$

$\sin A=\sin\boxed{36^\circ}$이므로 $\frac{x}{10}=\boxed{0.5878}$

$\therefore x=10\times 0.5878=\boxed{5.878}$

(2) $\sin A=\frac{5.299}{10}=0.5299$ $\therefore A=32^\circ$

$\cos A=\cos 32^\circ$이므로 $\frac{x}{10}=0.848$

$\therefore x=10\times 0.848=8.48$

힘수 만점 23쪽

01 (1) 72° (2) 70° (3) 71° **02** (1) 90.63 (2) 8.48

03 ③

02 (1) $\cos 25° = \frac{x}{100}$이므로 $\frac{x}{100} = 0.9063$

$\therefore x = 100 \times 0.9063 = 90.63$

(2) $\sin 58° = \frac{x}{10}$이므로 $\frac{x}{10} = 0.8480$

$\therefore x = 10 \times 0.8480 = 8.48$

03 $10\sin x = 7.88$에서 $\sin x = 0.788$이므로

$x = 52°$

$\tan y = 1.1918$이므로 $y = 50°$

$\therefore x + y = 52° + 50° = 102°$

6강 중단원 연산 마무리 24~26쪽

01 (1) $\frac{2}{3}$, $\frac{\sqrt{5}}{3}$, $\frac{2\sqrt{5}}{5}$ (2) $\frac{\sqrt{10}}{5}$, $\frac{\sqrt{15}}{5}$, $\frac{\sqrt{6}}{3}$

02 (1) $\sin A = \frac{\sqrt{5}}{5}$, $\cos A = \frac{2\sqrt{5}}{5}$, $\tan A = \frac{1}{2}$

(2) $\sin A = \frac{1}{3}$, $\cos A = \frac{2\sqrt{2}}{3}$, $\tan A = \frac{\sqrt{2}}{4}$

03 (1) $x = 3\sqrt{3}$, $y = 4\sqrt{3}$ (2) $x = 5\sqrt{2}$, $y = 5\sqrt{2}$

04 (1) $\cos A = \frac{15}{17}$, $\tan A = \frac{8}{15}$

(2) $\sin A = \frac{\sqrt{3}}{3}$, $\tan A = \frac{\sqrt{2}}{2}$

(3) $\sin A = \frac{2\sqrt{2}}{3}$, $\cos A = \frac{1}{3}$

05 (1) $\frac{3}{5}$ (2) $\frac{4}{5}$ (3) $\frac{3}{4}$ (4) $\frac{4}{5}$ (5) $\frac{3}{5}$ (6) $\frac{4}{3}$

06 (1) $\frac{12}{13}$ (2) $\frac{4}{5}$

07 (1) 0 (2) $\frac{1}{2} - \frac{\sqrt{3}}{3}$ (3) 1 (4) 1

08 (1) 45° (2) 30° (3) 45° (4) 60°

09 (1) $\sqrt{6}$ (2) 4

10 (1) 1 (2) 1 (3) 3 (4) 2

11 $\frac{1}{2}$, 1, 1, $\frac{\sqrt{2}}{2}$, $\frac{1}{2}$, 0, 1, $\sqrt{3}$

12 (1) ㄷ (2) ㄹ (3) ㄴ (4) ㄹ (5) ㄷ

13 (1) 28° (2) 26° (3) 25° **14** (1) 48.48 (2) 5.095

15 4 **16** 23 **17** ②, ④ **18** $\sqrt{3}$

19 ②

01 (1) $\sin A = \frac{\overline{BC}}{\overline{AC}} = \frac{2}{3}$

$\cos A = \frac{\overline{AB}}{\overline{AC}} = \frac{\sqrt{5}}{3}$

$\tan A = \frac{\overline{BC}}{\overline{AB}} = \frac{2}{\sqrt{5}} = \frac{2\sqrt{5}}{5}$

(2) $\sin C = \frac{\overline{AB}}{\overline{BC}} = \frac{2}{\sqrt{10}} = \frac{2\sqrt{10}}{10} = \frac{\sqrt{10}}{5}$

$\cos C = \frac{\overline{AC}}{\overline{BC}} = \frac{\sqrt{6}}{\sqrt{10}} = \frac{\sqrt{3}}{\sqrt{5}} = \frac{\sqrt{15}}{5}$

$\tan C = \frac{\overline{AB}}{\overline{AC}} = \frac{2}{\sqrt{6}} = \frac{2\sqrt{6}}{6} = \frac{\sqrt{6}}{3}$

02 (1) $\overline{AC} = \sqrt{2^2 + 4^2} = \sqrt{20} = 2\sqrt{5}$이므로

$\sin A = \frac{2}{2\sqrt{5}} = \frac{1}{\sqrt{5}} = \frac{\sqrt{5}}{5}$

$\cos A = \frac{4}{2\sqrt{5}} = \frac{2}{\sqrt{5}} = \frac{2\sqrt{5}}{5}$

$\tan A = \frac{2}{4} = \frac{1}{2}$

(2) $\overline{AB} = \sqrt{9^2 - 3^2} = \sqrt{72} = 6\sqrt{2}$이므로

$\sin A = \frac{3}{9} = \frac{1}{3}$

$\cos A = \frac{6\sqrt{2}}{9} = \frac{2\sqrt{2}}{3}$

$\tan A = \frac{3}{6\sqrt{2}} = \frac{1}{2\sqrt{2}} = \frac{\sqrt{2}}{4}$

03 (1) $\cos A = \frac{x}{5\sqrt{3}}$이므로 $\frac{x}{5\sqrt{3}} = \frac{3}{5}$

$\therefore x = \frac{3}{5} \times 5\sqrt{3} = 3\sqrt{3}$

직각삼각형 ABC에서

$\overline{BC} = \sqrt{(5\sqrt{3})^2 - (3\sqrt{3})^2} = \sqrt{48} = 4\sqrt{3}$

$\therefore y = 4\sqrt{3}$

(2) $\sin A = \frac{y}{10}$이므로 $\frac{y}{10} = \frac{\sqrt{2}}{2}$

$\therefore y = \frac{\sqrt{2}}{2} \times 10 = 5\sqrt{2}$

직각삼각형 ABC에서

$\overline{AB} = \sqrt{10^2 - (5\sqrt{2})^2} = \sqrt{50} = 5\sqrt{2}$

$\therefore x = 5\sqrt{2}$

04 (1) $\angle B = 90°$, $\sin A = \frac{8}{17}$을 만족시키는 가장 간단한 직각삼각형을 그리면 오른쪽과 같다.

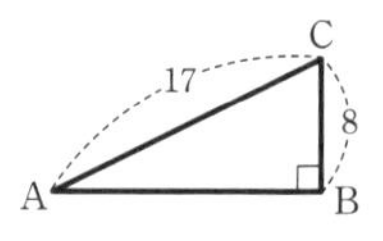

이때 $\overline{AB} = \sqrt{17^2 - 8^2} = \sqrt{225} = 15$이므로

$\cos A = \frac{15}{17}$, $\tan A = \frac{8}{15}$

(2) $\angle B = 90°$, $\cos A = \frac{\sqrt{6}}{3}$을 만족시키는 가장 간단한 직각삼각형을 그리면 오른쪽과 같다.

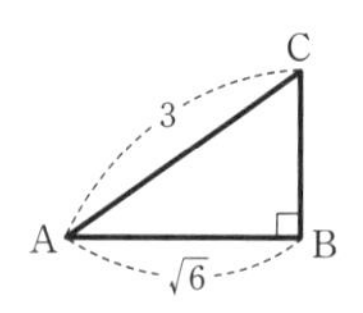

이때 $\overline{BC} = \sqrt{3^2 - (\sqrt{6})^2} = \sqrt{3}$이므로

$\sin A = \frac{\sqrt{3}}{3}$, $\tan A = \frac{\sqrt{3}}{\sqrt{6}} = \frac{1}{\sqrt{2}} = \frac{\sqrt{2}}{2}$

(3) $\angle B=90^\circ$, $\tan A=2\sqrt{2}$를 만족시키는 가장 간단한 직각삼각형을 그리면 오른쪽과 같다.

이때 $\overline{AC}=\sqrt{1^2+(2\sqrt{2})^2}=\sqrt{9}=3$이므로

$\sin A=\frac{2\sqrt{2}}{3}$, $\cos A=\frac{1}{3}$

05 △ABC와 △DBA에서

$\angle BAC=\angle BDA=90^\circ$, ∠B는 공통

이므로 △ABC∽△DBA (AA 닮음)

$\therefore \angle x=\angle C$

△ABC와 △DAC에서

$\angle BAC=\angle ADC=90^\circ$, ∠C는 공통

이므로 △ABC∽△DAC (AA 닮음)

$\therefore \angle y=\angle B$

또, 직각삼각형 ABC에서

$\overline{BC}=\sqrt{9^2+12^2}=\sqrt{225}=15$

(1) $\sin x=\sin C=\frac{\overline{AB}}{\overline{BC}}=\frac{9}{15}=\frac{3}{5}$

(2) $\cos x=\cos C=\frac{\overline{AC}}{\overline{BC}}=\frac{12}{15}=\frac{4}{5}$

(3) $\tan x=\tan C=\frac{\overline{AB}}{\overline{AC}}=\frac{9}{12}=\frac{3}{4}$

(4) $\sin y=\sin B=\frac{\overline{AC}}{\overline{BC}}=\frac{12}{15}=\frac{4}{5}$

(5) $\cos y=\cos B=\frac{\overline{AB}}{\overline{BC}}=\frac{9}{15}=\frac{3}{5}$

(6) $\tan y=\tan B=\frac{\overline{AC}}{\overline{AB}}=\frac{12}{9}=\frac{4}{3}$

06 (1) △ABC와 △EBD에서

$\angle BAC=\angle BED=90^\circ$, ∠B는 공통

이므로 △ABC∽△EBD (AA 닮음)

$\therefore \angle x=\angle C$

$\therefore \sin x=\sin C=\frac{12}{13}$

(2) $\overline{AC}=\sqrt{6^2+8^2}=\sqrt{100}=10$

△ABC와 △ADE에서

$\angle ABC=\angle ADE=90^\circ$, ∠A는 공통

이므로 △ABC∽△ADE (AA 닮음)

$\therefore \angle x=\angle C$

$\therefore \sin x=\sin C=\frac{8}{10}=\frac{4}{5}$

07 (1) $\sin 30^\circ-\sqrt{3}\tan 30^\circ+\cos 60^\circ$

$=\frac{1}{2}-\sqrt{3}\times\frac{\sqrt{3}}{3}+\frac{1}{2}$

$=\frac{1}{2}-1+\frac{1}{2}=0$

(2) $\sin 30^\circ+\cos 60^\circ\times\tan 30^\circ-\cos 30^\circ$

$=\frac{1}{2}+\frac{1}{2}\times\frac{\sqrt{3}}{3}-\frac{\sqrt{3}}{2}$

$=\frac{1}{2}+\frac{\sqrt{3}}{6}-\frac{\sqrt{3}}{2}$

$=\frac{1}{2}+\frac{\sqrt{3}}{6}-\frac{3\sqrt{3}}{6}=\frac{1}{2}-\frac{2\sqrt{3}}{6}$

$=\frac{1}{2}-\frac{\sqrt{3}}{3}$

(3) $2\cos 60^\circ-\sqrt{3}\tan 30^\circ+2\sin 30^\circ$

$=2\times\frac{1}{2}-\sqrt{3}\times\frac{\sqrt{3}}{3}+2\times\frac{1}{2}$

$=1-1+1=1$

(4) $\sin^2 45^\circ+\cos^2 45^\circ=\left(\frac{\sqrt{2}}{2}\right)^2+\left(\frac{\sqrt{2}}{2}\right)^2=\frac{2}{4}+\frac{2}{4}=1$

08 (1) $\sin 45^\circ=\frac{\sqrt{2}}{2}$이므로 $A=45^\circ$

(2) $\cos 30^\circ=\frac{\sqrt{3}}{2}$이므로 $A=30^\circ$

(3) $\tan 45^\circ=1$이므로 $A=45^\circ$

(4) $\cos 60^\circ=\frac{1}{2}$이므로 $A=60^\circ$

09 (1) 직각삼각형 ABC에서

$\tan 60^\circ=\sqrt{3}$이므로 $\frac{\overline{BC}}{1}=\sqrt{3}$ $\quad\therefore \overline{BC}=\sqrt{3}$

직각삼각형 DBC에서

$\sin 45^\circ=\frac{\sqrt{2}}{2}$이므로 $\frac{\sqrt{3}}{x}=\frac{\sqrt{2}}{2}$

$\therefore x=\sqrt{3}\times\frac{2}{\sqrt{2}}=\sqrt{6}$

(2) 직각삼각형 ABC에서

$\tan 30^\circ=\frac{\sqrt{3}}{3}$이므로 $\frac{\overline{AB}}{6}=\frac{\sqrt{3}}{3}$

$\therefore \overline{AB}=\frac{\sqrt{3}}{3}\times 6=2\sqrt{3}$

직각삼각형 ABD에서

$\cos 30^\circ=\frac{\sqrt{3}}{2}$이므로 $\frac{2\sqrt{3}}{x}=\frac{\sqrt{3}}{2}$

$\therefore x=2\sqrt{3}\times\frac{2}{\sqrt{3}}=4$

10 (1) $\sin 90^\circ\times\cos 0^\circ+\cos 60^\circ\times\tan 0^\circ$

$=1\times 1+\frac{1}{2}\times 0=1$

(2) $\tan 45^\circ\times\cos 0^\circ+\sin 45^\circ\times\cos 90^\circ$

$=1\times 1+\frac{\sqrt{2}}{2}\times 0=1$

(3) $2\cos 0^\circ+\sqrt{3}\tan 30^\circ=2\times 1+\sqrt{3}\times\frac{\sqrt{3}}{3}=3$

(4) $(1-\sin 0^\circ)(1+\cos 0^\circ)=(1-0)(1+1)=2$

12 (1) $\sin x=\frac{\overline{AB}}{\overline{OA}}=\frac{\overline{AB}}{1}=\overline{AB}$ (ㄷ)

(2) $\cos x=\frac{\overline{OB}}{\overline{OA}}=\frac{\overline{OB}}{1}=\overline{OB}$ (ㄹ)

(3) $\tan x=\frac{\overline{CD}}{\overline{OD}}=\frac{\overline{CD}}{1}=\overline{CD}$ (ㄴ)

(4) $\sin y=\frac{\overline{OB}}{\overline{OA}}=\frac{\overline{OB}}{1}=\overline{OB}$ (ㄹ)

(5) $\overline{AB}/\!/\overline{CD}$이므로 $z=y$

$\therefore \cos z=\cos y=\frac{\overline{AB}}{\overline{OA}}=\frac{\overline{AB}}{1}=\overline{AB}$ (ㄷ)

14 (1) $\sin 29°=0.4848$이므로 $\frac{x}{100}=0.4848$

$\therefore x=100\times 0.4848=48.48$

(2) $\tan 27°=0.5095$이므로 $\frac{x}{10}=0.5095$

$\therefore x=10\times 0.5095=5.095$

15 $4\sin 90°-2\tan 45°=4\times 1-2\times 1=2$

$\sqrt{3}\tan 30°+2\sin 30°=\sqrt{3}\times\frac{\sqrt{3}}{3}+2\times\frac{1}{2}=2$이므로

$\sqrt{3}\tan 60°+\frac{4\sin 90°-2\tan 45°}{\sqrt{3}\tan 30°+2\sin 30°}$

$=\sqrt{3}\times\sqrt{3}+\frac{2}{2}=3+1=4$

16 직각삼각형 ABC에서

$\overline{BC}=\sqrt{8^2+15^2}=\sqrt{289}=17$

$\triangle ABC \backsim \triangle DBA$ (AA 닮음)이므로 $\angle x=\angle C$

$\triangle ABC \backsim \triangle DAC$ (AA 닮음)이므로 $\angle y=\angle B$

$\therefore \tan x=\tan C=\frac{8}{15}$

$\tan y=\tan B=\frac{15}{8}$

$\therefore 15\tan x+8\tan y=15\times\frac{8}{15}+8\times\frac{15}{8}$

$=8+15=23$

17 점 A의 x좌표는 $\overline{OB}$, y좌표는 $\overline{AB}$이므로

$\sin a=\frac{\overline{AB}}{\overline{OA}}=\frac{\overline{AB}}{1}=\overline{AB}$ (y좌표)

$\cos a=\frac{\overline{OB}}{\overline{OA}}=\frac{\overline{OB}}{1}=\overline{OB}$ (x좌표)

따라서 점 A의 좌표는 $(\cos a, \sin a)$

$\angle OAB=\angle OCD$이므로

$\sin b=\frac{\overline{OB}}{\overline{OA}}=\frac{\overline{OB}}{1}=\overline{OB}$ (x좌표)

$\cos b=\frac{\overline{AB}}{\overline{OA}}=\frac{\overline{AB}}{1}=\overline{AB}$ (y좌표)

따라서 점 A의 좌표는 $(\sin b, \cos b)$

즉, 두 가지로 나타낼 수 있다.

18 $\cos 60°=\frac{1}{2}$이므로

$2x+40°=60°$, $2x=20°$, $x=10°$

$\therefore \tan 6x=\tan 60°=\sqrt{3}$

19 직선의 기울기는 $\frac{\overline{OB}}{\overline{OA}}$이므로

$\frac{\overline{OB}}{\overline{OA}}=\tan 60°=\sqrt{3}$

y절편이 2이므로 구하는 직선의 방정식은

$y=\sqrt{3}x+2$

따라서 $a=\sqrt{3}$, $b=2$이므로

$ab=\sqrt{3}\times 2=2\sqrt{3}$

7강 + 직각삼각형의 변의 길이 구하기 27~28쪽

01 (1) 0.77, 7.7 (2) 6.4 (3) 11.9
02 (1) 20, 8 (2) 1.95 (3) 20 (4) 10
03 (1) 0.62, 6.2 (2) 41 m (3) 69 m (4) 39.2 m
04 8.4 m
05 35.7 m
06 (1) 5.8 m (2) 10 m (3) 15.8 m

01 (1) $\sin 50°=\frac{x}{10}$이므로

$x=10\sin 50°=10\times\boxed{0.77}=\boxed{7.7}$

(2) $\cos 50°=\frac{x}{10}$이므로

$x=10\cos 50°=10\times 0.64=6.4$

(3) $\tan 50°=\frac{x}{10}$이므로

$x=10\tan 50°=10\times 1.19=11.9$

02 (1) $\cos 65°=\frac{x}{20}$이므로

$x=\boxed{20}\cos 65°=20\times 0.4=\boxed{8}$

(2) $\sin 23°=\frac{x}{5}$이므로

$x=5\sin 23°=5\times 0.39=1.95$

(3) $\tan 27°=\frac{10}{x}$이므로

$x=\frac{10}{\tan 27°}=\frac{10}{0.5}=20$

(4) $\angle ACB=90°-37°=53°$이므로

$\cos 53°=\frac{6}{x}$에서

$x=\frac{6}{\cos 53°}=\frac{6}{0.6}=10$

03 (1) $\tan 32° = \frac{\overline{BC}}{10}$이므로

$\overline{BC} = 10\tan 32° = 10 \times \boxed{0.62} = \boxed{6.2}$(m)

(2) $\sin 55° = \frac{\overline{BC}}{50}$이므로

$\overline{BC} = 50\sin 55° = 50 \times 0.82 = 41$(m)

(3) $\cos 46° = \frac{\overline{BC}}{100}$이므로

$\overline{BC} = 100\cos 46° = 100 \times 0.69 = 69$(m)

(4) $\tan 63° = \frac{\overline{BC}}{20}$이므로

$\overline{BC} = 20\tan 63° = 20 \times 1.96 = 39.2$(m)

04 $\tan 40° = \frac{\overline{BC}}{10}$이므로

$\overline{BC} = 10\tan 40° = 10 \times 0.84 = 8.4$(m)

따라서 나무의 높이는 8.4 m이다.

05 $\overline{AB} = 20$ m이므로 $\tan 60° = \frac{\overline{BC}}{20}$

$\therefore \overline{BC} = 20\tan 60° = 20 \times 1.7 = 34$(m)

따라서 건물의 높이는 $34 + 1.7 = 35.7$(m)이다.

06 (1) △ACD에서 $\tan 30° = \frac{\overline{CD}}{\overline{AD}} = \frac{\overline{CD}}{10}$

$\therefore \overline{CD} = 10\tan 30° = 10 \times 0.58 = 5.8$(m)

(2) △ABD에서 $\tan 45° = \frac{\overline{BD}}{\overline{AD}} = \frac{\overline{BD}}{10}$

$\tan 45° = 1$이므로 $1 = \frac{\overline{BD}}{10}$

$\therefore \overline{BD} = 10$(m)

(3) $\overline{BC} = \overline{CD} + \overline{BD} = 5.8 + 10 = 15.8$(m)

이므로 나 건물의 높이는 15.8 m이다.

힘수 만점 29쪽

01 $x=6$, $y=8$ **02** ①, ② **03** -1 **04** 13.5 m

01 $\sin 37° = \frac{x}{10}$이므로

$x = 10\sin 37° = 10 \times 0.6 = 6$

$\cos 37° = \frac{y}{10}$이므로

$y = 10\cos 37° = 10 \times 0.8 = 8$

02 $\sin 43° = \frac{y}{\overline{AB}}$이므로 $\overline{AB} = \frac{y}{\sin 43°}$

$\cos 43° = \frac{x}{\overline{AB}}$이므로 $\overline{AB} = \frac{x}{\cos 43°}$

03 $\cos 54° = \frac{x}{5}$이므로

$x = 5\cos 54° = 5 \times 0.6 = 3$

$\sin 54° = \frac{y}{5}$이므로

$y = 5\sin 54° = 5 \times 0.8 = 4$

$\therefore x - y = 3 - 4 = -1$

04 $\overline{AB} = 10$ m이므로 $\tan 50° = \frac{\overline{BC}}{10}$

$\therefore \overline{BC} = 10\tan 50° = 10 \times 1.19 = 11.9$(m)

따라서 나무의 높이는

$11.9 + 1.6 = 13.5$(m)

8강 일반 삼각형의 변의 길이 구하기 30~31쪽

01 (1) $2\sqrt{3}$ (2) 2 (3) 10 (4) $4\sqrt{7}$
02 (1) 8, $4\sqrt{3}$, 8, 4, 12, 12, $8\sqrt{3}$ (2) $\sqrt{7}$ (3) 5 (4) $2\sqrt{7}$
03 (1) 풀이 참조 (2) 60° (3) 6 (4) 6 (5) $4\sqrt{3}$
04 (1) $12\sqrt{2}$ (2) $2\sqrt{6}$ (3) $3\sqrt{6}$ (4) $2\sqrt{2}$ (5) $6\sqrt{2}$

01 (1) 직각삼각형 ACH에서

$\overline{AH} = 4\sin 60° = 4 \times \frac{\sqrt{3}}{2} = 2\sqrt{3}$

(2) $\overline{CH} = 4\cos 60° = 4 \times \frac{1}{2} = 2$

(3) $\overline{BH} = \overline{BC} - \overline{CH} = 12 - 2 = 10$

(4) 직각삼각형 ABH에서

$\overline{AB} = \sqrt{10^2 + (2\sqrt{3})^2} = \sqrt{112} = 4\sqrt{7}$

02 (1) 점 A에서 변 BC에 내린 수선의 발을 H라 하면

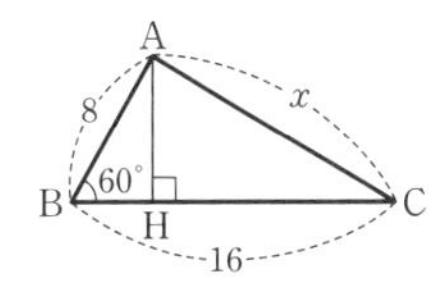

$\overline{AH} = \boxed{8}\sin 60° = 8 \times \frac{\sqrt{3}}{2} = \boxed{4\sqrt{3}}$

$\overline{BH} = \boxed{8}\cos 60° = 8 \times \frac{1}{2} = \boxed{4}$

$\overline{CH} = \overline{BC} - \overline{BH} = 16 - 4 = \boxed{12}$

$\therefore x = \overline{AC} = \sqrt{\boxed{12}^2 + (4\sqrt{3})^2} = \sqrt{192} = 8\sqrt{3}$

(2) 점 A에서 변 BC에 내린 수선의 발을 H라 하면

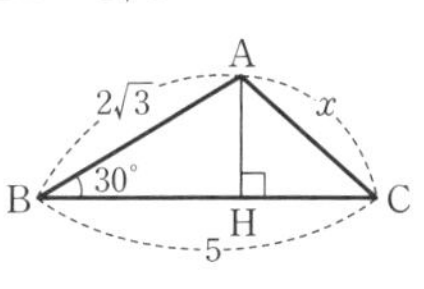

$\overline{AH} = 2\sqrt{3}\sin 30°$

$= 2\sqrt{3} \times \frac{1}{2} = \sqrt{3}$

$\overline{BH} = 2\sqrt{3}\cos 30° = 2\sqrt{3} \times \frac{\sqrt{3}}{2} = 3$

$\overline{CH}=\overline{BC}-\overline{BH}=5-3=2$

$\therefore x=\overline{AC}=\sqrt{(\sqrt{3})^2+2^2}=\sqrt{7}$

(3) 점 A에서 변 BC에 내린 수선의 발을 H라 하면

$\overline{AH}=3\sqrt{2}\sin 45^\circ$

$=3\sqrt{2}\times\frac{\sqrt{2}}{2}=3$

$\overline{BH}=3\sqrt{2}\cos 45^\circ=3\sqrt{2}\times\frac{\sqrt{2}}{2}=3$

$\overline{CH}=\overline{BC}-\overline{BH}=7-3=4$

$\therefore x=\overline{AC}=\sqrt{3^2+4^2}=\sqrt{25}=5$

(4) 점 A에서 변 BC에 내린 수선의 발을 H라 하면

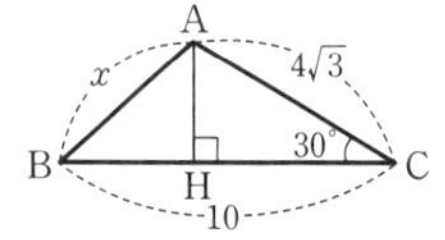

$\overline{AH}=4\sqrt{3}\sin 30^\circ$

$=4\sqrt{3}\times\frac{1}{2}=2\sqrt{3}$

$\overline{CH}=4\sqrt{3}\cos 30^\circ=4\sqrt{3}\times\frac{\sqrt{3}}{2}=6$

$\overline{BH}=\overline{BC}-\overline{CH}=10-6=4$

$\therefore x=\overline{AB}=\sqrt{4^2+(2\sqrt{3})^2}=\sqrt{28}=2\sqrt{7}$

03 (1) 점 B에서 변 AC에 내린 수선의 발을 H라 하면 직각삼각형 ABH와 CBH가 만들어진다.

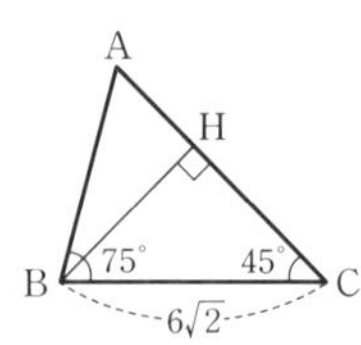

(2) 삼각형 ABC에서

$\angle A=180^\circ-(75^\circ+45^\circ)=60^\circ$

(3) 직각삼각형 BCH에서

$\overline{BH}=6\sqrt{2}\sin 45^\circ=6\sqrt{2}\times\frac{\sqrt{2}}{2}=6$

(4) $\overline{CH}=6\sqrt{2}\cos 45^\circ=6\sqrt{2}\times\frac{\sqrt{2}}{2}=6$

(5) 직각삼각형 BAH에서 $\sin 60^\circ=\frac{\overline{BH}}{\overline{AB}}$이므로

$\overline{AB}=\frac{\overline{BH}}{\sin 60^\circ}=6\div\frac{\sqrt{3}}{2}$

$=6\times\frac{2}{\sqrt{3}}=6\times\frac{2\sqrt{3}}{3}=4\sqrt{3}$

04 (1) 점 A에서 변 BC에 내린 수선의 발을 H라 하면 직각삼각형 ACH에서

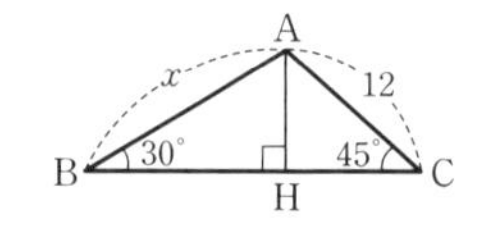

$\overline{AH}=12\sin 45^\circ=12\times\frac{\sqrt{2}}{2}=6\sqrt{2}$

$x=\overline{AB}=\frac{6\sqrt{2}}{\sin 30^\circ}=6\sqrt{2}\div\frac{1}{2}=6\sqrt{2}\times 2=12\sqrt{2}$

(2) 삼각형 ABC에서

$\angle A=180^\circ-(60^\circ+75^\circ)=45^\circ$

점 C에서 변 AB에 내린 수선의 발을 H라 하면

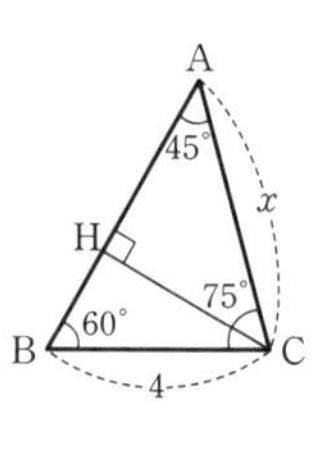

직각삼각형 BCH에서

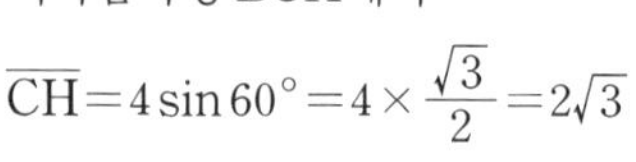

$\overline{CH}=4\sin 60^\circ=4\times\frac{\sqrt{3}}{2}=2\sqrt{3}$

직각삼각형 CAH에서

$x=\frac{\overline{CH}}{\sin 45^\circ}=2\sqrt{3}\div\frac{\sqrt{2}}{2}$

$=2\sqrt{3}\times\frac{2}{\sqrt{2}}=2\sqrt{3}\times\frac{2\sqrt{2}}{2}=2\sqrt{6}$

(3) 삼각형 ABC에서

$\angle C=180^\circ-(60^\circ+75^\circ)=45^\circ$

점 A에서 변 BC에 내린 수선의 발을 H라 하면

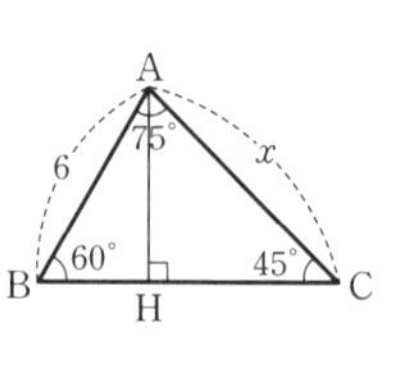

직각삼각형 ACH에서

$\overline{AH}=6\sin 60^\circ=6\times\frac{\sqrt{3}}{2}=3\sqrt{3}$

직각삼각형 ABH에서

$x=\frac{3\sqrt{3}}{\sin 45^\circ}=3\sqrt{3}\times\frac{2}{\sqrt{2}}=3\sqrt{6}$

(4) 삼각형 ABC에서

$\angle A=180^\circ-(105^\circ+45^\circ)=30^\circ$

점 B에서 변 AC에 내린 수선의 발을 H라 하면

직각삼각형 BAH에서

$\overline{BH}=4\sin 30^\circ=4\times\frac{1}{2}=2$

직각삼각형 BCH에서

$x=\frac{\overline{BH}}{\sin 45^\circ}=2\div\frac{\sqrt{2}}{2}$

$=2\times\frac{2}{\sqrt{2}}=2\times\frac{2\sqrt{2}}{2}=2\sqrt{2}$

(5) 삼각형 ABC에서

$\angle A=180^\circ-(105^\circ+30^\circ)=45^\circ$

점 C에서 변 AB에 내린 수선의 발을 H라 하면

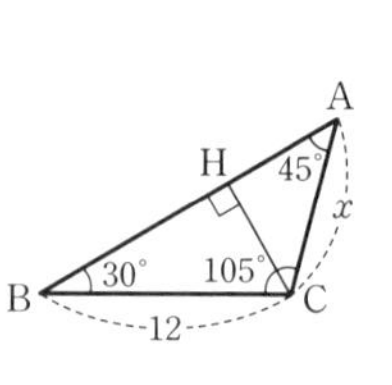

직각삼각형 BCH에서

$\overline{CH}=12\sin 30^\circ=12\times\frac{1}{2}=6$

직각삼각형 CAH에서

$x=\frac{\overline{CH}}{\sin 45^\circ}=6\div\frac{\sqrt{2}}{2}$

$=6\times\frac{2}{\sqrt{2}}=6\times\frac{2\sqrt{2}}{2}=6\sqrt{2}$

힘수 만점 32쪽

01 $\sqrt{41}$ 02 8 03 $4\sqrt{6}$ 04 ⑤

01 점 A에서 변 BC에 내린 수선의 발을 H라 하면

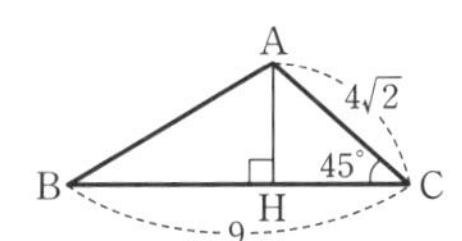

$\overline{AH}=4\sqrt{2}\sin 45^\circ=4\sqrt{2}\times\frac{\sqrt{2}}{2}=4$

$\overline{CH}=4\sqrt{2}\cos 45^\circ=4\sqrt{2}\times\frac{\sqrt{2}}{2}=4$

$\overline{BH}=\overline{BC}-\overline{CH}=9-4=5$

$\therefore \overline{AB}=\sqrt{5^2+4^2}=\sqrt{41}$

02 삼각형 ABC에서

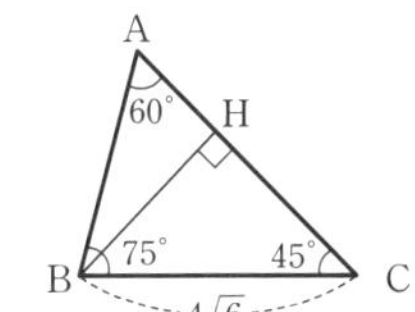

$\angle A=180^\circ-(75^\circ+45^\circ)=60^\circ$

점 B에서 변 AC에 내린 수선의 발을 H라 하면

직각삼각형 BCH에서

$\overline{BH}=4\sqrt{6}\sin 45^\circ=4\sqrt{6}\times\frac{\sqrt{2}}{2}=4\sqrt{3}$

직각삼각형 BAH에서

$\overline{AB}=\frac{\overline{BH}}{\sin 60^\circ}=4\sqrt{3}\div\frac{\sqrt{3}}{2}$

$=4\sqrt{3}\times\frac{2}{\sqrt{3}}=8$

03 직각삼각형 ABD에서

$\overline{AD}=8\sin 45^\circ=8\times\frac{\sqrt{2}}{2}=4\sqrt{2}$

직각삼각형 ACD에서

$\tan 60^\circ=\frac{\overline{DC}}{\overline{AD}}$이므로

$\overline{DC}=\overline{AD}\tan 60^\circ=4\sqrt{2}\times\sqrt{3}=4\sqrt{6}$

04 △ACH에서 ∠ACH=60°이므로

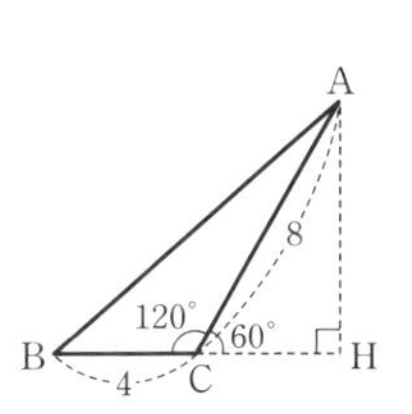

$\overline{CH}=8\cos 60^\circ=8\times\frac{1}{2}=4$

$\overline{AH}=8\sin 60^\circ=8\times\frac{\sqrt{3}}{2}=4\sqrt{3}$

$\overline{BH}=\overline{BC}+\overline{CH}=4+4=8$

직각삼각형 ABH에서

$\overline{AB}=\sqrt{8^2+(4\sqrt{3})^2}=\sqrt{112}=4\sqrt{7}$

9강 삼각형의 높이 구하기 33~34쪽

01 (1) 60°, 60°, $\sqrt{3}$, $\sqrt{3}h$ (2) h (3) $5(\sqrt{3}-1)$

02 (1) $\sqrt{3}$ (2) $4(3-\sqrt{3})$ (3) $5\sqrt{3}$ (4) $6(\sqrt{3}-1)$

03 (1) 60° (2) $\sqrt{3}h$ (3) 30° (4) $\frac{\sqrt{3}}{3}h$ (5) $5\sqrt{3}$

04 (1) $9(3+\sqrt{3})$ (2) $4(\sqrt{3}+1)$ (3) $8\sqrt{3}$ (4) $\sqrt{3}+1$

01 (1) 직각삼각형 ABH에서

$\angle BAH=90^\circ-30^\circ=\boxed{60^\circ}$이므로

$\tan 60^\circ=\frac{\overline{BH}}{\overline{AH}}=\frac{\overline{BH}}{h}$에서

$\overline{BH}=h\tan\boxed{60^\circ}=h\times\boxed{\sqrt{3}}=\boxed{\sqrt{3}h}$

(2) 직각삼각형 ACH에서

$\angle CAH=90^\circ-45^\circ=45^\circ$이므로

$\tan 45^\circ=\frac{\overline{CH}}{\overline{AH}}=\frac{\overline{CH}}{h}$에서

$\overline{CH}=h\tan 45^\circ=h\times 1=h$

(3) $\overline{BC}=\overline{BH}+\overline{CH}$이므로

$\sqrt{3}h+h=10$, $(\sqrt{3}+1)h=10$

$\therefore h=\frac{10}{\sqrt{3}+1}=\frac{10(\sqrt{3}-1)}{(\sqrt{3}+1)(\sqrt{3}-1)}$

$=\frac{10(\sqrt{3}-1)}{2}=5(\sqrt{3}-1)$

02 (1) 직각삼각형 ABH에서

$\angle BAH=90^\circ-30^\circ=60^\circ$이므로

$\overline{BH}=h\tan 60^\circ=h\times\sqrt{3}=\sqrt{3}h$

직각삼각형 ACH에서

$\angle CAH=90^\circ-60^\circ=30^\circ$이므로

$\overline{CH}=h\tan 30^\circ=h\times\frac{\sqrt{3}}{3}=\frac{\sqrt{3}}{3}h$

$\overline{BC}=\overline{BH}+\overline{CH}$이므로

$\sqrt{3}h+\frac{\sqrt{3}}{3}h=4$, $\frac{4\sqrt{3}}{3}h=4$ $\therefore h=\sqrt{3}$

(2) 직각삼각형 ABH에서

$\angle BAH=90^\circ-60^\circ=30^\circ$이므로

$\overline{BH}=h\tan 30^\circ=h\times\frac{\sqrt{3}}{3}=\frac{\sqrt{3}}{3}h$

직각삼각형 ACH에서

$\angle CAH=90^\circ-45^\circ=45^\circ$이므로

$\overline{CH}=h\tan 45^\circ=h\times 1=h$

$\overline{BC}=\overline{BH}+\overline{CH}$이므로

$\frac{\sqrt{3}}{3}h+h=8$, $\sqrt{3}h+3h=24$, $(3+\sqrt{3})h=24$

$\therefore h=\frac{24}{3+\sqrt{3}}=\frac{24(3-\sqrt{3})}{(3+\sqrt{3})(3-\sqrt{3})}$

$=\frac{24(3-\sqrt{3})}{6}=4(3-\sqrt{3})$

(3) 직각삼각형 ABH에서

$\angle BAH = 90° - 60° = 30°$이므로

$\overline{BH} = h\tan 30° = h \times \frac{\sqrt{3}}{3} = \frac{\sqrt{3}}{3}h$

직각삼각형 ACH에서

$\angle CAH = 90° - 30° = 60°$이므로

$\overline{CH} = h\tan 60° = h \times \sqrt{3} = \sqrt{3}h$

$\overline{BC} = \overline{BH} + \overline{CH}$이므로

$\frac{\sqrt{3}}{3}h + \sqrt{3}h = 20$, $\frac{4\sqrt{3}}{3}h = 20$

$\therefore h = 20 \times \frac{3}{4\sqrt{3}} = 5\sqrt{3}$

(4) 직각삼각형 ABH에서

$\angle BAH = 90° - 45° = 45°$이므로

$\overline{BH} = h\tan 45° = h \times 1 = h$

직각삼각형 ACH에서

$\angle CAH = 90° - 30° = 60°$이므로

$\overline{CH} = h\tan 60° = h \times \sqrt{3} = \sqrt{3}h$

$\overline{BC} = \overline{BH} + \overline{CH}$이므로

$h + \sqrt{3}h = 12$, $(\sqrt{3}+1)h = 12$

$\therefore h = \frac{12}{\sqrt{3}+1} = \frac{12(\sqrt{3}-1)}{(\sqrt{3}+1)(\sqrt{3}-1)}$

$= \frac{12(\sqrt{3}-1)}{2} = 6(\sqrt{3}-1)$

03 (1) 직각삼각형 ABH에서

$\angle BAH = 90° - 30° = 60°$

(2) $\overline{BH} = h\tan 60° = h \times \sqrt{3} = \sqrt{3}h$

(3) 직각삼각형 ACH에서

$\angle CAH = 120° - 90° = 30°$

(4) $\overline{CH} = h\tan 30° = h \times \frac{\sqrt{3}}{3} = \frac{\sqrt{3}}{3}h$

(5) $\overline{BC} = \overline{BH} - \overline{CH}$이므로

$\sqrt{3}h - \frac{\sqrt{3}}{3}h = 10$, $\frac{2\sqrt{3}}{3}h = 10$

$\therefore h = 10 \times \frac{3}{2\sqrt{3}} = 5\sqrt{3}$

04 (1) 직각삼각형 ABH에서

$\angle BAH = 90° - 45° = 45°$이므로

$\overline{BH} = h\tan 45° = h \times 1 = h$

직각삼각형 ACH에서

$\angle CAH = 90° - 60° = 30°$이므로

$\overline{CH} = h\tan 30° = h \times \frac{\sqrt{3}}{3} = \frac{\sqrt{3}}{3}h$

$\overline{BC} = \overline{BH} - \overline{CH}$이므로

$h - \frac{\sqrt{3}}{3}h = 18$, $3h - \sqrt{3}h = 54$, $(3-\sqrt{3})h = 54$

$\therefore h = \frac{54}{3-\sqrt{3}} = \frac{54(3+\sqrt{3})}{(3-\sqrt{3})(3+\sqrt{3})}$

$= \frac{54(3+\sqrt{3})}{6} = 9(3+\sqrt{3})$

(2) 직각삼각형 ABH에서

$\angle BAH = 90° - 30° = 60°$이므로

$\overline{BH} = h\tan 60° = h \times \sqrt{3} = \sqrt{3}h$

직각삼각형 ACH에서

$\angle CAH = 135° - 90° = 45°$이므로

$\overline{CH} = h\tan 45° = h \times 1 = h$

$\overline{BC} = \overline{BH} - \overline{CH}$이므로

$\sqrt{3}h - h = 8$, $(\sqrt{3}-1)h = 8$

$\therefore h = \frac{8}{\sqrt{3}-1} = \frac{8(\sqrt{3}+1)}{(\sqrt{3}-1)(\sqrt{3}+1)}$

$= \frac{8(\sqrt{3}+1)}{2} = 4(\sqrt{3}+1)$

(3) 직각삼각형 ABH에서

$\angle BAH = 90° - 30° = 60°$이므로

$\overline{BH} = h\tan 60° = h \times \sqrt{3} = \sqrt{3}h$

직각삼각형 ACH에서

$\angle CAH = 90° - 60° = 30°$이므로

$\overline{CH} = h\tan 30° = h \times \frac{\sqrt{3}}{3} = \frac{\sqrt{3}}{3}h$

$\overline{BC} = \overline{BH} - \overline{CH}$이므로

$\sqrt{3}h - \frac{\sqrt{3}}{3}h = 16$, $\frac{2\sqrt{3}}{3}h = 16$

$\therefore h = 16 \times \frac{3}{2\sqrt{3}} = 8\sqrt{3}$

(4) 직각삼각형 ABH에서

$\angle BAH = 90° - 30° = 60°$이므로

$\overline{BH} = h\tan 60° = h \times \sqrt{3} = \sqrt{3}h$

직각삼각형 ACH에서

$\angle CAH = 90° - 45° = 45°$이므로

$\overline{CH} = h\tan 45° = h \times 1 = h$

$\overline{BC} = \overline{BH} - \overline{CH}$이므로

$\sqrt{3}h - h = 2$, $(\sqrt{3}-1)h = 2$

$\therefore h = \frac{2}{\sqrt{3}-1} = \frac{2(\sqrt{3}+1)}{(\sqrt{3}-1)(\sqrt{3}+1)}$

$= \frac{2(\sqrt{3}+1)}{2} = \sqrt{3}+1$

힘수 만점 35쪽

01 $2(3-\sqrt{3})$ **02** $4\sqrt{3}$ **03** ③ **04** ④

01 $\overline{AH}=h$라 하면 직각삼각형 ABH에서

$\angle BAH=90°-45°=45°$이므로

$\overline{BH}=h\tan 45°=h\times 1=h$

직각삼각형 ACH에서

$\angle CAH=90°-60°=30°$이므로

$\overline{CH}=h\tan 30°=h\times\frac{\sqrt{3}}{3}=\frac{\sqrt{3}}{3}h$

$\overline{BC}=\overline{BH}+\overline{CH}$이므로

$h+\frac{\sqrt{3}}{3}h=4,\ 3h+\sqrt{3}h=12,\ (3+\sqrt{3})h=12$

$\therefore h=\frac{12}{3+\sqrt{3}}=\frac{12(3-\sqrt{3})}{(3+\sqrt{3})(3-\sqrt{3})}$

$=\frac{12(3-\sqrt{3})}{6}=2(3-\sqrt{3})$

02 $\overline{AH}=h$라 하면 직각삼각형 ABH에서

$\angle BAH=90°-30°=60°$이므로

$\overline{BH}=h\tan 60°=h\times\sqrt{3}=\sqrt{3}h$

직각삼각형 ACH에서

$\angle CAH=90°-60°=30°$이므로

$\overline{CH}=h\tan 30°=h\times\frac{\sqrt{3}}{3}=\frac{\sqrt{3}}{3}h$

$\overline{BC}=\overline{BH}-\overline{CH}$이므로

$\sqrt{3}h-\frac{\sqrt{3}}{3}h=8,\ \frac{2\sqrt{3}}{3}h=8$

$\therefore h=8\times\frac{3}{2\sqrt{3}}=4\sqrt{3}$

03 송신탑의 높이를 $\overline{AH}=h$ m라 하면

직각삼각형 ABH에서

$\angle BAH=90°-45°=45°$이므로

$\overline{BH}=h\tan 45°=h\times 1=h\,(\mathrm{m})$

직각삼각형 ACH에서

$\angle CAH=90°-30°=60°$이므로

$\overline{CH}=h\tan 60°=h\times\sqrt{3}=\sqrt{3}h\,(\mathrm{m})$

$\overline{BC}=\overline{BH}+\overline{CH}$이므로

$h+\sqrt{3}h=60,\ (\sqrt{3}+1)h=60$

$\therefore h=\frac{60}{\sqrt{3}+1}=\frac{60(\sqrt{3}-1)}{(\sqrt{3}+1)(\sqrt{3}-1)}$

$=\frac{60(\sqrt{3}-1)}{2}=30(\sqrt{3}-1)$

따라서 송신탑의 높이는 $30(\sqrt{3}-1)$ m이다.

04 $\overline{AH}=h$m라 하면

A, 45°, h m, B, 30°, 135°, 6 m, C, H

직각삼각형 ABH에서 $\angle BAH=90°-30°=60°$이므로

$\overline{BH}=h\tan 60°=\sqrt{3}h\,(\mathrm{m})$

직각삼각형 ACH에서 $\angle CAH=135°-90°=45°$이므로

$\overline{CH}=h\tan 45°=h\,(\mathrm{m})$

$\overline{BC}=\overline{BH}-\overline{CH}$이므로

$\sqrt{3}h-h=6,\ (\sqrt{3}-1)h=6$

$\therefore h=\frac{6}{\sqrt{3}-1}=\frac{6(\sqrt{3}+1)}{(\sqrt{3}-1)(\sqrt{3}+1)}$

$=\frac{6(\sqrt{3}+1)}{2}=3(\sqrt{3}+1)$

따라서 등대의 높이는 $3(\sqrt{3}+1)$ m이다.

10강+ 삼각형, 사각형의 넓이 구하기 36~38쪽

01 (1) 8, 8, $\frac{\sqrt{2}}{2}$, $24\sqrt{2}$ (2) 51 cm^2 (3) 12 cm^2

02 (1) 12, 120°, 12, $\frac{\sqrt{3}}{2}$, $30\sqrt{3}$ (2) 12 cm^2 (3) $5\sqrt{6}$ cm^2

03 (1) 120°, 10, 120°, 10, $\frac{\sqrt{3}}{2}$, $20\sqrt{3}$ (2) 25 cm^2 (3) $\frac{27\sqrt{3}}{2}$ cm^2

04 (1) $\frac{1}{2}$, $\frac{3\sqrt{3}}{2}$, $\frac{\sqrt{3}}{2}$, $10\sqrt{3}$, $\frac{23\sqrt{3}}{2}$ (2) 14 cm^2 (3) $(54+9\sqrt{3})$ cm^2

05 (1) 8, 8, $\frac{\sqrt{3}}{2}$, $28\sqrt{3}$ (2) $16\sqrt{2}$ cm^2 (3) $10\sqrt{2}$ cm^2 (4) 24 cm^2

06 (1) 4, 135°, 4, $\frac{\sqrt{2}}{2}$, $12\sqrt{2}$ (2) $10\sqrt{6}$ cm^2 (3) $28\sqrt{6}$ cm^2 (4) $24\sqrt{3}$ cm^2

07 (1) 12, 12, $\frac{\sqrt{3}}{2}$, $30\sqrt{3}$ (2) 15 cm^2 (3) $12\sqrt{3}$ cm^2

01 (1) $\triangle ABC=\frac{1}{2}\times 12\times\boxed{8}\times\sin 45°$

$=\frac{1}{2}\times 12\times\boxed{8}\times\boxed{\frac{\sqrt{2}}{2}}$

$=\boxed{24\sqrt{2}}\,(\mathrm{cm}^2)$

(2) $\triangle ABC=\frac{1}{2}\times 17\times 12\times\sin 30°$

$=\frac{1}{2}\times 17\times 12\times\frac{1}{2}$

$=51\,(\mathrm{cm}^2)$

(3) $\triangle ABC=\frac{1}{2}\times 2\sqrt{3}\times 8\times\sin 60°$

$=\frac{1}{2}\times 2\sqrt{3}\times 8\times\frac{\sqrt{3}}{2}$

$=12\,(\mathrm{cm}^2)$

02 (1) $\triangle ABC=\frac{1}{2}\times 10\times \boxed{12}\times \sin(180°-\boxed{120°})$

$=\frac{1}{2}\times 10\times 12\times \sin 60°$

$=\frac{1}{2}\times 10\times \boxed{12}\times \boxed{\frac{\sqrt{3}}{2}}=\boxed{30\sqrt{3}}\,(\text{cm}^2)$

(2) $\triangle ABC=\frac{1}{2}\times 6\sqrt{2}\times 4\times \sin(180°-135°)$

$=\frac{1}{2}\times 6\sqrt{2}\times 4\times \sin 45°$

$=\frac{1}{2}\times 6\sqrt{2}\times 4\times \frac{\sqrt{2}}{2}=12\,(\text{cm}^2)$

(3) $\triangle ABC=\frac{1}{2}\times 4\sqrt{6}\times 5\times \sin(180°-150°)$

$=\frac{1}{2}\times 4\sqrt{6}\times 5\times \sin 30°$

$=\frac{1}{2}\times 4\sqrt{6}\times 5\times \frac{1}{2}=5\sqrt{6}\,(\text{cm}^2)$

03 (1) $\angle A=180°-(35°+25°)=\boxed{120°}$이므로

$\triangle ABC=\frac{1}{2}\times 8\times \boxed{10}\times \sin(180°-\boxed{120°})$

$=\frac{1}{2}\times 8\times 10\times \sin 60°$

$=\frac{1}{2}\times 8\times \boxed{10}\times \boxed{\frac{\sqrt{3}}{2}}=\boxed{20\sqrt{3}}\,(\text{cm}^2)$

(2) $\angle A=\angle B=75°$이므로

$\angle C=180°-2\times 75°=30°$

$\overline{AC}=\overline{BC}=10$ cm이므로

$\triangle ABC=\frac{1}{2}\times 10\times 10\times \sin 30°$

$=\frac{1}{2}\times 10\times 10\times \frac{1}{2}=25\,(\text{cm}^2)$

(3) $\angle C=180°-(30°+120°)=30°$이므로

$\overline{AB}=\overline{BC}=3\sqrt{6}\,(\text{cm})$

$\therefore \triangle ABC=\frac{1}{2}\times 3\sqrt{6}\times 3\sqrt{6}\times \sin(180°-120°)$

$=\frac{1}{2}\times 3\sqrt{6}\times 3\sqrt{6}\times \sin 60°$

$=\frac{1}{2}\times 3\sqrt{6}\times 3\sqrt{6}\times \frac{\sqrt{3}}{2}$

$=\frac{27\sqrt{3}}{2}\,(\text{cm}^2)$

04 (1) $\overline{BD}$를 그으면

$\triangle ABD=\frac{1}{2}\times 2\times 3\sqrt{3}\times \sin(180°-150°)$

$=\frac{1}{2}\times 2\times 3\sqrt{3}\times \boxed{\frac{1}{2}}=\boxed{\frac{3\sqrt{3}}{2}}\,(\text{cm}^2)$

$\triangle BCD=\frac{1}{2}\times 8\times 5\times \sin 60°$

$=\frac{1}{2}\times 8\times 5\times \boxed{\frac{\sqrt{3}}{2}}=\boxed{10\sqrt{3}}\,(\text{cm}^2)$

$\therefore \square ABCD=\triangle ABD+\triangle BCD$

$=\frac{3\sqrt{3}}{2}+10\sqrt{3}=\boxed{\frac{23\sqrt{3}}{2}}\,(\text{cm}^2)$

(2) $\overline{BD}$를 그으면

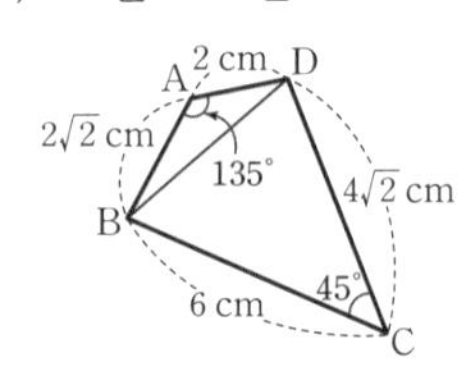

$\triangle ABD=\frac{1}{2}\times 2\times 2\sqrt{2}\times \sin(180°-135°)$

$=\frac{1}{2}\times 2\times 2\sqrt{2}\times \sin 45°$

$=\frac{1}{2}\times 2\times 2\sqrt{2}\times \frac{\sqrt{2}}{2}=2\,(\text{cm}^2)$

$\triangle BCD=\frac{1}{2}\times 6\times 4\sqrt{2}\times \sin 45°$

$=\frac{1}{2}\times 6\times 4\sqrt{2}\times \frac{\sqrt{2}}{2}$

$=12\,(\text{cm}^2)$

$\therefore \square ABCD=\triangle ABD+\triangle BCD$

$=2+12=14\,(\text{cm}^2)$

(3) $\overline{AC}$를 그으면

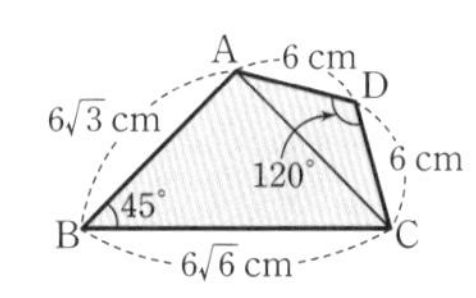

$\triangle ABC=\frac{1}{2}\times 6\sqrt{3}\times 6\sqrt{6}\times \sin 45°$

$=\frac{1}{2}\times 6\sqrt{3}\times 6\sqrt{6}\times \frac{\sqrt{2}}{2}$

$=54\,(\text{cm}^2)$

$\triangle ACD=\frac{1}{2}\times 6\times 6\times \sin(180°-120°)$

$=\frac{1}{2}\times 6\times 6\times \frac{\sqrt{3}}{2}$

$=9\sqrt{3}\,(\text{cm}^2)$

$\therefore \square ABCD=\triangle ABC+\triangle ACD=54+9\sqrt{3}\,(\text{cm}^2)$

05 (1) $\square ABCD=7\times \boxed{8}\times \sin 60°$

$=7\times \boxed{8}\times \boxed{\frac{\sqrt{3}}{2}}=\boxed{28\sqrt{3}}\,(\text{cm}^2)$

(2) $\square ABCD=4\times 8\times \sin 45°$

$=4\times 8\times \frac{\sqrt{2}}{2}=16\sqrt{2}\,(\text{cm}^2)$

(3) $\square ABCD=2\sqrt{2}\times 10\times \sin 30°$

$=2\sqrt{2}\times 10\times \frac{1}{2}=10\sqrt{2}\,(\text{cm}^2)$

(4) $\square ABCD=6\sqrt{2}\times 4\times \sin 45°$

$=6\sqrt{2}\times 4\times \frac{\sqrt{2}}{2}=24\,(\text{cm}^2)$

06 (1) $\square ABCD=6\times\boxed{4}\times\sin(180°-\boxed{135°})$
$=6\times4\times\sin45°$
$=6\times\boxed{4}\times\boxed{\frac{\sqrt{2}}{2}}=\boxed{12\sqrt{2}}\,(cm^2)$

(2) $\square ABCD=4\sqrt{3}\times5\sqrt{2}\times\sin(180°-150°)$
$=4\sqrt{3}\times5\sqrt{2}\times\sin30°$
$=4\sqrt{3}\times5\sqrt{2}\times\frac{1}{2}=10\sqrt{6}\,(cm^2)$

(3) $\square ABCD=7\sqrt{2}\times8\times\sin(180°-120°)$
$=7\sqrt{2}\times8\times\sin60°$
$=7\sqrt{2}\times8\times\frac{\sqrt{3}}{2}=28\sqrt{6}\,(cm^2)$

(4) $\overline{AD}=\overline{BC}=8$ cm이므로
$\square ABCD=8\times6\times\sin(180°-120°)$
$=8\times6\times\sin60°$
$=8\times6\times\frac{\sqrt{3}}{2}=24\sqrt{3}\,(cm^2)$

07 (1) $\square ABCD=\frac{1}{2}\times10\times\boxed{12}\times\sin60°$
$=\frac{1}{2}\times10\times\boxed{12}\times\boxed{\frac{\sqrt{3}}{2}}$
$=\boxed{30\sqrt{3}}\,(cm^2)$

(2) $\square ABCD=\frac{1}{2}\times6\times5\sqrt{2}\times\sin45°$
$=\frac{1}{2}\times6\times5\sqrt{2}\times\frac{\sqrt{2}}{2}=15\,(cm^2)$

(3) $\square ABCD=\frac{1}{2}\times6\times8\times\sin(180°-120°)$
$=\frac{1}{2}\times6\times8\times\sin60°$
$=\frac{1}{2}\times6\times8\times\frac{\sqrt{3}}{2}=12\sqrt{3}\,(cm^2)$

힘수 만점 39쪽

01 $8\sqrt{3}$ cm² **02** 45° **03** $32\sqrt{2}$ cm²
04 $40\sqrt{3}$ cm² **05** $9\sqrt{3}$ cm²

01 $\angle B=\angle C=30°$이므로
$\angle A=180°-2\times30°=120°$
$\overline{AB}=\overline{AC}=4\sqrt{2}$ (cm)이므로
$\triangle ABC=\frac{1}{2}\times4\sqrt{2}\times4\sqrt{2}\times\sin(180°-120°)$
$=\frac{1}{2}\times4\sqrt{2}\times4\sqrt{2}\times\frac{\sqrt{3}}{2}$
$=8\sqrt{3}\,(cm^2)$

02 $\triangle ABC=\frac{1}{2}\times4\times5\times\sin B=5\sqrt{2}$
$10\sin B=5\sqrt{2}$, $\sin B=\frac{\sqrt{2}}{2}$
$\therefore \angle B=45°$

03 마름모의 네 변의 길이는 같으므로
$\overline{AB}=\overline{BC}=8$ cm
$\therefore \square ABCD=8\times8\times\sin45°$
$=64\times\frac{\sqrt{2}}{2}=32\sqrt{2}\,(cm^2)$

04 $\triangle ABC$에서 $\overline{AC}=\sqrt{6^2+8^2}=10$ (cm)
$\therefore \square ABCD=\frac{1}{2}\times10\times16\times\sin(180°-120°)$
$=\frac{1}{2}\times10\times16\times\frac{\sqrt{3}}{2}$
$=40\sqrt{3}\,(cm^2)$

05 등변사다리꼴의 두 대각선의 길이는 같으므로
$\overline{AC}=\overline{BD}=6$ cm
$\therefore \square ABCD=\frac{1}{2}\times6\times6\times\sin(180°-120°)$
$=\frac{1}{2}\times6\times6\times\frac{\sqrt{3}}{2}=9\sqrt{3}\,(cm^2)$

11강 중단원 연산 마무리 40~42쪽

01 (1) $x=3.42$, $y=4.92$ (2) $x=10$, $y=4.23$
02 10.4 m **03** 10.1 m
04 (1) $4\sqrt{5}$ (2) $\sqrt{21}$ **05** (1) 4 (2) $8\sqrt{2}$
06 $2+\sqrt{3}$ **07** (1) $6\sqrt{3}$ (2) $25(\sqrt{3}+1)$
08 $100(\sqrt{3}-1)$ m **09** $100(\sqrt{3}+1)$ m
10 (1) $\frac{15\sqrt{2}}{4}$ cm² (2) 36 cm² (3) $144\sqrt{3}$ cm²
11 $2\sqrt{3}$ cm² **12** $14\sqrt{3}$ cm²
13 (1) 48 cm² (2) $40\sqrt{3}$ cm²
14 (1) $16\sqrt{3}$ cm² (2) $27\sqrt{3}$ cm² **15** 24 cm
16 7 m **17** 40 m **18** $12\sqrt{2}$ **19** $14\sqrt{3}$ cm²

01 (1) $\sin35°=\frac{x}{6}$이므로
$x=6\sin35°=6\times0.57=3.42$
$\cos35°=\frac{y}{6}$이므로
$y=6\cos35°=6\times0.82=4.92$

(2) $\angle A=90°-65°=25°$이므로

$\tan 25°=\frac{y}{9}$

$\therefore y=9\tan 25°=9\times 0.47=4.23$

$\cos 25°=\frac{9}{x}$이므로

$x=\frac{9}{\cos 25°}=\frac{9}{0.9}=10$

02 $\tan 53°=\frac{\overline{BC}}{8}$이므로

$\overline{BC}=8\tan 53°=8\times 1.3=10.4\,(\text{m})$

따라서 탑의 높이는 10.4 m이다.

03 $\overline{BC}=\overline{AB}\tan 40°=10\times 0.84=8.4\,(\text{m})$

$\therefore \overline{CH}=\overline{BC}+\overline{BH}=8.4+1.7=10.1\,(\text{m})$

따라서 나무의 높이는 10.1 m이다.

04 (1) 점 C에서 변 AB에 내린 수선의 발을 H라 하면

$\overline{CH}=4\sqrt{2}\sin 45°$

$=4\sqrt{2}\times\frac{\sqrt{2}}{2}=4$

$\overline{BH}=4\sqrt{2}\cos 45°=4\sqrt{2}\times\frac{\sqrt{2}}{2}=4$

$\overline{AH}=\overline{AB}-\overline{BH}=12-4=8$

$\therefore x=\overline{AC}=\sqrt{8^2+4^2}=\sqrt{80}=4\sqrt{5}$

(2) 점 A에서 변 BC에 내린 수선의 발을 H라 하면

$\overline{AH}=4\sin 60°=4\times\frac{\sqrt{3}}{2}=2\sqrt{3}$

$\overline{CH}=4\cos 60°=4\times\frac{1}{2}=2$

$\overline{BH}=\overline{BC}-\overline{CH}=5-2=3$

$\therefore x=\overline{AB}=\sqrt{(2\sqrt{3})^2+3^2}=\sqrt{21}$

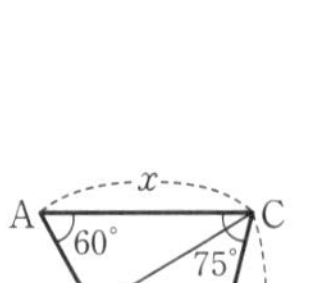

05 (1) 삼각형 ABC에서

$\angle B=180°-(60°+75°)=45°$

점 C에서 변 AB에 내린 수선의 발을 H라 하면

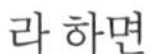

직각삼각형 BCH에서

$\overline{CH}=2\sqrt{6}\sin 45°=2\sqrt{6}\times\frac{\sqrt{2}}{2}=2\sqrt{3}$

직각삼각형 ACH에서

$x=\overline{AC}=\frac{\overline{CH}}{\sin 60°}=2\sqrt{3}\div\frac{\sqrt{3}}{2}$

$=2\sqrt{3}\times\frac{2}{\sqrt{3}}=4$

(2) 삼각형 ABC에서

$\angle A=180°-(30°+105°)=45°$

점 C에서 변 AB에 내린 수선의 발을 H라 하면

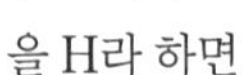

직각삼각형 BCH에서

$\overline{CH}=16\sin 30°=16\times\frac{1}{2}=8$

직각삼각형 ACH에서

$x=\overline{AC}=\frac{\overline{CH}}{\sin 45°}=8\div\frac{\sqrt{2}}{2}=8\times\frac{2}{\sqrt{2}}=8\sqrt{2}$

06 직각삼각형 ABD에서

$\overline{BD}=\overline{AB}\tan 60°=\sqrt{3}$,

$\cos 60°=\frac{\overline{AB}}{\overline{AD}}$, $\frac{1}{\overline{AD}}=\frac{1}{2}$ $\quad\therefore \overline{AD}=2$

$\triangle DCA$는 이등변삼각형이므로

$\overline{CD}=\overline{AD}=2$

$\angle ADB=30°$이므로

$\angle DAC=\angle DCA=15°$

따라서 $\angle CAB=75°$이므로

$\tan 75°=\frac{\overline{BC}}{\overline{AB}}=\overline{BC}=\overline{CD}+\overline{BD}=2+\sqrt{3}$

07 (1) $\overline{AH}=h$라 하면 직각삼각형 ABH에서

$\angle BAH=90°-30°=60°$이므로

$\overline{BH}=h\tan 60°=\sqrt{3}h$

직각삼각형 ACH에서

$\angle CAH=90°-60°=30°$이므로

$\overline{CH}=h\tan 30°=h\times\frac{\sqrt{3}}{3}=\frac{\sqrt{3}}{3}h$

$\overline{BC}=\overline{BH}+\overline{CH}$이므로

$\sqrt{3}h+\frac{\sqrt{3}}{3}h=24$, $\frac{4\sqrt{3}}{3}h=24$

$\therefore h=24\times\frac{3}{4\sqrt{3}}=6\sqrt{3}$

(2) $\overline{AH}=h$라 하면 직각삼각형 ABH에서

$\angle BAH=90°-30°=60°$이므로

$\overline{BH}=h\tan 60°=\sqrt{3}h$

$\angle ACH=30°+15°=45°$이므로

직각삼각형 ACH에서

$\angle CAH=90°-45°=45°$

$\therefore \overline{CH}=h\tan 45°=h$

$\overline{BC}=\overline{BH}-\overline{CH}$이므로

$\sqrt{3}h-h=50$, $(\sqrt{3}-1)h=50$

$\therefore h=\frac{50}{\sqrt{3}-1}=\frac{50(\sqrt{3}+1)}{2}=25(\sqrt{3}+1)$

08 꼭짓점 C에서 $\overline{AB}$에 내린 수선의 발을 H라 하고 높이를 h m라 하면

$\overline{AH}=h\tan 45°=h\,(\text{m})$,

$\overline{BH}=h\tan 60°=\sqrt{3}h\,(\text{m})$이므로

$\overline{AB}=\overline{AH}+\overline{BH}=h+\sqrt{3}h=200$

$(\sqrt{3}+1)h=200$

$\therefore h=\dfrac{200}{\sqrt{3}+1}=\dfrac{200(\sqrt{3}-1)}{2}=100(\sqrt{3}-1)$

따라서 지면으로부터 기구까지의 높이는 $100(\sqrt{3}-1)$ m이다.

09 $\angle BCD=45°$이므로 $\overline{CD}=\overline{BD}=h$ m라 하면 $\triangle ACD$에서 $\angle ACD=60°$이므로

$\overline{AD}=h\tan 60°=\sqrt{3}h\,(\text{m})$

$\overline{AB}=\overline{AD}-\overline{BD}$이므로

$\sqrt{3}h-h=200$, $(\sqrt{3}-1)h=200$

$\therefore h=\dfrac{200}{\sqrt{3}-1}=100(\sqrt{3}+1)$

따라서 산의 높이는 $100(\sqrt{3}+1)$ m이다.

10 (1) $\triangle ABC=\dfrac{1}{2}\times 3\sqrt{2}\times 5\times \sin 30°$

$=\dfrac{1}{2}\times 3\sqrt{2}\times 5\times \dfrac{1}{2}$

$=\dfrac{15\sqrt{2}}{4}\,(\text{cm}^2)$

(2) $\triangle ABC=\dfrac{1}{2}\times 8\sqrt{2}\times 9\times \sin(180°-135°)$

$=\dfrac{1}{2}\times 8\sqrt{2}\times 9\times \dfrac{\sqrt{2}}{2}$

$=36\,(\text{cm}^2)$

(3) $\angle B=\angle C=60°$이므로

$\angle A=180°-2\times 60°=60°$

즉, $\triangle ABC$는 정삼각형이므로 $\overline{AB}=24$ cm

$\therefore \triangle ABC=\dfrac{1}{2}\times 24\times 24\times \sin 60°$

$=\dfrac{1}{2}\times 24\times 24\times \dfrac{\sqrt{3}}{2}$

$=144\sqrt{3}\,(\text{cm}^2)$

11 $\triangle ABC$에서 $\angle BAC=60°-30°=30°$

즉, $\triangle ABC$는 이등변삼각형이므로 $\overline{BC}=\overline{AC}=4$ cm

$\overline{AH}=4\sin 60°=4\times \dfrac{\sqrt{3}}{2}=2\sqrt{3}\,(\text{cm})$

$\overline{CH}=4\cos 60°=4\times \dfrac{1}{2}=2\,(\text{cm})$

$\therefore \triangle ACH=\dfrac{1}{2}\times 2\times 2\sqrt{3}=2\sqrt{3}\,(\text{cm}^2)$

12 $\overline{BD}$를 그으면

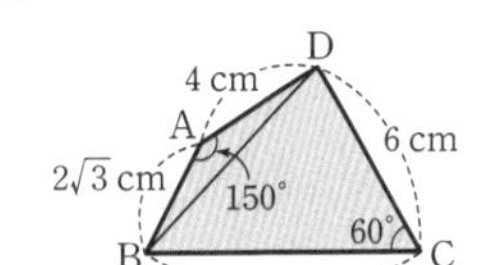

$\triangle ABD=\dfrac{1}{2}\times 2\sqrt{3}\times 4\times \sin(180°-150°)$

$=4\sqrt{3}\times \sin 30°$

$=4\sqrt{3}\times \dfrac{1}{2}=2\sqrt{3}\,(\text{cm}^2)$

$\triangle BCD=\dfrac{1}{2}\times 8\times 6\times \sin 60°$

$=\dfrac{1}{2}\times 8\times 6\times \dfrac{\sqrt{3}}{2}=12\sqrt{3}\,(\text{cm}^2)$

$\therefore \square ABCD=2\sqrt{3}+12\sqrt{3}=14\sqrt{3}\,(\text{cm}^2)$

13 (1) $\square ABCD=4\sqrt{3}\times 8\times \sin 60°$

$=4\sqrt{3}\times 8\times \dfrac{\sqrt{3}}{2}=48\,(\text{cm}^2)$

(2) $\square ABCD=10\times 8\times \sin(180°-120°)$

$=10\times 8\times \dfrac{\sqrt{3}}{2}=40\sqrt{3}\,(\text{cm}^2)$

14 (1) $\square ABCD=\dfrac{1}{2}\times 8\times 8\times \sin 60°$

$=32\times \dfrac{\sqrt{3}}{2}=16\sqrt{3}\,(\text{cm}^2)$

(2) $\triangle PBC$에서

$\angle BPC=180°-(28°+32°)=120°$이므로

$\square ABCD=\dfrac{1}{2}\times 12\times 9\times \sin(180°-120°)$

$=\dfrac{1}{2}\times 12\times 9\times \dfrac{\sqrt{3}}{2}$

$=27\sqrt{3}\,(\text{cm}^2)$

15 마름모의 한 변의 길이를 x cm라 하면

$\square ABCD=x\times x\times \sin(180°-135°)$

$=x^2\times \dfrac{\sqrt{2}}{2}=18\sqrt{2}$

$x^2=18\sqrt{2}\times \dfrac{2}{\sqrt{2}}=36$

이때 $x>0$이므로 $x=6$

따라서 마름모의 한 변의 길이는 6 cm이므로 둘레의 길이는 $6\times 4=24\,(\text{cm})$

16 $\sin 24°=\dfrac{2}{\overline{AC}}$이므로

$\overline{AC}=\dfrac{2}{\sin 24°}=\dfrac{2}{0.4}=5\,(\text{m})$

따라서 부러지기 전의 나무의 높이는 $2+5=7\,(\text{m})$이다.

17 $\overline{BH}=10$ m이므로

$\overline{AH}=\dfrac{10}{\tan 30^\circ}=10\div\dfrac{\sqrt{3}}{3}=10\sqrt{3}\,(\text{m})$

$\tan 60^\circ=\dfrac{\overline{CH}}{\overline{AH}}=\dfrac{\overline{CH}}{10\sqrt{3}}=\sqrt{3}$

$\therefore \overline{CH}=\sqrt{3}\times10\sqrt{3}=30\,(\text{m})$

$\therefore \overline{BC}=\overline{CH}+\overline{BH}=30+10=40\,(\text{m})$

따라서 타워의 높이는 40 m이다.

18 삼각형 ABC에서

$\angle C=180^\circ-(75^\circ+45^\circ)=60^\circ$

점 A에서 변 BC에 내린 수선의 발을 H라 하면

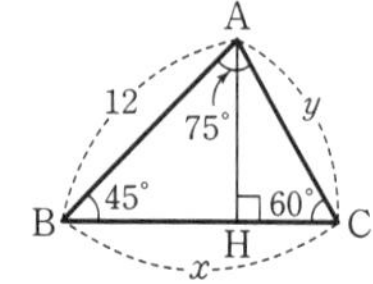

직각삼각형 ABH에서

$\overline{BH}=12\cos 45^\circ=12\times\dfrac{\sqrt{2}}{2}=6\sqrt{2}$

$\angle BAH=45^\circ$이므로 $\overline{AH}=6\sqrt{2}$

직각삼각형 CAH에서

$y=\dfrac{\overline{AH}}{\sin 60^\circ}=6\sqrt{2}\div\dfrac{\sqrt{3}}{2}$

$=6\sqrt{2}\times\dfrac{2}{\sqrt{3}}=6\sqrt{2}\times\dfrac{2\sqrt{3}}{3}=4\sqrt{6}$

$\overline{CH}=y\cos 60^\circ=4\sqrt{6}\times\dfrac{1}{2}=2\sqrt{6}$

$\therefore x=\overline{BH}+\overline{CH}=6\sqrt{2}+2\sqrt{6}$

$\therefore 2x-y=2(6\sqrt{2}+2\sqrt{6})-4\sqrt{6}$

$=12\sqrt{2}+4\sqrt{6}-4\sqrt{6}$

$=12\sqrt{2}$

19 직각삼각형 ABC에서 $\cos 60^\circ=\dfrac{2\sqrt{3}}{\overline{AC}}$이므로

$\overline{AC}=\dfrac{2\sqrt{3}}{\cos 60^\circ}=2\sqrt{3}\div\dfrac{1}{2}=4\sqrt{3}\,(\text{cm})$

$\therefore \triangle ABC=\dfrac{1}{2}\times2\sqrt{3}\times4\sqrt{3}\times\sin 60^\circ$

$=\dfrac{1}{2}\times2\sqrt{3}\times4\sqrt{3}\times\dfrac{\sqrt{3}}{2}$

$=6\sqrt{3}\,(\text{cm}^2)$

$\triangle ACD=\dfrac{1}{2}\times4\sqrt{3}\times4\sqrt{2}\times\sin 45^\circ$

$=\dfrac{1}{2}\times4\sqrt{3}\times4\sqrt{2}\times\dfrac{\sqrt{2}}{2}$

$=8\sqrt{3}\,(\text{cm}^2)$

$\therefore \square ABCD=\triangle ABC+\triangle ACD$

$=6\sqrt{3}+8\sqrt{3}=14\sqrt{3}\,(\text{cm}^2)$

V 원의 성질

45쪽

1. (1) × (2) ○ (3) ○ (4) ○

2. (1) 5 (2) 30 (3) 3 (4) 100

3. (1) 60° (2) 40° (3) 110° (4) 70°

4. (1) 6 (2) 17 (3) 12

12강+ 원의 중심과 현의 수직이등분선 46~47쪽

01 (1) 4 (2) 12 (3) 16
02 (1) 4, 4, 8 (2) 6 (3) $8\sqrt{2}$ (4) 4
03 (1) 2, 8, 8, 6, 6, 12 (2) $2\sqrt{3}$ (3) $2\sqrt{7}$ (4) $10\sqrt{3}$
04 (1) 5 (2) 2, 2, 5 (3) 10 (4) $\dfrac{7}{2}$
05 (1) 4, 6, 4, $\dfrac{13}{2}$, $\dfrac{13}{2}$ (2) 6

01 (1) $\overline{AM}=\overline{BM}$이므로 $x=4$

(2) $\overline{AM}=\overline{BM}$이므로 $x=12$

(3) $\overline{AM}=\overline{BM}$이므로

$x=2\times\overline{AM}=2\times8=16$

02 (1) 직각삼각형 OAM에서

$\overline{AM}=\sqrt{5^2-3^2}=\sqrt{16}=\boxed{4}\,(\text{cm})$

$\therefore x=2\times\overline{AM}=2\times\boxed{4}=\boxed{8}$

(2) $\overline{AM}=\overline{BM}$이므로

$\overline{AM}=\dfrac{1}{2}\times16=8\,(\text{cm})$

직각삼각형 OAM에서

$x=\sqrt{10^2-8^2}=\sqrt{36}=6$

(3) 직각삼각형 OBM에서

$\overline{BM}=\sqrt{6^2-2^2}=\sqrt{32}=4\sqrt{2}\,(\text{cm})$

$\therefore x=2\times\overline{BM}=2\times4\sqrt{2}=8\sqrt{2}$

(4) $\overline{AM}=\overline{BM}$이므로

$\overline{BM}=\dfrac{1}{2}\times4\sqrt{5}=2\sqrt{5}\,(\text{cm})$

직각삼각형 OBM에서

$x=\sqrt{6^2-(2\sqrt{5})^2}=\sqrt{16}=4$

03 (1) $\overline{OA}=\overline{OC}=10$ cm이므로

$\overline{OM}=\overline{OC}-\overline{CM}=10-\boxed{2}=\boxed{8}$ (cm)

직각삼각형 OAM에서

$\overline{AM}=\sqrt{10^2-\boxed{8}^2}=\sqrt{36}=\boxed{6}$ (cm)

$\therefore x=2\times\overline{AM}=2\times\boxed{6}=\boxed{12}$

(2) $\overline{OA}=\overline{OC}=4$ cm이므로

$\overline{OM}=\overline{CM}=\frac{1}{2}\times4=2$ (cm)

직각삼각형 OAM에서

$x=\sqrt{4^2-2^2}=\sqrt{12}=2\sqrt{3}$

(3) $\overline{OA}$를 그으면 $\overline{OA}=\overline{OC}=4$ cm이므로

직각삼각형 OAM에서

$\overline{AM}=\sqrt{4^2-3^2}=\sqrt{7}$ (cm)

$\therefore x=2\times\overline{AM}=2\times\sqrt{7}=2\sqrt{7}$

(4) $\overline{OB}=\overline{OC}=10$ cm이므로

직각삼각형 OBM에서

$\overline{BM}=\sqrt{10^2-5^2}=\sqrt{75}=5\sqrt{3}$ (cm)

$\therefore x=2\times\overline{BM}=2\times5\sqrt{3}=10\sqrt{3}$

04 (1) 원 O의 반지름의 길이를 r cm라 하면

$\overline{AM}=\overline{BM}=\frac{1}{2}\times8=4$ (cm)

직각삼각형 OAM에서

$r=\sqrt{4^2+3^2}=\sqrt{25}=5$

(2) 원 O의 반지름의 길이를 r cm라 하면

$\overline{OM}=r-\boxed{2}$ (cm)

$\overline{AM}=\overline{BM}=4$ cm이므로 직각삼각형 OBM에서

$r^2=(r-\boxed{2})^2+4^2$, $r^2=r^2-4r+4+16$

$4r=20$ $\quad\therefore r=\boxed{5}$

(3) 반지름의 길이를 r cm라 하면

$\overline{OM}=\overline{OC}-\overline{CM}=r-4$ (cm)

$\overline{AM}=\overline{BM}=\frac{1}{2}\times16=8$ (cm)

선분 OA를 그으면 직각삼각형 OAM

에서

$r^2=(r-4)^2+8^2$, $r^2=r^2-8r+16+64$

$8r=80$ $\quad\therefore r=10$

(4) 반지름의 길이를 r cm라 하면

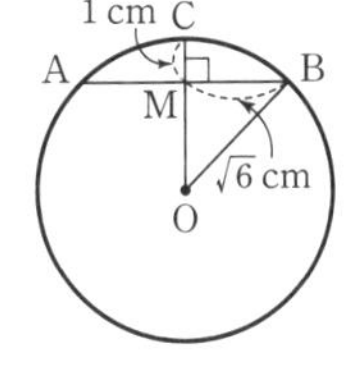

$\overline{OM}=\overline{OC}-\overline{CM}=r-1$ (cm)

선분 OB를 그으면 직각삼각형 OBM

에서

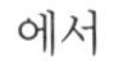

$r^2=(r-1)^2+(\sqrt{6})^2$,

$r^2=r^2-2r+1+6$

$2r=7$ $\quad\therefore r=\frac{7}{2}$

05 (1) 원 O의 반지름의 길이를 r cm라 하면

$\overline{OM}=(r-\boxed{4})$ cm

$\overline{AM}=\overline{BM}=\frac{1}{2}\times12=\boxed{6}$ (cm)이므로

직각삼각형 AOM에서

$r^2=(r-\boxed{4})^2+6^2$, $r^2=r^2-8r+16+36$,

$8r=52$ $\quad\therefore r=\boxed{\frac{13}{2}}$

따라서 원 O의 반지름의 길이는 $\boxed{\frac{13}{2}}$ cm이다.

(2) 원 O의 반지름의 길이를 r cm라 하면

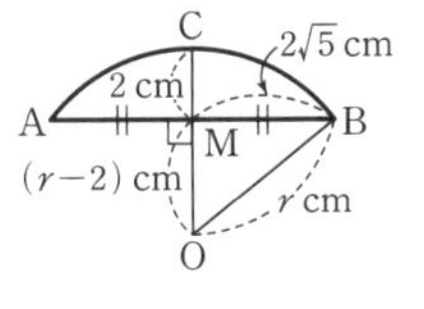

$\overline{OM}=(r-2)$ cm

직각삼각형 OBM에서

$r^2=(r-2)^2+(2\sqrt{5})^2$,

$r^2=r^2-4r+4+20$,

$4r=24$ $\quad\therefore r=6$

따라서 원 O의 반지름의 길이는 6 cm이다.

힘수 만점 48쪽

01 (1) 8 cm (2) 6 cm **02** (1) 13 (2) 3 **03** 8 cm
04 ④

01 (1) $\overline{AM}=\overline{BM}$이므로

$\overline{AM}=\frac{1}{2}\times16=8$ (cm)

(2) 직각삼각형 OAM에서

$\overline{OM}=\sqrt{10^2-8^2}=\sqrt{36}=6$ (cm)

02 (1) $\overline{AM}=\overline{BM}$이므로

$\overline{AM}=\frac{1}{2}\times24=12$ (cm)

직각삼각형 OAM에서

$x=\sqrt{12^2+5^2}=\sqrt{169}=13$

(2) $\overline{AM}=\overline{BM}$이므로

$\overline{BM}=\frac{1}{2}\times12=6$ (cm)

직각삼각형 OBM에서

$x=\sqrt{(3\sqrt{5})^2-6^2}=\sqrt{9}=3$

03 원 O의 반지름의 길이는

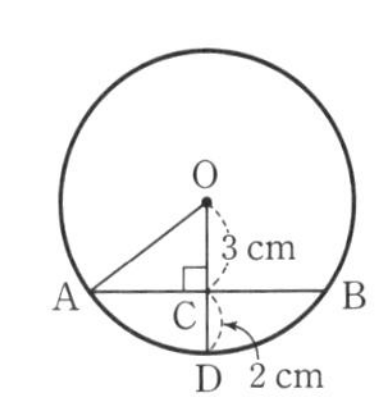

$3+2=5$ (cm)이므로

선분 OA를 그으면 $\overline{OA}=5$ cm

직각삼각형 OAC에서

$\overline{AC}=\sqrt{5^2-3^2}=\sqrt{16}=4$ (cm)

$\therefore \overline{AB}=2\times\overline{AC}=2\times4=8$ (cm)

04 원의 반지름의 길이를 r cm라 하면

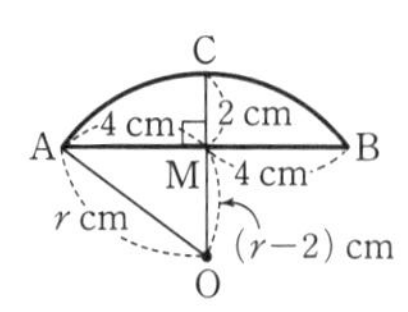

$\overline{OM}=(r-2)$ cm이므로

직각삼각형 OAM에서

$r^2=4^2+(r-2)^2$, $r^2=16+r^2-4r+4$

$4r=20$, $r=5$

따라서 반지름의 길이는 5 cm이다.

13강+ 현의 길이 49~50쪽

01 (1) ○ (2) × (3) ○ (4) ○
02 (1) 8 (2) 12 (3) 8 (4) 3 (5) 7 (6) 5 (7) 4
03 (1) 8, 4, 4, 5 (2) 16 (3) 2 (4) 6 (5) $\sqrt{13}$
04 (1) 65° (2) 47° (3) 60° (4) 55° (5) 36°

01 (1) $\overline{OM}=\overline{ON}$이므로 $\overline{AB}=\overline{CD}$

(2) 알 수 없다.

(4) $\overline{AB}=\overline{CD}$이므로

$\overline{AM}=\frac{1}{2}\overline{AB}=\frac{1}{2}\overline{CD}=\overline{DN}$

02 (6) $\overline{AB}=2\times4=8$ (cm)

따라서 $\overline{AB}=\overline{CD}$이므로 $x=5$

(7) $\overline{CN}=\overline{DN}=2$ (cm)이므로 $\overline{CD}=4$ cm

$\overline{OM}=\overline{ON}$이므로 $\overline{AB}=\overline{CD}=4$ (cm)

$\therefore x=4$

03 (1) $\overline{OM}=\overline{ON}$이므로

$\overline{CD}=\overline{AB}=\boxed{8}$ (cm)

직각삼각형 OCN에서

$\overline{CN}=\frac{1}{2}\overline{CD}=\frac{1}{2}\times8=\boxed{4}$ (cm)

$\therefore x=\sqrt{3^2+\boxed{4}^2}=\boxed{5}$

(2) 직각삼각형 OAM에서

$\overline{AM}=\sqrt{10^2-6^2}=\sqrt{64}=8$ (cm)

따라서 $\overline{OM}=\overline{ON}$이므로

$x=\overline{AB}=2\overline{AM}=2\times8=16$

(3) 직각삼각형 OAM에서

$\overline{OM}=\sqrt{4^2-(2\sqrt{3})^2}=\sqrt{4}=2$ (cm)

$\overline{AB}=2\times2\sqrt{3}=4\sqrt{3}$ (cm)

$\overline{CD}=2\times2\sqrt{3}=4\sqrt{3}$ (cm)

따라서 $\overline{AB}=\overline{CD}$이므로 $\overline{OM}=\overline{ON}$

$\therefore x=2$

(4) 직각삼각형 OAM에서

$\overline{AM}=\sqrt{(3\sqrt{2})^2-3^2}=\sqrt{9}=3$ (cm)

따라서 $\overline{OM}=\overline{ON}$이므로

$x=\overline{AB}=2\overline{AM}=2\times3=6$

(5) $\overline{OM}=\overline{ON}$이므로 $\overline{CD}=\overline{AB}=6$ (cm)

$\overline{DN}=\frac{1}{2}\overline{CD}=\frac{1}{2}\times6=3$ (cm)

직각삼각형 ODN에서

$x=\sqrt{2^2+3^2}=\sqrt{13}$

04 (1) $\overline{OM}=\overline{ON}$이므로 $\overline{AB}=\overline{AC}$

즉, △ABC는 이등변삼각형이므로

두 밑각의 크기는 같다.

$\therefore \angle x=\boxed{65°}$

(2) $\overline{OM}=\overline{ON}$이므로 $\overline{AB}=\overline{AC}$

$\therefore \angle x=47°$

(3) $\overline{OM}=\overline{ON}$이므로 $\overline{AB}=\overline{AC}$

$\therefore \angle x=180°-2\times60°=60°$

(4) $\overline{OM}=\overline{ON}$이므로 $\overline{AB}=\overline{AC}$

$\therefore \angle x=\frac{1}{2}\times(180°-70°)=55°$

(5) $\overline{OM}=\overline{ON}$이므로 $\overline{AB}=\overline{AC}$

$\therefore \angle x=180°-2\times72°=36°$

힘수 만점 51쪽

01 (1) 14 (2) $\sqrt{2}$ **02** ③ **03** $x=3$, $y=\sqrt{34}$ **04** 58°
05 ④

01 (1) $\overline{AB}=2\times7=14$ (cm)

$\overline{OM}=\overline{ON}$이므로 $\overline{AB}=\overline{CD}$

$\therefore x=14$

(2) 직각삼각형 OCN에서

$\overline{ON}=\sqrt{(3\sqrt{2})^2-4^2}=\sqrt{2}$

$\overline{OM}=\overline{ON}$이므로 $x=\sqrt{2}$

02 원 O에서 $\overline{AB}$, $\overline{CD}$에 내린 수선의 발을 각각 M, N이라 하면

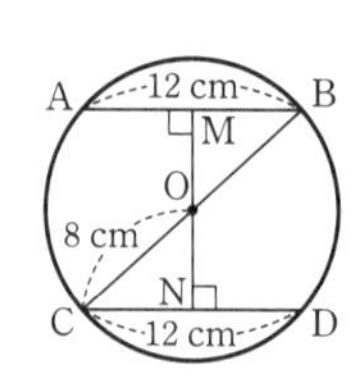

$\overline{ON}$은 $\overline{CD}$를 수직이등분하므로

$\overline{CN}=\frac{1}{2}\times12=6$ (cm)

직각삼각형 OCN에서

$\overline{ON}=\sqrt{8^2-6^2}=\sqrt{28}=2\sqrt{7}$ (cm)

$\overline{AB}=\overline{CD}$이므로 $\overline{OM}=\overline{ON}=2\sqrt{7}$ (cm)

따라서 두 현 AB, CD 사이의 거리는

$2\times2\sqrt{7}=4\sqrt{7}$ (cm)

03 $\overline{OM}=\overline{ON}$이므로 $\overline{AB}=\overline{CD}$

$\overline{AM}=\frac{1}{2}\overline{AB}=\frac{1}{2}\overline{CD}=\overline{DN}$

즉, $\overline{AM}=\overline{DN}=3$ cm

$\therefore x=3$

직각삼각형 ODN에서

$y=\sqrt{5^2+3^2}=\sqrt{34}$

04 $\overline{OM}=\overline{ON}$이므로 $\overline{AB}=\overline{AC}$

즉, △ABC는 이등변삼각형이다.

$\therefore \angle B=\frac{1}{2}\times(180°-64°)=58°$

05 사각형 AMON에서

$\angle A=360°-(90°+130°+90°)=50°$

$\overline{OM}=\overline{ON}$이므로 $\overline{AB}=\overline{AC}$

즉, △ABC는 이등변삼각형이다.

$\therefore \angle C=\frac{1}{2}\times(180°-50°)=65°$

14강+ 원의 접선의 길이 52~53쪽

01 (1) 50° (2) 70°
02 (1) 90°, 90°, 90°, 80° (2) 130° (3) 45°
03 (1) 6 (2) 12
04 (1) 3, 5, 5 (2) 15 (3) $2\sqrt{21}$ (4) $4\sqrt{2}$
05 (1) 12 (2) 8
06 (1) 80° (2) 70°
07 6

01 (1) 직선 PT가 원 O의 접선이므로 $\angle PTO=90°$

따라서 △OPT에서

$\angle x=90°-40°=50°$

(2) 직선 PT가 원 O의 접선이므로 $\angle PTO=90°$

따라서 △OPT에서

$\angle x=90°-20°=70°$

02 (1) □AOBP에서

$\angle PAO=\angle PBO=\boxed{90°}$이므로

$\angle x=360°-(\boxed{90°}+100°+\boxed{90°})=\boxed{80°}$

(2) □APBO에서

$\angle PAO=\angle PBO=90°$이므로

$\angle x=360°-(90°+50°+90°)=130°$

(3) □APBO에서

$\angle PAO=\angle PBO=90°$이므로

$\angle x=360°-(90°+135°+90°)=45°$

04 (1) 직선 PT가 원 O의 접선일 때,

△POT는 $\angle PTO=90°$인 직각삼각형이므로

$\overline{PO}=\sqrt{4^2+\boxed{3}^2}=\sqrt{25}=\boxed{5}$ (cm)

$\therefore x=\boxed{5}$

(2) △OPT는 $\angle PTO=90°$인 직각삼각형이므로

$\overline{PT}=\sqrt{17^2-8^2}=\sqrt{225}=15$ (cm)

$\therefore x=15$

(3) △OPT는 $\angle PTO=90°$인 직각삼각형이므로

$\overline{PT}=\sqrt{10^2-4^2}=\sqrt{84}=2\sqrt{21}$ (cm)

$\therefore x=2\sqrt{21}$

(4) $\overline{OT}=2$ cm, $\overline{OP}=4+2=6$ (cm)

△OPT는 $\angle PTO=90°$인 직각삼각형이므로

$\overline{PT}=\sqrt{6^2-2^2}=\sqrt{32}=4\sqrt{2}$ (cm)

$\therefore x=4\sqrt{2}$

05 (1) △OBP는 $\angle PBO=90°$인 직각삼각형이므로

$\overline{PB}=\sqrt{13^2-5^2}=\sqrt{144}=12$ (cm)

따라서 $\overline{PA}=\overline{PB}$이므로 $x=12$

(2) △OPB는 $\angle PBO=90°$인 직각삼각형이고

$\overline{PO}=4+6=10$ (cm)이므로

$\overline{PB}=\sqrt{10^2-6^2}=\sqrt{64}=8$ (cm)

따라서 $\overline{PA}=\overline{PB}$이므로 $x=8$

06 (1) $\overline{PA}=\overline{PB}$에서 △APB는 이등변삼각형이므로

$\angle PAB=\angle PBA$

$\therefore \angle x=180°-2\times50°=80°$

(2) $\overline{PA}=\overline{PB}$에서 △APB는 이등변삼각형이므로

$\angle PAB=\angle PBA$

$\therefore \angle x=\frac{1}{2}\times(180°-40°)=70°$

07 점 C에서 원 O에 그은 접선의 길이는 같으므로

$\overline{CA}=\overline{CE}=4$ (cm)

또, 점 D에서 원 O에 그은 접선의 길이는 같으므로

$\overline{DB}=\overline{DE}=2$ (cm)

$\overline{CD}=\overline{CE}+\overline{DE}$이므로 $x=4+2=6$

힘수 만점 54쪽

01 (1) $60°$ (2) $38°$ **02** ① **03** (1) $55°$ (2) $24°$
04 ②

01 (1) 원의 접선은 그 접점을 지나는 원의 반지름과 서로 수직이므로 $\angle PTO=90°$
$\therefore \angle x=90°-30°=60°$
(2) 직선 PT가 원 O의 접선이므로 $\angle PTO=90°$
따라서 $\triangle OPT$에서
$\angle x=90°-52°=38°$

02 $\overline{OT}=10$ cm이므로 직각삼각형 POT에서
$\overline{PT}=\sqrt{20^2-10^2}=\sqrt{300}=10\sqrt{3}$ (cm)

03 (1) $\overline{PA}=\overline{PB}$이므로 삼각형 APB는 이등변삼각형이다.
$\therefore \angle x=\frac{1}{2}\times(180°-70°)=55°$
(2) □AOBP에서
$\angle AOB=360°-(90°+48°+90°)=132°$
$\overline{OA}=\overline{OB}$이므로 $\triangle AOB$는 이등변삼각형이다.
$\therefore \angle x=\frac{1}{2}\times(180°-132°)=24°$

04 $\angle PAO=90°$이므로 □CEOA는 정사각형이다.
$\overline{CA}=\overline{CE}=4$ cm이므로
$\overline{DB}=\overline{DE}=6-4=2$ (cm)

15강+ 삼각형의 내접원, 원에 내접하는 사각형 55~57쪽

01 (1) 3 (2) 6 (3) 4 (4) 2, 3, 4, 6, 풀이 참조 (5) 13 (6) 5
(7) 6, 7, 6, 7, 4 (8) 5
02 (1) 2, 18 (2) 36 cm
03 (1) 5, r, r, 5, r, r, 1, 풀이 참조 (2) 2 (3) 3 (4) 3
04 (1) × (2) ○ (3) ○ (4) × (5) × (6) ○
05 (1) 7, 8, 5 (2) 11 (3) 10
06 (1) 6 (2) 8 (3) 5 (4) 5

01 (1) $\overline{BE}=\overline{BD}=3$ cm $\therefore x=3$
(2) $\overline{CE}=15-9=6$ (cm)이므로
$\overline{CE}=\overline{CF}=6$ cm
$\therefore x=6$
(3) $\overline{BE}=\overline{BD}=5$ cm이므로
$\overline{AD}=\overline{AF}=9-5=4$ (cm)
$\therefore x=4$
(4) $\overline{AD}=\overline{AF}=\boxed{2}$ (cm)
$\overline{BD}=\overline{BE}=\boxed{3}$ (cm)
$\overline{CE}=\overline{CF}=7-3=\boxed{4}$ (cm)
$\overline{AC}=\overline{AF}+\overline{CF}=2+4=6$ (cm)
$\therefore x=\boxed{6}$
(5) $\overline{BE}=\overline{BD}=7$ cm이므로
$\overline{AD}=\overline{AF}=12-7=5$ (cm)
$\overline{CE}=\overline{CF}=8$ (cm)
$\overline{AC}=\overline{AF}+\overline{CF}=5+8=13$ (cm)
$\therefore x=13$
(6) $\overline{BE}=\overline{BD}=2$ cm이므로
$\overline{AD}=\overline{AF}=5-2=3$ (cm)
$\overline{CE}=\overline{CF}=8-3=5$ (cm)
$\therefore x=5$
(7) $\overline{CE}=\overline{CF}=x$ (cm)이므로
$\overline{AD}=\overline{AF}=\boxed{6}-x$ (cm)
$\overline{BE}=\overline{BD}=\boxed{7}-x$ (cm)
$\overline{AB}=\overline{AD}+\overline{BD}$이므로
$5=(\boxed{6}-x)+(\boxed{7}-x)$, $2x=8$
$\therefore x=\boxed{4}$
(8) $\overline{BE}=\overline{BD}=x$ (cm)이므로
$\overline{AD}=\overline{AF}=8-x$ (cm)
$\overline{CE}=\overline{CF}=9-x$ (cm)
$\overline{AC}=\overline{AF}+\overline{CF}$이므로
$7=(8-x)+(9-x)$, $2x=10$
$\therefore x=5$

02 (1) $\overline{AD}=\overline{AF}=2$ (cm)
$\overline{BE}=\overline{BD}=4$ (cm)
$\overline{CE}=\overline{CF}=3$ (cm)이므로
($\triangle ABC$의 둘레의 길이)$=2\times(4+3+\boxed{2})$
$=2\times9=\boxed{18}$ (cm)
(2) $\overline{AD}=\overline{AF}=5$ (cm)
$\overline{BE}=\overline{BD}=8$ (cm)
$\overline{CE}=\overline{CF}=5$ (cm)이므로
($\triangle ABC$의 둘레의 길이)$=2\times(5+8+5)$
$=2\times18=36$ (cm)

03 (1) 직각삼각형 ABC에서

$\overline{AC}=\sqrt{3^2+4^2}$

$=\sqrt{25}=\boxed{5}\,(\text{cm})$

$\overline{BD}=\overline{BE}=r$ cm이므로

$\overline{CE}=\overline{CF}=4-\boxed{r}\,(\text{cm})$

$\overline{AD}=\overline{AF}=3-\boxed{r}\,(\text{cm})$

$\overline{AC}=\overline{AF}+\overline{CF}$이므로

$\boxed{5}=(3-\boxed{r})+(4-\boxed{r}),\ 2r=2$

$\therefore r=\boxed{1}$

(2) 직각삼각형 ABC에서

$\overline{BC}=\sqrt{13^2-5^2}=\sqrt{144}=12\,(\text{cm})$

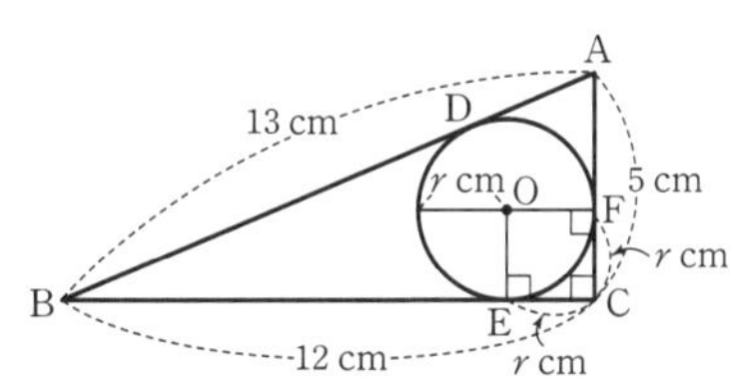

$\overline{CE}=\overline{CF}=r$ cm이므로

$\overline{AD}=\overline{AF}=5-r\,(\text{cm})$

$\overline{BD}=\overline{BE}=12-r\,(\text{cm})$

$\overline{AB}=\overline{AD}+\overline{BD}$이므로

$13=(5-r)+(12-r),\ 2r=4$

$\therefore r=2$

(3) 직각삼각형 ABC에서

$\overline{AC}=\sqrt{17^2-8^2}=\sqrt{225}$

$=15\,(\text{cm})$

$\overline{CE}=\overline{CF}=r$ cm이므로

$\overline{AD}=\overline{AF}=15-r\,(\text{cm})$

$\overline{BD}=\overline{BE}=8-r\,(\text{cm})$

$\overline{AB}=\overline{AD}+\overline{BD}$이므로

$17=(15-r)+(8-r),\ 2r=6$

$\therefore r=3$

(4) 직각삼각형 ABC에서

$\overline{AB}=\sqrt{12^2+9^2}=\sqrt{225}$

$=15\,(\text{cm})$

$\overline{CE}=\overline{CF}=r$ cm이므로

$\overline{AD}=\overline{AF}=9-r\,(\text{cm})$

$\overline{BD}=\overline{BE}=12-r\,(\text{cm})$

$\overline{AB}=\overline{AD}+\overline{BD}$이므로

$15=(9-r)+(12-r),\ 2r=6$

$\therefore r=3$

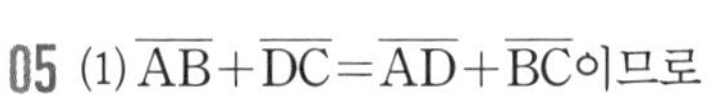

05 (1) $\overline{AB}+\overline{DC}=\overline{AD}+\overline{BC}$이므로

$6+\boxed{7}=x+\boxed{8}\qquad \therefore x=\boxed{5}$

(2) $\overline{AB}+\overline{DC}=\overline{AD}+\overline{BC}$이므로

$16+x=7+20\qquad \therefore x=11$

(3) $\overline{AB}+\overline{DC}=\overline{AD}+\overline{BC}$이므로

$x+12=8+14\qquad \therefore x=10$

06 (1) 선분 OF를 그으면 □OFCG는 정사각형이므로

$\overline{FC}=\overline{OG}=x$ cm

$\overline{AB}+\overline{DC}=\overline{AD}+\overline{BC}$이므로

$14+9=8+(9+x)\qquad \therefore x=6$

(2) 선분 OF를 그으면 □EBFO는 정사각형이므로

$\overline{BF}=\overline{EO}=4$ cm

$\overline{AB}+\overline{DC}=\overline{AD}+\overline{BC}$이므로

$6+12=6+(4+x)\qquad \therefore x=8$

(3) $\overline{AB}$의 길이는 원의 지름의 길이와 같으므로

$\overline{AB}=2\times 2=4\,(\text{cm})$

$\overline{AB}+\overline{DC}=\overline{AD}+\overline{BC}$이므로

$4+x=3+6\qquad \therefore x=5$

(4) 직각삼각형 DBC에서

$\overline{BC}=\sqrt{(7\sqrt{2})^2-7^2}=\sqrt{49}=7\,(\text{cm})$

$\overline{AB}+\overline{DC}=\overline{AD}+\overline{BC}$이므로

$x+7=5+7\qquad \therefore x=5$

힘수 만점 58쪽

01 (1) 13 (2) $\frac{13}{2}$ **02** 3 cm **03** (1) 16 (2) 7 **04** ②

01 (1) $\overline{AD}=\overline{AF}=4\,(\text{cm})$

$\overline{BD}=\overline{BE}=11-4=7\,(\text{cm})$

$\overline{CE}=\overline{CF}=10-4=6\,(\text{cm})$

$\overline{BC}=\overline{BE}+\overline{CE}=7+6=13\,(\text{cm})$

$\therefore x=13$

(2) $\overline{AD}=\overline{AF}=x$ cm이므로

$\overline{BD}=\overline{BE}=18-x\,(\text{cm})$

$\overline{CE}=\overline{CF}=10-x\,(\text{cm})$

$\overline{BC}=\overline{BE}+\overline{CE}$이므로

$15=(18-x)+(10-x),\ 2x=13$

$\therefore x=\frac{13}{2}$

02 직각삼각형 ABC에서

$\overline{AC}=\sqrt{15^2-12^2}=\sqrt{81}=9\,(\text{cm})$

반지름의 길이를 r cm라 하면

$\overline{CE}=\overline{CF}=r$ cm이므로

$\overline{AD}=\overline{AF}=9-r\,(\text{cm})$

$\overline{BD}=\overline{BE}=12-r$(cm)
$\overline{AB}=\overline{AD}+\overline{BD}$이므로
$15=(9-r)+(12-r)$, $2r=6$
$\therefore r=3$
따라서 내접원의 반지름의 길이는 3 cm이다.

03 (1) $\overline{AB}+\overline{DC}=\overline{AD}+\overline{BC}$이므로
$13+11=8+x$ $\quad\therefore x=16$
(2) $\overline{AB}+\overline{DC}=\overline{AD}+\overline{BC}$이므로
$2x+8=10+(x+5)$ $\quad\therefore x=7$

04 직각삼각형 DEC에서
$\overline{EC}=\sqrt{5^2-3^2}=\sqrt{16}=4$(cm)이므로
$\overline{AD}=\overline{BC}=x+4$(cm), $\overline{AB}=\overline{DC}=3$(cm)
□ABED는 원에 외접하므로
$\overline{AB}+\overline{DE}=\overline{AD}+\overline{BE}$
$3+5=(x+4)+x$, $2x=4$
$\therefore x=2$

16강 중단원 연산 마무리 59~61쪽

01 (1) 4 (2) 24 (3) $4\sqrt{6}$ (4) 13
02 (1) 7 (2) 6 (3) $6\sqrt{3}$ (4) $4\sqrt{2}$
03 (1) 74° (2) 69°
04 (1) ○ (2) × (3) ○ (4) ○ (5) ×
05 (1) 3 (2) 6 **06** (1) 8 (2) 12
07 (1) 104° (2) 22° **08** (1) 7 (2) 7
09 (1) 7 (2) 10 (3) 8 (4) 3 **10** 24 cm
11 (1) 3 cm (2) 2 cm **12** 18 cm
13 (1) 11 (2) 5 **14** 6 cm **15** 72 cm^2
16 6 cm **17** 12 cm^2 **18** $8\sqrt{3}$ cm **19** 22 cm^2

01 (1) $\overline{AM}=\overline{BM}$이므로 $x=4$
(2) 직각삼각형 OAM에서
$\overline{AM}=\sqrt{15^2-9^2}=\sqrt{144}=12$(cm)
$\therefore x=2\overline{AM}=2\times12=24$
(3) 직각삼각형 OAM에서
$\overline{AM}=\sqrt{7^2-5^2}=\sqrt{24}=2\sqrt{6}$ (cm)
$\overline{OM}=\overline{ON}$이므로 $\overline{AB}=\overline{CD}$
$\therefore x=2\overline{AM}=2\times2\sqrt{6}=4\sqrt{6}$
(4) $\overline{AM}=\overline{BM}=12$ cm, $\overline{OM}=x-8$(cm)이므로
직각삼각형 OBM에서
$x^2=(x-8)^2+12^2$, $x^2=x^2-16x+64+144$
$16x=208$ $\quad\therefore x=13$

02 (1) $\overline{AB}=2\overline{AM}=20$ cm, $\overline{CD}=2\overline{DN}=20$ cm에서
$\overline{AB}=\overline{CD}$이므로 $\overline{OM}=\overline{ON}$
$\therefore x=7$
(2) $\overline{OM}=\overline{ON}$이므로 $\overline{AB}=\overline{CD}$
$\therefore x=\frac{1}{2}\overline{AB}=\frac{1}{2}\times12=6$
(3) 직각삼각형 OAM에서
$\overline{AM}=\sqrt{6^2-3^2}=\sqrt{27}=3\sqrt{3}$(cm)
$\overline{OM}=\overline{ON}$이므로 $\overline{AB}=\overline{CD}$
$\therefore x=2\overline{AM}=2\times3\sqrt{3}=6\sqrt{3}$
(4) $\overline{OM}=\overline{ON}$이므로 $\overline{AB}=\overline{CD}$
$\therefore \overline{CN}=\frac{1}{2}\overline{AB}=\frac{1}{2}\times8=4$(cm)
직각삼각형 OCN에서
$x=\sqrt{4^2+4^2}=\sqrt{32}=4\sqrt{2}$

03 (1) $\overline{OM}=\overline{ON}$이므로 $\overline{AB}=\overline{AC}$
즉, 삼각형 ABC는 이등변삼각형이다.
$\therefore \angle x=180°-2\times53°=74°$
(2) $\overline{OM}=\overline{ON}$이므로 $\overline{AB}=\overline{AC}$
즉, 삼각형 ABC는 이등변삼각형이다.
$\therefore \angle x=\frac{1}{2}\times(180°-42°)=69°$

05 (1) $\overline{OA}=\overline{OT}=x$ cm이므로
직각삼각형 OPT에서
$(x+2)^2=x^2+4^2$, $x^2+4x+4=x^2+16$
$4x=12$ $\quad\therefore x=3$
(2) $\overline{OA}=\overline{OT}=9$ cm이므로
직각삼각형 OPT에서
$\overline{OP}=\sqrt{12^2+9^2}=\sqrt{225}=15$(cm)
$\therefore x=15-9=6$

06 (1) $\overline{PA}=\overline{PB}$이므로 $\overline{PA}=4\sqrt{3}$ cm
직각삼각형 OAP에서
$x=\sqrt{(4\sqrt{3})^2+4^2}=\sqrt{64}=8$
(2) $\overline{PA}=\overline{PB}$이므로 $\overline{PA}=x$ cm
$\overline{PO}=8+5=13$(cm)이므로
직각삼각형 OAP에서
$x=\sqrt{13^2-5^2}=\sqrt{144}=12$

07 (1) □AOBP에서
$\angle PAO=\angle PBO=90°$이므로
$\angle x=360°-(90°+76°+90°)=104°$

(2) □APBO에서

$\angle PAO=\angle PBO=90°$이므로

$\angle AOB=360°-(90°+44°+90°)=136°$

$\triangle OAB$는 $\overline{OA}=\overline{OB}$인 이등변삼각형이므로

$\angle OAB=\angle OBA$

$\therefore \angle x=\frac{1}{2}\times(180°-136°)=22°$

08 (1) $\overline{PA}=\overline{PB}=12\,(cm)$이므로

$\overline{CA}=\overline{CE}=12-9=3\,(cm)$

$\overline{DB}=\overline{DE}=12-8=4\,(cm)$

$\overline{CD}=\overline{CE}+\overline{DE}$이므로

$x=3+4=7$

(2) $\overline{PA}=\overline{PB}=9\,(cm)$이므로

$\overline{CA}=\overline{CE}=9-5=4\,(cm)$

$\overline{DB}=\overline{DE}=9-6=3\,(cm)$

$\overline{CD}=\overline{CE}+\overline{DE}$이므로

$x=4+3=7$

09 (1) $\overline{AD}=\overline{AF}=5\,(cm)$

$\overline{BE}=\overline{BD}=9-5=4\,(cm)$

$\overline{CE}=\overline{CF}=8-5=3\,(cm)$

$\overline{BC}=\overline{BE}+\overline{CE}=4+3=7$

$\therefore x=7$

(2) $\overline{AD}=\overline{AF}=3\,(cm)$

$\overline{BE}=\overline{BD}=9-3=6\,(cm)$

$\overline{CE}=\overline{CF}=13-6=7\,(cm)$

$\overline{AC}=\overline{AF}+\overline{CF}=3+7=10$

$\therefore x=10$

(3) $\overline{BE}=\overline{BD}=x\,(cm)$이므로

$\overline{AD}=\overline{AF}=10-x\,(cm)$

$\overline{CE}=\overline{CF}=12-x\,(cm)$

$\overline{AC}=\overline{AF}+\overline{CF}$이므로

$6=(10-x)+(12-x),\ 2x=16$

$\therefore x=8$

(4) $\overline{AD}=\overline{AF}=x\,(cm)$이므로

$\overline{BE}=\overline{BD}=8-x\,(cm)$

$\overline{CE}=\overline{CF}=4-x\,(cm)$

$\overline{BC}=\overline{BE}+\overline{CE}$이므로

$6=(8-x)+(4-x),\ 2x=6$

$\therefore x=3$

10 $\overline{AD}=\overline{AF}=3\,(cm)$

$\overline{BE}=\overline{BD}=4\,(cm)$

$\overline{CE}=\overline{CF}=5\,(cm)$

$\therefore$ ($\triangle ABC$의 둘레의 길이)$=2\times(3+4+5)$

$=24\,(cm)$

11 (1) 직각삼각형 ABC에서

$\overline{AC}=\sqrt{17^2-15^2}=\sqrt{64}=8\,(cm)$

원 O의 반지름의 길이를 r cm 라 하면

$\overline{CE}=\overline{CF}=r\,(cm)$이므로

$\overline{AD}=\overline{AF}=8-r\,(cm)$

$\overline{BE}=\overline{BD}=15-r\,(cm)$

$\overline{AB}=\overline{AD}+\overline{BD}$이므로

$17=(8-r)+(15-r),\ 2r=6$

$\therefore r=3$

따라서 반지름의 길이는 3 cm이다.

(2) 직각삼각형 ABC에서

$\overline{AB}=\sqrt{10^2-6^2}=\sqrt{64}=8\,(cm)$

원 O의 반지름의 길이를 r cm라 하면

$\overline{AD}=\overline{AF}=r\,(cm)$이므로

$\overline{BE}=\overline{BD}=8-r\,(cm)$

$\overline{CE}=\overline{CF}=6-r\,(cm)$

$\overline{BC}=\overline{BE}+\overline{CE}$이므로

$10=(8-r)+(6-r),\ 2r=4$

$\therefore r=2$

따라서 반지름의 길이는 2 cm이다.

12 $\overline{AE}=\overline{AF}=9$ cm이므로

$\overline{CD}=\overline{CF}=9-7=2\,(cm)$

$\overline{BE}=\overline{BD}=5-2=3\,(cm)$

$\therefore \overline{AB}=9-3=6\,(cm)$

따라서 ($\triangle ABC$의 둘레의 길이)$=6+5+7=18\,(cm)$

[참고]

($\triangle ABC$의 둘레의 길이)$=2\times$(접선의 길이)

$=2\times 9=18\,(cm)$

13 (1) $\overline{AB}+\overline{DC}=\overline{AD}+\overline{BC}$이므로

$16+x=7+20$ $\therefore x=11$

(2) $\overline{AB}+\overline{DC}=\overline{AD}+\overline{BC}$이므로

$12+\overline{DC}=7+15$

$\therefore \overline{DC}=10\,(cm)$

$\overline{DC}$의 길이는 원의 지름의 길이와 같으므로

$x=\frac{1}{2}\overline{DC}=\frac{1}{2}\times 10=5$

14 직각삼각형 DEC에서

$\overline{EC}=\sqrt{10^2-8^2}=\sqrt{36}=6\,(cm)$

$\overline{BE}=x$ cm라 하면

$\overline{AD}=\overline{BC}=x+6\,(cm)$, $\overline{AB}=\overline{DC}=8\,(cm)$

사각형 ABED는 원 O에 외접하므로

$\overline{AB}+\overline{DE}=\overline{AD}+\overline{BE}$

$8+10=(x+6)+x$, $2x=12$ $\quad\therefore x=6$

따라서 $\overline{BE}=6$ cm이다.

15 $\overline{AB}$의 길이는 원의 지름의 길이와 같으므로

$\overline{AB}=2\times4=8\,(cm)$

$\overline{AB}+\overline{DC}=\overline{AD}+\overline{BC}$이므로

$8+10=\overline{AD}+12$ $\quad\therefore \overline{AD}=6\,(cm)$

$\therefore \square ABCD=\frac{1}{2}\times(6+12)\times8=72\,(cm^2)$

16 $\overline{AB}$의 수직이등분선은 원의 중심을 지나므로 그림과 같이 원의 중심을 O라 하고 $\overline{OA}$, $\overline{OM}$을 긋는다.

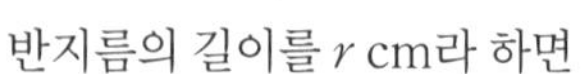

반지름의 길이를 r cm라 하면

$\overline{OM}=r-3\,(cm)$

$\overline{AM}=\overline{BM}=\frac{1}{2}\times6\sqrt{3}=3\sqrt{3}\,(cm)$이므로

직각삼각형 OAM에서

$r^2=(3\sqrt{3})^2+(r-3)^2$

$r^2=27+r^2-6r+9$, $6r=36$

$\therefore r=6$

따라서 원래 접시의 반지름의 길이는 6 cm이다.

17 원 O의 중심에서 $\overline{CD}$에 내린 수선의 발을 N이라고 하면

$\overline{AB}=\overline{CD}$이므로 $\overline{OM}=\overline{ON}=3$ cm

직각삼가형 OCN에서

$\overline{CN}=\sqrt{5^2-3^2}=\sqrt{16}=4(cm)$

$\overline{ON}\perp\overline{CD}$이므로 $\overline{CD}=2\overline{CN}=2\times4=8\,(cm)$

따라서 $\triangle OCD=\frac{1}{2}\times8\times3=12\,(cm^2)$

18 $\angle PAO=90°$이므로 직각삼각형 APO에서

$\overline{PA}=\sqrt{8^2-4^2}=\sqrt{48}=4\sqrt{3}\,(cm)$

$\therefore \overline{PA}=\overline{PB}=4\sqrt{3}\,(cm)$

$\overline{CA}=\overline{CE}$, $\overline{DB}=\overline{DE}$, $\overline{CD}=\overline{CE}+\overline{DE}$이므로

$\triangle CPD$의 둘레의 길이는

$\overline{PC}+\overline{CD}+\overline{PD}=\overline{PC}+\overline{CE}+\overline{DE}+\overline{PD}$

$=(\overline{PC}+\overline{CA})+(\overline{DB}+\overline{PD})$

$=\overline{PA}+\overline{PB}=2\overline{PA}$

$=2\times4\sqrt{3}=8\sqrt{3}\,(cm)$

[참고]

$\triangle CPD$의 둘레의 길이는

$2\times$(접선의 길이)$=2\times4\sqrt{3}=8\sqrt{3}\,(cm)$

19 $\overline{AB}+\overline{DC}=\overline{AD}+\overline{BC}$이므로

(사다리꼴 ABCD의 넓이)

$=\frac{1}{2}(\overline{AD}+\overline{BC})\times\overline{DC}$

$=\frac{1}{2}(\overline{AB}+\overline{DC})\times\overline{DC}$

$=\frac{1}{2}\times(7+4)\times4=22\,(cm^2)$

17강+ 원주각과 중심각의 크기 62~63쪽

01 (1) $\frac{1}{2}$, $\frac{1}{2}$, 40° (2) 24° (3) 100°

02 (1) 2, 2, 100° (2) 90° (3) 80°

03 (1) 75° (2) 60° (3) 250° (4) 140°

04 (1) 2, 2, 100°, $\overline{OB}$, 100°, 40° (2) 60° (3) 20°

05 (1) 90°, 90°, 120°, 120°, 60° (2) 50° (3) 72° (4) 69°

01 (1) $\angle APB=\boxed{\frac{1}{2}}\angle AOB$이므로

$\angle x=\boxed{\frac{1}{2}}\times80°=\boxed{40°}$

(2) $\angle APB=\frac{1}{2}\angle AOB$이므로

$\angle x=\frac{1}{2}\times48°=24°$

(3) $\angle APB=\frac{1}{2}\angle AOB$이므로

$\angle x=\frac{1}{2}\times200°=100°$

02 (1) $\angle AOB=\boxed{2}\angle APB$이므로

$\angle x=\boxed{2}\times50°=\boxed{100°}$

(2) $\angle AOB=2\angle APB$이므로

$\angle x=2\times45°=90°$

(3) $\angle AOB=2\angle APB$이므로

$\angle x=2\times40°=80°$

03 (1) $\angle AOB=360°-210°=150°$이므로

$\angle x=\frac{1}{2}\angle AOB=\frac{1}{2}\times150°=75°$

(2) $\angle AOB=360°-240°=120°$이므로

$\angle x=\frac{1}{2}\angle AOB=\frac{1}{2}\times120°=60°$

(3) $\angle AOB=2\angle APB=2\times55°=110°$이므로

$\angle x=360°-110°=250°$

(4) $\overset{\frown}{ACB}$에 대한 중심각의 크기는

$2\angle APB=2\times110°=220°$이므로

$\angle x=360°-220°=140°$

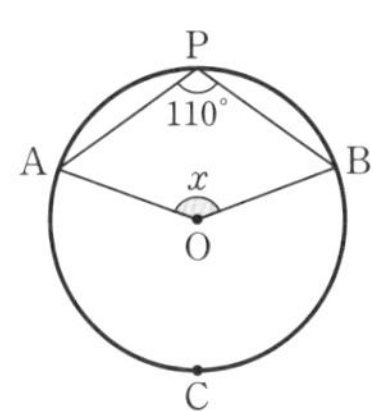

04 (1) $\angle AOB=\boxed{2}\angle APB=\boxed{2}\times50°=\boxed{100°}$

$\overline{OA}=\boxed{\overline{OB}}$이므로 $\triangle OAB$는 이등변삼각형이다.

$\therefore \angle x=\frac{1}{2}\times(180°-\angle AOB)=\frac{1}{2}\times(180°-\boxed{100°})$

$=\frac{1}{2}\times80°=\boxed{40°}$

(2) $\angle AOB=2\angle APB=2\times30°=60°$

$\overline{OA}=\overline{OB}$이므로 $\triangle OAB$는 이등변삼각형이다.

$\therefore \angle x=\frac{1}{2}\times(180°-\angle AOB)=\frac{1}{2}\times(180°-60°)$

$=\frac{1}{2}\times120°=60°$

(3) $\angle BOP=2\angle BAP=2\times70°=140°$

$\overline{OB}=\overline{OP}$이므로 $\triangle OBP$는 이등변삼각형이다.

$\therefore \angle x=\frac{1}{2}\times(180°-\angle BOP)=\frac{1}{2}\times(180°-140°)$

$=\frac{1}{2}\times40°=20°$

05 (1) $\angle PAO=\angle PBO=90°$이므로

$\angle AOB=360°-(\boxed{90°}+60°+\boxed{90°})=\boxed{120°}$

$\therefore \angle x=\frac{1}{2}\angle AOB=\frac{1}{2}\times\boxed{120°}=\boxed{60°}$

(2) $\angle PAO=\angle PBO=90°$이므로

$\angle AOB=360°-(90°+80°+90°)=100°$

$\therefore \angle x=\frac{1}{2}\angle AOB=\frac{1}{2}\times100°=50°$

(3) $\overline{OA}$, $\overline{OB}$를 그으면 $\angle PAO=\angle PBO=90°$이므로

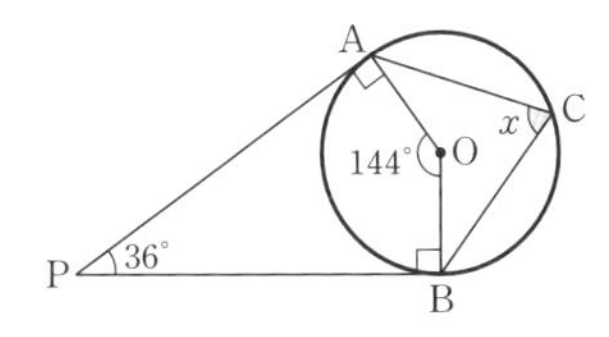

$\angle AOB=360°-(90°+36°+90°)=144°$

$\therefore \angle x=\frac{1}{2}\angle AOB=\frac{1}{2}\times144°=72°$

(4) $\overline{OA}$, $\overline{OB}$를 그으면 $\angle PAO=\angle PBO=90°$이므로

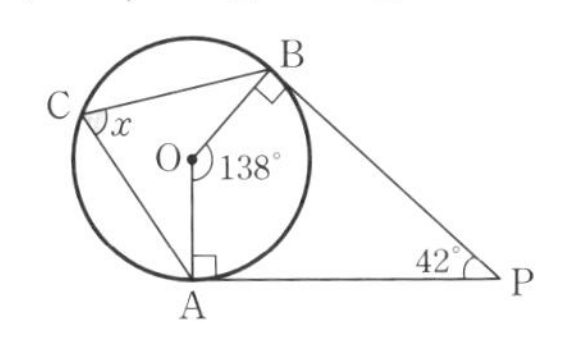

$\angle AOB=360°-(90°+42°+90°)=138°$

$\therefore \angle x=\frac{1}{2}\angle AOB=\frac{1}{2}\times138°=69°$

힘수 만점 64쪽

01 (1) 65° (2) 100° **02** 110° **03** (1) 18° (2) 35°
04 65° **05** 30°

01 (1) $\angle APB=\frac{1}{2}\angle AOB$이므로

$\angle x=\frac{1}{2}\times130°=65°$

(2) $\angle AOB=360°-160°=200°$이므로

$\angle x=\frac{1}{2}\angle AOB=\frac{1}{2}\times200°=100°$

02 $\overline{OB}$를 그으면

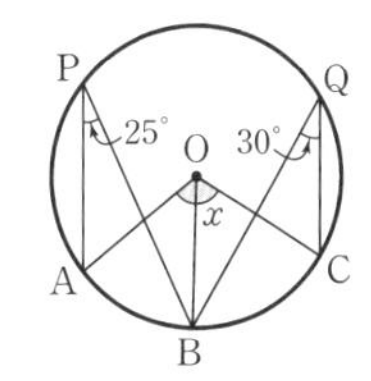

$\angle AOB=2\angle APB=2\times25°=50°$

$\angle BOC=2\angle BQC=2\times30°=60°$

$\therefore \angle x=\angle AOB+\angle BOC=50°+60°=110°$

03 (1) $\angle AOB=2\angle APB=2\times72°=144°$

$\overline{OA}=\overline{OB}$이므로 $\triangle OAB$는 이등변삼각형이다.

$\therefore \angle x=\frac{1}{2}\times(180°-144°)=\frac{1}{2}\times36°=18°$

(2) $\angle AOB=2\angle APB=2\times55°=110°$

$\overline{OA}=\overline{OB}$이므로 $\triangle OAB$는 이등변삼각형이다.

$\therefore \angle x=\frac{1}{2}\times(180°-110°)=\frac{1}{2}\times70°=35°$

04 $\angle PAO=\angle PBO=90°$이므로

사각형 AOBP에서

$\angle AOB=360°-(90°+50°+90°)=130°$

$\therefore \angle x=\frac{1}{2}\angle AOB=\frac{1}{2}\times130°=65°$

05 $\angle BAD=\frac{1}{2}\angle BOD=\frac{1}{2}\times140°=70°$

$\angle APD+\angle PDA=\angle BAD$이므로

$40°+\angle PDA=70°$

$\therefore \angle PDA=70°-40°=30°$

18강+ 원주각의 성질 65~66쪽

01 (1) $50°$ (2) $40°$ (3) $70°$ (4) $65°$

02 (1) $\angle x=48°$, $\angle y=32°$ (2) $\angle x=56°$, $\angle y=28°$
(3) $\angle x=44°$, $\angle y=88°$

03 (1) $38°$, $38°$, $70°$ (2) $\angle x=45°$, $\angle y=95°$

04 (1) $90°$, $90°$, $35°$ (2) $65°$ (3) $60°$ (4) $65°$, $65°$, $25°$
(5) $62°$

05 (1) $\angle x=38°$, $\angle y=38°$ (2) $\angle x=45°$, $\angle y=90°$

01 (1) $\angle APB$, $\angle AQB$는 호 AB에 대한 원주각이므로
$\angle x=\angle APB=\boxed{50°}$
(2) $\angle APB$, $\angle AQB$는 호 AB에 대한 원주각이므로
$\angle x=\angle AQB=40°$
(3) $\angle APB$, $\angle AQB$는 호 AB에 대한 원주각이므로
$\angle x=\angle APB=70°$
(4) $\angle APB$, $\angle AQB$는 호 AB에 대한 원주각이므로
$\angle x=\angle AQB=65°$

02 (1) $\angle APB$, $\angle AQB$는 호 AB에 대한 원주각이므로
$\angle x=\angle APB=48°$
$\angle PAQ$, $\angle PBQ$는 호 PQ에 대한 원주각이므로
$\angle y=\angle PBQ=32°$
(2) $\angle APB$, $\angle AQB$는 호 AB에 대한 원주각이므로
$\angle y=\angle APB=28°$
$\angle PAQ$, $\angle PBQ$는 호 PQ에 대한 원주각이므로
$\angle x=\angle PBQ=56°$
(3) $\angle APB$, $\angle AQB$는 호 AB에 대한 원주각이므로
$\angle x=\angle APB=44°$
$\angle y=2\angle APB=2\times 44°=88°$

03 (1) $\angle APB$, $\angle AQB$는 호 AB에 대한 원주각이므로
$\angle x=\angle AQB=\boxed{38°}$
$\triangle APE$에서 삼각형의 외각의 성질에 의하여
$\angle EPA+\angle EAP=\angle AEB$이므로
$\angle y=108°-\boxed{38°}=\boxed{70°}$
(2) $\angle APB$, $\angle AQB$는 호 AB에 대한 원주각이므로
$\angle x=\angle APB=45°$
$\triangle EBQ$에서 삼각형의 외각의 성질에 의하여
$\angle EQB+\angle EBQ=\angle AEB$이므로
$\angle y=45°+50°=95°$

04 (1) $\overline{AB}$가 원 O의 지름이므로 $\angle ACB=\boxed{90°}$
직각삼각형 ACB에서
$\angle x=180°-(55°+\boxed{90°})=180°-145°=\boxed{35°}$
(2) $\overline{AB}$가 원 O의 지름이므로 $\angle ACB=90°$
직각삼각형 ACB에서
$\angle x=180°-(25°+90°)=180°-115°=65°$
(3) $\overline{AB}$가 원 O의 지름이므로 $\angle ACB=90°$
$\therefore \angle x=90°-30°=60°$
(4) $\angle ADC$, $\angle ABC$는 호 AC에 대한 원주각이므로
$\angle ABC=\angle ADC=\boxed{65°}$
$\overline{AB}$가 원 O의 지름이므로 $\angle ACB=90°$
$\therefore \angle x=180°-(90°+\boxed{65°})=\boxed{25°}$
(5) $\angle ADC$, $\angle ABC$는 호 AC에 대한 원주각이므로
$\angle ADC=\angle ABC=28°$
$\overline{AB}$가 원 O의 지름이므로 $\angle ADB=90°$
$\therefore \angle x=90°-28°=62°$

05 (1) $\overline{AB}$가 원 O의 지름이므로 $\angle AEB=90°$
직각삼각형 AEB에서
$\angle x=90°-52°=38°$
$\angle CEB$, $\angle CDB$는 호 CB에 대한 원주각이므로
$\angle y=\angle x=38°$
(2) $\overline{AD}$를 그으면

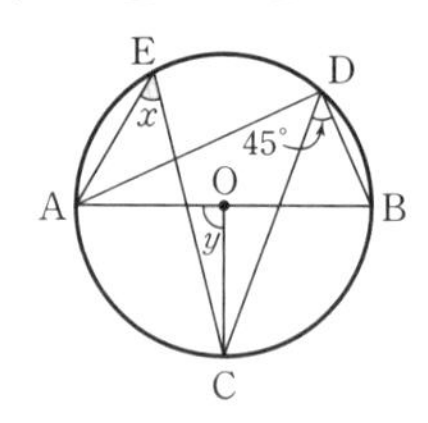

$\overline{AB}$가 원 O의 지름이므로 $\angle ADB=90°$
직각삼각형 ADB에서
$\angle ADC=90°-45°=45°$
$\angle AEC$, $\angle ADC$는 호 AC에 대한 원주각이므로
$\angle x=\angle ADC=45°$
$\therefore \angle y=2\angle AEC=2\times 45°=90°$

힘수 만점 67쪽

01 (1) $\angle x=58°$, $\angle y=30°$ (2) $\angle x=42°$, $\angle y=84°$
02 $63°$ **03** $40°$ **04** $37°$

01 (1) $\angle BAD=\angle BCD$이므로 $\angle x=58°$
$\angle ADC=\angle ABC$이므로 $\angle y=30°$
(2) $\angle BAC=\angle BDC$이므로 $\angle x=42°$
$\angle BOC=2\angle BDC$이므로 $\angle y=2\times 42°=84°$

02 $\overline{\mathrm{QB}}$를 그으면

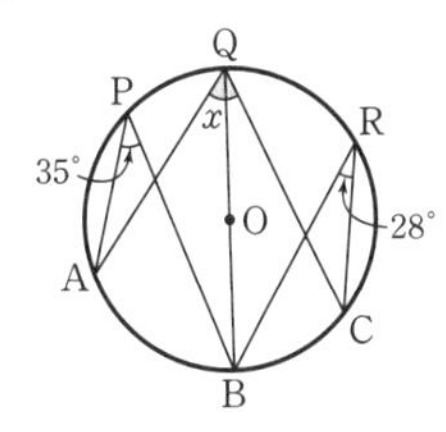

$\angle\mathrm{APB}=\angle\mathrm{AQB}=35°$
$\angle\mathrm{BQC}=\angle\mathrm{BRC}=28°$이고
$\angle\mathrm{AQC}=\angle\mathrm{AQB}+\angle\mathrm{BQC}=35°+28°=63°$
$\therefore \angle x=63°$

03 $\angle\mathrm{CBD}=\angle\mathrm{CAD}=30°$
$\angle\mathrm{BAC}=\angle\mathrm{BDC}=70°$
이므로 $\triangle\mathrm{ABC}$에서
$\angle x=180°-(70°+40°+30°)=40°$

04 $\angle\mathrm{DCB}=\frac{1}{2}\angle\mathrm{DOB}=\frac{1}{2}\times106°=53°$
$\overline{\mathrm{AB}}$가 원 O의 지름이므로 $\angle\mathrm{ACB}=90°$
$\therefore \angle x=90°-53°=37°$

19강+ 원주각의 크기와 호의 길이 68~69쪽

01 (1) 25° (2) 40° (3) 50° **02** (1) 6 (2) 4
03 (1) $\frac{1}{2}$, 25° (2) 30°
04 (1) $\widehat{\mathrm{CD}}$, 20°, 40° (2) 20° (3) 60° (4) 75° (5) 20°
05 (1) 9 (2) 16 (3) 6

01 (1) 길이가 같은 호에 대한 원주각의 크기는 같다.
즉, $\widehat{\mathrm{AB}}=\widehat{\mathrm{CD}}$이므로
$\angle x=\angle\mathrm{CQD}=\angle\mathrm{APB}=\boxed{25°}$
(2) $\widehat{\mathrm{AB}}=\widehat{\mathrm{CD}}$이므로
$\angle x=\angle\mathrm{APB}=40°$
(3) $\widehat{\mathrm{AB}}=\widehat{\mathrm{CD}}$이므로 $\angle\mathrm{ADB}=\angle\mathrm{CAD}$
$\therefore \angle x=\angle\mathrm{CAD}=50°$

02 (1) 크기가 같은 원주각에 대한 호의 길이는 같다.
즉, $\angle\mathrm{APB}=\angle\mathrm{CQD}$이므로 $\widehat{\mathrm{AB}}=\widehat{\mathrm{CD}}$
$\therefore x=6$
(2) $\angle\mathrm{APB}=\angle\mathrm{CQD}$이므로 $\widehat{\mathrm{AB}}=\widehat{\mathrm{CD}}$
$\therefore x=4$

03 (1) $\widehat{\mathrm{AB}}=\widehat{\mathrm{BC}}$이므로 $\angle\mathrm{APB}=\angle\mathrm{BPC}$
$\therefore \angle x=\angle\mathrm{APB}=\boxed{\frac{1}{2}}\angle\mathrm{AOB}=\frac{1}{2}\times50°=\boxed{25°}$
(2) $\overline{\mathrm{PC}}$를 그으면

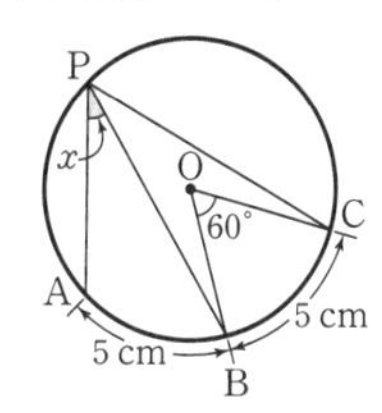

$\widehat{\mathrm{AB}}=\widehat{\mathrm{BC}}$이므로
$\angle x=\angle\mathrm{BPC}=\frac{1}{2}\angle\mathrm{BOC}=\frac{1}{2}\times60°=30°$

04 (1) 호의 길이는 그에 대한 원주각의 크기에 정비례하므로 비례식을 세우면
$\angle\mathrm{APB}:\angle\mathrm{CQD}=\widehat{\mathrm{AB}}:\boxed{\widehat{\mathrm{CD}}}$이므로
$\boxed{20°}:\angle x=5:10=1:2$
$\therefore \angle x=2\times20°=\boxed{40°}$
(2) $\angle\mathrm{APB}:\angle\mathrm{CQD}=\widehat{\mathrm{AB}}:\widehat{\mathrm{CD}}$이므로
$40°:\angle x=12:6=2:1$
$2\angle x=40°$ $\therefore \angle x=20°$
(3) $\angle\mathrm{APB}:\angle\mathrm{BPC}=\widehat{\mathrm{AB}}:\widehat{\mathrm{BC}}$이므로
$20°:\angle x=3:9=1:3$
$\therefore \angle x=60°$
(4) $\angle\mathrm{APB}:\angle\mathrm{BQC}=\widehat{\mathrm{AB}}:\widehat{\mathrm{BC}}$이므로
$15°:\angle x=2:10=1:5$
$\therefore \angle x=5\times15°=75°$
(5) $\angle\mathrm{APC}:\angle\mathrm{BQC}=\widehat{\mathrm{AC}}:\widehat{\mathrm{BC}}$이므로
$60°:\angle x=(4+2):2=3:1$
$3\angle x=60°$ $\therefore \angle x=20°$

05 (1) $\angle\mathrm{APB}:\angle\mathrm{BPC}=\widehat{\mathrm{AB}}:\widehat{\mathrm{BC}}$이므로
$20°:60°=3:x$, $1:3=3:x$
$\therefore x=9$
(2) $\angle\mathrm{APB}:\angle\mathrm{BPC}=\widehat{\mathrm{AB}}:\widehat{\mathrm{BC}}$이므로
$20°:80°=4:x$, $1:4=4:x$
$\therefore x=16$
(3) $\angle\mathrm{ADB}:\angle\mathrm{CBD}=\widehat{\mathrm{AB}}:\widehat{\mathrm{CD}}$이므로
$20°:30°=x:9$, $2:3=x:9$
$3x=18$ $\therefore x=6$

힘수 만점 70쪽

01 (1) 56° (2) 46° **02** 6 **03** 40° **04** 2

01 (1) $\angle APB=\angle AQB=56°$

$\therefore \angle x=56°$

(2) 점 P에서 $\overline{PA}$, $\overline{PB}$를 그으면

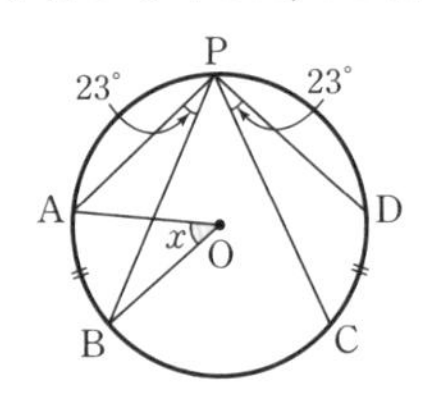

$\widehat{AB}=\widehat{CD}$이므로

$\angle APB=\angle CPD=23°$

$\therefore \angle x=2\angle APB=2\times 23°=46°$

02 $\angle APB : \angle BQC=\widehat{AB} : \widehat{BC}$

$40° : 30°=8 : x$

$4 : 3=8 : x$

$4x=24$

$\therefore x=6$

03 $\widehat{AD}=2\widehat{BC}$이므로

$\angle BAC : \angle ABD=\widehat{BC} : \widehat{AD}$

$20° : \angle x=1 : 2$

$\therefore \angle x=40°$

04 $\triangle ABP$에서 삼각형의 외각의 성질에 의해

$\angle BAC=60°-15°=45°$

$\angle ABD : \angle BAC=\widehat{AD} : \widehat{BC}$

$15° : 45°=x : 6$, $1 : 3=x : 6$

$3x=6$ $\therefore x=2$

20강+ 원주각의 활용(1) 71~73쪽

01 (1) × (2) ○ (3) × (4) ○
02 (1) 35° (2) 55° (3) 40°
03 (1) $\angle x=100°$, $\angle y=85°$ (2) $\angle x=75°$, $\angle y=60°$
(3) $\angle x=110°$, $\angle y=80°$ (4) $\angle x=117°$, $\angle y=97°$
04 (1) $\angle x=110°$, $\angle y=70°$ (2) $\angle x=60°$, $\angle y=120°$
05 (1) 80° (2) 130° (3) 90° (4) 80°
06 (1) 120°, 65° (2) 80°
07 (1) ○ (2) × (3) × (4) ○
08 (1) 60° (2) 110° (3) 115° (4) 72° (5) 75°

01 (1) $\angle BAC\neq\angle BDC$이므로 네 점 A, B, C, D는 한 원 위에 있지 않다.

(2) $\angle ADB=\angle ACB$이므로 네 점 A, B, C, D 한 원 위에 있다.

(3) $\angle ACB\neq\angle ADB$이므로 네 점 A, B, C, D는 한 원 위에 있지 않다.

(4) $\angle BAC=\angle BDC$이므로 네 점 A, B, C, D는 한 원 위에 있다.

02 (1) 네 점 A, B, C, D가 한 원 위에 있으려면

$\angle BAC=\angle BDC$이어야 한다.

$\therefore \angle x=35°$

(2) 네 점 A, B, C, D가 한 원 위에 있으려면

$\angle ABD=\angle ACD$이어야 한다.

$\therefore \angle x=55°$

(3) $\triangle ABE$에서 $\angle ABE=100°-60°=40°$이므로

네 점 A, B, C, D가 한 원 위에 있으려면

$\angle ABD=\angle ACD$이어야 한다.

$\therefore \angle x=40°$

03 (1) $\angle ABC+\angle ADC=180°$이므로

$80°+\angle x=180°$ $\therefore \angle x=100°$

$\angle BAD+\angle BCD=180°$이므로

$95°+\angle y=180°$ $\therefore \angle y=85°$

(2) $\angle ABC+\angle ADC=180°$이므로

$\angle x+105°=180°$ $\therefore \angle x=75°$

$\angle BAD+\angle BCD=180°$이므로

$120°+\angle y=180°$ $\therefore \angle y=60°$

(3) $\angle BAD+\angle BCD=180°$이므로

$70°+\angle x=180°$ $\therefore \angle x=110°$

$\angle ADC+\angle ABC=180°$이므로

$100°+\angle y=180°$ $\therefore \angle y=80°$

(4) $\angle ABC+\angle ADC=180°$이므로

$63°+\angle x=180°$ $\therefore \angle x=117°$

$\angle BAD+\angle BCD=180°$이므로

$83°+\angle y=180°$ $\therefore \angle y=97°$

04 (1) $\triangle BCD$에서

$\angle x=180°-(40°+30°)=110°$

$\angle BAD+\angle BCD=180°$이므로

$\angle y+110°=180°$ $\therefore \angle y=70°$

(2) $\overline{CD}$는 원의 지름이므로 $\angle CAD=90°$

$\triangle ACD$에서

$\angle x=180^\circ-(90^\circ+30^\circ)=60^\circ$
$\angle ABC+\angle ADC=180^\circ$이므로
$60^\circ+\angle y=180^\circ$ $\therefore \angle y=120^\circ$

05 (1) 원에 내접하는 사각형의 한 외각의 크기는 그와 이웃하는 내각에 대한 대각의 크기와 같다.
$\therefore \angle x=\angle A=80^\circ$
(2) $\angle x=\angle D=130^\circ$
(3) $\angle x=\angle D=90^\circ$
(4) $\angle x=\angle B=80^\circ$

06 (1) $\angle BAD=\angle BAC+\angle DAC=\angle DCE$이므로
$\angle x+55^\circ=\boxed{120^\circ}$
$\therefore \angle x=\boxed{65^\circ}$
(2) $\triangle ABD$에서
$\angle BAD=180^\circ-(45^\circ+55^\circ)=80^\circ$
$\therefore \angle x=\angle BAD=80^\circ$

07 (1) $\angle A+\angle C=100^\circ+80^\circ=180^\circ$
이므로 □ABCD는 원에 내접한다.
(2) $\angle A+\angle C=120^\circ+65^\circ=185^\circ\neq180^\circ$
이므로 □ABCD는 원에 내접하지 않는다.
(3) $\angle A\neq\angle DCE$
이므로 □ABCD는 원에 내접하지 않는다.
(4) $\angle A+\angle C=90^\circ+90^\circ=180^\circ$,
$\angle B+\angle D=90^\circ+90^\circ=180^\circ$
이므로 □ABCD는 원에 내접한다.
[참고] 직사각형은 항상 원에 내접한다.

08 (1) □ABCD가 원에 내접하려면 $\angle A+\angle C=180^\circ$이어야 한다.
$120^\circ+\angle x=180^\circ$ $\therefore \angle x=60^\circ$
(2) □ABCD가 원에 내접하려면 $\angle A=\angle DCE$이어야 한다.
$\therefore \angle x=110^\circ$
(3) □ABCD가 원에 내접하려면 $\angle A+\angle C=180^\circ$이어야 한다.
$65^\circ+\angle x=180^\circ$ $\therefore \angle x=115^\circ$
(4) □ABCD가 원에 내접하려면 $\angle B=\angle CDE$이어야 한다.
$\therefore \angle x=72^\circ$

(5) $\angle BAD=180^\circ-105^\circ=75^\circ$이므로 □ABCD가 원에 내접하려면 $\angle BAD=\angle DCE$이어야 한다.
$\therefore \angle x=\angle BAD=75^\circ$

힘수 만점 74쪽

01 ③ **02** 75°
03 (1) $\angle x=82^\circ$, $\angle y=98^\circ$ (2) $\angle x=110^\circ$, $\angle y=62^\circ$
04 65°

01 ① $\angle BAC=\angle BDC$이므로 네 점 A, B, C, D는 한 원 위에 있다.
② $\angle BDC=90^\circ-40^\circ=50^\circ$
따라서 $\angle BAC=\angle BDC$이므로 네 점 A, B, C, D는 한 원 위에 있다.
③ $\angle BAC\neq\angle BDC$이므로 네 점 A, B, C, D는 한 원 위에 있지 않다.
④ $\triangle BCD$에서 $\angle BDC=110^\circ-80^\circ=30^\circ$이므로
$\angle BAC=\angle BDC$이다.
따라서 네 점 A, B, C, D는 한 원 위에 있다.
⑤ $\triangle BCD$에서
$\angle BDC=180^\circ-(30^\circ+80^\circ)=70^\circ$
따라서 $\angle BAC=\angle BDC$이므로 네 점 A, B, C, D는 한 원 위에 있다.

02 □ABCD가 원에 내접하므로
$\angle ACB=\angle ADB=35^\circ$
$\triangle PBC$에서 삼각형의 외각의 성질에 의해
$\angle DPC=\angle PBC+\angle PCB$
$\therefore \angle x=40^\circ+35^\circ=75^\circ$
[다른 풀이]
□ABCD가 원에 내접하므로
$\angle DAC=\angle DBC=40^\circ$
$\triangle PAD$에서 삼각형의 외각의 성질에 의해
$\angle DPC=\angle PAD+\angle PDA$
$\therefore \angle x=40^\circ+35^\circ=75^\circ$

03 (1) $\triangle ABD$에서
$\angle x=180^\circ-(56^\circ+42^\circ)=82^\circ$
□ABCD가 원에 내접하므로
$\angle A+\angle C=180^\circ$
$82^\circ+\angle y=180^\circ$ $\therefore \angle y=98^\circ$

(2) □ABCD가 원에 내접하므로 $\angle A=\angle DCE$

$\therefore \angle y=\angle A=62°$

□ABCD가 원에 내접하므로 $\angle B+\angle D=180°$

$\angle x+70°=180°$ $\therefore \angle x=110°$

04 △DCE에서

$\angle DCE=100°-35°=65°$

□ABCD가 원에 내접하므로

$\angle BAD=\angle DCE=65°$

21강+ 원주각의 활용(2) 75~76쪽

01 (1) 70° (2) 35° (3) 40° (4) 60° (5) 20° (6) 60°, 60°, 70° (7) 70° (8) 60°
02 (1) 60°, 60°, 120° (2) 70° (3) 65° (4) 30°
03 (1) 90°, 30°, 30°, 60°, 60°, 30° (2) 40° (3) 38°

01 (1) $\angle x=\angle BAT=70°$

(2) $\angle x=\angle BAT=35°$

(3) $\angle x=\angle BCA=40°$

(4) $\angle x=\angle ABC=60°$

(5) $\angle x=\angle CAT=20°$

(6) $\angle BCA=\angle BAT=\boxed{60°}$이므로

△ABC에서

$\angle x=180°-(50°+\boxed{60°})=\boxed{70°}$

(7) △ABC에서

$\angle CBA=180°-(74°+36°)=70°$

$\therefore \angle x=\angle CBA=70°$

(8) $\overline{BC}$는 원의 지름이므로 $\angle CAB=90°$

△ABC에서 $\angle BCA=90°-30°=60°$

$\therefore \angle x=\angle BCA=60°$

02 (1) $\angle CBA=\angle CAT=\boxed{60°}$이므로

$\angle x=2\angle CBA=2\times\boxed{60°}=\boxed{120°}$

(2) $\angle BCA=\angle BAT=35°$이므로

$\angle x=2\angle BCA=2\times35°=70°$

(3) $\angle CBA=\frac{1}{2}\angle COA=\frac{1}{2}\times130°=65°$

$\therefore \angle x=\angle CBA=65°$

(4) $\angle BCA=\angle BAT=80°$

$\angle BAC=\frac{1}{2}\angle BOC=\frac{1}{2}\times140°=70°$

△ABC에서

$\angle x=180°-(70°+80°)=30°$

03 (1) $\overline{AB}$가 원 O의 지름이므로 $\angle ATB=\boxed{90°}$

$\angle ABT=\angle ATP=\boxed{30°}$

직각삼각형 ABT에서

$\angle BAT=90°-\boxed{30°}=\boxed{60°}$

따라서 삼각형 APT에서 삼각형의 외각의 성질에 의하여

$\angle BAT=\angle APT+\angle ATP$이므로

$\angle x=\boxed{60°}-30°=\boxed{30°}$

(2) $\overline{AB}$가 원 O의 지름이므로 $\angle ATB=90°$

$\angle BAT=90°-25°=65°$

$\angle ABT=\angle ATP=25°$

따라서 삼각형 APT에서

$\angle x=65°-25°=40°$

(3) $\overline{TA}$를 그으면 $\overline{AB}$가 원 O의 지름이므로 $\angle ATB=90°$

$\angle BAT=\angle BTC=64°$

$\angle ATP=180°-(64°+90°)=26°$

따라서 삼각형 ATP에서

$\angle x=64°-26°=38°$

힘수 만점 77쪽

01 $\angle x=95°$, $\angle y=70°$ **02** $\angle x=55°$, $\angle y=35°$
03 $\angle x=80°$, $\angle y=40°$ **04** 18°

01 $\angle BAT'=\angle BCA$이므로 $\angle x=95°$

$\angle CAT=\angle CBA$이므로 $\angle y=70°$

02 $\overline{BC}$는 원의 지름이므로 $\angle CAB=90°$

△ABC에서

$\angle BCA=180°-(90°+35°)=55°$

$\therefore \angle x=\angle BCA=55°$

$\angle y=\angle CBA=35°$

03 $\angle ABT=\angle ATP$이므로 $\angle y=40°$

$\angle AOT=2\angle ABT$이므로

$\angle x=2\times40°=80°$

04 $\angle CBA=\angle CAT=72°$

$\angle COA=2\angle CBA=2\times72°=144°$

$\overline{OC}=\overline{OA}$이므로 △OCA에서

$\angle x=\frac{1}{2}\times(180°-144°)=\frac{1}{2}\times36°=18°$

22강 중단원 연산 마무리 78~80쪽

01 (1) 40° (2) 100°

02 (1) $\angle x=25°$, $\angle y=53°$ (2) $\angle x=50°$, $\angle y=80°$
(3) $\angle x=60°$, $\angle y=34°$ (4) $\angle x=60°$, $\angle y=70°$

03 (1) $\angle x=60°$, $\angle y=30°$ (2) $\angle x=40°$, $\angle y=100°$

04 118° **05** (1) 25° (2) 37°

06 (1) 100° (2) 45° **07** (1) 10 (2) 4

08 (1) 80° (2) 3, 60° (3) 2, 40°

09 (1) × (2) × (3) ○ (4) ○

10 (1) $\angle x=108°$, $\angle y=35°$ (2) $\angle x=100°$, $\angle y=83°$

11 (1) $\angle x=70°$, $\angle y=110°$ (2) $\angle x=38°$, $\angle y=90°$
(3) $\angle x=30°$, $\angle y=100°$ (4) $\angle x=98°$, $\angle y=112°$

12 ㄴ, ㄹ

13 (1) $\angle x=86°$, $\angle y=72°$ (2) $\angle x=60°$, $\angle y=85°$

14 ②, ③, ⑤ **15** (1) 35° (2) 37° (3) 110° (4) 132°

16 20° **17** 20° **18** 84°

19 $\angle x=55°$, $\angle y=88°$ **20** $50\sqrt{3}\ \text{cm}^2$

01 (1) $\angle x=\frac{1}{2}\angle AOB=\frac{1}{2}\times 80°=40°$
(2) $\overset{\frown}{ACB}$에 대한 중심각의 크기는
$2\angle APB=2\times 130°=260°$

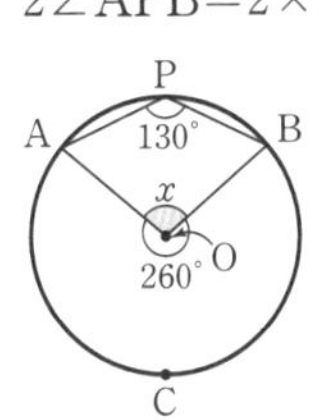

$\therefore \angle x=360°-260°=100°$

02 (1) $\angle x=\angle APB=25°$
$\angle y=\angle BRC=53°$
(2) $\angle x=2\angle APB=2\times 25°=50°$
$\angle y=2\angle BQC=2\times 40°=80°$
(3) $\angle y=\angle DBC=34°$
$\angle x=94°-\angle y=94°-34°=60°$
(4) $\angle x=\angle ACB=60°$
$\angle DBC=\angle DAC=50°$이므로
$\triangle PBC$에서
$\angle y=180°-(50°+60°)=70°$

03 (1) $\angle y=\angle ADC=30°$
$\overline{AB}$는 원의 지름이므로 $\angle ACB=90°$
$\therefore \angle x=90°-30°=60°$
(2) $\overline{AB}$는 원의 지름이므로 $\angle ADB=90°$
$\therefore \angle x=90°-50°=40°$
$\overline{OD}=\overline{OA}$이므로 $\angle ADC=50°$
$\therefore \angle y=50°+50°=100°$

04 접점 A, B에서 원에 반지름을 그으면
$\angle PAO=\angle PBO=90°$이므로
$\angle AOB=360°-(90°+56°+90°)=124°$
$\therefore \angle ACB=\frac{1}{2}\times(360°-124°)=118°$

05 (1) $\overset{\frown}{AB}=\overset{\frown}{CD}$이므로 $\angle x=\angle ACB=25°$
(2) $\overline{PA}$를 그으면
$\angle APB=\frac{1}{2}\angle AOB=\frac{1}{2}\times 74°=37°$
$\overset{\frown}{AB}=\overset{\frown}{BC}$이므로
$\angle x=\angle APB=37°$

06 (1) $\overset{\frown}{AC}=2\overset{\frown}{AB}$이므로
$\angle APB : \angle AQC=\overset{\frown}{AB} : \overset{\frown}{AC}=1 : 2$
$50° : \angle x=1 : 2$ $\therefore \angle x=100°$
(2) $\overset{\frown}{AB}=\overset{\frown}{BC}$이므로
$\angle BCA=\angle BDC=35°$
$\triangle BCD$에서
$\angle x=180°-(65°+35°+35°)=45°$

07 (1) $\angle APB=\angle CQD=48°$이므로 $x=10$
(2) $\angle CAB=80°-20°=60°$
$\angle ACD : \angle CAB=\overset{\frown}{AD} : \overset{\frown}{CB}$
$20° : 60°=1 : 3=x : 12$ $\therefore x=4$

08 한 원에서 모든 호에 대한 원주각의 크기의 합은 180°이다.
(1) $\angle A$는 $\overset{\frown}{BC}$에 대한 원주각이므로
$\angle A=180°\times\frac{4}{2+4+3}=\boxed{80°}$
(2) $\angle B$는 $\overset{\frown}{AC}$에 대한 원주각이므로
$\angle B=180°\times\frac{\boxed{3}}{2+4+3}=\boxed{60°}$
(3) $\angle C$는 $\overset{\frown}{AB}$에 대한 원주각이므로
$\angle C=180°\times\frac{\boxed{2}}{2+4+3}=\boxed{40°}$

09 (1) $\angle BAC\neq\angle BDC$이므로 네 점 A, B, C, D는 한 원 위에 있지 않다.
(2) $\angle BAC=90°-50°=40°$이므로 $\angle BAC\neq\angle BDC$
따라서 네 점 A, B, C, D는 한 원 위에 있지 않다.

(3) $\angle ABE=100°-45°=55°$이므로 $\angle ABD=\angle ACD$
따라서 네 점 A, B, C, D는 한 원 위에 있다.
(4) $\triangle DBC$에서
$\angle BDC=180°-(50°+70°)=60°$이므로
$\angle BAC=\angle BDC$
따라서 네 점 A, B, C, D는 한 원 위에 있다.

10 (1) $\angle BAD+\angle BCD=180°$이므로
$72°+\angle x=180°$
$\therefore\ \angle x=108°$
$\angle ABC+\angle ADC=180°$이므로
$145°+\angle y=180°$
$\therefore\ \angle y=35°$
(2) $\angle x=\angle ABE=100°$
$\angle y=\angle DCB=83°$

11 (1) $\triangle ABD$에서
$\angle x=180°-(35°+75°)=70°$
$\angle BAD+\angle BCD=180°$이므로
$70°+\angle y=180°$ $\therefore\ \angle y=110°$
(2) $\overline{BD}$가 원 O의 지름이므로 $\angle BAD=90°$
$\triangle ABD$에서
$\angle x=180°-(90°+52°)=38°$
$\angle BAD+\angle BCD=180°$이므로
$90°+\angle y=180°$ $\therefore\ \angle y=90°$
(3) $\angle x=\angle DAC=30°$
$\angle BAC=\angle BDC=70°$이므로
$\angle BAD=70°+30°=100°$
□ABCD는 원에 내접하므로 $\angle BAD=\angle DCE$
$\therefore\ \angle y=100°$
(4) □ABCD는 원에 내접하므로
$\angle B+\angle D=180°$
$\therefore\ \angle x=180°-82°=98°$
$\angle y=\angle A=112°$

12 ㄱ. $\angle B+\angle D=110°+80°=190°$
이므로 □ABCD는 원에 내접하지 않는다.
ㄴ. $\angle ABC=180°-110°=70°$
따라서 $\angle ABC=\angle CDF$
이므로 □ABCD는 원에 내접한다.
ㄷ. $\angle A=50°+60°=110°$
$\angle C=50°+40°=90°$
따라서 $\angle A+\angle C=110°+90°=200°\neq 180°$
이므로 □ABCD는 원에 내접하지 않는다.
ㄹ. $\triangle ACD$에서
$\angle DAC=180°-(100°+20°)=60°$
따라서 $\angle DAC=\angle DBC$($\overset{\frown}{DC}$에 대한 원주각)
이므로 □ABCD는 원에 내접한다.
따라서 원에 내접하는 것은 ㄴ, ㄹ이다.

13 (1) $\angle x=\angle BAD=86°$
$108°+\angle y=180°$ $\therefore\ \angle y=72°$
(2) $\angle x=\angle BDC=60°$
$\angle ADB=\angle ACB=25°$이므로
$\angle y=\angle ADC=\angle ADB+\angle BDC$
$=25°+60°=85°$

14 마주 보는 두 각의 크기의 합이 180°이면 원에 내접한다.
② 직사각형의 마주 보는 두 각의 크기의 합은
180°이므로 원에 내접한다.
③ 정사각형의 마주 보는 두 각의 크기의 합은
180°이므로 원에 내접한다.
⑤ 등변사다리꼴의 마주 보는 두 각의 크기의 합은
180°이므로 원에 내접한다.

15 (1) $\triangle ABC$에서
$\angle CBA=180°-(65°+80°)=35°$
$\therefore\ \angle x=\angle CBA=35°$
(2) $\angle D+\angle B=180°$이므로
$\angle D=180°-74°=106°$
$\overset{\frown}{CD}=\overset{\frown}{DA}$이므로 $\angle DAC=\angle DCA$
즉, $\triangle DAC$는 이등변삼각형이므로
$\angle DCA=\frac{1}{2}\times(180°-106°)=37°$
$\therefore\ \angle x=\angle DCA=37°$
(3) $\angle BDA=\angle BAT=50°$이므로
$\triangle ABD$에서
$\angle DAB=180°-(50°+60°)=70°$
$\angle BCD+\angle BAD=180°$에서
$\angle x=180°-70°=110°$
(4) $\angle CBA=\angle CAT=66°$
$\therefore\ \angle x=2\angle CBA=2\times 66°=132°$

16 $\overline{BC}$는 원 O의 지름이므로 $\angle BAC=90°$
$\triangle BAC$에서
$\angle BCA=180°-(55°+90°)=35°$

$\angle BAP=\angle BCA=35°$이므로
$\angle x=55°-35°=20°$

17 $\overline{OB}$를 그으면

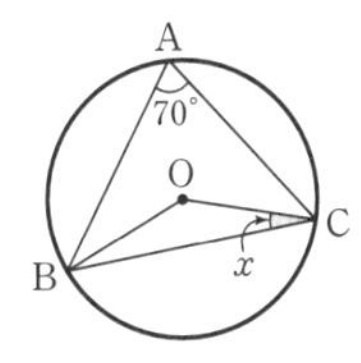

$\angle BOC=2\angle BAC=2\times70°=140°$
$\overline{OB}=\overline{OC}$이므로
$\angle x=\frac{1}{2}\times(180°-140°)=20°$

18 $\angle B$는 $\overparen{CA}$에 대한 원주각이므로
$\angle B=180°\times\frac{7}{3+5+7}=180°\times\frac{7}{15}=84°$

19 $\triangle ABD$에서
$\angle BAD=180°-(28°+60°)=92°$
$\angle BAD+\angle BCD=180°$이므로
$92°+\angle y=180°\quad\therefore\ \angle y=88°$
$\angle BDC=180°-(88°+37°)=55°$
$\therefore\ \angle x=\angle BDC=55°$

20 $\overline{BC}$가 지름이므로 $\angle CAB=90°$
$\angle CAT=\angle CBA=30°$이므로 $\angle BCA=60°$
직각삼각형 ABC에서 $\overline{OA}$를 그으면

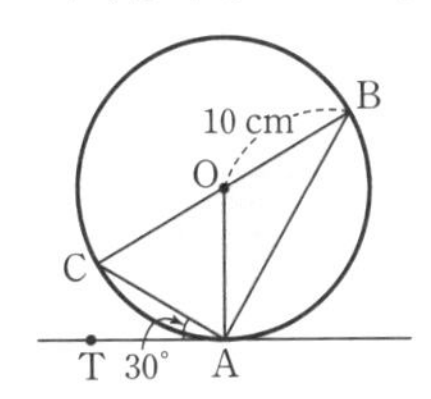

$\overline{OA}=\overline{OC}$이고 $\angle OCA=\angle OAC=60°$이므로 $\triangle OCA$는 정삼각형이다.
$\therefore\ \overline{CA}=10\text{ cm}$
직각삼각형 ABC에서 피타고라스 정리를 이용하면
$\overline{AB}=\sqrt{20^2-10^2}=10\sqrt{3}\text{ (cm)}$
$\triangle ABC=\frac{1}{2}\times10\times10\sqrt{3}=50\sqrt{3}\text{ (cm}^2\text{)}$
[참고] 직각삼각형 ABC에서
$\angle BCA=60°$이므로 특수각의 삼각비를 이용하면
$\overline{CA}:\overline{AB}:\overline{BC}=1:\sqrt{3}:2$
이므로 $\overline{CA}:\overline{AB}:\overline{BC}=10:10\sqrt{3}:20$
으로 변의 길이를 구할 수도 있다.

VI 통계

83쪽

1. (1) 8회 (2) 22명 (3) 30판

2. (1) 8 (2) 10 (3) 4

3.

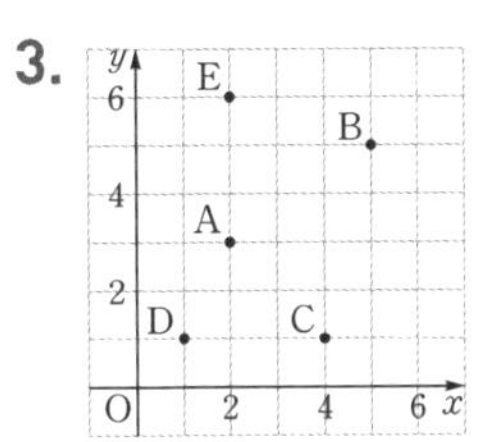

4. (1) 양수 (2) 음수

23강 대표값

84~86쪽

01 (1) 5 (2) 8 (3) 9 (4) 5
02 (1) 6, 18, 3 (2) 16 (3) 50 (4) 6 (5) 7 (6) 12
03 (1) 3, 4, 3 (2) 8 (3) 5 (4) 8, 12, 8, 8, 7 (5) 50 (6) 13
04 (1) 4, 4, 2 (2) 8 (3) 27
05 (1) 5 (2) 2 (3) 6 (4) 2, 3 (5) 2, 5 (6) 9
(7) 20, 22, 27
06 (1) ○ (2) × (3) × (4) ○ (5) ○

01 (1) (평균)$=\frac{4+6+8+2}{4}=\frac{20}{4}=5$
(2) (평균)$=\frac{7+7+9+9}{4}=\frac{32}{4}=8$
(3) (평균)$=\frac{18+3+6+11+7}{5}=\frac{45}{5}=9$
(4) (평균)$=\frac{1+1+6+12+6+4}{6}=\frac{30}{6}=5$

02 (1) (평균)$=\frac{5+10+x}{3}=\boxed{6}$이므로
$x+15=\boxed{18}\quad\therefore\ x=\boxed{3}$
(2) (평균)$=\frac{2+3+x+15}{4}=9$이므로
$x+20=36\quad\therefore\ x=16$
(3) (평균)$=\frac{10+80+x+60}{4}=50$이므로
$x+150=200\quad\therefore\ x=50$
(4) (평균)$=\frac{x+3+4+5+7}{5}=5$이므로
$x+19=25\quad\therefore\ x=6$

(5) (평균) $=\frac{8+5+1+14+x+13}{6}=8$이므로

$x+41=48$ $\therefore x=7$

(6) (평균) $=\frac{16+18+24+x+30}{5}=20$이므로

$x+88=100$ $\therefore x=12$

03 (1) 자료를 작은 값부터 크기순으로 나열하면

1, 2, $\boxed{3}$, $\boxed{4}$, 5

자료의 개수가 홀수이므로 중앙값은 $\boxed{3}$이다.

(2) 자료를 작은 값부터 크기순으로 나열하면

4, 7, 8, 12, 14

자료의 개수가 홀수이므로 중앙값은 8이다.

(3) 자료를 작은 값부터 크기순으로 나열하면

3, 4, 4, 5, 6, 7, 8

자료의 개수가 홀수이므로 중앙값은 5이다.

(4) 자료를 작은 값부터 크기순으로 나열하면

3, 4, 6, $\boxed{8}$, 9, $\boxed{12}$

자료의 개수가 짝수이므로 중앙값은 한가운데 있는 두 값

6, $\boxed{8}$의 평균인 $\frac{6+\boxed{8}}{2}=\frac{14}{2}=\boxed{7}$이다.

(5) 자료를 작은 값부터 크기순으로 나열하면

20, 40, 60, 90

자료의 개수가 짝수이므로 중앙값은 한가운데 있는 두 값

40, 60의 평균인 $\frac{40+60}{2}=\frac{100}{2}=50$이다.

(6) 자료를 작은 값부터 크기순으로 나열하면

10, 11, 12, 14, 18, 19

자료의 개수가 짝수이므로 중앙값은 한가운데 있는 두 값

12, 14의 평균인 $\frac{12+14}{2}=\frac{26}{2}=13$이다.

04 (1) 자료의 개수가 짝수이므로 중앙값은 중앙에 있는 두 값

x, $\boxed{4}$의 평균이다.

$\therefore \frac{x+\boxed{4}}{2}=3$에서 $x+4=6$, $x=\boxed{2}$

(2) 자료의 개수가 짝수이므로 중앙값은 중앙에 있는 두 값

x, 10의 평균이다.

$\therefore \frac{x+10}{2}=9$에서 $x+10=18$, $x=8$

(3) 자료의 개수가 짝수이므로 중앙값은 중앙에 있는 두 값

23, x의 평균이다.

$\therefore \frac{23+x}{2}=25$에서 $23+x=50$, $x=27$

05 (1) 자료를 작은 값부터 크기순으로 나열하면

1, 2, 5, 5, 9

이때 가장 많이 나타나는 값, 즉 최빈값은 $\boxed{5}$이다.

(2) 자료를 작은 값부터 크기순으로 나열하면

2, 2, 2, 3, 3, 4, 5

이때 가장 많이 나타나는 값, 즉 최빈값은 2이다.

(3) 자료를 작은 값부터 크기순으로 나열하면

4, 5, 6, 6, 6, 8, 8, 9

이때 가장 많이 나타나는 값, 즉 최빈값은 6이다.

(4) 자료를 작은 값부터 크기순으로 나열하면

2, 2, 3, 3, 4

이때 가장 많이 나타나는 값, 즉 최빈값은 2와 3이다.

(5) 자료를 작은 값부터 크기순으로 나열하면

1, 2, 2, 3, 5, 5, 6, 7, 8

이때 가장 많이 나타나는 값, 즉 최빈값은 2와 5이다.

(6) 자료를 작은 값부터 크기순으로 나열하면

8, 8, 9, 9, 9, 10, 10

이때 가장 많이 나타나는 값, 즉 최빈값은 9이다.

(7) 자료를 작은 값부터 크기순으로 나열하면

20, 20, 22, 22, 24, 27, 27

이때 가장 많이 나타나는 값, 즉 최빈값은 20, 22, 27이다.

06 (1) 대푯값에는 평균, 중앙값, 최빈값 등이 있다.

(2) 자료의 개수가 짝수이면 중앙에 있는 두 값의 평균이 중앙값이다.

(3) 최빈값은 자료에 따라 2개 이상일 수도 있다.

(5) 예를 들면 4, 5, 5, 5, 6과 같은 경우는 평균, 중앙값, 최빈값이 모두 5로 같다.

힘수 만점 87쪽

01 (1) 87점 (2) 77점 **02** 6 **03** O형
04 (1) 55.5 kg (2) 56 kg (3) 57 kg

01 (1) $\frac{83+85+92+88}{4}=\frac{348}{4}=87$(점)

(2) 다섯 과목의 총 점수는 $85\times5=425$(점)

따라서 지민이의 사회 점수는

$425-(83+85+92+88)=77$(점)

02 자료의 개수가 짝수이므로 중앙값은

$\frac{x+8}{2}=7$, $x+8=14$

$\therefore x=6$

03 O형의 도수가 가장 크므로 최빈값은 O형이다.

04 (1) $\frac{57+47+55+57+49+68}{6}=\frac{333}{6}=55.5(\text{kg})$

(2) 자료를 작은 값부터 크기순으로 나열하면

47, 49, 55, 57, 57, 68

자료의 개수가 짝수이므로 중앙값은 한가운데 있는 두 값 55, 57의 평균인 $\frac{55+57}{2}=\frac{112}{2}=56(\text{kg})$이다.

(3) 가장 많이 나타나는 값, 즉 최빈값은 57 kg이다.

24강+ 편차 88~89쪽

01 (1) 2, −2 (2) 10, 5, −10 (3) 5, −4, −5, 1 (4) −10, −5, 5, 10 (5) 13, 6 (6) 75, 35, 50 (7) 7, 5, 6 (8) 56, 48, 53, 49

02 (1) 1, −1, −3, 3, 4, 5, 1, −1, −3, 3 (2) 6 (3) 35 (4) 5 (5) 18

03 (1) 2 (2) 3 (3) −4 (4) −2 (5) 6

01 (1) $7-5=2$, $3-5=-2$

(2) $30-20=10$, $25-20=5$, $10-20=-10$

(3) $18-13=5$, $9-13=-4$, $8-13=-5$, $14-13=1$

(4) $5-15=-10$, $10-15=-5$, $20-15=5$, $25-15=10$

(5) $3+10=13$, $-4+10=6$

(6) $15+60=75$, $-25+60=35$, $-10+60=50$

(7) $1+6=7$, $-1+6=5$, $0+6=6$

(8) $6+50=56$, $-2+50=48$, $3+50=53$, $-1+50=49$

02 (1) 변량 6, 4, 2, 8의 평균은

$\frac{6+4+2+8}{\boxed{4}}=\frac{20}{4}=\boxed{5}$

따라서 (편차)=(변량)−(평균)을 이용하여 표의 빈칸을 완성하면

변량	6	4	2	8
편차	1	−1	−3	3

(2) 변량 0, 9, 8, 7의 평균은

$\frac{0+9+8+7}{4}=\frac{24}{4}=6$

따라서 (편차)=(변량)−(평균)을 이용하여 표의 빈칸을 완성하면

변량	0	9	8	7
편차	−6	3	2	1

(3) 변량 10, 60, 40, 30의 평균은

$\frac{10+60+40+30}{4}=\frac{140}{4}=35$

따라서 (편차)=(변량)−(평균)을 이용하여 표의 빈칸을 완성하면

변량	10	60	40	30
편차	−25	25	5	−5

(4) 변량 3, 7, 5, 1, 9의 평균은

$\frac{3+7+5+1+9}{5}=\frac{25}{5}=5$

따라서 (편차)=(변량)−(평균)을 이용하여 표의 빈칸을 완성하면

변량	3	7	5	1	9
편차	−2	2	0	−4	4

(5) 변량 12, 22, 15, 25, 16의 평균은

$\frac{12+22+15+25+16}{5}=\frac{90}{5}=18$

따라서 (편차)=(변량)−(평균)을 이용하여 표의 빈칸을 완성하면

변량	12	22	15	25	16
편차	−6	4	−3	7	−2

03 (1) 편차의 총합은 0이므로

$(-2)+1+a+(-1)=0$, $(-2)+a=0$

$\therefore a=\boxed{2}$

(2) 편차의 총합은 0이므로

$4+(-3)+a+(-4)=0$, $(-3)+a=0$

$\therefore a=3$

(3) 편차의 총합은 0이므로

$(-5)+(-3)+a+4+8=0$, $a+4=0$

$\therefore a=-4$

(4) 편차의 총합은 0이므로

$a+15+(-12)+3+(-4)=0$, $a+2=0$

$\therefore a=-2$

(5) 편차의 총합은 0이므로

$(-7)+(-2)+(-1)+a+4=0$, $a-6=0$

$\therefore a=6$

힘수 만점 90쪽

01 −2, 1, −1, 2, 0 **02** −4 **03** (1) 2 (2) 20점 **04** ④

01 (편차)=(변량)−(평균)이므로 각각 구하면

$4-6=-2,\ 7-6=1,\ 5-6=-1,\ 8-6=2,\ 6-6=0$

따라서 편차는 다음과 같다.

변량	4	7	5	8	6
편차	−2	1	−1	2	0

02 편차의 총합은 0이므로

$(-2)+5+a+b+1=0,\ 4+a+b=0$

$\therefore a+b=-4$

03 (1) 편차의 총합은 0이므로

$3+(-1)+(-5)+x+1=0,\ (-2)+x=0$

$\therefore x=2$

(2) (변량)=(편차)+(평균)이므로

학생 D의 점수는 $2+18=20$(점)

04 자료의 평균은

$\dfrac{13+8+7+6+11+9}{6}=\dfrac{54}{6}=9$

따라서 편차를 구하면

$13-9=4,\ 8-9=-1,\ 7-9=-2,$

$6-9=-3,\ 11-9=2,\ 9-9=0$

따라서 편차가 될 수 없는 것은 ④이다.

25강+ 분산과 표준편차 91~93쪽

01 (1) $-1,\ 4$ (2) $4,\ 1$ (3) 1 **02** (1) 20 (2) 5 (3) $\sqrt{5}$

03 (1) 40 (2) 8 (3) $2\sqrt{2}$ **04** (1) 24 (2) 4 (3) 2

05 (1) 1 (2) 36 (3) 9 (4) 3

06 (1) -1 (2) 40 (3) 8 (4) $2\sqrt{2}$

07 (1) 3 (2) $-2,\ -1,\ 0,\ 1,\ 2,\ 4,\ 1,\ 0,\ 1,\ 4$ (3) 10 (4) 2 (5) $\sqrt{2}$

08 (1) 4 (2) $1,\ 0,\ 2,\ -1,\ -2,\ 1,\ 0,\ 4,\ 1,\ 4$ (3) 10 (4) 2 (5) $\sqrt{2}$

09 (1) 12 (2) $0,\ -3,\ 1,\ -1,\ 3,\ 0,\ 9,\ 1,\ 1,\ 9$ (3) 20 (4) 4 (5) 2

10 (1) $5,\ 6$ (2) $6,\ 5$ (3) $\sqrt{5}$ **11** (1) 4 (2) $\dfrac{5}{2}$ (3) $\dfrac{\sqrt{10}}{2}$

12 (1) 18 (2) 6 (3) $\sqrt{6}$ **13** 2반

14 1반 **15** 3반

16 (1) ○ (2) × (3) ○ (4) ×

17 (1) $\dfrac{5}{2},\ \dfrac{9}{2}$ (2) A팀 **18** (1) $4,\ 6$ (2) 국어

01 (1) $\{(\text{편차})^2\text{의 총합}\}=1^2+(-1)^2+(\boxed{-1})^2+1^2=\boxed{4}$

(2) $(\text{분산})=\dfrac{\{(\text{편차})^2\text{의 총합}\}}{(\text{변량의 개수})}=\dfrac{\boxed{4}}{4}=\boxed{1}$

(3) $(\text{표준편차})=\sqrt{(\text{분산})}=\sqrt{1}=\boxed{1}$

02 (1) $\{(\text{편차})^2\text{의 총합}\}=3^2+(-1)^2+(-3)^2+1^2=20$

(2) $(\text{분산})=\dfrac{\{(\text{편차})^2\text{의 총합}\}}{(\text{변량의 개수})}=\dfrac{20}{4}=5$

(3) $(\text{표준편차})=\sqrt{(\text{분산})}=\sqrt{5}$

03 (1) $\{(\text{편차})^2\text{의 총합}\}=4^2+0+(-2)^2+(-4)^2+2^2=40$

(2) $(\text{분산})=\dfrac{\{(\text{편차})^2\text{의 총합}\}}{(\text{변량의 개수})}=\dfrac{40}{5}=8$

(3) $(\text{표준편차})=\sqrt{(\text{분산})}=\sqrt{8}=2\sqrt{2}$

04 (1) $\{(\text{편차})^2\text{의 총합}\}$

$=1^2+1^2+(-1)^2+2^2+(-4)^2+1^2$

$=24$

(2) $(\text{분산})=\dfrac{\{(\text{편차})^2\text{의 총합}\}}{(\text{변량의 개수})}=\dfrac{24}{6}=4$

(3) $(\text{표준편차})=\sqrt{(\text{분산})}=\sqrt{4}=2$

05 (1) 편차의 총합은 0이므로

$(-5)+3+x+1=0,\ -1+x=0$

$\therefore x=1$

(2) $\{(\text{편차})^2\text{의 총합}\}=(-5)^2+3^2+1^2+1^2=36$

(3) $(\text{분산})=\dfrac{\{(\text{편차})^2\text{의 총합}\}}{(\text{변량의 개수})}=\dfrac{36}{4}=9$

(4) $(\text{표준편차})=\sqrt{(\text{분산})}=\sqrt{9}=3$

06 (1) 편차의 총합은 0이므로

$(-3)+(-2)+1+5+x=0,\ 1+x=0$

$\therefore x=-1$

(2) $\{(\text{편차})^2\text{의 총합}\}=(-3)^2+(-2)^2+1^2+5^2+(-1)^2=40$

(3) $(\text{분산})=\dfrac{\{(\text{편차})^2\text{의 총합}\}}{(\text{변량의 개수})}=\dfrac{40}{5}=8$

(4) $(\text{표준편차})=\sqrt{(\text{분산})}=\sqrt{8}=2\sqrt{2}$

07 (1) $(\text{평균})=\dfrac{1+2+3+4+5}{5}=\dfrac{15}{5}=3$

(2) (편차)=(변량)−(평균)이므로

$1-3=-2,\ 2-3=-1,\ 3-3=0,\ 4-3=1,\ 5-3=2$

따라서 표는 다음과 같다.

변량	1	2	3	4	5
편차	−2	−1	0	1	2
(편차)^2	4	1	0	1	4

(3) $\{(\text{편차})^2\text{의 총합}\}=4+1+0+1+4=10$

(4) $(\text{분산})=\frac{10}{5}=2$

(5) $(\text{표준편차})=\sqrt{2}$

08 (1) $(\text{평균})=\frac{5+4+6+3+2}{5}=\frac{20}{5}=4$

(2) (편차)=(변량)−(평균)이므로

$5-4=1,\ 4-4=0,\ 6-4=2,\ 3-4=-1,\ 2-4=-2$

따라서 표는 다음과 같다.

변량	5	4	6	3	2
편차	1	0	2	−1	−2
(편차)^2	1	0	4	1	4

(3) $\{(\text{편차})^2\text{의 총합}\}=1+0+4+1+4=10$

(4) $(\text{분산})=\frac{10}{5}=2$

(5) $(\text{표준편차})=\sqrt{2}$

09 (1) $(\text{평균})=\frac{12+9+13+11+15}{5}=\frac{60}{5}=12$

(2) (편차)=(변량)−(평균)이므로

$12-12=0,\ 9-12=-3,\ 13-12=1,\ 11-12=-1,$

$15-12=3$

따라서 표는 다음과 같다.

변량	12	9	13	11	15
편차	0	−3	1	−1	3
(편차)^2	0	9	1	1	9

(3) $\{(\text{편차})^2\text{의 총합}\}=0+9+1+1+9=20$

(4) $(\text{분산})=\frac{20}{5}=4$

(5) $(\text{표준편차})=\sqrt{4}=2$

10 (1) 평균이 5이므로

$\frac{2+4+x+8}{4}=\boxed{5},\ x+14=20$

$\therefore x=\boxed{6}$

(2) $(\text{분산})=\frac{(2-5)^2+(4-5)^2+(\boxed{6}-5)^2+(8-5)^2}{4}$

$=\frac{9+1+1+9}{4}=\frac{20}{4}$

$=\boxed{5}$

(3) $(\text{표준편차})=\sqrt{5}$

11 (1) 평균이 6이므로

$\frac{7+8+5+x}{4}=6,\ x+20=24$

$\therefore x=4$

(2) $(\text{분산})=\frac{(7-6)^2+(8-6)^2+(5-6)^2+(4-6)^2}{4}$

$=\frac{1+4+1+4}{4}=\frac{10}{4}$

$=\frac{5}{2}$

(3) $(\text{표준편차})=\sqrt{\frac{5}{2}}=\frac{\sqrt{10}}{2}$

12 (1) 평균이 20이므로

$\frac{20+21+17+x+24}{5}=20,\ x+82=100$

$\therefore x=18$

(2) (분산)

$=\frac{(20-20)^2+(21-20)^2+(17-20)^2+(18-20)^2+(24-20)^2}{5}$

$=\frac{0+1+9+4+16}{5}$

$=\frac{30}{5}=6$

(3) $(\text{표준편차})=\sqrt{6}$

13 2반의 표준편차가 가장 작으므로 중간고사 수학 성적이 가장 고른 반은 2반이다.

14 1반의 표준편차가 가장 작으므로 1분 동안의 윗몸 일으키기 기록이 가장 고른 반은 1반이다.

15 3반의 분산이 가장 작으므로 통학 시간이 가장 고른 반은 3반이다.

16 (1) A반의 평균이 B반의 평균보다 크므로 A반의 성적이 B반의 성적보다 우수하다.

(2) A반은 B반보다 성적은 좋지만 성적의 분포도는 고르지 않다.

(3) B반이 A반보다 성적은 낮지만 성적의 분포는 고르다.

(4) 성적이 가장 좋은 학생이 어느 반에 있는지는 평균과 표준편차만으로는 알 수 없다.

17 (1) A팀의 분산은

$\frac{1^2+(-1)^2+2^2+(-2)^2}{4}=\frac{10}{4}=\frac{5}{2}$

B팀의 분산은

$\frac{2^2+(-1)^2+2^2+(-3)^2}{4}=\frac{18}{4}=\frac{9}{2}$

(2) A팀의 분산이 더 작으므로 A팀이 더 고르다.

18 (1) 국어의 분산은

$$\frac{(-3)^2+0+(-1)^2+3^2+1^2}{5}=\frac{20}{5}=4$$

영어의 분산은

$$\frac{2^2+(-4)^2+(-1)^2+3^2+0}{5}=\frac{30}{5}=6$$

(2) 국어의 분산이 더 작으므로 분포 상태가 더 고른 과목은 국어이다.

힘수 만점 94쪽

01 $\sqrt{10}$점 **02** 10 **03** (1) 2반 (2) 1반 **04** 12

01 $(\text{분산})=\frac{(-1)^2+(-4)^2+2^2+(-2)^2+5^2}{5}$

$=\frac{50}{5}=10$

$\therefore$ (표준편차)$=\sqrt{10}$(점)

02 편차의 총합은 0이므로

$2+1+(-2)+x+(-5)=0,\ -4+x=0$

$\therefore x=4$

$\therefore (\text{분산})=\frac{2^2+1^2+(-2)^2+4^2+(-5)^2}{5}$

$=\frac{50}{5}=10$

03 (1) 2반의 평균이 가장 높으므로 줄넘기 기록이 가장 좋은 반은 2반이다.

(2) 1반의 표준편차가 가장 작으므로 줄넘기 기록이 가장 고른 반은 1반이다.

04 평균이 2이므로

$\frac{x+y}{2}=2,\ x+y=4$ ...... ㉠

(편차)=(변량)−(평균)이므로 두 변량의 편차는

$x-2,\ y-2$

$\therefore (\text{분산})=\frac{(x-2)^2+(y-2)^2}{2}$

$=\frac{x^2-4x+4+y^2-4y+4}{2}$

$=\frac{x^2+y^2-4(x+y)+8}{2}$

$=\frac{x^2+y^2-4\times4+8}{2}$ ← ㉠을 대입

$=\frac{x^2+y^2-8}{2}$

그런데 분산이 2이므로

$\frac{x^2+y^2-8}{2}=2$에서 $x^2+y^2=4+8=12$

26강+ 산점도 95~96쪽

01 풀이 참조 **02** 풀이 참조
03 풀이 참조 **04** 풀이 참조
05 풀이 참조
06 (1) 3 (2) 4 (3) 9점 (4) 3 (5) 2
07 (1) 5 (2) 3 (3) 8 (4) 6 (5) 20% (6) 4

01

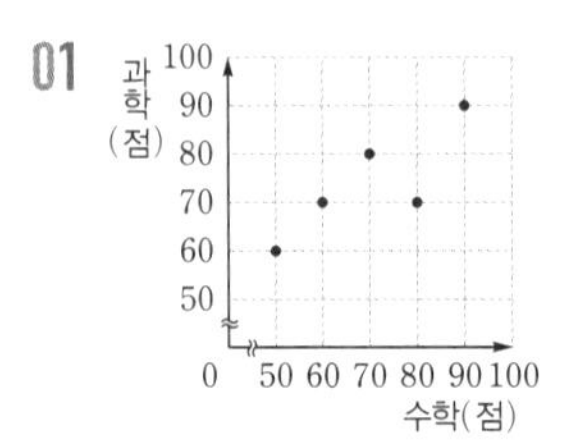

02

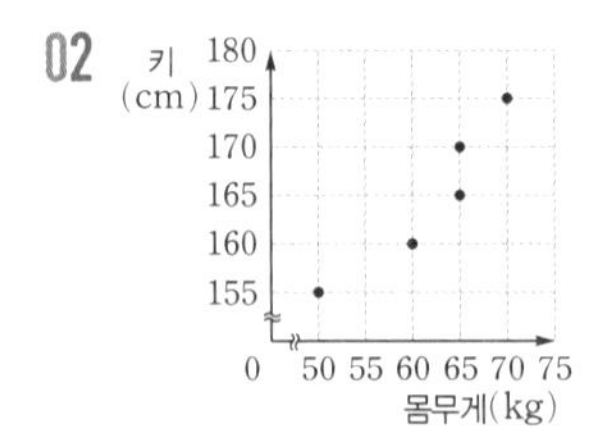

03

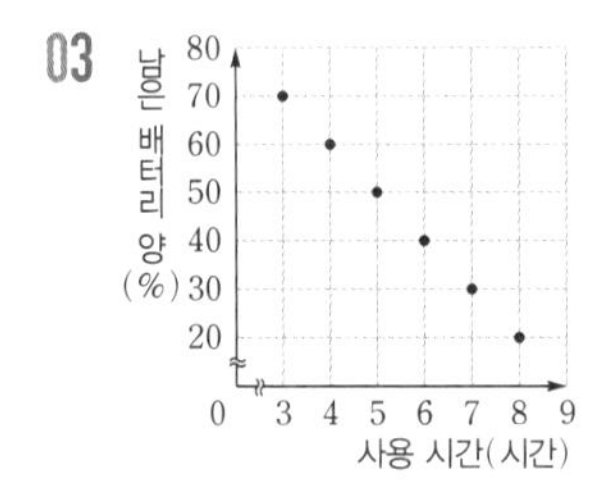

04

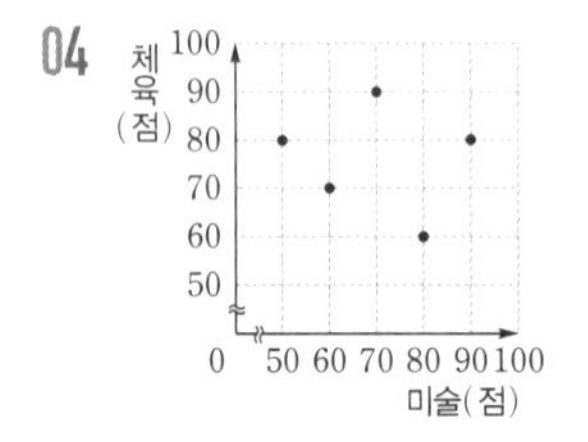

05

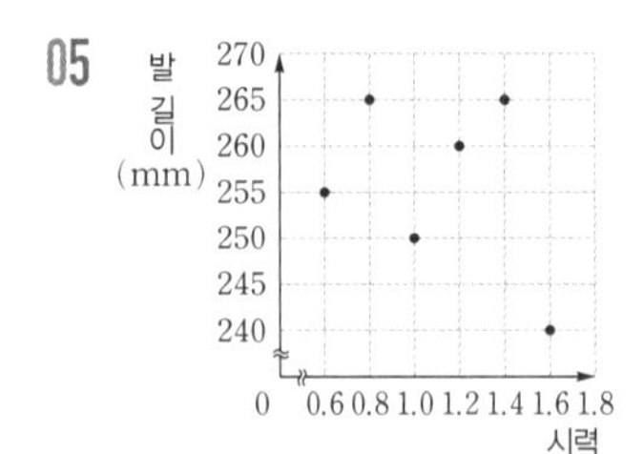

06 (1) 1차와 2차 점수가 같은 학생 수는 대각선 위에 있는 점의 개수와 같으므로 3이다.

(2) 1차보다 2차에 더 높은 점수를 받은 학생 수는 오른쪽 그림에서 경계를 제외한 대각선 위쪽 부분에 있는 점의 개수와 같으므로 4이다.

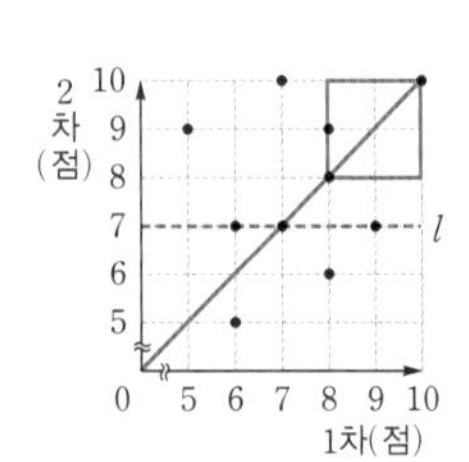

(3) 1차때 가장 낮은 점수를 받은 학생의 점수는 5점이므로 이 학생이 2차때 받은 점수는 9점이다.

(4) 1차와 2차 모두 8점 이상인 학생 수는 사각형 안에 있는 점의 개수와 사각형 위에 있는 점의 개수의 합과 같으므로 3이다.

(5) 2차 점수가 7점 미만인 학생 수는 위의 그림에서 경계선을 제외한 직선 l 아래쪽 부분에 있는 점의 개수와 같으므로 2이다.

07 (1) 국어와 수학 점수가 같은 학생 수는 대각선 위에 있는 점의 개수와 같으므로 5이다.

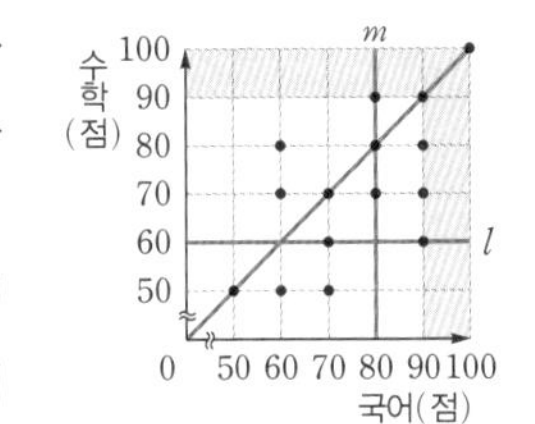

(2) 수학 점수가 60점 미만인 학생 수는 오른쪽 그림에서 경계를 제외한 직선 l 아래쪽 부분에 있는 점의 개수와 같으므로 3이다.

(3) 국어 점수가 80점 이상인 학생 수는 위의 그림에서 직선 m 오른쪽 부분에 있는 점의 개수와 그 경계선 위에 있는 점의 개수의 합과 같으므로 8이다.

(4) 두 과목 중 적어도 한 과목의 점수가 90점 이상인 학생 수는 위의 그림에서 색칠한 부분에 있는 점과 그 경계선 위에 있는 점의 개수의 합과 같으므로 6이다.

(5) 국어 점수보다 수학 점수가 높은 학생 수는 위의 그림에서 대각선 위쪽 부분에 있는 점의 개수와 같으므로 3이다.

따라서 전체 학생 수는 15명이므로 $\frac{3}{15}\times100=20\,(\%)$

(6)

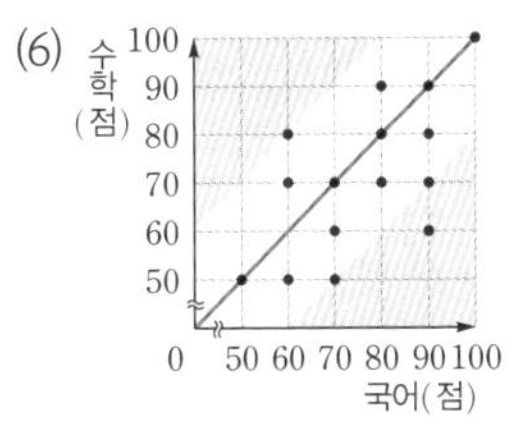

두 과목의 점수 차가 20점 이상인 학생 수는 위의 그림에서 색칠한 부분에 있는 점의 개수와 그 경계선 위에 있는 점의 개수의 합과 같으므로 4이다.

힘수 만점 97쪽

01 (1) 4명 (2) 20 % (3) 8점 **02** (1) 8 (2) 20 % **03** ⑤

01 (1) 2차 점수가 9점 이상인 선수는 직선 l 위쪽에 있는 점의 개수와 그 경계선 위에 있는 점의 개수의 합과 같으므로 4명이다.

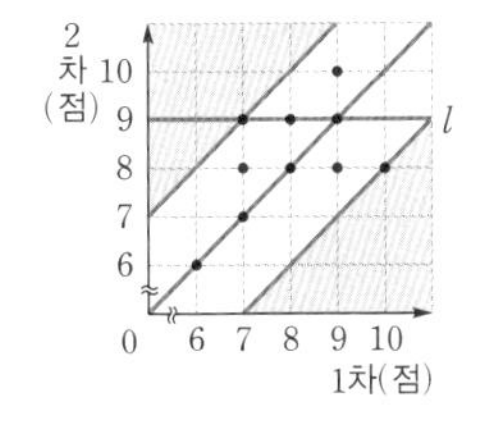

(2) 점수 차가 2점 이상인 선수는 그림에서 색칠한 부분에 있는 점의 개수와 그 경계선 위에 있는 점의 개수의 합과 같으므로 2명이다.

따라서 전체는 10명이므로 $\frac{2}{10}\times100=20\,(\%)$

(3) 2차 점수가 9점인 선수는 3명이고 이 선수들의 1차 점수는 7, 8, 9이므로

$(\text{평균})=\frac{7+8+9}{3}=\frac{24}{3}=8(\text{점})$

02 (1) 수학 점수가 과학 점수보다 좋은 학생 수는 대각선 아래쪽에 있는 점의 개수와 같으므로 8이다.

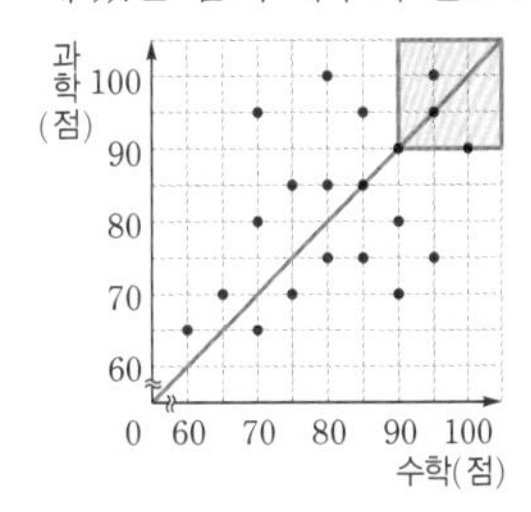

(2) 수학 점수와 과학 점수가 모두 90점 이상인 학생 수는 위의 그림에서 색칠한 부분에 있는 점의 개수와 그 경계선 위에 있는 점의 개수의 합과 같으므로 4이다.

따라서 전체는 20명이므로

$\frac{4}{20}\times100=20\,(\%)$

03 ⑤

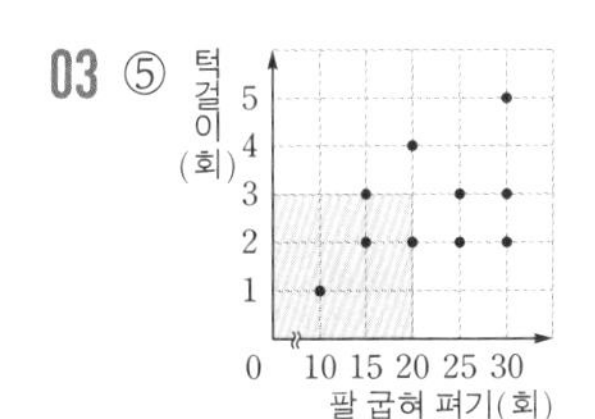

턱걸이 횟수가 3회 미만이고 팔 굽혀 펴기 횟수가 20회 미만인 학생 수는 경계를 제외한 색칠한 부분에 있는 점의 개수와 같으므로 2이다.

$\therefore \frac{2}{10}\times100=20\,(\%)$

27강+ 상관관계 98~99쪽

01 (1) ㄱ, ㅂ (2) ㅁ, ㄴ (3) ㅁ (4) ㄷ, ㄹ

02 (1) ㄱ (2) ㄴ (3) ㄷ (4) ㄴ (5) ㄱ (6) ㄷ

03 (1) ㄱ (2) ㄴ, ㄹ (3) ㄷ, ㅁ

04 (1) × (2) ○ (3) ○ (4) ×

05 ㄷ, ㅁ

06 (1) ○ (2) × (3) × (4) ○ (5) ○

07 (1) ○ (2) × (3) ○ (4) ×

02 ㄱ. 양의 상관관계이다.
ㄴ. 음의 상관관계이다.
ㄷ. 상관관계가 없다.
(1) 키가 클수록 대체로 몸무게도 무거우므로 양의 상관관계가 있다. 따라서 ㄱ이다.
(2) 겨울철 기온이 올라갈수록 난방비는 감소하므로 음의 상관관계가 있다. 따라서 ㄴ이다.
(3) 몸무게와 시력은 상관관계가 없으므로 ㄷ이다.
(4) 물건의 가격이 내려갈수록 대체로 소비량은 증가하므로 음의 상관관계가 있다. 따라서 ㄴ이다.
(5) 통학 거리가 멀수록 대체로 통학 시간이 많이 걸리므로 양의 상관관계가 있다. 따라서 ㄱ이다.
(6) 손가락 길이와 미술 점수는 상관관계가 없으므로 ㄷ이다.

03 ㄱ. 여름철 기온이 높아질수록 전기 소비량이 증가하므로 양의 상관관계가 있다.
ㄴ. 낮의 길이가 길어질수록 밤의 길이가 짧아지므로 음의 상관관계가 있다.
ㄷ. 가방의 무게와 성적은 상관관계가 없다.
ㄹ. 운동량이 증가할수록 비만도가 낮아지므로 음의 상관관계가 있다.
ㅁ. 머리 둘레와 수학 성적은 상관관계가 없다.

04 (1) 키와 발 길이 사이에는 양의 상관관계가 있다.
(4) B는 키에 비해 발이 작다.

05 ㄱ. 시력과 몸무게는 상관관계가 없다.
ㄴ. 산에 높이 올라갈수록 기온은 낮아지므로 음의 상관관계가 있다.
ㄷ. 대체로 미세먼지가 많은 날은 초미세먼지도 많음으로 양의 상관관계가 있다.
ㄹ. 영어 성적과 턱걸이 횟수는 상관관계가 없다.
ㅁ. 여름철 기온이 올라갈수록 아이스크림 판매량은 증가하므로 양의 상관관계가 있다.
따라서 양의 상관관계가 있는 것은 ㄷ, ㅁ이다.

06 (2) 운동량이 가장 많은 학생은 D이다.
(3) A는 B보다 운동량이 적다.

07 (2) B는 수학 성적에 비해 과학 성적이 우수한 편이다.
(4) D는 B에 비해 과학 성적이 낮다.

힘수 만점 100쪽

01 ⑤ 02 ①, ③ 03 ② 04 ①

02 주어진 그림은 양의 상관관계이다.
① 영어 성적이 좋으면 대체로 국어 성적도 좋으므로 양의 상관관계이다.
② 스마트폰 사용 시간이 길면 수면 시간이 짧아지므로 음의 상관관계이다.
③ 자동차가 증가할수록 공기 오염 지수도 높아지므로 양의 상관관계이다.
④ 자동차의 사용 시간이 길수록 자동차의 가격은 내려가므로 음의 상관관계이다.
⑤ 머리둘레와 성적은 상관관계가 없다.

03 지후는 키는 작은데 몸무게는 많이 나가므로 지후의 상태에 대한 설명으로 가장 옳은 것은 ②이다.

04 오른쪽 위로 올라가는 대각선을 그었을 때 가장 멀리 떨어진 점 중에서 위쪽에 위치한 점을 찾으면 A이다.

28강 중단원 연산 마무리 101~103쪽

01 (1) 4.5 (2) 14 02 (1) 2, 5 (2) 80
03 (1) 5회 (2) 4.5회 (3) 8회 04 (1) 10 (2) 10 (3) 10
05 (1) 15 (2) 16 06 (1) 7 (2) 7
07 83점 08 ①
09 (1) 30 (2) -3, 4, 0, -2, 1, 9, 16, 0, 4, 1 (3) 30 (4) 6 (5) $\sqrt{6}$
10 (1) -1 (2) 8 (3) $2\sqrt{2}$점 11 ④, ⑤ 12 3반
13 ④ 14 25 % 15 ㄱ, ㄹ, ㅂ
16 (1) A (2) E (3) B (4) D 17 A 18 3
19 25 20 재호 21 6

01 (1) 자료를 작은 값부터 크기순으로 나열하면
3, 4, 4, 5, 7, 8
자료의 개수가 짝수이므로 중앙값은 한가운데 있는 두 값 4, 5의 평균인 $\frac{4+5}{2}=\frac{9}{2}=4.5$이다.
(2) 자료를 작은 값부터 크기순으로 나열하면
10, 12, 13, 13, 15, 15, 17, 19
자료의 개수가 짝수이므로 중앙값은 한가운데 있는 두 값 13, 15의 평균인 $\frac{13+15}{2}=\frac{28}{2}=14$이다.

02 (1) 자료를 작은 값부터 크기순으로 나열하면

1, 2, 2, 3, 5, 5, 6, 7, 8

이때 가장 많이 나타나는 값, 즉 최빈값은 2, 5이다.

(2) 가장 많이 나타나는 값, 즉 최빈값은 80이다.

03 (1) $(\text{평균})=\dfrac{4+8+1+2+3+8+4+7+8+5}{10}$

$=\dfrac{50}{10}=5(\text{회})$

(2) 자료를 작은 값부터 크기순으로 나열하면

1, 2, 3, 4, 4, 5, 7, 8, 8, 8

자료의 개수가 짝수이므로 중앙값은 한가운데 있는 두 값 4, 5의 평균인 $\dfrac{4+5}{2}=4.5(\text{회})$이다.

(3) (2)에서 가장 많이 나타나는 값, 즉 최빈값은 8회이다.

04 (1) 최빈값이 10이므로 $x=10$

(2) $(\text{평균})=\dfrac{6+12+15+10+10+7}{6}=\dfrac{60}{6}=10$

(3) 자료를 작은 값부터 크기순으로 나열하면

6, 7, 10, 10, 12, 15

자료의 개수가 짝수이므로 중앙값은 한가운데 있는 두 값 10, 10의 평균인 $\dfrac{10+10}{2}=10$이다.

05 (1) $(\text{평균})=\dfrac{17+x+16+18+14}{5}=16$

$65+x=80 \qquad \therefore x=15$

(2) 자료를 작은 값부터 크기순으로 나열하면

14, 15, 16, 17, 18

따라서 중앙값은 16이다.

06 (1) $(\text{평균})=\dfrac{12+7+19+x+5+9+4}{7}=9$

$56+x=63 \qquad \therefore x=7$

(2) 자료를 작은 값부터 크기순으로 나열하면

4, 5, 7, 7, 9, 12, 19

따라서 최빈값은 7이다.

07 소연이의 4회째의 시험 점수를 x점이라고 하면

$\dfrac{77+82+78+x}{4}=80,\ 237+x=320$

$\therefore x=83$

따라서 최소 83점을 받아야 한다.

08 ① 자료를 작은 값부터 크기순으로 나열하면

3, 5, 5, 8, 8, 9

자료의 개수가 짝수이므로 중앙값은 $\dfrac{5+8}{2}=6.5$

② 자료를 작은 값부터 크기순으로 나열하면

3, 4, 4, 5, 7, 9

자료의 개수가 짝수이므로 중앙값은 $\dfrac{4+5}{2}=4.5$

③ 자료를 작은 값부터 크기순으로 나열하면

3, 4, 5, 5, 6, 6

자료의 개수가 짝수이므로 중앙값은 $\dfrac{5+5}{2}=5$

④ 자료를 작은 값부터 크기순으로 나열하면

2, 4, 5, 7, 8, 9

자료의 개수가 짝수이므로 중앙값은 $\dfrac{5+7}{2}=6$

⑤ 자료를 작은 값부터 크기순으로 나열하면

4, 5, 5, 6, 8, 9

자료의 개수가 짝수이므로 중앙값은 $\dfrac{5+6}{2}=5.5$

따라서 중앙값이 가장 큰 것은 ①이다.

09 (1) $(\text{평균})=\dfrac{27+34+30+28+31}{5}=\dfrac{150}{5}=30$

(2)

변량	27	34	30	28	31
편차	-3	4	0	-2	1
$(\text{편차})^2$	9	16	0	4	1

(3) $9+16+0+4+1=30$

(4) $(\text{분산})=\dfrac{30}{5}=6$

(5) $(\text{표준편차})=\sqrt{6}$

10 (1) 편차의 총합은 0이므로

$(-5)+1+a+3+2=0,\ 1+a=0$

$\therefore a=-1$

(2) $(\text{분산})=\dfrac{(-5)^2+1^2+(-1)^2+3^2+2^2}{5}$

$=\dfrac{40}{5}=8$

(3) $(\text{표준편차})=\sqrt{8}=2\sqrt{2}(\text{점})$

11 ① 편차의 총합은 0이므로

$2+0+(-4)+x+1=0,\ -1+x=0$

$\therefore x=1$

② 평균이 80점이므로 $(-4)+80=76(\text{점})$

③ A의 점수는 82점, C의 점수는 76점이므로 점수의 차는 6점이다.

④ 점수가 가장 낮은 사람은 편차가 가장 작은 C이다.

⑤ $(\text{분산})=\dfrac{2^2+0+(-4)^2+1^2+1^2}{5}=\dfrac{22}{5}=4.4$

따라서 옳은 것은 ④, ⑤이다.

12 3반의 표준편차가 가장 작으므로 성적이 가장 고른 반은 3반이다.

13 ① 1차 점수와 2차 점수가 같은 선수는 대각선 위에 있는 점의 개수와 같으므로 3명이다.

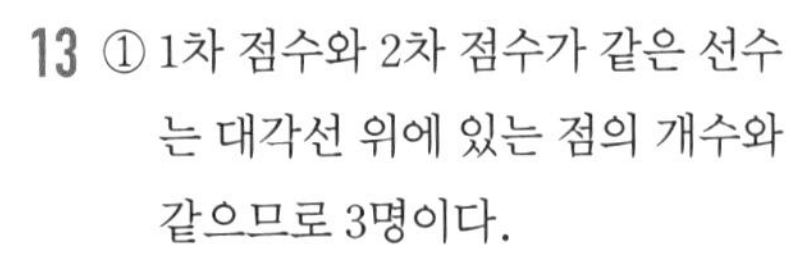

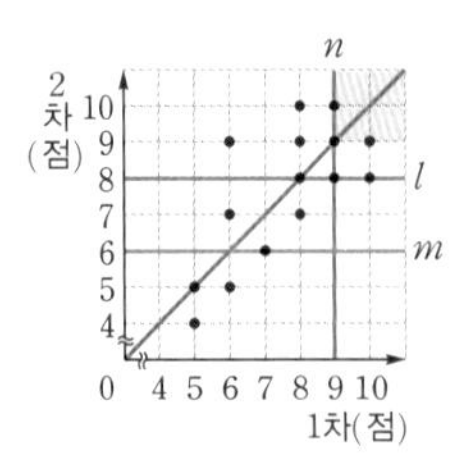

② 1차 점수가 2차 점수보다 높은 선수는 오른쪽 위로 올라가는 대각선 아래쪽에 있는 점의 개수와 같으므로 7명이다.

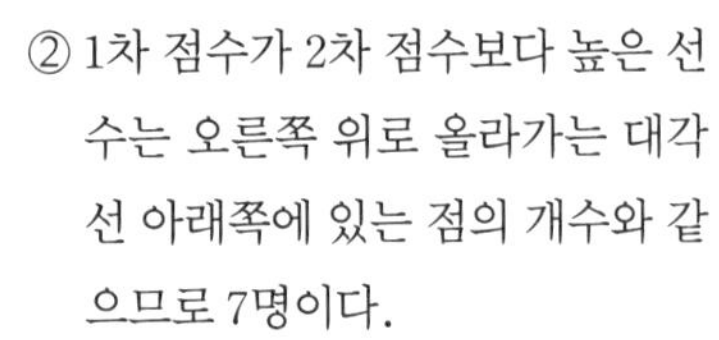

③ 1차 점수가 9점 이상인 선수는 위의 그림에서 직선 n의 오른쪽에 있는 점과 직선 n 위에 있는 점의 개수의 합과 같으므로 5명이다.

④ 1차 점수와 2차 점수가 모두 9점 이상인 선수는 색칠한 부분에 있는 점의 개수와 그 경계선에 있는 점의 개수의 합과 같으므로 3명이다.

⑤ 2차 점수가 6점 이상 8점 이하인 선수는 직선 l과 m 사이에 있는 점과 그 직선 위에 있는 점의 개수의 합과 같으므로 6명이다.

14 중간고사와 기말고사 성적 모두 70점 이하인 학생은 색칠한 부분에 있는 점의 개수와 그 경계선 위에 있는 점의 개수의 합과 같으므로 4명이다.

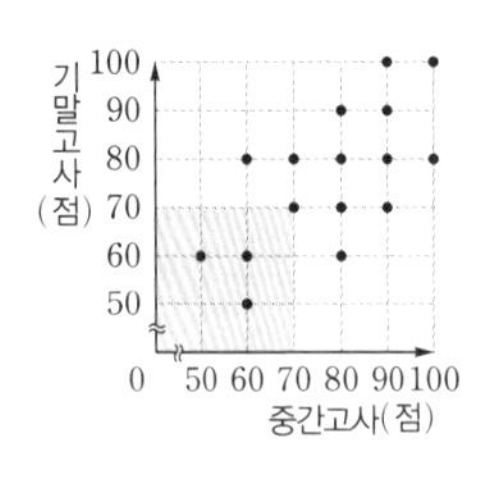

따라서 전체의 $\frac{4}{16} \times 100 = 25(\%)$

15 주어진 산점도는 음의 상관관계이다.

ㄱ. 겨울철 기온이 올라갈수록 난방비는 줄어드므로 음의 상관관계이다.

ㄴ. 지능지수와 식사량은 상관관계가 없다.

ㄷ. 수학 성적이 좋으면 대체로 영어 성적이 좋으므로 양의 상관관계이다.

ㄹ. 도시의 자동차 수가 늘어나면 평균 주행 속도가 줄어드므로 음의 상관관계이다.

ㅁ. 인구수가 많아질수록 쓰레기 배출량이 많아지므로 양의 상관관계이다.

ㅂ. 산에 높이 올라갈수록 온도가 낮아지므로 음의 상관관계이다.

따라서 음의 상관관계인 것인 ㄱ, ㄹ, ㅂ이다.

17 키가 작으면서 몸무게가 가장 많이 나가는 학생은 A이다.

18 $(\text{평균}) = \frac{1+5+3+5+2+5+2+9}{8}$

$= \frac{32}{8} = 4(\text{회})$

$\therefore a=4$

자료를 작은 값부터 크기순으로 나열하면

1, 2, 2, 3, 5, 5, 5, 9

자료의 개수가 짝수이므로 중앙값은 $\frac{3+5}{2} = 4(\text{회})$

$\therefore b=4$

최빈값은 5회이므로 $c=5$

$\therefore a+b-c=4+4-5=3$

19 평균이 5이므로

$\frac{7+6+5+x+y}{5} = 5$, $18+x+y=25$

$\therefore x+y=7$ ...... ㉠

$(\text{분산}) = \frac{(7-5)^2+(6-5)^2+(5-5)^2+(x-5)^2+(y-5)^2}{5}$

$= \frac{4+1+0+x^2-10x+25+y^2-10y+25}{5}$

$= \frac{x^2+y^2-10(x+y)+55}{5} = 2$

$x^2+y^2-10(x+y)+55=10$에 ㉠을 대입하면

$x^2+y^2-10\times 7+55=10$

$\therefore x^2+y^2=25$

20 지민이의 점수의 편차를 구하면 -1, 1, 0, -2, 2이므로 분산은

$\frac{(-1)^2+1^2+0+(-2)^2+2^2}{5} = \frac{10}{5} = 2$

재호의 점수의 편차는 -2, 0, 0, 2, 0이므로 분산은

$\frac{(-2)^2+0+0+2^2+0}{5} = \frac{8}{5}$

따라서 $2 > \frac{8}{5}$에서 재호의 점수의 분산이 더 작으므로 재호의 성적이 더 고르다.

21

1, 2차 모두에서 7점 이하를 받은 학생 수는 색칠한 (가) 부분이 있는 점의 개수와 사각형 위에 있는 점의 개수의 합과 같으므로 $m=3$, 1, 2차 모두에서 9점 이상을 받은 학생 수는 색칠한 (나) 부분에 있는 점의 개수와 사각형 위에 있는 점의 개수의 합과 같으므로

$n=3$

$\therefore m+n=3+3=6$

푸르넷 에듀 E-learning 사이트 학습 System

On-Off 라인 통합학습

On-Off 라인 통합학습 관리 System

푸르넷 에듀 개인별 맞춤학습 + **학생** + **푸르넷 에듀 선생님** 개인별 학습지도 및 관리

- 지도교사가 학습 스케줄 작성, 동영상 학습지도, 학습관리 및 평가를 실시합니다.
- 회원은 푸르넷 에듀 사이트에서 동영상 학습 및 여러 평가 학습을 진행합니다.
- 회원의 학습 과정 및 결과는 회원관리 프로그램을 통해 지도교사가 확인 및 점검합니다.
- 이를 바탕으로 학생 개개인에 맞는 체계적인 수업을 진행합니다.

내신 만점 학습 전략

국어·영어

출판사별 교과서 맞춤 강의 제공
교과서의 핵심 개념 파악 및 학교 시험대비 3단계 학습 전략

- Step1: 교과서 단원별 필수 개념 다지기
- Step2: 교과서 작품 및 지문 완전 분석
- Step3: 단원별 문제풀이 학습

수학·사회·역사·과학

1. **단계별 내신대비 학습:** 주제별/유형별로 기본 개념부터 보충·심화 강의까지 개념별·유형별 연계 학습이 가능

- Step1: 개념 강의 (리더스/진도플러스)
- Step2: 문제풀이 강의 (내신플러스)
- Step3: 단원별 보충·심화 강의

2. **수준별 수학 학습:** 개인별 학습 능력 수준에 맞는 학습

- Step1: **입문** 쉽고 재미있는 입문 개념 학습
- Step2: **기본** 기본 개념의 핵심 개념 학습
- Step3: **심화** 고난도 문제 유형 학습
- Step4: **유형** 핵심 유형별 문제 트레이닝 학습

힘이 붙는 수학 연산 중등 3-2

정답과 해설

힘이 붙는 수학 연산